Biała Masajka

Corinne Hofmann

Biała Masajka

Z niemieckiego przełożył
Dariusz Muszer

Świat Książki

Tytuł oryginału
DIE WEISSE MASSAI

Projekt okładki
Małgorzata Karkowska

Redaktor prowadzący
Tomasz Jendryczko

Redakcja
Jacek Ring

Redakcja techniczna
Lidia Lamparska

Korekta
Dorota Wojciechowska
Jadwiga Kosmulska

Copyright © A1 Verlags GmbH München
Copyright © for the Polish translation by Dariusz Muszer, 2002

Świat Książki
Warszawa 2006

Bertelsmann Media Sp. z o.o.
ul. Rosoła 10
02-786 Warszawa

Skład i łamanie
Plus 2

Druk i oprawa
Białostockie Zakłady Graficzne S.A

ISBN 978-83-247-0444-6
ISBN 83-247-0444-2
Nr 5731

Dla Napirai

Dziękuję wszystkim moim przyjaciółkom, które wspierały mnie podczas pisania, a przede wszystkim: Hannie Stark, która mnie namówiła, abym w ogóle napisała tę książkę, i Annelise Dubacher, która mozolnie przepisała mój tekst do komputera.

PRZYLOT DO KENII

Wspaniałe powietrze tropikalne wita nas, gdy docieramy na lotnisko w Mombasie, i natychmiast mam wrażenie, że to jest moja kraina, że tutaj będę się dobrze czuła. Wygląda jednak na to, że tylko na mnie działa otaczająca nas aura, gdyż mój przyjaciel Marco zauważa sucho: „Tu śmierdzi". Po odprawie celnej udajemy się safari-mikrobusem do hotelu. Po drodze musimy przepłynąć promem przez cieśninę, która dzieli wybrzeże południowe od Mombasy. Jest gorąco, siedzimy w mikrobusie i podziwiamy okolicę. W tym momencie jeszcze nie wiem, że trzy dni później ten właśnie prom całkowicie odmieni moje życie, ba, zupełnie postawi je na głowie!

Po drugiej stronie rzeki jakąś godzinę jedziemy szosą przez małe osady. Większość kobiet stojących przed prostymi chatami wygląda na muzułmanki, gdyż otulają je czarne chusty. W końcu docieramy do Africa-Sea-Lodge. Jest to nowoczesny kompleks hotelowy, zbudowany jednakże w afrykańskim stylu. Wprowadzamy się do niewielkiego, okrągłego domku, urządzonego miło i przytulnie. Pierwsza wizyta na plaży potwierdza przejmujące uczucie: ten kraj jest najpiękniejszy ze wszystkich, jakie dotychczas widziałam, jakże chętnie bym tutaj została.

Po dwóch dniach już całkiem nieźle się zaaklimatyzowaliśmy i jedziemy na własną rękę autobusem do Mombasy. Przeprawiamy się promem Likoni na drugą stronę, aby zwiedzić miasto. Obok nas

7

przechodzi dyskretnie jakiś rastafarianin i słyszę: „Haszysz, marihuana". Marco kiwa głową. *Yes, yes, where we can make a deal?* – pyta. Po krótkiej rozmowie okazuje się, że mamy iść za handlarzem. „Daj spokój, Marco, to zbyt niebezpieczne"! – mówię, ale on nie zwraca na mnie uwagi. Gdy docieramy do zapuszczonej i wyludnionej okolicy, chcę zakończyć całe to przedsięwzięcie, ale mężczyzna oznajmia nam, że mamy tu na niego czekać, a następnie znika. Czuję się bardzo nieswojo. W końcu również Marco przyznaje, że chyba powinniśmy jednak iść. Wynosimy się w samą porę, jeszcze zanim rastafarianin zjawia się w towarzystwie policji. Jestem wściekła i pytam ze złością: „Czy widzisz teraz, co się mogło stać"!?

Tymczasem robi się późne popołudnie i musimy już wracać do hotelu. Tylko w którą to stronę? Nie mam pojęcia, skąd odchodzi prom, a i Marco nie wie. I tak oto dochodzi do pierwszej poważnej kłótni. Dopiero po długich poszukiwaniach docieramy do celu. Widać prom. Setki ludzi z pełnymi kartonami, wózkami i kurami stoi pomiędzy czekającymi samochodami. Każdy chce się dostać na dwupiętrowy prom.

Wreszcie znajdujemy się na pokładzie i wydarza się coś niepojętego.. „Corinne, popatrz no tam! To jest Masaj!" – mówi Marco. „Gdzie?"– pytam i patrzę we wskazaną stronę. Stoję, jak rażona piorunem. Na balustradzie promu siedzi niedbale wysoki, brązowy, niezwykle piękny egzotyczny mężczyzna i swymi ciemnymi oczami wpatruje się w nas, jedynych białych w tym całym tłumie. Mój Boże, myślę, jakiż on piękny, kogoś takiego jeszcze w życiu nie widziałam.

Okrywa go tylko krótka, czerwona chusta na biodrach, za to ozdób ma całe mnóstwo. Na czole duży, przymocowany do sznura kolorowych paciorków guzik z masy perłowej, połyskujący jasno. Długie, czerwone włosy zaplecione ma w cienkie warkoczyki, a jego twarz pomalowana jest w znaki sięgające aż do piersi. Na niej krzyżują się dwa długie naszyjniki z kolorowych pereł, a nadgarstki oplata całe mnóstwo bransolet. Twarz ma tak regularne i piękne rysy, że można by pomyśleć, iż to twarz kobiety. Jednakże postawa, dumne spojrzenie i żylasta muskulatura zdradzają, że jest mężczyzną. Nie potrafię odwrócić wzroku. Siedząc tak w zachodzącym słońcu, wygląda jak młody bóg.

Jeszcze pięć minut i nigdy więcej nie zobaczysz już tego człowieka, myślę przygnębiona, ponieważ prom przybije do brzegu i wszyscy pobiegną na oślep, rozproszą się po autobusach i rozjadą we wszystkie cztery strony świata. Ciężko mi na sercu i zaczyna brakować mi powietrza. Obok mnie Marco kończy właśnie zdanie: „...przed tymi Masajami musimy się mieć na baczności, oni ograbiają turystów". Chwilowo jest mi to jednak całkowicie obojętne. Gorączkowo zastanawiam się, w jaki sposób mogłabym nawiązać kontakt z tym pięknym mężczyzną. Angielskiego nie znam, a nic mi przecież nie da samo wpatrywanie się w niego.

Klapa rozładunkowa zostaje opuszczona i wszyscy tłoczą się między autami odjeżdżającymi w kierunku lądu. Widzę tylko jeszcze błyszczące plecy Masaja, który znika zwinnie między innymi ludźmi, ociężale niosącymi swoje rzeczy. Koniec, kropka, myślę i o mało nie wybucham płaczem. Nie wiem, dlaczego mnie to tak wzięło.

Na nowo czujemy stały ląd pod stopami i przepychamy się w kierunku autobusów. Tymczasem już się ściemniło, w Kenii mrok zapada w ciągu pół godziny. W krótkim czasie autobusy zapełniają się ludźmi i bagażem. Stoimy bezradnie. Wprawdzie znamy nazwę naszego hotelu, ale nie wiemy, na której plaży się znajduje. Zniecierpliwiona trącam Marco. „Zapytaj kogoś!". On uważa, że sama mam to zrobić. Nigdy przedtem nie byłam w Kenii i nie mówię po angielsku. Poza tym to był przecież jego pomysł, aby wybrać się do Mombasy! Jest mi smutno i wciąż myślę o Masaju.

Stoimy w całkowitych ciemnościach i sprzeczamy się. Wszystkie autobusy już odjechały, gdy słyszę, jak nagle ktoś za nami mówi niskim głosem: *Hello!* Odwracamy się równocześnie i o mało nie przestaje mi bić serce. „Mój" Masaj! Jest o głowę wyższy ode mnie, a sama mam przecież metr osiemdziesiąt wzrostu. Przygląda się nam i mówi do nas w języku, którego oboje nie rozumiemy. Czuję, że zaraz serce wyskoczy mi z piersi, drżą mi kolana. Jestem całkowicie zmieszana. Tymczasem Marco próbuje wytłumaczyć, dokąd chcemy pojechać. *No problem* – odpowiada Masaj, mamy poczekać. Mija jakieś pół godziny, w ciągu której bez przerwy wpatruję się w tego pięknego człowieka jak w obrazek. On prawie wcale nie zwraca na mnie uwagi. Z kolei Marco jest mocno poirytowany. „Co się właściwie z tobą dzieje? – pyta. – Patrzysz na tego faceta, jakbyś go chciała zjeść; muszę się za ciebie wstydzić. Opanuj się, nie poznaję cię!". Masaj stoi tuż obok nas i nie mówi ani słowa. Widzę zarys jego długiego ciała i czuję zapach, który działa na mnie erotycznie.

Na obrzeżach dworca autobusowego znajdują się małe sklepy, wyglądające raczej jak baraki, i wszystkie proponują to samo: herbatę, słodycze, warzywa, owoce i mięso, które wisi na hakach. Przed tymi budami, słabo oświetlonymi lampami naftowymi, stoją ludzie w obszarpanych ubraniach. Jako biali bardzo rzucamy się tutaj w oczy. „Chodź, wracamy do Mombasy i poszukamy jakiejś taksówki. Ten Masaj przecież nie rozumie, czego chcemy, i ja mu nie ufam. A w dodatku uważam, że jesteś nim zauroczona" – mówi Marco. Dla mnie to jedynie zrządzenie losu, że ze wszystkich tych czarnych właśnie on podszedł do nas.

Gdy chwilę potem zatrzymuje się przed nami autobus, Masaj mówi: *Come, come!*, wskakuje do środka i rezerwuje dla nas dwa miejsca. Zamierza wysiąść, czy pojedzie z nami, pytam się. Ku mojemu zadowoleniu siada tuż za Markiem po drugiej stronie przejścia. Autobus jedzie szosą, którą spowijają całkowite ciemności. Od czasu do czasu między palmami i krzakami widać ognisko, dowód na obecność ludzi. Noc przeinacza wszystko, całkowicie straciliśmy orientację. Markowi droga wydaje się o wiele za długa, tak że kilka razy próbuje wysiąść. Tylko dzięki moim namowom i po kilku słowach Masaja uznaje, że musimy zaufać temu obcemu. Sama nie odczuwam strachu, wprost przeciwnie, chciałabym tak jechać wiecznie. Obecność przyjaciela zaczyna mi przeszkadzać. Wszystko widzi w czarnych barwach, a ponadto zasłania mi widok! Uporczywie zastanawiam się: Co będzie, gdy dotrzemy już do hotelu?

Po godzinie nadchodzi chwila, której się tak obawiałam. Autobus zatrzymuje się i Marco wysiada, uprzednio podziękowawszy. Spoglądam jeszcze raz na Masaja i nie będąc w stanie wydusić z siebie słowa, wypadam z autobusu. On jedzie dalej, dokądkolwiek, być może nawet do Tanzanii. W tym momencie tracę radosny wakacyjny nastrój.

Dużo myślę o sobie, o Marcu i o moim sklepie. Prawie od pięciu lat prowadzę w Bielu butik z używanymi rzeczami, w którym znajduje się również dział sukien ślubnych. Początkowo nie było mi łatwo, ale teraz interes kwitnie; zatrudniam obecnie trzy szwaczki. W wieku dwudziestu siedmiu lat udało mi się osiągnąć całkiem niezły standard życiowy.

Marca poznałam podczas urządzania butiku, wykonał dla mnie roboty stolarskie. Był uprzejmy i wesoły, i jako że w Bielu byłam całkiem nowa i nikogo nie znałam, przyjęłam pewnego dnia jego zaproszenie do restauracji. Powoli nasza przyjaźń rozwinęła się i pół roku później zamieszkaliśmy razem. Uchodzimy w Bielu za wymarzoną parę, mamy wielu przyjaciół i wszyscy czekają na nasz ślub. Jednakże ja, kobieta interesu, całkowicie poświęcam się pracy i szukam właśnie w Bernie miejsca na drugi sklep. Nie mam czasu myśleć o weselu czy dzieciach. Marco nie jest specjalnie zachwycony moimi planami, z pewnością również dlatego, że już teraz zarabiam znacznie więcej niż on. Sytuacja ta go dręczy, co i w ostatnim czasie prowadziło do wielu sprzeczek.

A teraz jeszcze to całkiem nowe dla mnie doświadczenie! Próbuję zrozumieć, co się właściwie ze mną dzieje. Moje uczucia do Marca całkowicie osłabły; łapię się na tym, że prawie go nie zauważam. To ten Masaj całkowicie mnie zaprząta. Nie mogę jeść. W hotelu podają nam doskonałe jedzenie, ale nie potrafię niczego przełknąć. Zupełnie jakby wnętrzności zawiązały mi się w supeł. Całymi dniami spoglądam w kierunku plaży albo spaceruję po niej w nadziei, że go zobaczę. Niekiedy widzę Masajów, lecz wszyscy są mniejsi i nie tak piękni jak on. Marco pozwala mi na to, zresztą, cóż innego mu pozostaje. Cieszy się na powrót do domu, gdyż jest święcie przekonany, że tam wszystko wróci do normy. Ale ten kraj wywrócił moje życie do góry nogami i nic już nie będzie takie jak wcześniej.

Marco postanawia wziąć udział w wycieczce do Masai-Mara. Ten pomysł wcale nie przypada mi do gustu, gdyż w tych warunkach nie mam szansy odnaleźć Masaja. Ale zgadzam się na dwudniową wyprawę.

Safari jest męczące, gdyż udajemy się autobusami daleko w głąb kraju. Jedziemy od kilku godzin, a Marco niecierpliwi się. „Tyle fatygi z powodu tych kilku słoni i lwów. Można je przecież zobaczyć u nas w zoo". Mnie jednak podoba się jazda. Wkrótce docieramy do pierwszych wiosek masajskich. Autobus zatrzymuje się i kierowca pyta, czy mielibyśmy ochotę obejrzeć chaty i ich mieszkańców. „No pewnie" – mówię, a pozostali uczestnicy safari mierzą mnie krytycznym wzrokiem. Kierowca targuje się o cenę. W białych tenisówkach brodzimy w gliniastym błocie, stale uważając, aby przypadkiem nie wdepnąć w krowie placki, których pełno wkoło. Ledwo dochodzimy do *manyatt*, miejscowych chat, kiedy rzucają się na nas kobiety z mrowiem dzieci, ciągną nas za ubrania i chcą wszystko, co na sobie mamy, wymienić na dzidy, tkaniny i ozdoby.

Tymczasem do chat wciągnięto mężczyzn. Nie mogę się przemóc, aby zrobić choć jeszcze jeden krok w tym błocie. Wyrywam się bezczelnym kobietom i ścigana przez setki much rzucam się w kierunku autobusu. Także inni pasażerowie wracają pospiesznie i wołają: „Odjazd!". Szofer uśmiecha się i mówi: „Teraz z pewnością poznaliście to plemię, tych ostatnich niecywilizowanych ludzi w Kenii, z którymi nawet rząd ma problemy".

W autobusie przeraźliwie śmierdzi, a muchy są istną plagą. Marco śmieje się: „No, teraz przynajmniej wiesz, skąd ten twój pięknis pochodzi, i jak to u nich wygląda". Zadziwiające, ale podczas tego całego zamieszania wcale nie myślałam o moim Masaju.

W milczeniu jedziemy dalej, mijając wielkie stada słoni. Po południu docieramy do hotelu dla turystów. Jakie to niesamowite, żeby na tej półpustyni nocować w luksusowym hotelu! Najpierw rozlokowujemy się w pokojach i idziemy pod prysznic. Twarz, włosy, wszystko się lepi. Następnie dostajemy obfitą kolację i nawet ja, prawie po pięciu dniach głodówki, odczuwam coś w rodzaju apetytu. Następnego ranka wstajemy bardzo wcześnie, gdyż chcemy zobaczyć lwy. I rzeczywiście znajdujemy trzy jeszcze śpiące zwierzęta. Potem ruszamy w długą drogę powrotną. Im bliżej jesteśmy Mombasy, tym bardziej czuję, jak przepełnia mnie przedziwne uczucie szczęścia. Będziemy tu jeszcze tydzień, a ja muszę odnaleźć swojego Masaja. Tak postanawiam.

Wieczorem odbywa się w hotelu pokaz tańców masajskich połączony ze sprzedażą ozdób, mam nadzieję, że tutaj go zobaczę. Siedzimy w pierwszym rzędzie i wchodzą wojownicy, około dwudziestu mężczyzn, małych, dużych, przystojnych, szkaradnych – ale mojego Masaja nie ma wśród nich. Jestem zawiedziona. Mimo to podoba mi się przedstawienie i ponownie czuję ich charakterystyczny zapach, który tak bardzo różni się od woni innych Afrykanów.

W pobliżu hotelu ma znajdować się gdzieś Bush-Baby-Disco, dancing na wolnym powietrzu, na który wolno przychodzić również krajowcom. „Marco, chodź poszukamy tego lokalu" – mówię. Nie bardzo pali się do tego, jako że kierownictwo hotelu uprzedziło wszystkich przed grożącymi niebezpieczeństwami, ale ja stawiam na swoim. Po krótkiej wędrówce wzdłuż ciemnej ulicy spostrzegamy światło i słyszymy pierwsze tony muzyki rockowej. Wchodzimy do środka i od razu mi się tam podoba. Nie jest to, na szczęście, znowu jedna z tych nagich, klimatyzowanych dyskotek hotelowych, tylko miejsce do tańczenia pod gołym niebem z kilkoma barami pomiędzy palmami. Przy kontuarach wszędzie siedzą turyści wspólnie z krajowcami. Atmosfera jest luźna. Siadamy przy stoliku. Marco zamawia piwo, ja colę. Potem bawię się sama, gdyż Marco nie przepada za tańczeniem. Około północy pojawia się w dyskotece kilku Masajów. Dokładnie im się przyglądam, ale rozpoznaję tylko kilku z tych, którzy występowali w hotelu. Zawiedziona wracam do stolika. Postanawiam spędzić wszystkie pozostałe wieczory w tej dyskotece, gdyż wydaje mi się, że jest to jedyny sposób na odnalezienie mego Masaja. Marco wprawdzie protestuje, lecz siedzieć samemu w hotelu też mu się nie uśmiecha. I tak to każdego wieczoru udajemy się po kolacji do Bush-Baby-Disco.

Po drugim takim wieczorze, a mamy właśnie dwudziestego pierwszego grudnia, mój przyjaciel ma dość naszych wypraw. Przyrzekam mu, że dziś jesteśmy tu już naprawdę po raz ostatni. Jak zawsze siedzimy przy naszym ulubionym stoliku pod palmą. Decyduję się na samotny taniec pośród tańczących czarnych i białych. On musi przecież w końcu przyjść!

Krótko po jedenastej, gdy cała jestem już skąpana w pocie, otwierają się nagle drzwi. Mój Masaj! Zostawia swą drewnianą pałkę u bramkarza, idzie powoli do stolika i siada przy nim odwrócony do mnie plecami. Kolana mi drżą, ledwo mogę ustać. Teraz dopiero naprawdę pocę się jak mysz. Przywieram do kolumny stojącej na brzegu miejsca do tańczenia, inaczej bym się przewróciła.

Gorączkowo zastanawiam się, co mam teraz zrobić. Tyle dni czekałam na ten moment. Najspokojniej, jak to tylko możliwe, zmierzam do naszego stolika i mówię do Marca: „Popatrz, tam jest ten Masaj, co nam pomógł. Proszę, sprowadź go do naszego stolika i postaw mu piwo w ramach podziękowania". Marco obraca się i w tym samym momencie Masaj zauważa nas. Macha ręką, wstaje i podchodzi do nas. *Hello, friends!* I już śmiejąc się, wyciąga rękę. Czuję jej chłód i sprężystość.

Siada naprzeciwko mnie, obok Marca. Dlaczego nie znam angielskiego! Marco próbuje rozmawiać i okazuje się, że angielski Masaja również pozostawia wiele do życzenia. Usiłujemy się porozumieć za pomocą gestów i mimiki. Masaj spogląda najpierw na Marca, potem na mnie i pyta, pokazując na mnie: *Your wife?* Na Marco: *Yes, yes,* reaguję oburzona: *No, only boy-friend, no married!* Masaj nie rozumie. Pyta o dzieci. Ponownie mówię: *No, no! No married!* – Niezamężna! Nie byliśmy jeszcze tak blisko siebie. Dzieli nas tylko blat stołu, mogę napatrzeć się na Masaja do woli. Jest fascynująco piękny z tymi swoimi ozdobami, długimi włosami i dumnym spojrzeniem! Jeśli chodzi o mnie, czas mógłby się w tym momencie zatrzymać na zawsze. Masaj pyta Marca: „Czemu nie tańczysz ze swoją żoną?". Gdy Marco, zwrócony do Masaja, odpowiada, że woli pić piwo, korzystam z okazji i daję mu do zrozumienia, że chciałabym z nim zatańczyć. On patrzy na Marca i zgadza się, gdy nie widzi z jego strony żadnej reakcji.

Tańczymy, on raczej podskakuje, jak przy tańcu ludowym, ja po europejsku. Żaden mięsień nie drga na jego twarzy. Nie wiem, czy mu się w ogóle podobam. Ten mężczyzna, tak mi przecież obcy, przyciąga mnie jak magnes. Po dwóch szybszych kawałkach puszczają wolniejszą muzykę; najchętniej przytuliłabym się do niego. Biorę się jednak w karby i schodzę ze sceny, inaczej mogłabym zupełnie przestać nad sobą panować.

Przy stole Marco szybko reaguje: „Corinne, chodź, wracamy do hotelu, jestem zmęczony". Nie zgadzam się. Masaj na nowo gestykuluje z Marco. Chce nas zaprosić na jutro do swojego domostwa i przedstawić nam pewną znajomą. Zanim Marco zdążył zaprotestować, szybko wyrażam zgodę. Umawiamy się przed hotelem.

W nocy leżę bezsennie w łóżku, a koło świtu staje się dla mnie jasne, że mój czas z Markiem właśnie dobiegł końca. On pytająco wpatruje się we mnie i nagle wyrywa mi się: „Marco, ja już tak dalej nie mogę. Nie wiem, co mnie tak wzięło w tym zupełnie obcym mężczyźnie. Wiem jednak, że uczucie to jest silniejsze niż rozsądek". Marco pociesza mnie i uważa dobrodusznie, że gdy znajdziemy się z powrotem w Szwajcarii, wszystko na pewno się jakoś ułoży. „Ja wcale nie chcę wracać. Chcę pozostać tutaj, w tym pięknym kraju, wśród tych miłych ludzi, a przede wszystkim przy tym fascynującym Masaju" – odpowiadam żałośnie. Naturalnie Marco nie potrafi mnie zrozumieć.

14

Następnego dnia zgodnie z umową stoimy w koszmarnym upale przed hotelem. Masaj pojawia się nagle po drugiej stronie ulicy i przechodzi przez nią. Po krótkim powitaniu mówi: *Come, come!* – a my podążamy za nim. Jakieś dwadzieścia minut idziemy przez las i zarośla. Tu i ówdzie skaczą przed nami małpy, niektóre tylko o połowę mniejsze od nas. I znowu podziwiam chód Masaja. Idzie, jakby nie dotykał ziemi, jakby unosił się w powietrzu, a przecież jego stopy tkwią w ciężkich sandałach wyciętych z opony samochodowej. W porównaniu z nim Marco i ja tupiemy niczym prawdziwe słonie.

Potem pojawia się pięć okrągłych domków zgromadzonych w kole, podobnie jak w hotelu, tylko o wiele mniejszych, i zamiast betonu użyto do ich budowy kamieni polnych, które oblepiono czerwoną gliną. Dachy są ze słomy. Przed jednym z domków stoi przysadzista kobieta z obfitym biustem. Masaj przedstawia nam ją jako Priscillę, swoją znajomą, i dopiero teraz dowiadujemy się, jakie jest jego imię: Lketinga.

Priscilla pozdrawia nas przyjaźnie i ku naszemu zdziwieniu mówi dobrze po angielsku. *You like tea?* – pyta. Z podziękowaniem przyjmuję jej zaproszenie na herbatę. Marco uważa, że jest za gorąco, z chęcią napiłby się piwa. W tych warunkach może sobie jednak tylko o tym pomarzyć. Priscilla wyciąga niewielki kocher, stawia go przed naszymi stopami i czekamy, aż zagotuje się woda. Opowiadamy o Szwajcarii, o naszej pracy i pytamy, jak długo już tutaj mieszkają. Priscilla żyje od dziesięciu lat na wybrzeżu. Z kolei Lketinga jest tutaj od niedawna, przybył dopiero miesiąc temu i dlatego mówi tak słabo po angielsku.

Robimy zdjęcia, i za każdym razem, gdy znajdę się w pobliżu Lketingi, czuję fizyczny pociąg. Muszę się hamować, żeby go nie dotknąć. Pijemy herbatę, która smakuje wspaniale, ale jest diabelnie gorąca. Emaliowane kubki niemal parzą nam palce. Raptownie zaczyna się ściemniać i Marco mówi: „Chodź już, musimy się zbierać". Żegnamy się z Priscillą i wymieniamy adresy, obiecując, że będziemy do siebie pisać. Z ciężkim sercem kłusuję za Markiem i Lketingą. Przed hotelem Lketinga pyta: *Tomorrow Christmas, you come again to Bush-Baby?* Patrzę na niego promiennym wzrokiem i zanim Marco jest w stanie odpowiedzieć, mówię: *Yes!*

Zostały nam jeszcze trzy dni. Postanowiłam oznajmić mojemu Masajowi, że po urlopie opuszczam Marca. W porównaniu z tym, co teraz czuję do Lketingi, wszystko, co było wcześniej, wydaje mi się śmieszne. Chcę mu to w jakiś sposób wytłumaczyć, a także powiedzieć, że wkrótce wrócę tutaj sama. Tylko raz zastanawiam się przez krótką chwilę nad tym, co on czuje do mnie, ale z miejsca udzielam sama sobie odpowiedzi. Oczywiście, że musi czuć to samo co ja! Dzisiaj jest Boże Narodzenie. Przy czterdziestu stopniach w cieniu nie odczuwa się jednak tutaj żadnego świątecznego nastroju. Wieczorem robię się na bóstwo i wkładam najlepszą sukienkę, jaką zabrałam na urlop. Aby uczcić święta, zamawiamy do stolika szampana, który jest drogi, w dodatku kiepski i ciepły. O dziesiątej nie ma jeszcze śladu Lketingi i jego przyjaciół. Co będzie, jeśli właśnie dzisiaj nie przyjdzie? Przecież jeszcze tylko jutro zostajemy tutaj; pojutrze, wczesnym świtem, ruszamy na lotnisko. Niecierpliwie wpatruję się w drzwi i mam wielką nadzieję, że przyjdzie.

Wtem pojawia się jakiś Masaj. Rozgląda się wokoło i niepewnie podchodzi do nas. *Hello!* – pozdrawia nas i pyta, czy jesteśmy tymi białymi, co są umówieni z Lketingą. W gardle czuję kluski i leje się ze mnie pot, gdy przytakujemy. Informuje nas, że Lketinga był po południu na plaży, czego normalnie nie wolno tubylcom. Tam inni czarni naśmiewali się z niego z powodu jego włosów i ubrania. Jako dumny wojownik, nie dał sobie w kaszę dmuchać i pobił przeciwników swą *rungu*, pałką z twardego drewna. Policja plażowa zabrała go od razu ze sobą, gdyż nie mogli zrozumieć jego języka. Teraz siedzi w jednym z więzień, gdzieś między południowym a północnym wybrzeżem. On przyszedł tutaj, żeby nam o tym powiedzieć i życzyć nam w imieniu Lketingi szczęśliwej podróży.

Marco tłumaczy i gdy dociera do mnie, co się stało, wali się na mnie cały świat. Z największym trudem powstrzymuję się od łez. Zaklinam Marca: „Zapytaj, co możemy zrobić, przecież będziemy tutaj jeszcze tylko jutro!". „Tak to już jest, nic nie można zrobić. I będę szczęśliwy, gdy w końcu znajdziemy się w domu" – odpowiada chłodno. „Edy – tak nazywa się ów Masaj – moglibyśmy go poszukać?" – nie daję za wygraną. Pewnie, Edy zbiera dziś wieczór pieniądze wśród innych Masajów, a jutro o dziesiątej rusza w drogę i spróbuje odnaleźć Lketingę. Nie będzie to wcale łatwe, gdyż nikt nie wie, do którego z pięciu więzień go zabrano.

Proszę Marca, abyśmy poszli z nim, w końcu Lketinga też nam pomógł. Po długim omawianiu wszystkich za i przeciw Marco zgadza się, tak więc umawiamy się z Edym o dziesiątej przed hotelem. Przez całą noc nie mogę zmrużyć oka. Ciągle jeszcze nie wiem, co się właściwie ze mną dzieje. Wiem tylko, że chcę zobaczyć Lketingę, ba!, muszę go zobaczyć, zanim polecę z powrotem do Szwajcarii.

POSZUKIWANIA

Marco zmienił decyzję i zostaje w hotelu. Próbuje jeszcze odwieść mnie od moich zamiarów, lecz coś silnie nakazuje mi iść i wszelkie dobre rady do mnie nie przemawiają. Zostawiam go samego i przyrzekam być z powrotem koło drugiej. Jedziemy z Edym *matatu* w kierunku Mombasy. Z tego rodzaju taksówki korzystam po raz pierwszy. Jest to mikrobus, który ma jakieś osiem miejsc siedzących. Gdy zatrzymuje się przed nami, siedzi w nim już trzynastu ludzi z bagażami. Konduktor wisi na zewnątrz pojazdu. Bezradnie spoglądam w kłębowisko. *Go, go in!* – mówi Edy, a ja przedzieram się przez torby i nogi i cała zgięta trzymam się mocno, aby na zakrętach nie upaść na innych.

Dzięki Bogu, wysiadamy już po jakichś piętnastu kilometrach. Jesteśmy w Ukundzie, pierwszej większej wiosce, gdzie znajduje się więzienie. Wspólnie zmierzamy do środka. Jeszcze zanim przekraczam próg, zatrzymuje nas masywny typ o wyglądzie byka. Pytająco spoglądam na Edy'ego. Edy prowadzi rokowania i po kilku minutach, gdy nakazano mi nie ruszać się z miejsca, ten typ otwiera w końcu drzwi za sobą. Jako że w środku jest ciemno, a ja stoję na zewnątrz w słońcu, niewiele mogę zobaczyć. W dodatku uderza mnie w nos tak przeraźliwy smród, że zbiera mi się na wymioty. Grubas krzyczy coś w ciemną dziurę i po kilku sekundach pojawia się jakiś nędznie wyglądający człowiek. Wygląda na Masaja, ale nie ma na sobie ozdób. Przerażona kręcę głową i pytam Edy'ego: „Tylko ten jeden Masaj jest tutaj?". Wygląda na to, że tak, i więzień zostaje wepchnięty z powrotem do pozostałych, którzy przykucnęli na podłodze. Odchodzimy. „Chodź, znowu weźmiemy *matatu*, jest szybsza od dużych autobusów, i będziemy dalej szukać w Mombasie" – mówi Edy.

Ponownie przeprawiamy się na drugi brzeg promem Likoni, a następnie jedziemy autobusem na koniec plaży do tamtejszego więzienia. Jest znacznie większe od poprzedniego. Także tutaj patrzą na mnie z niechęcią, gdyż jestem biała. Mężczyzna za barierką udaje, że nas w ogóle nie zauważa. Znudzony czyta gazetę, a my stoimy bezradnie. Szturcham Edy'ego. „No, zapytaj!". Nic się nie wydarza, aż w końcu Edy wyjaśnia mi, że powinnam niepostrzeżenie położyć temu facetowi nieco kenijskich szylingów. Ale ile? Jeszcze nigdy w życiu nie musiałam nikogo przekupywać. Tak więc kładę sto szylingów, co mniej więcej odpowiada dziesięciu frankom szwajcarskim. Niedbałym ruchem zgarnia pieniądze i wreszcie spogląda na nas. Nie, w ostatnim czasie nie dostarczono tu żadnego Masaja o imieniu Lketinga. Siedzi tutaj dwóch Masajów, ale są o wiele, wiele niżsi od opisanego. Mimo to chcę ich zobaczyć, gdyż strażnik może się przecież mylić, a pieniądze i tak już wziął. Rzucając mi groźne spojrzenie, podnosi się i otwiera drzwi.

To, co widzę, szokuje mnie. W pomieszczeniu bez okien siedzą stłoczeni ludzie, jedni na kartonach, inni na gazetach, jeszcze inni wprost na betonie. Oślepieni promieniami słońca, zasłaniają oczy rękami. Tylko niewielkie przejście między siedzącymi jest wolne. W chwilę potem przekonuję się dlaczego, gdyż nadchodzi jakiś człowiek z kublem „jedzenia" i wyrzuca je prosto na betonowy korytarz. To niepojęte, tak nawet nie karmi się świń! Gdy wypowiadam słowo „Masajowie", na zewnątrz wychodzą dwaj mężczyźni, lecz żaden z nich nie jest Lketingą. Czuję się zniechęcona. Czego właściwie mogę się spodziewać, gdy go odnajdę?

Jedziemy do centrum, bierzemy inną *matatu* i jakąś godzinę telepiemy się w kierunku wybrzeża północnego. Edy uspokaja mnie i uważa, że tam na pewno znajdziemy Lketingę. Ale nie udaje nam się nawet wejść do środka. Uzbrojony policjant pyta nas, czego chcemy. Edy tłumaczy, o co nam chodzi, policjant kręci głową i twierdzi, że od dwóch dni nie dostali nikogo nowego. Opuszczamy to miejsce i ogarnia mnie całkowita bezradność.

Edy mówi, że jest już późno; jeśli mam być z powrotem na drugą, to musimy się pospieszyć. Nie chcę jednak wracać do hotelu. Jeszcze tylko dziś mam czas, aby odnaleźć Lketingę. Edy proponuje, abyśmy ponownie spróbowali zapytać w pierwszym więzieniu, gdyż aresztowani często są przerzucani z miejsca na miejsce. Tak więc w skwarze jedziemy z powrotem do Mombasy.

Kiedy nasz prom mija się z promem nadpływającym z naprzeciwka, zauważam, że na tym drugim promie nie ma prawie ludzi, są tylko samochody, z których jeden szczególnie się wyróżnia. Jest jaskrawozielony i okratowany. Edy mówi, że to ciężarówka do transportu więźniów. Na myśl o tych biednych ludziach robi mi się niedobrze, ale nie myślę o tym więcej. Jestem zmęczona, spragniona i ociekam potem. O czternastej trzydzieści znajdujemy się powtórnie w Ukundzie. Przed więzieniem stoi teraz inny strażnik, który wygląda przyjaźniej. Edy ponownie tłumaczy, kogo szukamy. Toczy się ożywiona dyskusja. Nic nie rozumiem. „Edy, co się dzieje?". Wyjaśnia mi, że Lketinga został prawie przed godziną zabrany na północne wybrzeże, z którego właśnie przyjechaliśmy. Był w Kwale, potem krótko tutaj, a teraz wiozą go do więzienia, gdzie będzie czekał już na rozprawę.

Chyba zaraz dostanę kręćka! Całe przedpołudnie byliśmy w drodze i pół godziny temu Lketinga przepłynął obok nas w więziennej budzie. Edy spogląda na mnie bezradnie. Uznaje, że powinniśmy udać się do hotelu, a jutro spróbuje jeszcze raz; wie już przecież, gdzie jest Lketinga. Jeśli chcę, mogę dać mu pieniądze, on go wykupi.

Nie zastanawiając się długo, proszę Edy'ego, aby pojechał jeszcze raz ze mną na północne wybrzeże. Nie jest tym zachwycony, ale towarzyszy mi. W milczeniu przebywamy długą drogę. Nieustannie pytam siebie, dlaczego, Corinne, dlaczego to robisz? Co ja właściwie chcę Lketindze powiedzieć? Nie mam pojęcia, jakaś niesamowita siła pcha mnie po prostu naprzód.

Przed szóstą docieramy ponownie do więzienia na północnym wybrzeżu, przed którym nadal stoi ten sam uzbrojony strażnik. Rozpoznaje nas i opowiada, że Lketinga został przywieziony jakieś dwie i pół godziny temu. Od razu robię się czujna. Edy oświadcza, że chcemy tego Masaja wydostać, lecz strażnik kręci głową i oświadcza, że przed Sylwestrem nie będzie to możliwe, gdyż więzień nie miał jeszcze sprawy, a szef więzienia jest do tego czasu na urlopie.

Wszystko brałam pod uwagę, tego jednak nie. Nawet pieniądze nie robią na strażniku wrażenia, nie uda mi się uwolnić Lketingi. Ponieważ strażnik w końcu pojmuje, że jutro odlatuję, daje się przekonać, aby przynajmniej pozwolił mi choć przez dziesięć minut porozmawiać z Lketingą. A potem uśmiechający się promiennie Lketinga wychodzi na podwórze. Jego widok napawa mnie zgrozą. Nie ma na sobie żadnych ozdób, włosy są zawinięte w brudną chustę i cuchnie przeraźliwie. Mimo to wygląda, jakby się cieszył, dziwi się tylko, dlaczego stoję tu przed nim bez Marca. Mogłabym wyć, ten to rzeczywiście jest ślepy! Mówię mu, że jutro rano lecimy do domu, lecz ja wrócę tu z powrotem tak szybko, jak to tylko będzie możliwe. Zapisuję mu mój adres i proszę o jego. Ociągając się, pisze z wysiłkiem swoje nazwisko i numer skrzynki pocztowej. Wciskam mu jeszcze pieniądze i wartownik zabiera go ze sobą. Odchodząc, Lketinga spogląda za siebie, dziękuje i mówi, abym pozdrowiła Marca.

Powoli idziemy z Edym z powrotem i w zapadających ciemnościach czekamy na mikrobus. Dopiero teraz czuję, jak bardzo jestem zmęczona. Nagle wybucham płaczem i nie mogę się uspokoić. W przepełnionej *matatu* wszyscy gapią się na płaczącą białą, która jedzie w towarzystwie Masaja. Jest mi wszystko jedno, najchętniej bym umarła.

Jest już po dwudziestej, gdy docieramy do promu Likoni. Przypominam sobie o Marcu i odczuwam wyrzuty sumienia, gdyż byłam z nim umówiona ponad sześć godzin temu.

Gdy czekamy na prom, Edy mówi: *No bus, no matatu to Diani-Beach*. Pewnie się przesłyszałam. Po dwudziestej nie jadą żadne publiczne autobusy w kierunku hotelu. To nie może być prawda! Stoimy w ciemnościach przy promie i nie wiem, co robić. Obchodzę czekające auta i sprawdzam, czy w którymś nie siedzą biali. Dwa mikrobusy safari wracają do domu. Pukam w szybę i pytam, czy mogę się zabrać z nimi. Kierowca zaprzecza, nie wolno mu zabierać żadnych obcych. Pasażerami są Hindusi, wszystkie miejsca i tak są już zajęte. W ostatnim momencie wjeżdża na rampę auto, i tym razem mam szczęście. W środku siedzą dwie włoskie zakonnice, którym opowiadam o swoim problemie. Są gotowe zawieźć mnie i Edy'ego do hotelu.

Trzy kwadranse jedziemy w ciemnościach, a ja zaczynam się obawiać, jak zareaguje Marco. Nawet jeśli wymierzy mi policzek, zrozumiem; w tym wypadku miałby zupełną rację. Co więcej, mam cichą nadzieję, że zdobędzie się na to. Może wtedy oprzytomnieję. Ciągle jeszcze nie pojmuję, co się właściwie ze mną dzieje i dlaczego przestałam kierować się zdrowym rozsądkiem. Czuję, że jestem tak zmęczona jak jeszcze nigdy w życiu i że po raz pierwszy odczuwam strach przed Markiem i przed samą sobą.

Przed hotelem żegnam się z Edym i po chwili staję przed Markiem. Spogląda na mnie smutno, nie krzyczy, nic nie mówi, tylko patrzy. Rzucam mu się na szyję i znowu płaczę. Marco prowadzi mnie do naszego domku i uspokaja. Wszystkiego się spodziewałam, tylko nie takiego czułego przyjęcia. „Corinne, wszystko jest w porządku. Taki jestem szczęśliwy, że w ogóle jeszcze żyjesz. Właśnie chciałem iść na policję i zgłosić twoje zaginięcie. Straciłem już nadzieję i myślałem, że cię już nigdy nie zobaczę. Mam ci przynieść coś do jedzenia?". Nie czekając na moją odpowiedź, odchodzi i pojawia się z pełnym talerzem. Wszystko wygląda smakowicie i aby sprawić mu przyjemność, jem tyle, ile tylko mogę.

Dopiero po jedzeniu pyta: „I jak, znalazłaś go przynajmniej?". „Tak" – odpowiadam i składam mu dokładną relację. Spogląda na mnie. „Jesteś szaloną, ale bardzo silną kobietą. Gdy czegoś chcesz, nie poddajesz się tak łatwo. Dlaczego jednak to ja nie mogę być na miejscu tego Masaja?". Tego właśnie nie wiem. Nie mogę sobie również wytłumaczyć, jaka to magiczna aura otacza tamtego mężczyznę. Gdyby ktoś przed dwoma tygodniami powiedział mi, że zakocham się w wojowniku masajskim, wyśmiałabym go. A teraz mam mętlik w głowie.

„Jak to z nami dalej będzie, Corinne? Wszystko zależy od ciebie" – pyta Marco podczas lotu do domu. Z trudem przychodzi mi opisanie tego całego zamętu, jaki odczuwam. „Poszukam sobie mieszkania, nawet na krótko, ponieważ chcę wrócić do Kenii, być może na zawsze" – odpowiadam. Marco kręci tylko smutno głową.

DŁUGIE PÓŁ ROKU

Zanim udaje mi się w końcu znaleźć nowe mieszkanie niedaleko Bielu, upływają dwa miesiące. Przeprowadzka jest prosta, ponieważ biorę ze sobą tylko ubrania i trochę osobistych rzeczy, resztę pozostawiam Markowi. Najciężej przychodzi mi pozbycie się moich dwóch kotów. Biorąc jednakże pod uwagę, że tak czy inaczej niedługo wyjadę na stałe, jest to jedyne rozwiązanie. Sklepem zajmuję się nadal, lecz z mniejszym zaangażowaniem, gdyż stale marzę o Kenii. Zbieram wszystko o tym kraju, nawet nagrania muzyczne. Od rana do wieczora słucham w sklepie pieśni śpiewanych w suahili. Klienci oczywiście zauważają, że jestem nieco roztargniona, lecz ani mi się nie chce, ani też nie mogę o tym rozmawiać. Codziennie czekam na pocztę. W końcu, prawie po trzech miesiącach, otrzymuję wiadomość. Jednakże nie od Lketingi, tylko od Priscilli. Pisze o wielu mało istotnych rzeczach. Bądź co bądź, dowiaduję się jednak, że Lketinga w trzy dni po naszym odlocie został wypuszczony na wolność. Jeszcze tego samego dnia piszę na adres, który podał mi Lketinga, i informuję go, że zamierzam w czerwcu albo lipcu przybyć do Kenii, tym razem sama.

Mija kolejny miesiąc i w końcu dostaję list od Lketingi. Dziękuje mi za pomoc i cieszy się, że ponownie odwiedzę jego kraj. Tego samego dnia rzucam się do najbliższego biura podróży i zamawiam na trzy tygodnie w lipcu ten sam hotel.

Pozostaje mi tylko czekać. Czas staje w miejscu, dni wloką się w nieskończoność. Ze wszystkich naszych wspólnych przyjaciół został mi tylko jeden, który od czasu do czasu dzwoni i zaprasza mnie na lampkę wina. Sprawia wrażenie, jakby przynajmniej próbował mnie zrozumieć. Zbliża się dzień wyjazdu i jestem nieco niespokojna, gdyż tylko Priscilla odpowiada na moje listy. Nic jednak nie może zachwiać mej wiary. Nadal jestem przekonana, że do pełni szczęścia brakuje mi tylko tego mężczyzny.

Tymczasem mówię już jako tako po angielsku; moja przyjaciółka, Jelly, daje mi codziennie lekcje. Trzy tygodnie przed odlotem Eric, mój młodszy brat, i zaprzyjaźniona z nim Jelly postanawiają zabrać się ze mną. Najdłuższe pół roku mojego życia jest poza mną. Odlatujemy.

PONOWNE SPOTKANIE

Po dziewięciu godzinach lądujemy w lipcu 1987 roku w Mombasie. Otacza nas ta sama gorączka, ta sama aura. Wszystko jest mi takie bliskie: Mombasa, prom i długa podróż autobusem do hotelu.

Jestem spięta. Będzie na mnie czekał czy też nie? Przy recepcji rozlega się za mną: *Hello!* Odwracamy się i oto jest! Uśmiechając się promiennie, podchodzi do mnie. Jakby nigdy nie było tego pół roku. Trącam go i mówię: „Jelly, Eric, patrzcie, to właśnie on, Lketinga". Brat grzebie speszony w torbie, Jelly uśmiecha się i pozdrawia Lketingę. Przedstawiam ich sobie wzajemnie. Jeszcze nie odważam się na nic więcej poza uściskiem dłoni. W ogólnym rozgardiaszu wprowadzamy się do naszego domku, a Lketinga czeka przy barze. Wreszcie mogę zapytać Jelly: „I jak ci się podoba?". „Dość specyficzny, być może muszę się najpierw do niego przyzwyczaić. Tak na pierwszy rzut oka wydaje mi się nieco obcy i dziki" – odpowiada Jelly, uważnie dobierając słowa. Brat nie wyraża żadnej opinii. Widać tylko ja jestem nim zachwycona, myślę sobie nieco zawiedziona.

Przebieram się i idę do baru. Lketinga siedzi tam z Edym, z którym witam się serdecznie, a następnie próbujemy rozmawiać. Dowiaduję się od Lketingi, że krótko po wyjściu na wolność udał się do swego plemienia i dopiero przed tygodniem powrócił do Mombasy. Przez Priscillę otrzymał wiadomość o moim przyjeździe. To wyjątkowa sytuacja, że pozwolono im spotkać się z nami w hotelu, gdyż normalnie wstęp czarnym, którzy tu nie pracują, jest wzbroniony.

Uderza mnie, że bez pomocy Edy'ego nie potrafiłabym porozumieć się z Lketingą. Mój angielski nadal jest kiepski, a Lketinga zna co najwyżej dziesięć słów. I tak to siedzimy sobie w milczeniu na plaży, i po prostu uśmiechamy się do siebie promiennie, podczas gdy Jelly i Eric spędzają czas na basenie albo w swoim pokoju. Powoli zbliża się wieczór i zastanawiam się, co począć. W hotelu nie możemy zostać. Poza uściskiem dłoni do niczego między nami nie doszło. Nie jest to takie łatwe, jeśli się przez pół roku czekało na mężczyznę. W tym czasie często śniłam o jego ramionach, pocałunkach i wyobrażałam sobie najdziksze noce z nim. Teraz, gdy jest tuż obok, boję się dotknąć jego brązowej ręki. Tak więc oddaję się całkowicie poczuciu szczęścia, że po prostu jest przy mnie.

Eric i Jelly idą spać, są zmęczeni długą podróżą i dusznym upałem. Idziemy wolno z Lketingą do Bush-Baby-Disco. Przy boku mego księcia czuję się jak królewna. Siadamy przy stoliku i przyglądamy się tańczącym. Lketinga stale się śmieje. Jako że nie możemy prowadzić konwersacji, siedzimy tylko i przysłuchujemy się muzyce. Jego bliskość i panująca wokół atmosfera powodują, że zaczynam drżeć, i chętnie pogłaskałabym go po twarzy albo przekonała się, jak to jest, gdy się go całuje. Kiedy w końcu rozbrzmiewa powolna muzyka, chwytam go za ręce i pokazuję na miejsce do tańczenia. Stoi bezradnie i wcale nie ma zamiaru się ruszyć. Nagle trzymamy się w ramionach i poruszamy w rytmie muzyki. Opada ze mnie napięcie. Cała drżę, ale tym razem mogę się wesprzeć na nim. Wydaje się, jakby czas stanął w miejscu. Z wolna budzi się we mnie pożądanie, które drzemało przez pół roku. Nie odważam się podnieść głowy i spojrzeć na niego. Co on sobie o mnie pomyśli? Tak mało przecież o nim wiem! Dopiero gdy zmienia się rytm muzyki, wracamy na swoje miejsca i spostrzegam, że tylko my tańczyliśmy. Wydaje mi, że wszyscy na nas patrzą.

Jakiś czas jeszcze siedzimy, a potem idziemy. Jest grubo po północy, gdy docieramy do hotelu. Przed wejściem spoglądamy sobie w oczy i wydaje mi się, że dostrzegam w Lketindze jakąś nieuchwytną zmianę. W jego dzikich oczach odkrywam coś w rodzaju zdumienia i podniecenia. W końcu zbieram się na odwagę i łagodnie przywieram wargami do jego pięknych ust. Lketinga sztywnieje i spogląda na mnie niemalże z przerażeniem. *What you do?* – pyta, robiąc krok w tył. Co robię? Stoję otrzeźwiała, nic nie rozumiejąc. Odczuwam wstyd, odwracam się i zrozpaczona wbiegam pędem do hotelu. W łóżku dopada mnie szloch, zawala się mój świat. Tylko jedna myśl kołacze mi się w głowie: pragnę go do szaleństwa, a on nic sobie ze mnie nie robi. W końcu jednak jakoś zasypiam.

Budzę się późno, śniadanie dawno się skończyło. Jest mi to obojętne, gdyż absolutnie nie odczuwam głodu. Nie chcę, aby ktokolwiek oglądał mnie w takim stanie. Zakładam okulary przeciwsłoneczne i przekradam się obok basenu, w którym mój zakochany po uszy brat harcuje z Jelly.

Na plaży kładę się pod palmą i wpatruję w błękitne niebo. Czy to już wszystko, co miało się wydarzyć, pytam siebie. Czyżbym aż tak bardzo się pomyliła? Nie, krzyczy coś we mnie, bo inaczej skąd wzięłabym siły, aby rozejść się z Markiem i na pół roku zrezygnować z kontaktów seksualnych, jeśli nie dla tego właśnie mężczyzny! Nagle pada na mnie cień i czuję na ręce delikatne dotknięcie.

Otwieram oczy i widzę nad sobą twarz Lketingi. Patrzy na mnie promiennym wzrokiem i mówi tylko: *Hello!* Całe szczęście, że mam na nosie okulary przeciwsłoneczne. Długo przypatruje mi się, jakby studiował moją twarz. Po jakimś czasie pyta o Erica i Jelly i wyjawia uroczyście, że dziś po południu jesteśmy zaproszeni do Priscilli na herbatę. Leżąc na plecach, patrzę w dwoje oczu spozierających na mnie łagodnie i pełnych nadziei. Gdy od razu nie odpowiadam, jego twarz zmienia się, oczy ciemnieją, pobłyskuje w nich duma. Walczę ze sobą, ale w końcu pytam, o której mamy przyjść.

Eric i Jelly nie mają nic przeciwko temu, tak więc o umówionej godzinie czekamy przy wejściu do hotelu. Po jakichś dziesięciu minutach zatrzymuje się jedna z przepełnionych *matatu*. Wysuwają się dwie długie nogi, za którymi podąża długie ciało Lketingi. Zabrał ze sobą Edy'ego. Znam drogę do Priscilli jeszcze z pierwszego pobytu tutaj, ale brat przygląda się sceptycznie małpom, które bawią się i jedzą w pobliżu drogi.

Ponowne spotkanie z Priscillą jest bardzo serdeczne. Zaraz też wyciąga kocher i przygotowuje herbatę. Podczas gdy czekamy, oni troje dyskutują zawzięcie, a my przypatrujemy się, nie rozumiejąc, o czym mówią. Co chwila śmieją się i odnoszę wrażenie, że mówią także o mnie. Mniej więcej po dwóch godzinach wyruszamy w drogę powrotną. Priscilla mówi mi, że mogę przychodzić tu z Lketingą, kiedy tylko zechcę.

Pomimo że zapłaciłam za następne dwa tygodnie, postanawiam wyprowadzić się z hotelu i wprowadzić do Priscilli. Mam dosyć tych wiecznych spotkań w dyskotece i kolacji bez niego. Kierownictwo hotelu ostrzega mnie lojalnie, że mogę stracić wszystkie swoje pieniądze i ubrania. Również mój brat jest bardziej niż sceptyczny, mimo to pomaga mi przenieść rzeczy do buszu. Lketinga niesie wielką torbę podróżną i wygląda, jakby się cieszył.

Priscilla opuszcza swą chatę i udaje się do przyjaciółki. Gdy na dworze robi się ciemno i dłużej już nie możemy uchylać się przed spotkaniem naszych ciał, siadam na wąskiej pryczy i z łomoczącym sercem czekam na od tak dawna wymarzoną chwilę. Lketinga siada obok mnie. Widzę tylko białka jego oczu, guzik perłowy na czole i białe kolczyki z kości słoniowej w uszach. Wydarzenia biegną błyskawicznie. Lketinga przyciska mnie do pryczy i z miejsca czuję, że ma wzwód. Zanim się zorientowałam, czy moje ciało jest już gotowe, czuję ból, słyszę śmieszne dźwięki i... po wszystkim. Wyć mi się chce z rozpaczy, inaczej to sobie wyobrażałam. Dopiero w tym właśnie momencie w pełni uświadamiam sobie, że mam do czynienia z człowiekiem należącym do zupełnie innej kultury. Nie dane mi jest jednak pogrążyć się w rozmyślaniach, gdyż nagle wszystko się powtarza. Tej nocy następują jeszcze kolejne natarcia, lecz po trzecim czy czwartym „stosunku" przestaję starać się, aby je poprzez pocałunki czy dotykanie nieco wydłużyć, gdyż wygląda na to, że Lketinga tego nie lubi.

W końcu robi się jasno, a ja czekam, aż Priscilla zapuka do drzwi. Około siódmej słyszę głosy. Wyglądam na dwór i przed drzwiami znajduję miednicę pełną wody. Wciągam ją do środka i dokładnie się myję, gdyż cała pokryta jestem czerwoną farbą, której Lketinga używa do malowania ciała.

On nadal śpi, gdy melduję się u Priscilli. Właśnie ugotowała herbatę i mi ją proponuje. Gdy pyta, jak spędziłam swoją pierwszą noc w afrykańskim domostwie, nie zamykają mi się usta. Zakłopotana przysłuchuje się i mówi: „Corinne, my nie jesteśmy tacy jak biali. Wracaj do Marca, spędzaj urlop w Kenii, lecz nie szukaj tu mężczyzny na całe życie". Słyszała, że biali są dobrzy dla swoich kobiet, także w nocy. Mężczyźni masajscy są pod tym względem inni; to, co przeżyłam w nocy, jest całkiem normalne. Masajowie się nie całują. Usta służą do jedzenia, całowanie – i przy tym robi pogardliwą minę – to coś odrażającego. Mężczyzna nigdy nie dotyka kobiety poniżej brzucha, a kobiecie nie wolno dotknąć organów płciowych mężczyzny. Włosy i twarz mężczyzny są również tabu.

Nie wiem, czy mam śmiać się, czy też płakać. Pożądam przepięknego mężczyzny i nie wolno mi go dotknąć. Dopiero teraz przypomina mi się scena chybionego pocałunku, co powoduje, że wierzę w jej słowa.

Podczas rozmowy Priscilla nie patrzy na mnie, na pewno niełatwo jej mówić o tych sprawach. Myśli przelatują mi przez głowę z prędkością światła i mam wątpliwości, czy wszystko należycie zrozumiałam. Nagle w porannym słońcu pojawia się Lketinga. Jego nagi tors, czerwona chusta na biodrach i długie czerwone włosy wyglądają bajecznie. Przykre wspomnienia z ostatniej nocy znikają jak za dotknięciem czarodziejskiej różdżki. Wiem tylko, że chcę tego właśnie męż-

26

czyzny, i żadnego innego. Kocham go, a poza tym wszystkiego można się przecież nauczyć, uspokajam się.

Później jedziemy przepełnioną *matatu* do Ukundy, najbliżej położonej większej wioski. Tam spotykamy Masajów, siedzą w miejscowej herbaciarni, która składa się z kilku zbitych razem desek, dachu, długiego stołu oraz paru krzeseł. Herbata jest gotowana w wiadrze, które wisi nad paleniskiem. Gdy siadamy, jedni patrzą się na mnie z zaciekawieniem, inni krytycznie. Każdy ma coś do powiedzenia, mówią jeden przez drugiego. Nie ma wątpliwości, że chodzi o mnie. Bacznie przyglądam się wszystkim i uznaję, że żaden nie wygląda tak dobrze i przyjaźnie jak Lketinga.

Spędzamy tam kilka godzin i wszystko mi jedno, że niczego nie rozumiem. Lketinga troszczy się o mnie. Stale zamawia coś do picia, a potem talerz mięsa. Nie jestem w stanie jeść tych rozdrobnionych kawałków kozy, gdyż są krwiste i twarde. Po trzech kawałkach dławię się i daję Lketindze do zrozumienia, żeby jadł dalej. Jednakże ani on, ani też inni mężczyźni nie biorą nic z mojego talerza, pomimo że wyraźnie widać, iż są głodni.

Pół godziny później mężczyźni podnoszą się i Lketinga próbuje coś mi wytłumaczyć za pomocą rąk i nóg. Rozumiem tylko, że wszyscy idą teraz jeść i że nie mogę iść z nimi. Ja jednak upieram się, że pójdę. *No, big problem! You wait here!* – słyszę. Mam tu czekać. Następnie widzę, jak wszyscy znikają za przepierzeniem, a za nimi wnoszone są góry mięsa. Po jakimś czasie wraca mój Masaj. Ma pełny brzuch. Nadal nie rozumiem, dlaczego musiałam tutaj czekać, a on mówi: *You wife, no lucky meat.* Zapytam wieczorem Priscillę, o co mu chodzi.

Opuszczamy herbaciarnię i jedziemy *matatu* z powrotem na plażę. Przy Africa-Sea-Lodge wysiadamy i decydujemy się na odwiedzenie Jelly i Erica. Przy wejściu zostajemy zatrzymani. Gdy jednak wyjaśniam strażnikowi, że chcemy tylko odwiedzić mojego brata i jego przyjaciółkę, wpuszcza nas bez komentarza. Przy recepcji wita mnie, uśmiechając się, manager hotelu: „Tak więc chce pani wrócić do hotelu?". Zaprzeczam i wspominam, że w buszu bardzo mi się podoba. Wzrusza ramionami i mówi: „Zobaczymy jak długo jeszcze!".

Znajdujemy ich na basenie. Wzburzony Eric podchodzi do mnie: „Najwyższy czas, żebyś się w końcu pokazała!" – mówi i pyta, czy dobrze spałam. Ta jego troska mnie rozbawiła. Z pewnością nocowałam już bardziej komfortowo, ale jestem szczęśliwa! Lketinga stoi obok, śmieje się i pyta: *Eric, what's the problem?* Kilku kąpiących się białych wytrzeszcza na nas oczy. Parę kobiet przebiega obok mojego przyozdobionego i na nowo pomalowanego pięknego Masaja i podziwia go bez żenady. Z jego strony nie widać żadnego zainteresowania, z pewnością krępuje go oglądanie tylu nagich ciał.

Nie zostajemy długo, gdyż muszę kupić jeszcze parę rzeczy: naftę, papier toaletowy i przede wszystkim latarkę. Ostatniej nocy ominęła mnie, na szczęście, wizyta w ubikacji, która mieści się poza wioską, w buszu. Dostać się do niej można po karkołomnej wspinaczce na blisko dwumetrową drabinkę dla kur, na której szczycie znajduje się domek z liści palmowych, z dwoma deskami zamiast podłogi i większą dziurą w środku.

Znajdujemy wszystko w małym sklepie, gdzie, jak się wydaje, również pracownicy hotelu kupują rzeczy dla siebie. Dopiero teraz zauważam, jak tanio jest tutaj. Towary, poza bateriami do latarki, jak na moje warunki, kosztują tyle, co nic.

Kilka metrów dalej znajduje się kolejna rudera, na której napisane jest czerwoną farbą *Meat*. Lketinga ciągnie mnie tam. U sufitu wisi wielki hak rzeźnicki, a na nim odarta ze skóry koza. Lketinga patrzy na mnie pytająco. *Very fresh! You take one kilo for you and Priscilla.* Wzdrygam się, gdy pomyślę, że będę musiała jeść to mięso. Mimo to zgadzam się na zakup. Sprzedawca bierze siekierę i odcina tylną nogę, a następnie, dwoma czy trzema uderzeniami, oddziela porcję dla nas. Reszta wraca z powrotem na hak. Wszystko zawija w papier gazetowy i ruszamy w kierunku osady.

Priscilla cieszy się ogromnie z powodu mięsnego prezentu. Gotuje dla nas mocną herbatę i przynosi od sąsiadki drugi kocher. Następnie tnie mięso na kawałki, myje je i gotuje dwie godziny w wodzie z solą. W tym czasie pijemy herbatę, która z wolna zaczyna mi smakować. Priscilla i Lketinga rozmawiają bez przerwy. Po jakimś czasie Lketinga podnosi się i mówi, że musi iść, ale wkrótce wróci. Próbuję dowiedzieć się, co ma zamiar robić. *No problem, Corinne, I come back* – mówi, uśmiecha się do mnie i znika. Pytam Priscillę, dokąd poszedł Lketinga. Odpowiada, że tak dokładnie to ona sama nie wie, gdyż Masaja nie wolno o to pytać, to jego sprawa, ale przypuszcza, że do

Ukundy. „Na miłość boską, a czegóż on tam szuka w tej Ukundzie, przecież niedawno tam byliśmy!" – mówię nieco oburzona. „Być może chce coś zjeść" – odpiera Priscilla. Patrzę na mięso gotujące się w dużym blaszanym garnku. „A to dla kogo?". „To dla nas, dla kobiet" – wyjaśnia Priscilla. Lketindze nie wolno jeść tego mięsa. Żaden wojownik masajski nigdy nie zje tego, czego dotknęła kobieta albo na co popatrzyła. Nie wolno im też jeść w obecności kobiet, tylko picie herbaty jest dozwolone.

Przypomina mi się ta dziwaczna scena z Ukundy i pytanie, dlaczego wszyscy mężczyźni znikli za przepierzeniem – które chciałam postawić Priscilli, jest już bez znaczenia. Tak więc Lketinga nie może pójść ze mną coś zjeść, a ja nigdy nie będę mogła ugotować czegoś dla niego. Śmieszne, ale ten fakt wstrząsa mną bardziej niż rezygnacja z dobrego seksu. Gdy już jako tako się pozbierałam, chcę dowiedzieć się czegoś więcej. A jak to jest u małżeństwa? Odpowiedź jej również mnie rozczarowuje. Żona jest zasadniczo przy dzieciach, a mąż przebywa w towarzystwie innych mężczyzn swojego stanu, czyli wojowników, z których przynajmniej jeden musi mu zawsze asystować podczas jedzenia, gdyż nie wypada jeść samemu.

Zatyka mnie. Moje romantyczne fantazje o wspólnym gotowaniu i jedzeniu w buszu albo w prostej chacie pryskają jak bańka mydlana. Ledwo mogę powstrzymać łzy, a Priscilla przypatruje mi się przerażona. Następnie wybucha śmiechem, co niemal doprowadza mnie do szału. Nagle czuję się osamotniona i uzmysławiam sobie, że Priscilla jest mi obcą, żyjącą w innym świecie osobą.

Gdzie jest Lketinga? Zapadła już noc, Priscilla podaje mięso na dwóch poobijanych aluminiowych talerzach. Zdążyłam porządnie zgłodnieć, tak więc kosztuję i jestem zaskoczona, że mięso jest takie miękkie. Smak ma jednak bardzo osobliwy i jest słone jak woda, w której się gotowało. W milczeniu jemy rękami.

Później żegnam się i udaję do byłego domku Priscilli. Jestem zmęczona, zapalam lampę naftową i kładę się na łóżko. Na dworze cykają świerszcze. W myślach powracam do Szwajcarii, do mej matki, do sklepu i do codzienności w Bielu. Jakże tutejszy świat jest inny! Pomimo tej całej prostoty ludzie wyglądają, jakby byli szczęśliwsi; być może właśnie dlatego, że potrafią żyć, nie wkładając w to zbyt dużo wysiłku. Coś takiego przelatuje mi przez głowę i od razu czuję się lepiej.

Nagle otwierają się drewniane drzwi i staje w nich roześmiany Lketinga. Musi się pochylić, żeby w ogóle wejść. Rozgląda się chwilę wokół i siada przy mnie na pryczy. *Hello, how are you? You have eat meat?* – pyta. Gdy mnie tak opiekuńczo wypytuje, czy zjadłam mięso, czuję się dobrze i odczuwam wielkie pożądanie. Wygląda cudownie w blasku lampy naftowej. Jego ozdoby błyszczą, tors jest nagi, upiększają go tylko dwa sznury pereł. Świadomość, że pod okryciem bioder nie znajduje się nic poza skórą, bardzo mnie podnieca. Chwytam jego szczupłą, chłodną dłoń i przyciskam ją sobie mocno do twarzy. W tym momencie czuję się związana z tym w gruncie rzeczy całkowicie mi obcym człowiekiem i wiem, że go kocham. Przyciągam go do siebie i czuję wagę jego ciała na sobie. Składam głowę obok jego głowy i wącham dziki zapach długich czerwonych włosów. Całą wieczność trwamy tak i spostrzegam, jak również i jego ogarnia podniecenie. Dzieli nas tylko lekka sukienka letnia, którą zdejmuję. Wchodzi we mnie i tym razem doświadczam przez krótką chwilę całkiem nowego uczucia szczęścia, nie osiągam jednak orgazmu. Czuję się zespolona z tym człowiekiem, i tej nocy już wiem, że oto, pomimo wszystkich przeszkód, stałam się więźniem jego świata.

W nocy czuję rwanie w okolicach brzucha i chwytam latarkę, którą na szczęście położyłam u wezgłowia. Z pewnością wszyscy słyszą, jak otwieram skrzypiące drzwi, gdyż nie licząc niezmordowanych świerszczy, panuje zupełna cisza. Udaję się w drogę do „kurzej toalety", ostatnie stopnie pokonuję wręcz susami i docieram na miejsce niemal w ostatniej chwili. Jako że wszystko rozgrywa się w kucki, kolana mi drżą. Resztką sił podnoszę się, chwytam latarkę i schodzę w dół po drabince dla kur. Wracam do domku. Lketinga śpi w najlepsze. Wciskam się na pryczę między niego a ścianę.

Gdy się budzę, jest właśnie ósma i słońce mocno przypieka, tak że w domku jest duszno i gorąco. Po porannej herbacie i rytuale mycia chcę umyć włosy. Ale jak to zrobić bez bieżącej wody? Dostaję od Priscilli dwudziestolitrowy kanister z wodą, który ona codziennie napełnia przy pobliskiej studni z żurawiem. Gestykulując, usiłuję wytłumaczyć Lketindze, o co mi chodzi. Od razu jest gotów mi pomóc: *No problem, I help you!* Puszką po konserwie leje mi wodę na głowę. Potem myje mi nawet głowę szamponem, śmiejąc się przy tym przeraźliwie. Dziwi się, że przy takiej ilości piany nie wypadną mi wszystkie włosy.

30

Następnie postanawiamy odwiedzić w hotelu mojego brata i Jelly. Gdy przybywamy, oboje siedzą rozkosznie przy obfitym śniadaniu. Spoglądam na te wszystkie wspaniałe potrawy i uświadamiam sobie, jakże ubogie są chwilowo moje śniadania. Tym razem to ja opowiadam, a Lketinga siedzi obok i słucha. Tylko gdy opisuję moją nocną wyprawę i oboje patrzą na siebie osłupiali, pyta: *What's the problem? No problem* – odpieram ze śmiechem – *everything is okay!* Zapraszamy ich na obiad do Priscilli. Mam zamiar ugotować spaghetti. Zgadzają się, a Eric dochodzi do wniosku, że na pewno sami już znajdą drogę. Mamy dwie godziny, aby zdobyć spaghetti i sos pomidorowy, a także cebulę i przyprawy. Lketinga nie ma zielonego pojęcia, o jakiej potrawie mówimy, uznaje jednak ze śmiechem: *Yes, yes, it's okay.*

Wsiadamy do *matatu* i jedziemy do leżącego w pobliżu supermarketu, gdzie znajdujemy wszystko, czego potrzebujemy. Gdy w końcu docieramy do osady, pozostaje mi niewiele czasu na wyprawienie uczty. Siedząc w kucki, przygotowuję wszystko. Priscilla i Lketinga przypatrują mi się rozbawieni i twierdzą: *This ist no food!* Mój masajski przyjaciel wlepia oczy we wrzątek i w napięciu obserwuje, jak sztywny makaron gnie się powoli. Jest to dla niego zagadka i powątpiewa, że będzie z tego jedzenie. Woda z makaronem kipi, a ja otwieram nożem puszkę z sosem pomidorowym. Gdy wykładam jej zawartość na poobijaną patelnię, Lketinga pyta z przerażeniem: *Is this blood?* Krew? Teraz z kolei ja śmieję się na całe gardło. *Blood? Oh no, Tomatensauce!* – odpowiadam, parskając śmiechem.

Nadchodzą spoceni Jelly i Eric. „Co, gotujesz na ziemi?" – pyta zdziwiona Jelly. „A pewnie, sądzisz, że mamy tu kuchnię?" – odpowiadam. Gdy widelcem wyławiamy makaron, Priscilla i Lketinga nie mogą się nadziwić. Priscilla sprowadza sąsiadkę. Ta spogląda na białe spaghetti, następnie do garnka z czerwonym sosem i wskazując na makaron, pyta: *Worms?* – i wykrzywia twarz w grymasie. Wybuchamy śmiechem. Są przekonani, że jemy robaki z krwią, dlatego nie ruszą potrawy. W pewien sposób nawet ich rozumiem, gdyż im dłużej wpatruję się w garnek, tym bardziej tracę apetyt, kiedy wyobrażę sobie krew i robaki.

Przy zmywaniu pojawia się następny problem. Brakuje mi płynu do mycia naczyń i szczoteczki. Priscilla rozwiązuje ten problem w prosty sposób: używa proszku Omo i skrobie garnki paznokciami. „Siostrzyczko, nie sądzę, abyś mogła zostać tu na zawsze. W każdym razie na pewno nie będziesz potrzebowała więcej pilnika do swoich pięknych długich paznokci" – cierpko odzywa się mój brat. Chyba ma rację.

Mają jeszcze dwa dni urlopu, potem zostanę sama z Lketingą. W ostatni wieczór przed ich wyjazdem odbywa się w hotelu pokaz tańców masajskich. W przeciwieństwie do mnie Jelly i Eric jeszcze nigdy czegoś takiego nie widzieli. Lketinga także występuje, i we trójkę czekamy w napięciu na rozpoczęcie. Masajowie zbierają się przed hotelem, gdzie zostawiają dzidy, ozdoby, pasy z pereł i materiały na późniejszą sprzedaż.

Pojawia się około dwudziestu pięciu śpiewających wojowników. Czuję się związana z tym ludem i jestem z nich tak dumna, jakby byli moimi rodzonymi braćmi. To niesamowite, jak elegancko poruszają się i jaka aura ich otacza. Odczuwam nie znane mi poczucie więzi i tryskają mi łzy z oczu. Wydaje mi się, jakbym odnalazła moją rodzinę, mój naród. Zaniepokojona widokiem tylu pomalowanych i przyozdobionych Masajów, Jelly szepcze mi do ucha: „Corinne, jesteś pewna, że to właśnie jest twoja przyszłość?". „Tak". Tylko tyle potrafię jej odpowiedzieć.

Koło północy przedstawienie dobiega końca i Masajowie się oddalają. Przychodzi Lketinga i z dumą pokazuje pieniądze, które zarobił na sprzedaży ozdób. Nam wydaje się, że to mało, dla niego jednak oznacza to kilka dni życia. Żegnamy się serdecznie. Nie zobaczymy już więcej Erica i Jelly, ponieważ jutro wczesnym rankiem opuszczają hotel. Brat musi przyrzec Lketindze, że jeszcze tutaj wróci. *You are my friends now!* Jelly ściska mnie mocno i płacząc mówi, abym na siebie uważała, przemyślała dokładnie wszystko jeszcze raz i zjawiła się za dziesięć dni w Szwajcarii. Wygląda na to, że mi nie dowierza.

Wyruszamy w drogę powrotną do domu. Niebo usiane jest tysiącem gwiazd, księżyc jednak nie świeci. Pomimo panujących ciemności Lketinga świetnie odnajduje drogę w buszu. Muszę trzymać go mocno za rękę, aby się nie zgubić. Przed osadą natykamy się na szczekającego psa. Lketinga wydaje z siebie krótkie, ostre odgłosy i pies ucieka. W chatce szukam po omacku latarki. Gdy ją w końcu znajduję, rozglądam się za zapałkami, aby zapalić lampę naftową. Przez krótką chwilę myślę o tym, jak proste jest wszystko w Szwajcarii. Na ulicach stoją latarnie, jest światło elektryczne i wszystko funkcjonuje jakby samo z siebie. Jestem półżywa ze zmęczenia i chce mi się spać. Z kolei Lketinga wrócił z pracy, jest głodny i mówi, żebym mu zrobiła herbaty. Dotychczas zawsze robiła to Priscilla! Niemalże po omacku wlewam spirytus do maszynki. Spoglądając na paczkę herbaty, pytam: *How much?* Lketinga śmieje się i wrzuca jedną trzecią opakowania do wrzącej wody. Później dodaje jeszcze cukru. Nie dwie, trzy łyżki, tylko pełen kubek. Dziwię się i myślę, że tej herbaty z pewnością nie będzie można przełknąć. Jednak smakuje prawie tak dobrze jak ta Priscilli. Teraz wreszcie rozumiem, że herbata może zastąpić prawdziwy posiłek.

Następny dzień spędzam z Priscillą. Mamy zamiar zrobić pranie, a Lketinga postanawia pojechać na północne wybrzeże, aby dowiedzieć się, w którym hotelu będą odbywały się występy taneczne. Nie pyta, czy chcę mu towarzyszyć.

Idę z Priscillą do studni z żurawiem i próbuję, tak jak ona, przynieść do chatki dwudziestolitrowy kanister z wodą, co wcale nie jest takie proste. Najpierw trzeba wiadro, w którym mieszczą się trzy litry wody, spuścić jakieś pięć metrów w głąb studni, a następnie wyciągnąć je na powierzchnię, potem blaszaną puszką wlewa się wodę przez wąski otwór do kanistra, aż będzie pełny. Wszyscy robią to niezwykle uważnie i dokładnie, aby nie uronić ani kropli drogocennej wody.

Gdy mam już pełny kanister, próbuję dowlec go do chatki oddalonej o dwieście metrów. Nie jestem jednak w stanie tego zrobić, choć zawsze sądziłam, iż jestem silna. Z kolei Priscilla dwoma, trzema chwytami zarzuca sobie kanister na głowę i na luzie maszeruje do chaty. Gdy jestem w połowie drogi, nadchodzi z naprzeciwka i zabiera mój kanister do domu. Bolą mnie palce. Wszystko to powtarza się kilka razy, jako że tutejsze Omo bardzo się pieni. Pranie w rękach, w dodatku w zimnej wodzie i przy mej szwajcarskiej dokładności, daje się we znaki moim kłykciom. Po pewnym czasie tworzą się na nich otwarte rany, a woda z proszkiem piecze. Gdy kończę pranie, mam zniszczone paznokcie i bolą mnie plecy. Priscilla załatwia za mnie resztę.

Jest już późne popołudnie, a my jeszcze nic nie jadłyśmy. A co miałybyśmy zjeść? W domu nie ma żadnych zapasów, gdyż inaczej zaraz zjawiłyby się z wizytą robaki i myszy. Dlatego też musimy codziennie robić zakupy w sklepie. Pomimo straszliwego upału wyprawiamy się w drogę. Oznacza to pół godziny marszu, rzecz jasna jeśli Priscilla nie będzie się wdawać w dłuższe pogaduszki z każdą napotkaną osobą. Wygląda na to, że tutaj do dobrego tonu należy zagadywanie każdego per „Jumbo", a następnie opowiadanie historii całej rodziny. Po dotarciu na miejsce kupujemy ryż, mięso, pomidory i mleko, a nawet miękki chleb. Musimy przebyć całą długą drogę z powrotem, a potem jeszcze ugotować posiłek. Jest już wieczór, a Lketingi nadal nie ma. Gdy pytam Priscillę, czy może wie, kiedy przyjdzie, ona się śmieje. Nie, o to nie można pytać Masaja! Wyczerpana niecodzienną dla mnie pracą w skwarze kładę się w chłodnej chacie, podczas gdy Priscilla zabiera się spokojnie do gotowania. Z pewnością jestem taka słaba, bo cały dzień nic nie jadłam.

Tęsknię za moim Masajem, bez niego ten świat jest tylko w połowie interesujący i godzien, aby tu żyć. W końcu, tuż przed nadejściem zmroku, zbliża się z gracją do chaty i rozbrzmiewa to jego znajome: *Hello, how are you? Oh, not so good!* – odpowiadam nieco obrażona, na co on od razu przestraszony pyta: *Why?* Lekko zaniepokojona wyrazem jego twarzy uznaję, że nie pisnę ani słówka na temat jego nieobecności, jako że to, przy naszej niewystarczającej znajomości angielskiego, mogłoby tylko doprowadzić do nieporozumień. *Stomach!* – odpowiadam, wskazując na brzuch. Uśmiecha się do mnie promiennie. *Maybe baby?* – mówi. Zaprzeczam ze śmiechem. Na ten pomysł rzeczywiście bym nie wpadła, gdyż zabezpieczam się pigułkami, o czym on nie wie i czego z pewnością w ogóle nie zna.

BIUROKRATYCZNE PRZESZKODY

Odwiedzamy hotel, w którym ma przebywać pewien Masaj ze swą białą żoną. Wprawdzie nie mogę sobie tego wyobrazić, ale jestem ogromnie ciekawa, gdyż chciałabym zapytać tę kobietę o to i owo. Ten Masaj wygląda jak „zwyczajny" czarny, nie ma ozdób i tradycyjnego ubioru, za to wystrojony jest w drogi garnitur zrobiony na miarę i jest o kilka lat starszy od Lketingi. Również kobieta dobiega pięćdziesiątki. Jeden mówi przez drugiego, a Ursula, Niemka, pyta: „Co, chcesz tu zostać i żyć z tym Masajem?". Przytakuję i nieśmiało dopytuję się, co przemawia przeciwko temu. „Wiesz – mówi Ursula – mój mąż i ja żyjemy ze sobą od piętnastu lat. Jest prawnikiem, ale mimo to ma dużo problemów z niemiecką mentalnością. A teraz popatrz na Lketingę, on przecież nigdy nie był w żadnej szkole, nie umie ani pisać, ani czytać, a po angielsku prawie wcale nie mówi. O zwyczajach panujących w Europie, a szczególnie w perfekcyjnej Szwajcarii, nie ma zielonego pojęcia. To jest od początku skazane na niepowodzenie!". Potem wspomina, że kobiety nie mają tutaj żadnych praw. Ona w żadnym wypadku nie mieszkałaby w Kenii, za to wakacje tutaj są wspaniałe. Powinnam jak najprędzej załatwić Lketindze inne ubranie, nie mogę przecież biegać tak z nim po okolicy.

Opowiada i opowiada, a serce coraz bardziej podchodzi mi do gardła, gdy słyszę o tych wszystkich możliwych problemach. Również jej mąż uważa, że byłoby lepiej, gdyby Lketinga mógł mnie odwiedzić w Szwajcarii. W żaden sposób nie mogę sobie tego wyobrazić i moje serce jest temu przeciwne. Mimo wszystko akceptujemy zaproponowaną nam pomoc i wyruszamy następnego dnia do Mombasy, aby złożyć podanie o paszport dla Lketingi. Gdy wspominam o swoich wątpliwościach, Lketinga pyta, czy mam w Szwajcarii męża, bo jeśli nie, to przecież mogłabym bez problemu zabrać go ze sobą. A jeszcze dziesięć minut temu mówił, że w żadnym wypadku nie opuści Kenii, gdyż nie wie, gdzie znajduje się Szwajcaria i jaka jest moja rodzina.

W drodze do biura paszportowego ogarniają mnie wątpliwości, które później okażą się całkiem uzasadnione. Od tego momentu kończą się moje spokojne dni w Kenii, rozpoczyna się przepychanka z urzędami. We czwórkę wkraczamy do biura i stoimy co najmniej godzinę w kolejce, zanim zostajemy wpuszczeni do odpowiedniego pokoju. Za wielkim mahoniowym biurkiem siedzi urzędnik, który ma się zająć podaniem. Między mężem Ursuli a nim toczy się dyskusja, z której ani Lketinga, ani ja nic nie rozumiemy. Zauważam tylko, jak co chwila spoglądają na Lketingę i na jego egzotyczny strój. Po pięciu minutach słyszymy: *Let's go!* – i zmieszani opuszczamy biuro. Żeby dla pięciu minut czekać całą godzinę, to oburzające!

To jednak dopiero początek. Mąż Ursuli twierdzi, że parę spraw musi zostać jeszcze uregulowanych. W żadnym wypadku Lketinga nie może od razu polecieć ze mną, być może, jeśli się uda, za jakiś miesiąc. Najpierw mamy zrobić zdjęcia, potem wrócić tu z powrotem i wypełnić formularze, których w chwili obecnej nie ma; będą do dostania za jakieś pięć dni. „Co, w tak dużym mieście nie ma formularzy z podaniami o paszport?" – oburzam się, gdyż nie mieści mi się to w głowie. Gdy w końcu po długich poszukiwaniach znajdujemy fotografa, okazuje się, że po gotowe zdjęcia mamy się zgłosić dopiero za kilka dni. Wykończeni gorącem i wiecznym czekaniem uznajemy, że wracamy na wybrzeże. Ursula i jej mąż mówią, że teraz już sami wiemy, gdzie znajduje się biuro, a jeśli pojawią się jakieś problemy, można ich tutaj znaleźć, i znikają w swoim luksusowym hotelu.

Ponieważ czas nagli, już po trzech dniach udajemy się ze zdjęciami do biura. Znowu musimy czekać, tym razem dłużej niż za pierwszym razem. Im bliżej jesteśmy drzwi, tym bardziej jestem zdenerwowana, gdyż Lketinga nie czuje się za dobrze, a mnie ogarnia panika z powodu słabej znajomości angielskiego. W końcu stoimy przed urzędnikiem i wyłuszczam mu naszą sprawę. Po jakimś czasie podnosi głowę znad gazety i pyta, co zamierzam robić w Szwajcarii z kimś takim, patrzy przy tym pogardliwie na Lketingę. *Holidays* – odpowiadam. Urzędnik śmieje się i informuje, że póki ten Masaj nie będzie ubrany jak cywilizowany człowiek, nie dostanie paszportu. Ponieważ nie ma żadnego wykształcenia ani żadnego pojęcia o Europie, muszę złożyć kaucję w wysokości tysiąca franków szwajcarskich oraz przedstawić ważny bilet lotniczy w obie strony. Dopiero gdy to wszystko załatwię, da mi formularz podania.

Zdenerwowana arogancją tego grubasa, pytam, jak długo będzie to jeszcze trwało, gdy już załatwię wszystko jak należy. „Jakieś dwa tygodnie" – odpowiada, pokazuje nam ruchem ręki, że mamy opuścić biuro, i znudzony bierze gazetę. Tyle bezczelności naraz odbiera mi mowę. Zamiast wszystko odwołać, jego zachowanie dopiero dodaje mi bodźca, pokażę mu, kto będzie górą. Przede wszystkim nie chcę, aby Lketinga poczuł się gorszy. Poza tym pragnę rychło przedstawić go mojej matce.

Robię się coraz bardziej zacięta i postanawiam pójść z Lketingą, wyglądającym na niespokojnego i zawiedzionego, do najbliższego biura podróży, aby załatwić wszystko, czego potrzeba. Natrafiamy na przyjaznego Hindusa, który zapoznaje się ze sprawą i zwraca mi uwagę, abym uważała, gdyż już wiele białych kobiet w ten właśnie sposób straciło swoje pieniądze. Ustalam z nim, że wystawi nam potwierdzenie dotyczące biletu lotniczego, i deponuję u niego należną sumę. Wręcza mi pokwitowanie i przyrzeka, że odda mi pieniądze, jeśli nie uda się nam załatwić paszportu. Podświadomie czuję, że jest to lekkomyślne z mej strony, ale ufam swojej dobrej znajomości ludzi. Najważniejsze, że Lketinga wie, dokąd ma się udać, gdy już będzie miał paszport, żeby podać datę odlotu. I znowu jeden krok naprzód, myślę bojowo.

Na pobliskim rynku kupujemy Lketindze spodnie, koszulę i buty. Nie jest to takie łatwe, gdyż jego gust bardzo różni się od mojego. Spodnie chce mieć białe albo czerwone. Białe, myślę, nie nadają się do buszu, a czerwień to niekoniecznie męski kolor w przypadku zachodniego ubrania. Los przychodzi mi z pomocą, wszystkie spodnie są za krótkie dla mojego dwumetrowego mężczyzny. Po długich poszukiwaniach znajdujemy w końcu pasujące dżinsy. Przy butach zaczyna się wszystko od początku. Dotychczas nosił tylko sandały zrobione ze starych opon samochodowych. Oboje zgadzamy się na buty sportowe. Po dwóch godzinach ma na sobie nowe ubranie, lecz mnie się nie podoba. Nie chodzi już tak, jakby unosił się w powietrzu, raczej ciągnie nogi za sobą. On jednak jest naprawdę dumny z tego, że po raz pierwszy w życiu ma długie spodnie, koszulę i buty sportowe.

Naturalnie jest już za późno, aby ponownie udać się do biura, tak więc Lketinga proponuje, abyśmy pojechali na północne wybrzeże. Chce przedstawić mi swoich przyjaciół i pokazać, gdzie mieszkał, zanim zakwaterował się u Priscilli. Waham się, gdyż jest już czwarta i potem będziemy musieli wracać w nocy na południowe wybrzeże. I znowu mówi to swoje: *No problem, Corinne!* Czekamy więc na *matatu* jadącą na północ. Dopiero w trzecim mikrobusie znajdujemy trochę wolnego miejsca. Nie mija kilka minut, a pot leje się ze mnie ciurkiem.

Na szczęście wkrótce docieramy do rzeczywiście dużej wioski masajskiej, gdzie po raz pierwszy spotykam przystrojone Masajki, które witają mnie radośnie. Ciągle ktoś wchodzi do chaty i z niej wychodzi. Doprawdy nie wiem, czy bardziej dziwi ich mój widok, czy też nowy wygląd Lketingi. Wszyscy obmacują jasną koszulę, spodnie, podziwiają nawet buty. Koszula powoli robi się coraz ciemniejsza. Dwie, trzy kobiety mówią do mnie jednocześnie, a ja siedzę, uśmiechając się niemo i nie rozumiejąc ani słowa. Czasami wpadają do chaty dzieci, które wpatrują się we mnie z zaciekawieniem lub chichoczą. Rzuca mi się w oczy, jak bardzo są brudne. Nagle Lketinga mówi: *Wait here* – i już go nie ma. Mam czekać. Czuję się nieswojo. Jakaś kobieta proponuje mi mleko, odrzucam je ze względu na muchy. Inna obdarowuje mnie masajską bransoletą, który z radością zakładam. Widocznie wszyscy wytwarzają tu ozdoby. Nieco później pojawia się Lketinga i pyta mnie: *You hungry?* Tym razem odpowiadam szczerze, że tak, bo rzeczywiście jestem głodna. Idziemy do leżącej w pobliżu „restauracji", która wygląda podobnie jak ta z Ukundy, tylko jest znacznie większa. Znaleźć tutaj można część dla kobiet, a dalej, z tyłu, dla mężczyzn. Naturalnie muszę zostać u kobiet, a Lketinga dołącza do pozostałych wojowników. Cała ta sytuacja nie podoba mi się, wolałabym siedzieć na południowym wybrzeżu w domku. Stawiają przede mną talerz, w którym mięso, a nawet nieco pomidorów pływa w cieczy przypominającej sos. Na drugim talerzu spoczywa coś w rodzaju płaskiego, okrągłego chleba. Obserwuję, jak kobieta, przed którą stoi podobna porcja, prawą ręką łamie chleb, następnie macza go w sosie, bierze do tego kawałek mięsa i wszystko wkłada ręką do ust. Robię tak jak ona, ale używam do tego obu rąk. W jednej chwili zapada cisza, wszyscy przypatrują się, jak jem. Czuję się niezręcznie, zwłaszcza że wokół mnie zebrało się dziesięcioro albo i więcej dzieci z wytrzeszczonymi oczami. Następnie wszyscy na powrót gadają jeden przez drugiego, ja jednak czuję się nadal obserwowana. Najszybciej jak to tylko możliwe, połykam wszystko i mam nadzieję, że Lketinga pojawi się wkrótce. Gdy na talerzu nie pozostaje już nic poza kośćmi, podchodzę do czegoś w rodzaju beczki, z której czerpie się wodę, i spłukuję z rąk tłuszcz, co oczywiście jest tylko iluzją.

Czekam i czekam, aż w końcu przychodzi Lketinga. Najchętniej rzuciłabym mu się na szyję. Patrzy na mnie dziwacznie, niemalże ze złością, a ja nie mam pojęcia, cóż ja takiego złego zrobiłam. To, że również i on jadł, poznaję po jego koszuli. *Come, come!* – mówi. W drodze do szosy pytam: *Lketinga, what's the problem?* Gdy widzę wyraz jego twarzy, ogarnia mnie strach. O tym, że jestem powodem jego złości, dowiaduję się, gdy bierze moją lewą rękę i mówi: *This hand no good for food! No eat with this one!* – Rozumiem wprawdzie, co mówi, i że nie należy jeść lewą ręką, ale nie mam pojęcia, dlaczego tak się piekli. Pytam go o powód, nie otrzymuję jednak odpowiedzi.

Wyczerpana trudami dnia i niepewna z powodu tej nowej zagadki, czuję się nie rozumiana i chcę do domu, do chatki na południowym wybrzeżu. To właśnie próbuję zakomunikować Lketindze, mówiąc: *Let's go home!* Spoziera na mnie, a ja widzę tylko białka oczu i błyszczący guzik z masy perłowej. *No* – mówi – *all Massai go to Malindi tonight.* – Serce niemal przestaje mi bić. Jeśli go dobrze rozumiem, ma zamiar udać się jeszcze dzisiaj do Malindi, i to z powodu tańca. – *It's good business in Malindi* – słyszę. Zauważa, że nie jestem specjalnie zachwycona tym pomysłem i pyta troskliwie: *You are tired?* – Tak, jestem zmęczona. Nie wiem dokładnie, gdzie leży to Malindi, i nie mam rzeczy na zmianę. Lketinga uważa, że to żaden problem, mogę przespać się u masajskich *ladies*, a on zjawi się tutaj jutro skoro świt. Od razu staję się czujna. Wizja, że będę musiała zostać tutaj bez niego, nie znając ani jednego słowa w ich języku, napawa mnie zgrozą. *No, we go to Malindi together* – oświadczam. Lketinga na powrót się śmieje i rozbrzmiewa to jego dobrze mi znane: *No problem.* Z kilkoma innymi Masajami wsiadamy do publicznego autobusu, znacznie wygodniejszego niż *matatu*, w których można sobie skręcić kark. Budzę się, gdy docieramy do Malindi.

Najpierw szukamy hotelu dla tuziemców, gdyż po występach wszystko będzie z pewnością zajęte. Nie ma za dużego wyboru. Znajdujemy hotel, w którym zakwaterowali się już inni Masajowie, i dostajemy ostatni wolny pokój, nie większy niż trzy metry na trzy. Przy betonowych ścianach stoją dwa łóżka z cienkimi, zapadniętymi materacami, na których leżą po dwa wełniane koce. Z sufitu zwisa goła żarówka, poza tym w pomieszczeniu stoją jeszcze dwa samotne krzesła. Kosztuje nas to tyle, co nic, po przeliczeniu cztery franki za noc. Mamy jeszcze pół godziny czasu, zanim rozpocznie się przedstawienie masajskich tancerzy. Idę szybko napić się coli.

Gdy po krótkim czasie wracam do naszego pokoju, otwieram usta ze zdziwienia. Lketinga siedzi na jednym z zapadniętych łóżek i podirytowany szarpie dżinsy, które zwisają mu do kolan. Wszystko wskazuje na to, że chce je ściągnąć, gdyż zaraz musimy iść, a on nie

39

może przecież występować w europejskim stroju. Widząc to, z najwyższym trudem powstrzymuję się od śmiechu. Ponieważ buty ma nadal na nogach, nie może przeciągnąć przez nie dżinsów. Tak więc spodnie są do połowy zdjęte, i teraz nie może ich ani ściągnąć, ani wciągnąć. Śmiejąc się, przyklękam i próbuję uwolnić buty z nogawek dżinsów. *No, Corinne, out with this!* – woła Lketinga i pokazuje na spodnie. *Yes, yes* – mówię i tłumaczę mu, że najpierw musi z powrotem włożyć spodnie, potem zdjąć buty i dopiero wtedy będzie mógł uwolnić się od spodni.

Pół godziny dawno minęło i biegniemy do hotelu. Tysiąc razy bardziej podoba mi się w tym starym, wypróbowanym stroju. Od nowych butów dostał już odcisków na piętach, gdyż uparł się, aby nosić je bez skarpet. Przybywamy na show niemal w ostatniej chwili. Przysiadam się do białych widzów. Niektórzy z nich mierzą mnie lekceważącym spojrzeniem, gdyż mam na sobie ciągle to samo ubranie co rano, a od tego czasu na pewno nie stało się ono ani ładniejsze, ani też czystsze. Nie pachnę również tak świeżo jak ci biali, którzy dopiero co wyszli spod prysznica, nie wspominając już o moich posklejanych długich włosach. Mimo to jestem z pewnością najbardziej dumną kobietą na widowni. Kiedy widzę tych tańczących mężczyzn, przepełnia mnie znane już uczucie przynależności do nich.

Gdy show i sprzedaż dobiegają końca, jest prawie północ. Marzę tylko o spaniu. W hotelu chcę się chociaż z grubsza umyć, ale w pokoju zjawia się Lketinga w towarzystwie jakiegoś Masaja i mówi, że jego przyjaciel mógłby się przecież przespać na drugim łóżku. Nie jestem tym specjalnie zachwycona, że mam dzielić z obcym mężczyzną te trzy metry na trzy, lecz nic nie mówię, aby nie wyjść na nieuprzejmą. Wciskam się w ubraniu z Lketingą na wąskie, zapadnięte łóżko, i mimo wszystko w końcu zasypiam.

Rano mogę wreszcie wziąć prysznic, niezbyt jednak luksusowy, ze skąpym strumieniem wody, w dodatku zimnej jak lód. Pomimo uwalanego ubrania czuję się nieco lepiej podczas jazdy na wybrzeże południowe.

W Mombasie kupuję sobie prostą sukienkę, gdyż z powodu paszportu i formularzy mamy zamiar wpaść do biura. Dzisiaj rzeczywiście wszystko idzie jak z płatka. Po dokładnym obejrzeniu tymczasowego biletu i zaświadczenia o zdeponowanych pieniądzach otrzymujemy wreszcie formularz podania. Próbując odpowiedzieć na wszystkie pytania, dochodzę do wniosku, że większości prawie nie rozumiem. Postanawiam więc wypełnić wszystko z Ursulą i jej mężem.

Po pięciu godzinach jazdy jesteśmy wreszcie znowu w domku na wybrzeżu południowym. Priscilla bardzo się o nas martwiła, gdyż nie wiedziała, gdzie spędziliśmy noc. Lketinga tłumaczy jej, dlaczego zjawia się w europejskim ubiorze. Na dworze jest bardzo gorąco, toteż kładę się na chwilkę. W dodatku jestem głodna. Z pewnością już kilka kilo schudłam.

Do odlotu do domu pozostaje mi tylko sześć dni, a jeszcze nie porozmawiałam z Lketingą o naszej wspólnej przyszłości w Kenii. Wszystko rozbija się o ten głupi paszport. Zastanawiam się, co mogłabym tutaj robić. Przy skromnym stylu życia nie są wprawdzie potrzebne wielkie pieniądze, ale mimo to potrzebuję jakiegoś zajęcia i dodatkowych wpływów. Przychodzi mi do głowy pomysł, żeby w jednym z hoteli poszukać lokalu na sklep. Mogłabym zatrudnić jedną lub dwie krawcowe, wykroje ubrań przywieźć ze Szwajcarii i prowadzić tutaj zakład krawiecki. Pięknych materiałów tu nie brakuje, znajdą się również dobre szwaczki, które będą pracowały za jakieś trzysta franków miesięcznie, a handel to przecież moja specjalność.

Uniesiona zapałem, wołam Lketingę do domku i usiłuję mu opowiedzieć o moim pomyśle. Szybko jednak zauważam, że mnie nie rozumie. Ponieważ jest to dla mnie ważne, sprowadzam Priscillę, która tłumaczy, a Lketinga od czasu do czasu kiwa głową. Priscilla wykłada mi, że bez zezwolenia na pracę lub małżeństwa nie urzeczywistnię mojego zamiaru. Pomysł nie jest zły, ona zna tutaj kilku ludzi, którzy na krawiectwie zarabiają ładne pieniądze. Pytam Lketingę, czy w takim razie byłby ewentualnie zainteresowany ślubem. Wbrew moim oczekiwaniom reaguje z rezerwą. Uważa, całkiem zresztą rozsądnie, że skoro mam dobrze prosperujący interes w Szwajcarii, nie powinnam go sprzedawać, tylko lepiej przyjeżdżać tutaj dwa, trzy razy w roku na wakacje, on zawsze będzie na mnie czekał.

Nie posiadam się z oburzenia. To już tak niewiele brakuje, abym zrezygnowała ze wszystkiego w Szwajcarii, a on tu mi robi wakacyjne propozycje! Jestem rozczarowana. Od razu to zauważa i mówi, nie bez racji, że nie zna dobrze mnie ani mojej rodziny. Potrzebuje czasu do zastanowienia. Również i ja powinnam wszystko jeszcze raz rozważyć, a poza tym być może on zjawi się w Szwajcarii. Mówię mu tylko: „Lketinga, jeśli już coś robię, to porządnie, a nie połowicznie". Albo chce, żebym przyjechała na stałe, i czuje podobnie jak ja, albo postaram się zapomnieć o wszystkim, co między nami było.

Następnego dnia zachodzimy do hotelu, aby z Ursulą i jej mężem wypełnić formularz. Nie zastajemy ich jednak, gdyż udali się na kilkudniowe safari. Znowu przeklinam moją słabą znajomość angielskiego. Szukamy kogoś innego, kto by nam wszystko przetłumaczył. Lketinga zgadza się tylko na Masaja, innym nie ufa.

Jedziemy do Ukundy i przez wiele godzin siedzimy w herbaciarni, zanim w końcu pojawia się jakiś Masaj, który umie czytać i pisać, a w dodatku zna angielski. Jego arogancki styl bycia wprawdzie mi się nie podoba, ale wypełnia wszystko należycie wspólnie z Lketingą, mówiąc jednocześnie, że nie obejdzie się bez łapówki. Wierzę mu, ponieważ pokazuje mi swój paszport i chyba był już dwa razy w Niemczech. Dodaje, że przez moją białą skórę łapówka będzie pięciokrotnie wyższa. Za niewielką opłatą pojedzie z Lketingą do Mombasy i wszystko załatwi. Nie jestem zachwycona, ale zgadzam się, powoli bowiem tracę cierpliwość do zmagania się z tym aroganckim urzędnikiem. Za jedyne pięćdziesiąt franków załatwi wszystko i odprowadzi nawet Lketingę na lotnisko. Przekazuję mu jeszcze trochę pieniędzy i obaj jadą do Mombasy.

Wreszcie mogę znowu pójść na plażę, gdzie pozwalam, aby słońce i kelnerki hotelowe zajęły się mną, co naturalnie kosztuje dziesięć razy więcej niż w lokalnych restauracjach. Wieczorem wracam do domku, gdzie już czeka na mnie Lketinga. Jest zły. Podniecona pytam, jak było w Mombasie. On jednak chce tylko wiedzieć, gdzie byłam. Śmiejąc się, odpowiadam: „Na plaży i poszłam zjeść do hotelu!". Pyta, z kim rozmawiałam. Nic sobie przy tym nie myślę, gdy wymieniam Edy'ego i dwóch innych Masajów, z którymi zamieniłam kilka słów na plaży. Jego twarz powoli rozjaśnia się, wspomina ponadto, że załatwianie paszportu będzie trwało jakieś trzy, cztery tygodnie.

Uradowana opowiadam mu dużo o Szwajcarii i o mojej rodzinie. Daje mi do zrozumienia, że cieszy się, iż spotka Erica, ale co do pozostałych, to nie wie, czego ma się spodziewać. Również i ja nie czuję się najlepiej, gdy wyobrażę sobie, jak ludzie w Bielu mogą na niego zareagować. Już sam ruch na ulicach go oszołomi, a co dopiero wyszukane lokale i cały ten luksus.

Moje ostatnie dni w Kenii spędzamy nieco spokojniej. Zachodzimy czasami do hotelu, spacerujemy po plaży albo spędzamy cały dzień w wiosce na gotowaniu i piciu herbaty. Gdy nadchodzi ostatni dzień, jestem smutna, ale trzymam się dzielnie. Lketinga też jest podenerwowany. Wielu ludzi przynosi mi jakiś prezent, najczęściej ozdoby masajskie. Moje ręce są przyozdobione prawie do łokci. Lketinga myje mi ponownie włosy, pomaga przy pakowaniu i ciągle pyta: *Corinne, really you will come back to me?* – Widocznie nie wierzy, że naprawdę zamierzam wrócić. Oznajmia mi, że wiele białych kobiet tak mówi i nie wraca, a jeśli nawet, to biorą sobie całkiem nowego mężczyznę. „Lketinga, ja nie chcę żadnego innego, *only you!*" – zapewniam go ciągle na nowo. Obiecuję, że będę dużo pisała, prześlę fotografie i dam mu zaraz znać, kiedy tylko wszystko załatwię. Bądź co bądź, muszę znaleźć kogoś, kto odkupi ode mnie sklep, i kogoś, kto przejmie moje mieszkanie z całym wyposażeniem.

Lketinga ma poinformować mnie przez Priscillę, kiedy przyjedzie, gdyby dostał paszport. „Jeśli nic z tego nie wyjdzie albo jeśli naprawdę nie będziesz miał ochoty przyjechać do Szwajcarii, możesz mnie o tym spokojnie zawiadomić" – mówię mu. Wspominam jednocześnie, że będę potrzebowała około trzech miesięcy na załatwienie wszystkiego. Pyta, jak długie są trzy miesiące. *How many full moons?* „Trzy pełnie księżyca" – śmiejąc się, udzielam mu odpowiedzi.

Tego ostatniego dnia spędzamy ze sobą każdą minutę i postanawiamy pójść do Bush-Baby-Baru i pozostać tam do czwartej rano, żeby przypadkiem nie zaspać i dobrze wykorzystać czas, jaki nam pozostał. Rozmawiamy, pokazujemy na migi, wyjaśniamy sobie wszystko przez całą noc, i ciągle powraca jedno i to samo pytanie, czy aby na pewno wrócę z powrotem. Po raz dwudziesty przyrzekam, że tak właśnie się stanie, zauważam przy tym, jak bardzo Lketinga jest tym przejęty.

Pół godziny przed odjazdem przybywamy do hotelu w towarzystwie jeszcze dwóch innych Masajów. Zaspani czekający biali patrzą na nas z irytacją. Muszę wyglądać dość osobliwie z torbą podróżną w ręce i z trzema wystrojonymi Masajami ze swymi *rungu* u boku. Potem muszę już wsiadać. Padamy sobie z Lketingą jeszcze raz w ramiona, a on mówi: *No problem, Corinne!* Czekam tu albo przyjadę do ciebie! – Następnie, nie mogę w to uwierzyć, całuje mnie prosto w usta. Jestem bardzo wzruszona, wsiadam i macham do trzech postaci, które pozostały w ciemnościach.

POŻEGNANIE I WYJAZD

W Szwajcarii zaczynam z miejsca szukać następczyni do mojego sklepu. Kilka okazuje zainteresowanie, ale niewiele z nich nadaje się, a w dodatku nie mają pieniędzy. To jasne, że chcę utargować jak najwięcej, gdyż nie wiem, kiedy znowu będę mogła pracować. Za dziesięć franków jestem w stanie przeżyć w Kenii dwa dni. Tak więc staję się nieco skąpa i odkładam każdego franka na przyszłość w Afryce. Szybko mija miesiąc, a od Lketingi nie ma wieści. Napisałam już do niego trzy listy. Dlatego też piszę nieco zaniepokojona również do Priscilli. Dwa tygodnie później otrzymuję od niej list, który zbija mnie z tropu. Dwa tygodnie po moim wyjeździe widziała Lketingę po raz ostatni, najprawdopodobniej żyje on teraz znowu na wybrzeżu północnym. Sprawa paszportu nie posuwa się wcale naprzód, na zakończenie radzi mi, żebym lepiej została w Szwajcarii. Jestem całkowicie bezsilna i z miejsca piszę następny list na adres skrzynki pocztowej na wybrzeżu północnym, gdzie już wcześniej wysyłałam listy do Lketingi.

Po prawie dwóch miesiącach pewna przyjaciółka decyduje się na przejęcie sklepu pierwszego października. Jestem wniebowzięta, że w końcu ten wielki problem zostaje rozwiązany. Tak więc teoretycznie mogłabym w październiku wyjeżdżać. Nadal nie mam jednak żadnych wiadomości od Lketingi. Nie musi już przylatywać do Szwajcarii, gdyż niedługo będę znowu w Mombasie, myślę sobie, pełna wiary w naszą wielką miłość. Dostaję od Priscilli jeszcze dwa niejasne listy, jednakże pełna niewzruszonej wiary idę do biura podróży i rezerwuję lot do Mombasy na piątego października.

Zostają mi ponad dwa tygodnie na pozbycie się mieszkania i samochodów. Z mieszkaniem nie ma większego problemu, sprzedaję je, całkowicie umeblowane, za śmieszną cenę pewnemu młodemu studentowi. Dzięki temu wolno mi zostać w mieszkaniu aż do ostatniej chwili.

Przyjaciele, znajomi z pracy, w ogóle wszyscy, nie pojmują, dlaczego to robię. Szczególnie ciężko jest mojej matce, ale odnoszę wrażenie, że ona najprędzej mnie rozumie. Modli się za mnie i ma nadzieję, że znajdę to, czego szukam, i że będę szczęśliwa. Kabriolet sprzedaję ostatniego dnia, tuż przed udaniem się na dworzec. Kupując bilet kolejowy do Zurychu-Kloten, tylko w jedną stronę, jestem podekscytowana. Mam przy sobie torebkę podręczną i dużą torbę podróżną, w której znajduje się kilka podkoszulków, bielizna osobista, proste spódnice z bawełny oraz parę prezentów dla Lketingi i Priscilli. Siedzę w pociągu i czekam na odjazd.

Gdy pociąg rusza, wydaje mi się, że uniosę się ze szczęścia. Opieram się wygodnie i cała jestem w skowronkach. Rozpiera mnie cudowne uczucie wolności. Mogłabym krzyczeć, żeby z każdym, kto siedzi w pociągu, podzielić się moim szczęściem i moimi planami. Jestem wolna, wolna, wolna! W Szwajcarii nie mam więcej żadnych zobowiązań, żadnej skrzynki pocztowej z rachunkami i uciekam przed beznadziejną, ponurą pogodą w zimie. Nie wiem, co czeka na mnie w Kenii, czy Lketinga otrzymał moje listy, a jeżeli, to czy przetłumaczono mu je prawidłowo. Nie wiem nic, po prostu rozkoszuję się napawającym mnie szczęściem uczuciem nieważkości.

Będę miała trzy miesiące czasu na aklimatyzację, dopiero potem przyjdzie mi zatroszczyć się o następną wizę. Mój Boże, trzy miesiące, mnóstwo czasu na uporządkowanie wszystkiego i lepsze poznanie Lketingi! Mój angielski polepszył się, poza tym mam w bagażu niezłe podręczniki z obrazkami. Za piętnaście godzin będę w mojej nowej ojczyźnie. Z tą myślą wsiadam do samolotu, opieram głowę na poduszce i wchłaniam przez okienko raz jeszcze ostatnie widoki Szwajcarii. Kiedy tu powrócę, tego nikt nie wie. Na pożegnanie i na dobry początek raczę się szampanem, i wkrótce już nie wiem, czy mam się śmiać, czy też płakać.

W NOWEJ OJCZYŹNIE

Pomimo że nie zamówiłam żadnego hotelu, udaje mi się zabrać z lotniska w Mombasie do Africa-Sea-Lodge autobusem hotelowym. Priscilla i Lketinga są poinformowani, kiedy będę na miejscu. Jestem strasznie skołowana. Co będzie, jeśli nikt się nie zjawi? Po przyjeź-dzie do hotelu nie mam czasu na dalsze rozmyślania. Rozglądam się i nie widzę nikogo, kto by po mnie wyszedł. Stoję z ciężką torbą i na-pięcie powoli opada, a jego miejsce wypełnia uczucie zawodu. Nagle jednak słyszę swoje imię i gdy podnoszę wzrok, widzę Priscillę, jak pędzi z falującymi piersiami prosto na mnie. Z ulgi i radości tryskają mi z oczu łzy.

Rzucamy się sobie na szyję i oczywiście zaraz pytam, gdzie jest Lketinga. Zasępia się i nie patrząc na mnie, mówi: *Corinne, please, I don't know, where he is!* Od tamtego czasu przed ponad dwoma mie-siącami nie widziała go. Słyszała różne pogłoski, lecz które z nich są prawdziwe, nie wie. Pragnę dowiedzieć się wszystkiego, ale Priscilla uważa, że najpierw powinniśmy udać się do osady. Ładuję jej na gło-wę moją ciężką torbę, sama biorę swój podręczny bagaż i ruszamy w drogę.

Mój Boże, myślę, co będzie z moimi marzeniami o wielkim szczę-ściu i miłości? Gdzie się podziewa ten Lketinga? Nie mogę uwierzyć, że już zapomniał o wszystkim. W wiosce poznaję pewną kobietę, mu-zułmankę. Priscilla przedstawia mi ją jako swą przyjaciółkę i wyja-śnia, że chwilowo musimy mieszkać we trzy w jej domostwie, gdyż ta kobieta za nic nie chce wracać do swego męża. Domek nie jest wpraw-dzie za duży, ale na początek wystarczy.

Pijemy herbatę, lecz nie wyjaśnione sprawy nie dają mi spokoju. Ponownie pytam o mego Masaja. Priscilla opowiada z ociąganiem, co słyszała. Jeden z jego kolegów wspominał, że Lketinga pojechał do domu. Jako że długo nie dostawał żadnego listu ode mnie, zachoro-wał. „Co? – mówię wzburzona. – Pisałam do niego przynajmniej pięć razy". Teraz z kolei Priscilla patrzy na mnie ze zdziwieniem. „Tak, a na jaki adres?" – pyta. Pokazuję jej adres skrzynki pocztowej na wybrzeżu północnym, na co ona mówi, że nic dziwnego, że Lketin-ga nie dostał tych listów. Ta skrzynka pocztowa należy do wszystkich Masajów na wybrzeżu północnym i każdy może z niej wyjąć, co tyl-ko chce. Ponieważ Lketinga nie umie czytać, z pewnością ktoś inny przejął listy do niego.

Nie chce mi się wierzyć w to, co mówi Priscilla. „Myślałam, że wszys-s-cy Masajowie są przyjaciółmi albo prawie jak bracia – mówię. – Kto mógłby zrobić coś takiego?". I wtedy po raz pierwszy dowiaduję się o zawiści panującej między wojownikami tutaj, na wybrzeżu. Gdy trzy miesiące temu wyjechałam, niektórzy mężczyźni żyjący już dłużej na wybrzeżu naigrywali się z Lketingi i podburzali go: „Taka młoda i ładna kobieta z pieniędzmi na pewno nie wróci do Kenii z powodu jakiegoś czarnego mężczyzny, który niczego nie ma". I tak, ciągnie Priscilla, Lketinga, który nie żyje jeszcze tutaj zbyt długo, uwierzył im z pewnością, gdyż nie dostał żadnych listów. Zaciekawiona pytam Priscillę, gdzie znajduje się jego dom. Nie wie dokładnie, ale gdzieś w dystrykcie Samburu, około trzech dni drogi stąd. Nie mam się teraz co martwić, najważniejsze, że przyjechałam, ona spróbuje znaleźć kogoś, kto w najbliższym czasie będzie tam jechał i przekażemy przez niego wiadomości. „Z czasem wszystkiego się dowiemy. *Pole, pole*" – mówi, co oznacza mniej więcej „powoli, powoli. Jesteś teraz w Kenii, więc musisz być cierpliwa".

Obie kobiety troszczą się o mnie jak o dziecko. Dużo ze sobą rozmawiamy i Esther, muzułmanka, opowiada o swojej drodze krzyżowej z mężem. Przestrzegają mnie przed małżeństwem z Afrykaninem. Nie są oni wierni i źle traktują swoje żony. Lketinga jest inny, myślę sobie i nic nie mówię.

Następnego dnia postanawiamy kupić łóżko. Ubiegłej nocy nie mogłam zmrużyć oka, gdyż Priscilla i ja ulokowałyśmy się na jednym wąskim łóżku, a Esther spała po przeciwnej stronie na drugim. Jako że Priscilla jest dość obfitych kształtów, miałam mało miejsca i musiałam trzymać się brzegu łóżka, aby ciągle nie zsuwać się na nią.

Jedziemy więc do Ukundy i biegamy przy czterdziestu stopniach w cieniu od jednego handlarza do drugiego. Pierwszy nie ma podwójnego łóżka, może je jednak w ciągu trzech dni zrobić. Ale ja chcę mieć łóżko natychmiast. U następnego znajdujemy przepiękne rzeźbione łóżko za osiemdziesiąt franków. Chcę je od razu kupić, ale Priscilla uważa oburzona: *Too much!* Chyba się przesłyszałam. Za takie małe pieniądze takie piękne małżeńskie łoże, w dodatku ręcznie robione! Ale Priscilla maszeruje dalej. *Come, Corinne, too much!* I tak przez połowę popołudnia, aż w końcu pozwala mi kupić łóżko za sześćdziesiąt franków. Rzemieślnik rozkłada je na części, które transportujemy do głównej drogi. Priscilla załatwia jeszcze materac z pianki i po godzinie czekania w skwarze przy zakurzonej drodze jedziemy *matatu* do hotelu, gdzie wszystko wyładowujemy. I tak stoimy tam z łóżkiem w częściach, które naturalnie są ciężkie, gdyż zrobiono je z prawdziwego drewna.

Bezradnie rozglądamy się wokół. Od strony plaży nadchodzi trzech Masajów, Priscilla rozmawia z nimi i ci zazwyczaj stroniący od pracy wojownicy są z miejsca gotowi zanieść moje nowe podwójne łóżko do wioski. Ledwo powstrzymuję się od śmiechu, gdyż wszystko to wygląda rzeczywiście zabawnie. Kiedy w końcu docieramy do chatki, chcę się od razu zabrać do pracy i skręcić łóżko, ale nic z tego, gdyż Masajowie upierają się, aby załatwić to za mnie. Przy łóżku pracuje sześciu mężczyzn.

Późnym wieczorem siadamy zmęczeni na brzegu łoża. Wszyscy pomocnicy dostają herbatę. I znowu mówią w języku, którego ni w ząb nie rozumiem. Raz po raz wojownicy mierzą mnie wzrokiem, od czasu do czasu pada imię Lketinga. Po jakiejś godzinie wszyscy wychodzą. Szykujemy się do spania, oznacza to powierzchowne mycie poza domkiem, co idzie nam całkiem dobrze, gdyż jest ciemno choć oko wykol i na pewno nikt nas nie widzi. Również ostatnie siusianie odbywa się niedaleko chaty, ponieważ w ciemnościach nie chodzi się już po kurzej drabince. Wykończona zapadam we wspaniały sen w nowym łóżku. Priscilli tym razem nie czuję, gdyż łóżko jest odpowiednio szerokie. Za to zrobiło się mało miejsca w chacie; gdy przyjdzie ktoś w gości, musi siedzieć na brzegu łóżka.

Dni mijają jak z bicza trzasł, a Priscilla i Esther mnie rozpieszczają. Jedna gotuje, druga przynosi wodę, a nawet pierze moje rzeczy. Gdy protestuję, mówią, że jest za gorąco, abym pracowała. Tak więc spędzam większość czasu na plaży, czekając na jakikolwiek znak od Lketinga. Wieczorami odwiedzają nas często wojownicy masajscy, gramy w karty albo próbujemy opowiadać różne historie. Z upływem czasu zauważam oczywiście, że ten czy inny chciałby czegoś ode mnie, jednak to nie wchodzi w rachubę, gdyż dla mnie liczy się tylko jeden mężczyzna. Nikt nie jest nawet w połowie tak piękny i elegancki, jak mój „półbóg", dla którego ze wszystkiego zrezygnowałam. Gdy wojownicy zauważają mój brak zainteresowania, muszę wysłuchiwać kolejnych plotek o Lketindze. Widocznie wszyscy wiedzą, że ciągle jeszcze na niego czekam.

Kiedy po raz kolejny odrzucam grzecznie, ale z naciskiem propozycję przyjaźni, czytaj: miłostki, jednego z nich, słyszę: „Dlaczego czekasz na tego właśnie Masaja? Każdy przecież wie, że on wziął pieniądze, które dałaś mu na paszport, i pojechał do Watamu Malindi, gdzie wszystko przepił z afrykańskimi girlsami!". Potem podnosi się i mówi, abym jeszcze raz zastanowiła się nad jego propozycją. Rozgniewana odpowiadam, żeby się tu więcej nie pokazywał. Mimo to czuję się bardzo samotna i zdradzona. A co będzie, jeśli to rzeczywiście prawda? Wiele myśli przelatuje mi przez głowę, w końcu wiem tylko tyle, że nie powinnam wierzyć w to, co usłyszałam. Mogłabym pojechać do Mombasy do Hindusa i sprawdzić, ale jakoś nie mogę się zdobyć na odwagę, gdyż nie zniosłabym zawodu. Codziennie spotykam na plaży wojowników i słyszę nowe historie. Jeden z nich donosi nawet, że Lketinga zwariował i że zabrano go do domu. Tam ożenił się z pewną młodą dziewczyną i już nigdy więcej nie pojawi się w Mombasie. Jeśli potrzebuję pociechy, on służy swoją osobą. Mój Boże, czy oni nigdy nie zostawią mnie w spokoju? Zdaje się, że jestem zagubioną sarenką między lwami. Każdy chce mnie pożreć!

Wieczorem opowiadam Priscilli o najnowszych pogłoskach i nagabywaniach. Uważa to za normalne. Od trzech tygodni jestem tutaj sama, bez mężczyzny, a ludzie ci są przekonani, że biała kobieta nigdy długo nie zostaje sama. Następnie opowiada mi o dwóch białych, które mieszkają już dłużej w Kenii i biegają niemalże za każdym Masajem. Z jednej strony jestem zaszokowana, z drugiej zdziwiona, słysząc, że są tutaj jeszcze inne białe kobiety, w dodatku mówiące po niemiecku. Ta wiadomość budzi moją ciekawość. Priscilla wskazuje jeden domek w osadzie i wyjaśnia: „Ten należy do Jutty, pewnej Niemki. Przebywa obecnie w prowincji Samburu i pracuje w obozowisku dla turystów, ale ma zamiar za dwa, trzy tygodnie zawitać tu znowu na krótko". Jestem bardzo ciekawa tej tajemniczej Jutty.

Tymczasem powtarzają się nagabywania ze strony Masajów, tak że mam już wszystkiego serdecznie dosyć. Samotna kobieta jest tutaj zwierzyną przeznaczoną do odstrzału. Również Priscilla nie może albo też nie chce odpowiednio zareagować. Gdy opowiadam jej o tym, śmieje się niekiedy jak dziecko, czego nie mogę pojąć.

49

PODRÓŻ Z PRISCILLĄ

Pewnego dnia Priscilla proponuje mi, abym pojechała z nią na dwa tygodnie do jej wioski, aby odwiedzić swoją matkę i pięcioro dzieci. „Co, to ty masz pięcioro dzieci? A gdzie one żyją?" – pytam zdziwiona. „U mojej matki albo czasami u brata" – odpowiada. Żyją na wybrzeżu i zarabiają pieniądze, sprzedając ozdoby, dwa razy w roku przynoszą je do domu. Jej mąż już od dawna nie mieszka razem z nią. Po raz kolejny afrykańskie stosunki wywołują moje zdziwienie. Jak wrócimy, to może Jutta będzie już tutaj, myślę i zgadzam się. Dzięki tej podróży umknę także przed awansami tych wszystkich Masajów! Priscilla cieszy się ogromnie, gdyż jeszcze nigdy nie zabrała ze sobą do domu jakiejś białej. Niewiele się zastanawiając, wyjeżdżamy następnego dnia. Esther zostaje w chacie, aby się o wszystko troszczyć. W Mombasie Priscilla kupuje różne mundurki szkolne dla dzieci. Mam przy sobie tylko mały plecak, w którym znajduje się nieco bielizny osobistej, pulower, trzy podkoszulki i dżinsy na zmianę. Kupujemy bilety i mamy mnóstwo czasu do wieczora, kiedy odjeżdża autobus. Dlatego też idę do salonu fryzjerskiego i życzę sobie, aby zapleciono mi włosy w afrykańskie warkoczyki. Cała procedura trwa prawie trzy godziny i jest bardzo bolesna. Jednak nowa fryzura wydaje mi się praktyczniejsza na podróż.

Na długo przed odjazdem dziesiątki ludzi tłoczą się wokół autobusu, najpierw jednak ładowane są na dach wszystkie bagaże podróżnych. Kiedy odjeżdżamy, jest już zupełnie ciemno i Priscilla proponuje, abyśmy się przespały. Wspomina, że do Nairobi jest z pewnością dziewięć godzin jazdy, potem będziemy musiały się przesiąść i wytrzymać następne cztery i pół godziny do Narok.

Podczas całej tej długiej podróży nie mogę sobie znaleźć miejsca i oddycham z ulgą, gdy w końcu przybywamy do celu. Dalej ruszamy na piechotę. Droga lekko się wznosi; prawie dwie godziny idziemy przez pola, łąki, a nawet lasy jodłowe. Od strony krajobrazowej można by pomyśleć, że znajdujemy się gdzieś w Szwajcarii: jak okiem sięgnąć zieleń i brak jakiegokolwiek człowieka.

W końcu dostrzegam daleko w górze dym i kilka zapuszczonych baraków. „Zaraz będziemy na miejscu" – mówi Priscilla i wyjaśnia mi, że musi jeszcze załatwić dla swego ojca skrzynkę piwa; to ma być prezent. Nie posiadam się ze zdziwienia, gdy dodatkowo pakuje ją na głowę i targa na górę. Jestem ciekawa, jak żyją ci Masajowie, gdyż Priscilla opowiadała mi, że są bogatsi od Samburu, z których pochodzi Lketinga.

Gdy docieramy na górę, robi się wielka wrzawa. Wszyscy nadbiegają pędem, pozdrawiają Priscillę, potem jednak gwałtownie zatrzymują się i patrzą na mnie w milczeniu. Zdaje się, że Priscilla wszystkim opowiada, iż jesteśmy przyjaciółkami. Udajemy się do domu jej brata, który mówi trochę po angielsku. Domostwo jest większe od naszej chatki, ma trzy pomieszczenia. Wszystko jednak jest brudne i pokryte sadzą, gdyż gotuje się tutaj na drewnie; wszędzie skaczą kury, młode psy i koty. Gdziekolwiek popatrzeć, krzątają się dzieci w różnym wieku, większe noszą mniejsze w chustach na plecach. Rozdawane są pierwsze prezenty.

Tutejsi ludzie nie trzymają się kurczowo tradycji, noszą normalne ubrania i żyją uregulowanym życiem chłopów. Kiedy kozy wracają do domu, muszę jako gość wybrać jedną z nich na powitalną ucztę. Nie potrafię wydać wyroku śmierci, lecz Priscilla poucza mnie, że należy to do obyczaju i jest wyrazem wielkiego szacunku. Z pewnością będę musiała robić to codziennie podczas następnych odwiedzin. Tak więc pokazuję na jedną białą kozę, która natychmiast zostaje schwytana. Dwóch mężczyzn dusi to biedne zwierzę. Odwracam się, żeby nie oglądać wierzgania kozy. Robi się ciemno i chłodno. Wchodzimy do domu i siadamy przy ognisku, które płonie na klepisku w jednym z pomieszczeń.

Nie wiem, gdzie koza jest gotowana albo pieczona. Tym bardziej jestem zdziwiona, gdy pojawia się przede mną cała przednia noga, a do tego wielka maczeta. Priscilla otrzymuje drugą nogę. „Priscilla – mówię – aż tak nie jestem głodna, nie zjem tego wszystkiego". Śmieje się i odpowiada, że resztę weźmiemy ze sobą i jutro będziemy jeść dalej. Na myśl, że na śniadanie znowu będę musiała obgryzać tę nogę, robi mi się słabo. Ale trzymam się dzielnie i jem ociupinę, a wszyscy wyśmiewają się ze mnie, że jem jak ptaszek.

Jestem zmęczona jak pies i potwornie bolą mnie plecy, pytam więc, gdzie możemy się przespać. Dostajemy wąską pryczę, na której mamy spać we dwie. Jak okiem sięgnąć, nie widać wody do mycia, a bez ognia jest w pomieszczeniu strasznie zimno. Wkładam do spania pulower i cienką kurtkę. Jestem nawet zadowolona, że Priscilla wciska się obok mnie, gdyż dzięki temu jest cieplej. W środku nocy budzę się, czując swędzenie, i zauważam, że przechadzają się po mnie różnego rodzaju zwierzątka. Wyskoczyłabym z pryczy, ale wokół jest ciemno jak w grobie i przenikliwie zimno. Nie pozostaje mi więc nic innego, jak tylko wytrwać do rana. Przy pierwszych promieniach słońca budzę Priscillę i pokazuję jej moje nogi, które pokryte są czerwonymi ranami od ukąszeń, najprawdopodobniej pchlich. Niewiele mogę zaradzić, gdyż nie mam ubrania na zmianę. Chcę się przynajmniej umyć i gdy wychodzę na dwór, ogarnia mnie zdumienie. Cały teren spowija mgła, a soczyste łąki pokrywa szron. Można by pomyśleć, że jest się u chłopów w kantonie Jura.

Dzisiaj ruszamy dalej, aby odwiedzić matkę Priscilli i jej dzieci. Maszerujemy przez wzgórza i pola, niekiedy spotykając dzieci i starszych ludzi. Wprawdzie dzieci trzymają się ode mnie z daleka, ale wielu starszych ludzi, przede wszystkim kobiet, chce mnie dotknąć. Niektóre długo trzymają mnie za rękę i coś tam mamroczą, czego ja naturalnie nie rozumiem. Priscilla mówi, że większość jeszcze nigdy nie widziała białej kobiety, nie wspominając już o tym, że nie dotykała. Czasami zdarza się, że któraś podczas ściskania mojej dłoni pluje na nią, co ma być oznaką szczególnego szacunku.

Po jakichś trzech godzinach docieramy do chaty, w której żyje matka Priscilli. Od razu wypadają na nas dzieci i kleją się do Priscilli. Jej matka, jeszcze okrąglejsza niż Priscilla, siedzi na ziemi i pierze ubrania. Obie, rzecz jasna, mają sobie wiele do opowiadania, a ja próbuję wychwycić przynajmniej to i owo.

Chata jest najskromniejsza ze wszystkich, jakie dotychczas widziałam. Podobnie jak inne jest okrągła i połatana różnorodnymi deskami, szmatami i plastikiem. We wnętrzu z trudem mogę stać wyprostowana, a ognisko na środku wypełnia pomieszczenie gryzącym dymem. Nie ma żadnego okna. Dlatego piję herbatę na dworze, inaczej zalałabym się łzami i bolałyby mnie oczy. Nieco zaniepokojona pytam Priscillę, czy będziemy tu nocować. Śmieje się. „Nie, Corinne, mój inny brat mieszka pół godziny drogi stąd w większej chacie, tam zanocujemy. Tu nie ma miejsca, gdyż tutaj śpią wszystkie dzieci, ponadto oprócz mleka i kukurydzy nie ma nic do jedzenia". Oddycham z ulgą.

Krótko przed nadejściem zmroku wyruszamy dalej, do drugiego brata. Także tutaj spotykamy się z radosnym powitaniem. Ludzie nic nie wiedzieli o tym, że przyjdzie Priscilla i że przyprowadzi białego gościa. Ten brat jest bardzo sympatyczny. W końcu mogę porozmawiać sobie do woli. Również jego żona mówi trochę po angielsku. Oboje chodzili do szkoły. Następnie ponownie muszę wybrać kozę. Czuję się bezradna, nie uśmiecha mi się ponowne jedzenie łykowatego mięsa koźlego. Ale jestem porządnie głodna, toteż zbieram się na odwagę i pytam, czy może znalazłoby się coś innego do jedzenia, my biali nie jesteśmy przyzwyczajeni do konsumpcji takich ilości mięsa. Wszyscy śmieją się, a żona brata pyta, czy może miałabym ochotę na kurę z kartoflami i warzywami. Na propozycję tak wspaniałego obiadu reaguję pełnym zachwytu okrzykiem: O yes! Znika i szybko wraca z oskubaną kurą, ziemniakami i czymś w rodzaju liści szpinaku. Ci Masajowie są prawdziwymi chłopami, część z nich chodziła do szkoły, i pracują ciężko na swoich polach. Wspólnie z kobietami i dziećmi jemy naprawdę dobrą potrawę, coś w rodzaju gęstej zupy z wkładką, która smakuje wyśmienicie po wszystkich tych z życzliwością stawianych przede mną górach mięsa.

Zostajemy prawie tydzień i stąd robimy wypady, by odwiedzać znajomych Priscilli. Nawet przygotowują dla mnie ciepłą wodę, abym mogła się umyć. Jednak nasze ubrania są brudne i przeraźliwie śmierdzą dymem. Powoli mam dość takiego życia i tęsknię za plażą w Mombasie i swoim nowym łóżkiem. Gdy wyrażam życzenie, abyśmy już wracały, Priscilla oświadcza, że jesteśmy zaproszone na ceremonię zaślubin, która odbędzie się za dwa dni. Tak więc zostajemy.

Wesele odbywa się kilka kilometrów stąd. Jeden z bogatszych Masajów bierze sobie trzecią kobietę za żonę. Widocznie Masajowie mogą żenić się z tyloma kobietami, ile są w stanie wyżywić. Jestem tym zaskoczona. Przypominają mi się pogłoski, jakie słyszałem o Lketindze. Być może rzeczywiście jest już żonaty? Drżę na myśl o tym. Uspokajam się, mówiąc sobie, że gdyby tak było, z pewnością by mi o tym powiedział. Za jego zniknięciem kryje się coś innego. Jak tylko znajdę się na powrót w Mombasie, muszę odkryć, co to takiego jest.

Ceremonia wywiera na mnie silne wrażenie. Uczestniczą w niej setki mężczyzn i kobiet. Przedstawiają mnie dumnemu panu młodemu, który proponuje mi, że jeśli chcę wyjść za mąż, to on jest z miejsca gotowy wziąć mnie za żonę. Brakuje mi słów. Zwracając się do Priscilli, pyta, ile krów musiałby dać za mnie. Jednakże Priscilla odprawia go z kwitkiem. Następnie pojawia się panna młoda w towarzystwie dwóch obecnych żon. Przepiękna dziewczyna, przyozdobiona od stóp do głów. Jestem zdumiona jej wiekiem, gdyż z pewnością nie ma więcej jak dwanaście, trzynaście lat. Dwie pozostałe żony mają po jakieś osiemnaście, dwadzieścia lat. Sam pan młody nie jest z pewnością o wiele starszy, bądź co bądź jednak liczy sobie jakieś trzydzieści pięć lat. „Dlaczego – pytam Priscillę – wydaje się tutaj za mąż dziewczyny, które jeszcze są dziećmi?". Tak to już jest, ona sama nie była wiele starsza od nich. W jakiś sposób współczuję tej dziewczynie, która wygląda wprawdzie dumnie, ale niezbyt szczęśliwie.

I znowu moje myśli wędrują do Lketingi. Czy on w ogóle wie, że mam dwadzieścia siedem lat? Nagle czuję się staro, niepewnie i niespecjalnie atrakcyjnie w tych moich brudnych łachach. Liczne propozycje ze strony mężczyzn, przekazywane mi przez Priscillę, nie mogę poprawić mojego nastroju. Żaden mi się nie podoba. Jako ewentualny mąż w grę wchodzi tylko Lketinga. Chcę do domu, do Mombasy. Być może on już tam jest. Przecież już od miesiąca jestem w Kenii.

SPOTKANIE Z JUTTĄ

Nocujemy ostatni raz w chacie i następnego dnia wracamy do Mombasy. Z bijącym sercem maszeruję do wioski. Z daleka słychać obce głosy i Priscilla woła: „Jumbo, Jutta!". Serce skacze mi z radości do gardła, gdy słyszę te słowa. Po prawie dwóch tygodniach spędzonych niemalże bez konwersacji cieszę się na spotkanie z kimś białym.

Pozdrawia mnie dość chłodno i rozmawia w języku suahili z Priscillą. I znowu nic nie rozumiem! Potem jednak patrzy na mnie z uśmiechem i pyta: „No, i jak podobało ci się życie w buszu? Gdybym nie widziała, jak tak stoisz niczym brudna skarpeta w kącie, nigdy nie uwierzyłabym, że jesteś do czegoś takiego zdolna". Przy tym mierzy mnie krytycznym wzrokiem od stóp do głowy. Odpowiadam, że cieszę się, iż znowu jestem tutaj, gdyż cała jestem pokąsana, jak również włosy swędzą mnie przeraźliwie. Jutta się śmieje. „Masz pchły i wszy, ot co! Jeśli jednak teraz wejdziesz do chaty, nigdy już się ich nie pozbędziesz!".

Na pchły proponuje mi kąpiel w morzu, a następnie prysznic w jednym z hoteli. Zawsze gdy jest w Mombasie, pozwala sobie na taki luksus. Z powątpiewaniem pytam, czy to aby nie rzuci się w oczy, jako że przecież nie jestem gościem. „Tam gdzie jest dużo białych, nikt tego nie zauważy" – rozprasza moje obawy. Czasami udaje się nawet do bufetów i bierze jedzenie, naturalnie zawsze w innym hotelu. Podziwiam Juttę za te wszystkie triki. Obiecuje, że później pójdzie ze mną, i znika w swoim domku.

Priscilla rozplata mi warkoczyki. Boli, że aż strach. Włosy sfilcowały się i lepią się od dymu i brudu. W całym moim dotychczasowym życiu nie byłam jeszcze taka brudna, czuję się okropnie. Po godzinie wyrywania mi całymi kępkami włosów z głowy wreszcie koniec. Wszystkie warkoczyki są rozplecione, a ja wyglądam, jakby właśnie poraził mnie prąd. Uzbrojona w szampon, mydło i świeże rzeczy pukam do drzwi Jutty i ruszamy. Jutta zabiera ze sobą ołówki i blok do rysowania. „A co ty chcesz z tym robić?" – pytam. „Zarabiać pieniądze! W Mombasie można łatwo zarobić trochę grosza, dlatego też jestem tu co dwa, trzy tygodnie" – tłumaczy. „Ale jak?" – pytam. „W ciągu dziesięciu, piętnastu minut rysuję turystom karykatury i dostaję za obrazek jakieś dziesięć franków. Jeśli w ciągu dnia namaluję czworo–pięcioro ludzi, to żyję całkiem nieźle" – opowiada Jutta. Od pięciu lat przebija się przez życie w ten właśnie sposób, wygląda ciągle na pewną siebie i zna wszystkie sztuczki. Podziwiam ją.

Przybywamy na plażę i rzucam się w orzeźwiającą słoną wodę. Dopiero po godzinie wychodzę na brzeg, a Jutta pokazuje mi pierwsze pieniądze, jakie już zdążyła zarobić. „No, a teraz idziemy wziąć prysznic – rzuca ze śmiechem. – Musisz po prostu przejść całkiem na luzie obok strażników pilnujących plaży. Jesteśmy białe, pamiętaj o tym!". I rzeczywiście, udaje się. Stoję pod prysznicem i stoję, myję włosy przynajmniej pięć razy, aż wreszcie czuję się czysta. Na koniec wkładam lekką sukienkę i idziemy jak gdyby nigdy nic na tradycyjną herbatkę o czwartej. Wszystko gratis!

Jutta pyta, dlaczego właściwie mieszkam w wiosce. Opowiadam jej swą historię, a ona uważnie słucha. Potem udziela mi porad: „Jeśli chcesz koniecznie pozostać tu i dostać tego swojego Masaja, to musi się w końcu coś wydarzyć. Po pierwsze, musisz wynająć własny domek, to prawie nic nie kosztuje, a ty będziesz miała spokój. Po drugie, nie powinnaś trwonić pieniędzy, tylko zarabiać, na przykład werbując dla mnie klientów, których będę malowała, potem się podzielimy. Po trzecie, nie wierz żadnemu czarnemu na wybrzeżu. W gruncie rzeczy chodzi im tylko o pieniądze. Aby zobaczyć, czy ten Lketinga wart jest tego, abyś tak się nim przejmowała, pójdziemy jutro do biura podróży i zobaczymy, czy nie ruszył tamtych pieniędzy. Jeśli nie, to nie jest jeszcze zepsuty przez ten cały przemysł turystyczny. Poważnie, tak myślę". Gdybym miała jakieś jego zdjęcie, to przy odrobinie szczęścia byśmy go znalazły.

Obecność Jutty dobrze mi robi. Mówi w suahili, zna się na wszystkim i ma tyle energii co Rambogirl. Następnego dnia jedziemy do Mombasy, ale nie autobusem. Jutta uważa, że nie będzie swoich ciężko zarobionych pieniędzy wyrzucała przez okno, i z wprawą wystawia kciuka. I rzeczywiście, zatrzymuje się pierwsze prywatne auto, które przejeżdża. Jadą w nim Hindusi, którzy zabierają nas do promu. Prywatne auta mają tutaj niemalże wyłącznie Hindusi i biali. Jutta śmieje się do mnie. „Widzisz, Corinne, i znowu czegoś się nauczyłaś!".

Po długich poszukiwaniach odnajdujemy biuro podróży. Żywię głęboką nadzieję, że pieniądze, prawie po pięciu miesiącach, jeszcze tu będą. Nie tyle chodzi mi o same pieniądze, ile o to, abym umocniła się w wierze, że nie pomyliłam się co do Lketingi i co do naszej miłości. Ponadto Jutta pomoże mi w odszukaniu Lketingi tylko wtedy, gdy on nie podjął tych pieniędzy. Wygląda na to, że nie bardzo w to wierzy.

Serce podchodzi mi do gardła, gdy otwieram drzwi i przekraczam próg. Mężczyzna za biurkiem podnosi głowę i od razu go poznaję. Nie zdążyłam jeszcze powiedzieć ani słowa, a on zbliża się do mnie promiennie z szeroko rozłożonymi rękami i mówi: *Hello, how are you after such a long time?* Gdzie jest ten Masaj? Więcej go nie widziałem". Gdy słyszę te kilka zdań, robi mi się ciepło na sercu i pozdrowiwszy go, wyjaśniam, że z paszportem nic nie wyszło i dlatego też przychodzę odebrać pieniądze.

Ciągle jeszcze nie śmiem w to wierzyć, ale Hindus znika za kotarą, a wtedy rzucam krótkie spojrzenie w kierunku Jutty. Wzrusza ramionami. Hindus już jest z powrotem i w obu rękach trzyma paczki banknotów. Mogłabym rozpłakać się ze szczęścia. Wiedziałam, dobrze wiedziałam, że Lketinga nie był łasy na moje pieniądze. W chwili gdy przejmuję tę całą masę pieniędzy, czuję, jak rośnie we mnie nieoczekiwana siła. Odzyskałam ufność. O tym całym gadaniu i wszystkich plotkach mogę zapomnieć. Wynagradzam Hindusa za jego uczciwość i wychodzimy na ulicę. „Corinne, tego Masaja musisz rzeczywiście odnaleźć. Teraz wierzę w tę całą historię i przypuszczam, że inni maczali w niej palce" – nareszcie słyszę od Jutty. Szczęśliwa rzucam się jej na szyję. „Chodź – mówię – zapraszam cię, zjedzmy jak turyści".

Podczas jedzenia robimy plany dotyczące naszego dalszego postępowania. Jutta proponuje, aby za tydzień wyruszyć do dystryktu Samburu. Do Maralalu, stolicy prowincji, gdzie chciałaby się rozejrzeć za pewnym Masajem, którego zna z wybrzeża, daleka droga. Pokaże mu fotografie Lketingi i przy odrobinie szczęścia dowiemy się, gdzie przebywa. „Tam praktycznie każdy zna każdego". Z minuty na minutę rośnie moja nadzieja. Mieszkać mogłybyśmy u jej przyjaciół, którym pomaga budować dom. Zgadzam się na wszystko, co mi proponuje. Niech się w końcu zacznie coś dziać, nie mogę przecież ciągle tak bezczynnie czekać!

Tydzień z Juttą układa się przyjemnie. Pomagam jej załatwić wiele zamówień na portrety, a ona maluje. Wszystko toczy się dobrze i poznajemy przyjemnych ludzi. Wieczory spędzamy najczęściej w Bush--Baby-Barze, gdyż Jutta, jak się zdaje, ma potrzebę odrobienia zaległości w słuchaniu muzyki i w rozrywce. Musi oczywiście uważać, żeby nie roztrwonić zarobionych pieniędzy, gdyż inaczej będziemy siedziały tutaj jeszcze miesiąc.

W końcu pakujemy rzeczy. Mniej więcej połowę ubrań zabieram ze sobą w torbie podróżnej, resztę zostawiam w domku u Priscilli. Nie jest wcale szczęśliwa z powodu mojego wyjazdu i utrzymuje, że prawie niemożliwym jest odnalezienie wojownika masajskiego. „Oni przemieszczają się stale z miejsca na miejsce. Dopóki się nie ożenią, nie mają żadnego ogniska domowego. Tylko matka Lketingi być może wie, gdzie on właśnie przebywa". Nie daję się jednak odwieść od mojego planu. Jestem przekonana, że postępuję właściwie.

Najpierw jedziemy autobusem do Nairobi. Tym razem wcale mi nie przeszkadza ta ośmiogodzinna podróż. Jestem ciekawa, jak wyglądają okolice, z których pochodzi mój Masaj. Z każdą godziną zbliżamy się coraz bardziej do celu. W Nairobi Jutta ma coś do załatwienia, tak więc zatrzymujemy się na trzy dni w Igbol, w hotelu dla trampów. Przybywają tu globtroterzy z całego świata i bardzo różnią się od turystów z Mombasy. W ogóle całe Nairobi jest inne. Życie toczy się tutaj szybciej i widzi się żebraków i wielu okaleczonych ludzi. Ponieważ nasz hotel znajduje się niemalże pośrodku dzielnicy rozpusty, mogę obserwować, jak kwitnie prostytucja. Wieczorami knajpki jedna przez drugą wabią klientów piosenkami w suahili. Niemal każda z kobiet siedzących w lokalach sprzedaje się, czy to za parę piw, czy to za pieniądze. Głównymi klientami w tej okolicy są tuziemcy. Jest głośno, ale fascynująco. Jutta i ja, dwie białe kobiety, bardzo wyróżniamy się w tłumie i co pięć minut ktoś pyta nas, czy przypadkiem nie szukamy boyfrienda. Na szczęście Jutta zna dobrze suahili i potrafi nas bronić. W nocy chodzi po ulicach Nairobi zawsze z *rungu* w ręce, inaczej byłoby to zbyt niebezpieczne.

Trzeciego dnia zaklinam Juttę, abyśmy wreszcie ruszały dalej. Zgadza się i w południe wsiadamy do najbliższego autobusu jadącego w kierunku Nyahururu. Autobus jest jeszcze bardziej zaniedbany od tego z Mombasy, a już ten nie był luksusowy. Jutta śmieje się tylko. „Poczekaj, aż zobaczysz następny, dopiero wtedy się zdziwisz! Ten tutaj jest jeszcze okay". Siedzimy przez godzinę w środku, zanim autobus zostaje załadowany do pełna ludźmi i pakunkami; dopiero wtedy ruszamy. Przed nami sześciogodzinna podróż, ciągle nieco pod górę. Od czasu do czasu autobus przystaje i ludzie wysiadają i wsiadają. Naturalnie każdy z nich ma przy sobie góry sprzętów domowych, które należy wyładować i załadować.

W końcu jesteśmy u celu dzisiejszej podróży, w Nyahururu. Wleczemy się do najbliższego hoteliku i wynajmujemy pokój. Jemy coś jeszcze i kładziemy się spać, gdyż nie mam sił dłużej siedzieć. Jestem szczęśliwa, że w końcu mogę wyciągnąć się w łóżku, i natychmiast zasypiam. Rano musimy wstać o szóstej, gdyż o siódmej odjeżdża jedyny autobus do Maralalu. Kiedy nadchodzimy, jest prawie pełny. W autobusie widzę kilku wojowników masajskich i nie czują się już tak bardzo obco. Ludzie mierzą nas dokładnie wzrokiem, gdyż – jak podczas całej naszej podróży – jesteśmy jedynymi białymi. Autobus jest rzeczywiście tragiczny. Z siedzeń wyskakują sprężyny albo wystaje brudna pianka, brakuje również kilku okien. W dodatku panuje w nim całkiem niezły chaos. Aby przejść, trzeba przeciskać się między różnego rodzaju paczkami, w których znajdują się kury. Z drugiej jednak strony jest to pierwszy autobus, w którym panuje dobry nastrój. Pasażerowie rozmawiają jak najęci i śmieją się. Jutta wyskakuje jeszcze na zewnątrz i kupuje na jednym z licznych straganów coś do picia. Wraca i wręczając mi butelkę coca-coli, mówi: „Masz, bierz i rozkoszuj się powoli, jeszcze poczujesz porządne pragnienie. Na tym ostatnim odcinku będzie się bardzo kurzyło, gdyż pojedziemy po polnych drogach. Do samego Maralalu tylko busz i pustkowie". Autobus rusza i po jakichś dziesięciu minutach opuszczamy asfaltową szosę i podskakujemy na czerwonej, pełnej dziur drodze.

W mgnieniu oka pojazd znika w tumanach kurzu. Kto ma szybę w oknie, zasuwa ją, pozostali przykrywają się chustami albo czapkami. Kaszlę i zaciskam oczy. Teraz dopiero wiem, dlaczego tylko miejsca z tyłu były jeszcze wolne. Autobus jedzie powoli, a mimo to muszę się ciągle czegoś trzymać, aby nie zsunąć się z siedzenia, gdyż na wybojach huśta nami to w jedną, to w drugą stronę. „Ej, Jutta, jak długo tak jeszcze?". Śmieje się. „Jeśli nie będzie żadnej awarii, to jakieś cztery do pięciu godzin, mimo że to tylko sto dwadzieścia kilometrów". Jestem przerażona i tylko dzięki myśleniu o Lketindze traktuję tę trasę jako od biedy romantyczną.

Czasami widzimy w pewnej odległości *manyatty*, potem znowu długo, długo nic, oprócz pustkowia, czerwonej ziemi i niekiedy jakiegoś drzewka. Z rzadka pojawiają się dzieci z kozami i krowami i machają do nas. Ze swymi stadami szukają jakiejś paszy.

Po półtorej godzinie autobus po raz pierwszy się zatrzymuje. Na lewo i na prawo od drogi stoi kilka bud z desek. Spostrzegam również dwa małe sklepy, a w nich wystawione na sprzedaż banany, pomidory i różne drobiazgi. Dzieci i kobiety rzucają się do szyb i próbują coś sprzedać podczas krótkiego postoju. Kilkoro pasażerów zaopatruje się w żywność i już autobus, kołysząc się, rusza dalej. Nikt nie wysiadł, za to przybyło nam trzech wojowników w pełnym rynsztunku.

59

Każdy z nich trzyma po dwie długie dzidy. Gdy przyglądam się im bacznie, jestem całkowicie pewna, że już wkrótce odnajdę Lketingę. „Następny przystanek będzie w Maralalu" – mówi zmęczonym głosem Jutta. Również jestem wyczerpana kolebaniem na tej okropnej drodze. Jak dotychczas i tak mieliśmy szczęście, gdyż ani nie poszło nam koło, ani też nie wysiadł silnik, co nie byłoby niczym niezwykłym, a ponadto droga jest sucha. W deszczu ta czerwona ziemia zamienia się w jedno wielkie błoto, opowiada Jutta. Po kolejnej półtorej godzinie docieramy w końcu do Maralalu. Autobus zajeżdża, trąbiąc, i najpierw zatacza koło po tej mieścinie z jedną ulicą, zanim parkuje. Tuziny ciekawskich od razu oblegają pojazd. Wysiadamy na pokrytą kurzem drogę, same upudrowane od stóp do głów. Wokół autobusu tłoczą się ludzie w różnym wieku i robi się prawdziwe zbiegowisko. Czekamy na nasze torby podróżne, które spoczywają pod różnymi skrzynkami, materacami i koszami. Gdy tak patrzę na te miasteczko i jej mieszkańców, ogarnia mnie żądza przygód.

Jakieś pięćdziesiąt metrów od przystanku znajduje się niewielki rynek. Wszędzie wiszą kolorowe chusty, które łopoczą na wietrze. Góry ubrań i butów leżą na płachtach folii. Przed nimi siedzą niemal wyłącznie kobiety i próbują coś sprzedać.

W końcu otrzymujemy nasze torby. Jutta proponuje, abyśmy najpierw napiły się herbaty i coś zjadły, zanim pomaszerujemy do jej domku, oddalonego stąd jakąś godzinę drogi pieszo. Setki oczu śledzą nas, gdy idziemy do hoteliku. Właścicielka, kobieta z ludu Kikuju, pozdrawia Juttę. Jutta jest tutaj znana, jako że od trzech miesięcy ma swój udział w budowie domku w pobliżu, a poza tym trudno ją, jako białą, w tej okolicy przeoczyć.

Herbaciarnia jest podobna do tej z Ukundy. Siedzimy przy stole i podają nam jedzenie, naturalnie mięso z sosem i plackami *chappati*, oraz herbatę. Nieco bardziej z tyłu siedzi grupa wojowników masajskich. „Jutta – mówię – znasz któregoś z nich? Ciągle patrzą się na nas". „Tutaj ciągle ktoś będzie na ciebie patrzył – odpowiada Jutta z całym spokojem. – Dopiero jutro ruszamy na poszukiwanie twojego Masaja, gdyż dziś czeka nas jeszcze kawałek drogi, i to pod górę!".

Wyruszamy po obiedzie, który, jak na moje możliwości, kosztuje śmieszne pieniądze. W skwarnym upale idziemy wzdłuż pokrytej kurzem, stale wznoszącej się drogi. Już po kilometrze moja torba podróżna ciąży mi niezmiernie. Jutta uspokaja mnie: „Cierpliwości, pójdziemy na skróty do hotelu dla turystów. Może będziemy miały szczęście i spotkamy kogoś z samochodem". Nagle szeleści coś w gęstwinie obok wąskiej ścieżki. „Corinne, stój! Jeśli to bawoły, to nie ruszaj się z miejsca!" – krzyczy Jutta. Przerażona usiłuję w myślach słowo „bawoły" zamienić w obraz. Stoimy bez ruchu, gdy w odległości jakiś pięćdziesięciu metrów ode mnie rozpoznaję coś jasnego w ciemne pasy. Jutta zauważa to również i rozluźniona śmieje się. „Ach, to tylko zebry!". Spłoszone przez nas, galopują przed siebie. Pytająco patrzę na Juttę. „Wspomniałaś coś o bawołach, czy spotyka się je tak blisko wioski?". „Poczekaj tylko – mówi. – Gdy będziemy w hotelu, to może przy odrobinie szczęścia zobaczymy u wodopoju bawoły, zebry, małpy albo też antylopy gnu". „Czy to nie jest niebezpieczne dla ludzi, którzy chodzą tą drogą?" – pytam zdziwiona. „Pewnie, że tak. Ale normalnie chodzą tą trasą tylko uzbrojeni wojownicy Samburu. Kobiety są najczęściej eskortowane. Inni ludzie używają otwartej drogi, gdyż na niej ryzyko jest mniejsze. Ale nasza droga jest o połowę krótsza".

Dopiero gdy docieramy do hotelu, czuję się lepiej. Jest to doprawdy piękny hotel, ale nie tak okazały jak ten, w którym byłam z Markiem w Massai-Mara. Ten tutaj jest skromniejszy, dobrze wkomponowany w okolicę. Jeśli porównać go z noclegowniami dla tuziemców w Maralalu, to wydaje się fatamorganą. Wchodzimy do środka. Nie ma żywego ducha. Siadamy na werandzie i rzeczywiście widzimy w odległości stu metrów stado zebr przy wodopoju. Nieco dalej na prawo uwija się grupa samic pawianów z potomstwem. Rozpoznaję też kilka olbrzymich samców. Wszyscy chcą do wody.

W końcu podchodzi do nas kelner i pyta, co sobie życzymy. Jutta gawędzi z nim w suahili i zamawia dwie coca-cole. Podczas gdy czekamy na nie, Jutta opowiada zadowolona: „Za jakąś godzinę przybędzie szef hotelu. Ma landrovera i z pewnością zawiezie nas na górę. Teraz tylko spokojnie sobie poczekamy". Każda z nas zatapia się we własnych myślach. Wodzę wzrokiem po roztaczających się wokół wzgórzach i wiele bym dała za to, aby dowiedzieć się, za którym znajduje się Lketinga. Czy czuje, że jestem w pobliżu?

Czekamy prawie dwie godziny, aż w końcu pojawia się szef. Jest to miły, raczej prosty człowiek pozbawiony manier i bardzo czarny. Zaprasza, abyśmy wsiadły, i po kwadransie pełnej wstrząsów jazdy docieramy do celu. Dziękujemy mu i Jutta pokazuje mi z dumą, gdzie pracuje. Dom jest długim betonowym pudłem podzielonym na pojedyncze pomieszczenia, z których tylko dwa są jako tako gotowe. W jednym z nich będziemy mieszkały. W pokoju znajduje się tylko jedno łóżko i jedno krzesło. Okien nie ma, dlatego też podczas dnia drzwi muszą być otwarte, jeśli chce się, aby w środku było jasno. Dziwię się, jak Jutta może czuć się dobrze w tym mrocznym pomieszczeniu. Zapalamy świecę, aby w nadciągających ciemnościach coś jeszcze widzieć. Układamy się w łóżku najwygodniej, jak to możliwe. Z wyczerpania szybko zasypiam.

Już wczesnym rankiem budzimy się, gdyż jacyś ludzie, hałasując, przystąpili do pracy. Najpierw myjemy się dokładnie w miednicy z zimną wodą, co w porannym chłodzie przychodzi mi z niejakim trudem. Chcę jednak ładnie wyglądać, gdy w końcu stanę przed moim Masajem.

Rześka i przepełniona żądzą czynu pragnę udać się do Maralalu, aby przyjrzeć się dokładniej tej mieścinie. Wśród tylu wojowników masajskich, których widziałam po przyjeździe tutaj, musi się przecież znaleźć taki, którego Jutta zna z wcześniejszych czasów. Moją euforią zarażam Juttę i po tradycyjnej herbacie wyruszamy w drogę. Od czasu do czasu wyprzedzamy kobiety albo młode dziewczyny, które idą w naszą stronę, niosąc na sprzedaż mleko w tykwach.

„Teraz potrzebujemy dużo cierpliwości i szczęścia – mówi Jutta. – Przede wszystkim musimy zrobić parę rund, żeby nas zobaczono, albo żebym ja kogoś rozpoznała". Okrążanie miejscowości nie trwa długo. Jedyna ulica ma kształt jakby prostokąta. Na lewo i na prawo od niej stoją sklepy, jeden po drugim. Z nielicznymi wyjątkami wszystkie są niemal puste i wystawiono w nich na sprzedaż prawie to samo. Pomiędzy sklepami znajdują się tu i ówdzie hoteliki, gdzie w pomieszczeniach z przodu można zjeść i się napić. Z tyłu położone są pomieszczenia do spania, przylegające jedno do drugiego niczym klatki dla królików. Dalej znajduje się toaleta, która zawsze ma postać zwykłej wygódki. Przy odrobinie szczęścia można znaleźć prysznic z oszczędnym strumieniem wody. Najbardziej rzucającym się w oczy budynkiem jest Commercial Bank, cały z betonu i świeżo pomalowany. W pobliżu przystanku autobusowego znajduje się stacja paliw z jednym dystrybutorem. Dotychczas widziałam trzy auta: dwa landrowery i jednego pikapa.

Pierwszą rundę po wsi robimy bez pośpiechu, dokładnie oglądając każdy sklep. Ten czy inny właściciel próbuje zagadać nas po angielsku. Za nami podąża stale gromadka dzieci, które żywo rozmawiają albo się śmieją. Jedynym słowem, jakie rozumiem, jest: *Mzungu, mzungu*, „Białe, białe". Około szesnastej zbieramy się w drogę powrotną. Moje wzniosłe uczucie znika, pomimo że rozum mówi mi, że nie jestem przecież w stanie odnaleźć Lketingi zaraz pierwszego dnia. Również Jutta uspokaja mnie: „Jutro będą całkiem inni ludzie w miasteczku. Każdego dnia przybywają nowi, tylko nieliczni mieszkają tutaj, i ci nas nie interesują. Jutro też więcej ludzi będzie wiedziało, że są tu dwie białe kobiety, gdyż taką wiadomość zaniosą do buszu ci, co nas dziś widzieli". Według Jutty prawdziwą szansę będziemy miały dopiero po trzech, czterech dniach.

Dni mijają i wszystko, co było takie nowe w Maralalu, przestaje budzić we mnie specjalne emocje, jako że wkrótce znam każdy kąt w tej dziurze. Jutta zagadała paru wojowników i pokazała im zdjęcia Lketingi, ale doczekaliśmy się jedynie nieufnego szczerzenia zębów. I tak oto minął tydzień, i nadal nic się nie wydarzyło poza tym, że robiąc ciągle to samo, powoli czujemy się jak idiotki. Jutta oświadcza, że pójdzie ze mną tylko jeszcze jeden raz, potem muszę sama próbować z fotografiami. Tej nocy modlę się, aby jutro nam się udało, gdyż nie chcę wierzyć, że całą tę długą drogę odbyłam nadaremno.

Gdy okrążamy miasteczko po raz trzeci, podchodzi do nas mężczyzna i zagaduje Juttę. Po wielkich dziurach w małżowinach usznych rozpoznaję, że mamy do czynienia z byłym wojownikiem Samburu. Między nimi toczy się żywa rozmowa i z radością stwierdzam, że Jutta go zna. Mężczyzna ma na imię Tom i Jutta pokazuje mu zdjęcia Lketingi. Patrzy na nie i mówi powoli: *Yes, I know him.*

Wiadomość ta elektryzuje mnie. Ponieważ oboje mówią głównie w suahili, prawie nic nie rozumiem. Nieustannie pytam: „Co jest, Jutta, co on wie o Lketindze?". Idziemy do restauracji i Jutta tłumaczy rozmowę. Tak, on go zna, wprawdzie niezbyt dobrze, ale wie, że ten człowiek żyje w domu u swojej matki i całymi dniami jest z krowami w drodze. „Gdzie znajduje się jego domostwo?" – pytam niecierpliwie. Kawał drogi stąd, opowiada Tom, dla wprawionego piechura jakieś siedem godzin marszu. Trzeba przejść przez gęsty las, bardzo niebezpieczny, gdyż spotyka się tam słonie i bawoły. Nie wiadomo, czy matka mieszka stale na tym samym miejscu, w Barsaloi, gdyż niekiedy, w zależności od zapasów wody, ludzie ciągną ze swymi zwierzętami dalej.

Słysząc te wieści, po których Lketinga wydaje mi się znajdować poza moim zasięgiem, jestem całkowicie zmieszana. „Jutta, zapytaj go, czy istnieje jakaś możliwość, aby zawiadomić Lketingę – mówię. – Jestem gotowa za to zapłacić". Tom zastanawia się i oznajmia, że mógłby pojutrze w nocy wyruszyć z listem ode mnie. Przedtem jednak musi powiadomić swoją niedawno poślubioną żonę, ona jest tutaj jeszcze zupełnie obca. Umawiamy się co do kwoty pieniężnej, z której Tom otrzymuje teraz połowę, później, jeśli wróci z wiadomością, dostanie resztę. Dyktuję list, który Jutta zapisuje w suahili. Za cztery dni mamy zjawić się ponownie w Maralalu, mówi Samburu, gdyż jeśli odnajdzie Lketingę, a ten zechce zabrać się z nim, dotrą tu w tym czasie.

Mijają cztery długie dni, a każdego wieczoru wznoszę modły do nieba. Ostatniego dnia nerwy odmawiają mi posłuszeństwa. Z jednej strony jestem bardzo ciekawa, z drugiej jednak świadoma, że jeśli nic z tego nie wyjdzie, będę musiała wracać do Mombasy i zapomnieć o swojej wielkiej miłości. Zabieram torbę, gdyż nie chcę nocować więcej u Jutty, tylko w Maralalu. Z Lketingą czy też bez niego – na pewno jutro opuszczę tę mieścinę.

I znowu kręcimy się z Juttą po ulicy. Po jakiś trzech godzinach rozdzielamy się i każda rusza w przeciwnym kierunku, aby nas zobaczono. Nieustannie modlę się, żeby przyszedł. Po jednej z kolejnych rund nie spotykam Jutty jak zazwyczaj w połowie drogi. Rozglądam się wokoło i nie widzę ani jednej białej twarzy. Wlokę się jednak dalej, gdy nagle nadbiega mały chłopiec i dyszy: *Mzungu, mzungu, comme, comme!* Wymachuje rękami i ciągnie mnie za spódnicę. W pierwszej chwili myślę, że coś przytrafiło się Jutcie. Chłopak ciągnie mnie w kierunku pierwszego schroniska, gdzie zostawiłam swoją torbę podróżną. Mówi do mnie w suahili. Przed schroniskiem pokazuje na tył budynku.

SZCZĘŚLIWA W MARALALU

Z bijącym sercem idę we wskazanym kierunku i zaglądam za róg. Stoi tam! Mój Masaj stoi tam jak gdyby nigdy nic i śmieje się do mnie, obok niego stoi Tom. Nie jestem w stanie wykrztusić słowa. Nadal śmiejąc się, wyciąga ręce do mnie i mówi: *He, Corinne, no kiss for me?* Dopiero wtedy budzę się z osłupienia i rzucam na niego. Obejmujemy się i świat staje w miejscu. Lketinga odciąga mnie nieco od siebie, spogląda na mnie promiennie i mówi: *No problem, Corinne.* Słysząc te swojskie słowa, mogłabym wyć z radości. Jutta pokaszluje za mną i raduje się z nami. „No, w końcu się odnaleźliście! Przed chwilą go rozpoznałam i przyprowadziłam tutaj, abyście przynajmniej mogli się przywitać, nie musi was przy tym przecież podziwiać cały Maralal". Serdecznie dziękuję Tomowi i proponuję, abyśmy najpierw napili się herbaty, a potem niech obaj w spokoju zjedzą sobie mięsa, ile tylko dusza zapragnie, na mój rachunek. Udajemy się do wynajętego przeze mnie pokoju, siadamy na łóżku i czekamy na obiad. Jutta rozmawia z Lketingą i wyjaśnia mu, że może spokojnie z nami jeść, gdyż nie jesteśmy kobietami Samburu. Następnie on rozmawia z Tomem i zgadza się.

Tak więc w końcu jest tutaj. Nieustannie wpatruję się w niego, on również bacznie przygląda mi się tymi swymi pięknymi oczami. Chcę wiedzieć, dlaczego nie przyjechał do Mombasy. Rzeczywiście nie otrzymał ode mnie żadnego listu. Dwa razy dowiadywał się o paszport, jednakże urzędnik wyśmiał go tylko i szykanował. Potem inni wojownicy zaczęli zachowywać się w stosunku do niego dziwnie i nie chcieli mu pozwolić, aby tańczył z nimi. Ponieważ bez tańca nie był w stanie zarabiać pieniędzy, nie mógł dłużej pozostawać na wybrzeżu. I tak, mniej więcej po miesiącu, pojechał do domu. Przestał wierzyć, że wrócę. Jednego razu chciał zadzwonić do mnie z Africa-Sea-Lodge, ale nikt mu nie pomógł, a szef hotelu powiedział, że telefon jest tylko dla turystów.

Z jednej strony jestem wzruszona, gdy dowiaduję się o jego staraniach, z drugiej jednak – wściekła na jego tak zwanych przyjaciół, którzy mu szkodzili, zamiast pomóc. Gdy oświadczam, że nie mam zamiaru wracać do Szwajcarii, tylko zostaję na stałe w Kenii, Lketinga mówi: *It's okay. You stay now with me!* Mogę zostać z nim! Szczęśliwi rozmawiamy, a Jutta i posłaniec opuszczają nas. Lketinga żałuje, że nie możemy udać się do jego wioski, gdyż właśnie jest pora suszy i panuje tam klęska głodowa. Poza odrobiną mleka nie ma nic do jedzenia, jak również nie ma nawet własnego domu, tylko mieszka u matki. Tłumaczę mu, że jest mi to obojętne, bylebyśmy tylko wreszcie mogli być razem. Na to on proponuje, abyśmy pojechali wpierw do Mombasy. Jego matkę mogę poznać później, lecz teraz chce mi koniecznie przedstawić Jamesa, swojego młodszego brata, który w Maralalu chodzi do szkoły jako jedyny z całej rodziny. Powie mu, że jest ze mną w Mombasie, a gdy James podczas szkolnych ferii uda się do matki, będzie mógł ją o tym poinformować.

Szkoła leży jakiś kilometr poza wioską. Panują w niej surowe zasady. Na dziedzińcu szkolnym dziewczynki i chłopcy są rozdzieleni. Wszyscy są tak samo ubrani: dziewczynki w proste, niebieskie sukienki, chłopcy w niebieskie spodnie i jasne koszule. Czekam nieco z boku, podczas gdy Lketinga wolno zmierza w kierunku chłopców. Niebawem wszyscy wytrzeszczają na niego oczy, potem na mnie. Rozmawia z chłopcami i jeden z nich odbiega i wraca z innym. Ten zbliża się do Lketingi i pozdrawia go z pełnym szacunkiem. Po krótkiej rozmowie obaj podchodzą do mnie. James wyciąga do mnie rękę i pozdrawia mnie przyjaźnie. Oceniam go na jakieś szesnaście lat. Mówi bardzo dobrze po angielsku i żałuje, że nie może udać się z nami do miasteczka, gdyż teraz jest tylko krótka pauza, a wieczorami nie ma wychodnego, jedynie w soboty na dwie godziny. Kierownik szkoły jest bardzo surowy. Rozlega się dzwonek i wszyscy znikają z szybkością wiatru, także James.

Wracamy do miasta i nie miałabym nic przeciwko temu, gdybyśmy przenieśli się zaraz do pokoju. Jednakże Lketinga sprzeciwia się ze śmiechem: „Tu jest Maralal, a nie Mombasa". Wygląda na to, że mężczyzna i kobieta nie udają się razem do pokoju, dopóki nie zrobi się ciemno, a nawet wtedy robią to możliwie dyskretnie. Nie żebym tak bardzo tęskniła za seksem, wiem przecież, jak to się odbywa, ale po tylu miesiącach rozłąki przydałoby mi się nieco bliskości.

Włóczymy się po Maralalu, przy czym zachowuję nieco odstępu, gdyż tak wypada. Od czasu do czasu Lketinga rozmawia z niektórymi wojownikami albo dziewczętami. Podczas gdy dziewczyny, wszystkie bardzo młode i pięknie przystrojone, rzucają na mnie tylko krótkie ciekawskie spojrzenia i następnie zażenowane chichoczą, wojownicy wlepiają we mnie wzrok. Dużo rozmawiają, prawdopodobnie najczęściej o mnie. Jest to nieco przykre, gdyż nie rozumiem, co właściwie jest grane. Nie mogę się wprost doczekać wieczoru.

Lketinga kupuje na rynku woreczek plastikowy z czerwoną farbą w proszku, pokazując przy tym na swoje włosy i umalowanie. Na innym straganie ktoś sprzedaje zielone łodyżki z listkami, związane w pęczki długości około dwudziestu centymetrów. Toczy się tam prawdziwy spór między pięcioma czy sześcioma mężczyznami, którzy wyceniają roślinę. Także Lketinga zmierza do tego straganu. I już sprzedawca bierze kawałek gazety i zawija w nią dwie wiązki. Lketinga płaci pokaźną cenę i szybko chowa pakunek pod *kangą*. W drodze do schroniska kupuje z dziesięć gum do żucia. Dopiero gdy znajdujemy się w pokoju, pytam, co to jest za roślina. Patrzy na mnie radośnie. *Miraa, it's very good. You eat this, no sleeping!* Wypakowuje wszystko, wkłada do buzi gumę do żucia i odrywa listki rośliny. Zębami ściąga skórkę z łodyżek i żuje ją razem z gumą. Zafascynowana przypatruję się, jak swymi pięknymi, szczupłymi dłońmi powtarza z elegancją wszystkie czynności. Również i ja próbuję *miraa*, zaraz jednak wypluwam, gdyż smakuje zbyt gorzko. Kładę się na łóżku, wpatruję się w Lketingę, trzymam go za rękę i jestem szczęśliwa. Chciałabym objąć ramionami cały świat. Jestem u celu. Odnalazłam go, moją wielką miłość. Jutro wcześnie rano pojedziemy do Mombasy i zacznie się wspaniałe życie.

Musiałam chyba przysnąć. Gdy otwieram oczy, Lketinga nadal siedzi i żuje, i żuje. Podłoga wygląda okropnie. Wszędzie walają się liście, odarte ze skórki łodygi i wyplute zielone, przeżute grudy. Lketinga patrzy na mnie lekko odrętwiałym wzrokiem i głaszcze mnie po głowie. *No problem, Corinne, you tired, you sleep. Tomorrow safari. And you* – pytam – *you not tired?* – Nie, odpowiada, nie jest zmęczony, przed taką długą podróżą nie może spać, dlatego żuje *miraa*.

Słysząc to, wnioskuję, że *miraa* jest czymś w rodzaju „napoju na odwagę", albowiem alkoholu jako takiego nie wolno pić wojownikowi. Rozumiem, że musi sobie dodać odwagi, ponieważ nie wie, co może się nam przydarzyć, a jego doświadczenia w Mombasie nie były najlepsze. Tutaj jest jego świat, Mombasa leży wprawdzie w Kenii, ale nie na terenie jego ludu. Przecież mu pomogę, myślę i ponownie zasypiam.

Następnego ranka musimy wcześnie wyjść, aby w jedynym autobusie jadącym do Nyahururu dostać jeszcze miejsca. Ponieważ Lketinga wcale nie spał, nie ma z tym problemu. Jestem pełna podziwu, że jest taki rześki i że tak spontanicznie, bez żadnego bagażu, ubrany tylko w ozdoby i w chustę na biodrach, z drewnianą pałką w ręku, może wyruszyć w tak daleką podróż.

Pierwszy etap przed nami. Lketinga zapakował resztę ziela i żuje teraz ciągle ten sam kawałek. Jest milczący. W ogóle w autobusie nie panuje takie ożywienie jak wtedy, gdy jechałyśmy z Juttą. I znowu autobus trzęsie się na wybojach. Lketinga zarzucił drugą *kangę* na głowę, wystają mu tylko oczy. W ten sposób chroni swoje piękne włosy przed kurzem. Trzymam chusteczkę przy nosie i ustach, żeby choć jako tako móc oddychać. Mniej więcej w połowie drogi Lketinga trąca mnie i pokazuje na szare, rozległe wzgórze. Dopiero po dokładnym przyjrzeniu się rozpoznaję, że są to setki słoni. Widok jest imponujący. Jak okiem sięgnąć, wszędzie majestatycznie kolosy, między nimi rozpoznać można małe słoniątka. W autobusie podnosi się gwar. Wszyscy wpatrują się w pochód słoni. Jak się dowiaduję, bardzo rzadko można coś takiego zobaczyć.

Około południa jesteśmy w Nyahururu. Idziemy napić się mocnej herbaty i jemy placek chlebowy. Pół godziny później odjeżdża następny autobus, do Nairobi, gdzie docieramy pod wieczór. Proponuję, abyśmy tu zanocowali i rano złapali autobus do Mombasy. Lketinga nie chce zostać w Nairobi, gdyż tutejsze hotele są za drogie. Wzrusza mnie to, ponieważ to ja wszystko finansuję. Zapewniam go, że to nie jest problem. On jednak uważa, że Nairobi jest niebezpieczne i dużo tu policji. Pomimo że od siódmej rano siedzimy nieustannie w autobusach, chce ruszyć w najdłuższy odcinek drogi bez robienia przerwy. Zgadzam się, ponieważ dostrzegam, że nie czuje się swobodnie w Nairobi.

Idziemy szybko napić się czegoś i coś zjeść. Jestem zadowolona, że teraz przynajmniej ze mną je. Naciąga jednak przy tym *kangę* na twarz, aby nikt go nie rozpoznał. Dworzec autobusowy znajduje się niedaleko, te kilkaset metrów pokonujemy pieszo. Tutaj, w Nairobi, nawet tubylcy obracają się za Lketingą, częściowo rozbawieni, częściowo z szacunkiem. Zupełnie nie pasuje do tego ożywionego, nowoczesnego miasta. Gdy uzmysławiam to sobie, cieszę się, że z jego paszportem nic nie wyszło. W końcu dostajemy się do jednego z obleganych nocnych autobusów i czekamy na dalszą jazdę. Lketinga sięga po *miraa* i żuje. Próbuję się rozluźnić, gdyż wszystko mnie boli. Tylko w sercu radość. Po czterech godzinach, które częściowo przespałam, autobus zatrzymuje się w Voi. Prawie wszyscy, także ja, wysiadają, aby załatwić swoje potrzeby. Jednakże gdy spostrzegam zapaskudzoną dziurę w ubikacji, decyduję się poczekać kolejne cztery godziny. Z dwoma butelkami coli wsiadam z powrotem do autobusu. Po półgodzinie ruszamy w dalszą podróż. Tym razem nie mogę zasnąć. Pędzimy przez noc drogą prostą jak strzelił. Niekiedy mijamy się z jakimś nadjeżdżającym z naprzeciwka autobusem. Samochodów osobowych prawie nie widać.

Dwa razy natykamy się na blokadę policyjną. Autobus musi się wtedy zatrzymywać, gdyż na drodze leżą drewniane belki z długimi gwoździami. Następnie wzdłuż autokaru idą z obu stron policjanci uzbrojeni w pistolety maszynowe i oświetlają latarkami każdą twarz. Po pięciu minutach nocna podróż toczy się dalej. Po jakimś czasie nie wiem już, jak mam siedzieć, ale spostrzegam napis: „ Mombasa 245 kilometrów". Dzięki Bogu, teraz nie jest już tak daleko. Lketinga nadal nie zmrużył oka. Widocznie *miraa* rzeczywiście tak go trzyma i odpędza sen. Tylko oczy ma nienaturalnie odrętwiałe, sprawia również wrażenie, jakby wcale nie potrzebował rozmowy. Zaczynam się niepokoić. Wyczuwam już w powietrzu sól, temperatura staje się przyjemniejsza. Wilgotny chłód Nairobi pozostał za nami daleko w tyle.

Z POWROTEM W MOMBASIE

Krótko po piątej rano wjeżdżamy do Mombasy. Kilku ludzi wysiada na dworcu autobusowym. Również chcę wysiąść, ale Lketinga zatrzymuje mnie i wyjaśnia, że przed szóstą nie ma żadnego autobusu na wybrzeże, musimy tutaj poczekać, na zewnątrz jest zbyt niebezpiecznie. Dotarliśmy wreszcie na miejsce, a nadal nie wolno wysiadać! O mało nie pęknie mi pęcherz. Wyjaśniam to Lketindze. *Come!* – mówi i podnosi się z miejsca. Wysiadamy i udajemy się między dwa puste autobusy. Oprócz kilku wałęsających się kotów i psów nie widać nikogo w pobliżu, tak więc pod osłoną autobusów opróżniam pęcherz. Lketinga śmieje się, gdy spostrzega, jak bardzo chciało mi się siusiu.

Powietrze na wybrzeżu jest wspaniałe, pytam więc Lketingę, czy nie moglibyśmy pójść na piechotę do najbliższej stacji *matatu*. Przynosi moją torbę i ruszamy. Strażnik, który pilnuje sklepu, podgrzewa dla siebie herbatę na węglowym piecyku i nas częstuje. W zamian Lketinga daje mu nieco *miraa*. Od czasu do czasu przemykają się obok nas obdarte postacie, jedne w milczeniu, inne bełkocząc coś do siebie. Tu i ówdzie ludzie leżą na kartonach albo na gazetach rozłożonych na ziemi i śpią. Teraz jest czas duchów, później rozpocznie się pracowita krzątanina. Czuję się jednak całkiem pewnie przy moim wojowniku.

Przed szóstą trąbią pierwsze *matatu*, a w niecałe dziesięć minut potem budzi się cała okolica. Również i my siedzimy w autobusie, który zawiezie nas na prom. Na promie ponownie ogarnia mnie uczucie wielkiego szczęścia. I tak oto nadeszła ostatnia godzinka jazdy autobusem na wybrzeże południowe. Lketinga wygląda na zdenerwowanego. „*Darling*, wszystko w porządku?" – pytam. *Yes* – odzywa się, a następnie zaczyna opowiadać. Nie wszystko rozumiem, ale z jego słów wnioskuję, że chce dowiedzieć się, którzy Masajowie ukradli listy ode mnie i kto naopowiadał mi o tym, że on jest żonaty. Przy tym spogląda tak ponuro, że robi mi się nieswojo. Próbuję go uspokoić, mówiąc, że to już teraz nie ma żadnego znaczenia, bo przecież go odnalazłam. Nic nie odpowiada, tylko patrzy niespokojnie przez okno.

Udajemy się prosto do wioski. Priscilla jest zaskoczona naszym widokiem. Pozdrawia nas radośnie i od razu zaparza herbatę. Esther nie ma. Moje rzeczy wiszą uporządkowane na sznurze za drzwiami. Priscilla i Lketinga rozmawiają początkowo przyjaźnie, wkrótce jednak dyskusja staje się gwałtowniejsza. Próbuję dowiedzieć się, o co chodzi. Priscilla mówi, że Lketinga robi jej wyrzuty, iż na pewno wiedziała o moich listach. W końcu Lketinga uspokaja się i kładzie spać na wielkim łóżku. Zostajemy z Priscillą na dworze i rozważamy, jak można by

70

rozwiązać problem spania, jako że we trójkę, z kobietą masajską w jednym domku, coś takiego nie uchodzi. Pewien Masaj, który udaje się na północne wybrzeże, oferuje nam swą chatę. Tak więc sprzątamy ją i przenosimy moje rzeczy i wielkie łóżko do nowego domostwa. Gdy już wszystko jest jako tako urządzone, jestem zadowolona. Czynsz wynosi, po przeliczeniu, dziesięć franków szwajcarskich. Spędzamy dwa piękne tygodnie. Za dnia uczę Lketingę czytać i pisać. Jest zachwycony, uczy się z wyraźną radością. Angielskie książki z obrazkami są nam przy tym bardzo pomocne i Lketinga jest dumny z każdej nowej litery, jaką nauczył się rozpoznawać. Wieczorami udajemy się niekiedy na występy masajskie połączone ze sprzedażą ozdób. Część ozdób wytwarzamy sami. Lketinga i ja robimy bransoletki, Priscilla z kolei ozdabia pasy haftami.

Pewnego razu odbywa się całodzienna sprzedaż ozdób, tarcz i dzid w Klubie Robinsona. Z tego powodu przybywa wielu Masajów z wybrzeża północnego, również kobiet. Lketinga wybrał się do Mombasy, gdzie zakupił różne rzeczy od handlarzy, abyśmy mieli więcej do wystawienia. Interes idzie fantastycznie. Biali okupują nasze stoisko i zadręczają mnie pytaniami. Gdy już prawie wszystko sprzedaliśmy, pomagam również innym pozbyć się towaru. Lketindze to nie pasuje, ponieważ, bądź co bądź, ci Masajowie są winni temu, że tak długo byliśmy rozdzieleni. Pragnę jednak uniknąć niesnasek, gdyż wspaniałomyślnie pozwolili nam przyłączyć się do siebie.

Ciągle jesteśmy zapraszani do baru, aby z tym czy innym turystą napić się czegoś. Parę razy przysiadam się, potem jednak mam dosyć. Sprzedawanie sprawia mi większą przyjemność. Lketinga siedzi z dwoma Niemcami przy barze. Sporadycznie rzucam okiem w ich stronę, widzę jednak tylko plecy. Po dłuższym czasie przyłączam się na chwilę do nich i z przerażeniem stwierdzam, że Lketinga pije piwo. Jako wojownikowi nie wolno mu przecież pić alkoholu. Jeśli nawet Masajowie z wybrzeża robią to niekiedy, to Lketinga dopiero co przybył z prowincji Samburu i z pewnością nie jest przyzwyczajony do alkoholu. „*Darling*, dlaczego pijesz piwo?" – pytam zatroskana. On tylko się śmieje. „Ci przyjaciele mnie zaprosili". Mówię do Niemców, że natychmiast mają przestać mu stawiać. Przepraszają i próbują mnie uspokoić, mówiąc, że wypił dopiero trzy piwa. Oby tylko na tym się skończyło!

Sprzedaż dobiega końca, pakujemy więc to, czego nie udało nam się tu pozbyć. Na zewnątrz, przed hotelem, Masajowie rozdzielają pomiędzy siebie pieniądze. Jestem głodna, wyczerpana upałem i ciągłym staniem i chcę już do domu. Lketinga, lekko podpity, nadal w doskonałym humorze, postanawia udać się z kilkoma Masajami do Ukundy, aby tam coś zjeść. W końcu dzień był wielkim sukcesem i wszyscy mają pieniądze. Rezygnuję i zawiedziona idę sama do wioski. Popełniam wielki błąd, jak się później okaże. W drodze do domu przypominam sobie nagle, że za pięć dni kończy się moja wiza. Postanowiliśmy z Lketingą, że pojedziemy razem do Nairobi. Przeraża mnie ta długa podróż, a jeszcze bardziej przerażają mnie kenijskie urzędy. Na pewno wszystko jakoś się ułoży, uspokajam się i otwieram nasz domek. Gotuję nieco ryżu z pomidorami, nic więcej w kuchni nie znajduję. W wiosce panuje cisza.

Jakiś czas temu zwróciłam uwagę na to, że od czasu gdy wróciłam tu z Lketingą, prawie nikt nas nie odwiedza. Teraz tęsknię nieco za tym, gdyż wieczory, podczas których grało się w karty, były zawsze wesołe. Priscilli również nie ma w domu, toteż kładę się na łóżko i piszę list do matki. Donoszę jej o spokojnym życiu, jakie prowadzimy, i powiadamiam, że jestem szczęśliwa.

Mija dwudziesta druga, a Lketingi nadal nie ma. Powoli zaczynam się niepokoić. Cykające świerszcze koją moje nerwy. Tuż przed północą drzwi otwierają się z trzaskiem i Lketinga staje w progu. Najpierw wpatruje się we mnie, a następnie ogarnia wzrokiem pomieszczenie. Jego rysy twarzy są ściągnięte, nie gości na niej radość. Żuje *miraa*, a gdy go pozdrawiam, pyta: „Kto tu był?". „Nikt" – odpowiadam. Jednocześnie serce zaczyna mi bić jak szalone. Ponownie pyta, kto przed chwilą opuścił ten dom. Podirytowana zapewniam go, że nikogo tu nie było. On, ciągle stojąc w progu, oświadcza, że dobrze wie, iż mam kochanka. To boli! Siadam na łóżku i wściekła wpatruję się w niego. „Skąd ci przyszło coś tak szalonego do głowy?" – pytam. Mówi, że wie i koniec, w Ukundzie opowiedziano mu, jak to każdego wieczoru odwiedzał mnie inny Masaj. Do późnej nocy przesiadywali u mnie i Priscilli. Wszystkie kobiety są takie same, ciągle ktoś leżał przy mnie!

Zaszokowana tymi mocnymi słowami nie wiem, co mam powiedzieć. Nareszcie go odnalazłam, spędziliśmy dwa piękne tygodnie, a teraz coś takiego! To na pewno od piwa i *miraa* całkiem pomieszało mu się w głowie. Biorę się w garść, żeby się nie rozpłakać, i pytam go, czy nie ma ochoty na herbatę. Odrywa się w końcu od drzwi i siada na łóżku. Drżącymi rękami rozpalam ogień i udaję, że jestem spokojna. Pyta, gdzie jest Priscilla. A skąd ja mam wiedzieć, w jej domu jest ciemno. Lketinga śmieje się złośliwie i mówi: „Pewnie jest w Bush-Baby-Disco, żeby złowić sobie jakiegoś białego!". O mało nie wybucham śmiechem, jako że przy jej objętości trudno mi to sobie wyobrazić. Milczę jednak, gdyż tak będzie lepiej.

Pijemy herbatę i ostrożnie pytam, czy dobrze się czuje. Twierdzi, że oprócz tego, że bije mu mocno serce i krew w nim szumi, wszystko jest okay. Próbuję zinterpretować te słowa, ale do niczego to nie prowadzi. Lketinga bez przerwy chodzi wokół domu albo biega po osadzie. Potem nagle przystaje i żuje to swoje zielsko. Jest niespokojny, nie może znaleźć sobie miejsca. Co mogę zrobić, żeby mu pomóc? To pewne, że taka ilość *miraa* mu szkodzi, ale nie mogę przecież tak po prostu mu jej zabrać!

W końcu po dwóch godzinach zjadł wszystko, co miał. Mam cichą nadzieję, że teraz położy się spać, a rano zapomnimy o wszystkim. I rzeczywiście, kładzie się do łóżka, jednakże nie może zagrzać w nim miejsca. Nie ośmielam się go dotknąć, przywieram do ściany i jestem szczęśliwa, że nasze łóżko jest takie wielkie. Po krótkim czasie zrywa się na równe nogi i mówi, że nie może spać ze mną w jednym łóżku, krew wrze mu w żyłach jak szalona, a głowa o mało nie pęknie. Musi iść. Ogarnia mnie rozpacz: *Darling, where you will go?* Mówi, że idzie spać do innych Masajów, i wychodzi. Jestem przygnębiona, a jednocześnie wściekła. Co oni z nim zrobili w tej Ukundzie, pytam siebie. Noc ciągnie się w nieskończoność. Lketinga nie wraca. Nie wiem, gdzie śpi.

CHORY NA GŁOWĘ

Całkiem rozbita wstaję przy pierwszych promieniach słońca i myję opuchniętą twarz. Potem idę do domku Priscilli. Nie jest zamknięty od zewnątrz, czyli gospodyni jest w środku. Pukam i cicho wołam:

73

„To ja, Corinne, otwórz, proszę drzwi, mam wielki problem!". Priscilla wychodzi całkiem zaspana na dwór i patrzy na mnie przerażona. „Gdzie jest Lketinga?" – pyta. Kurczowo próbuję powstrzymać cisnące się do oczu łzy i opowiadam jej o wszystkim. Ubierając się, uważnie słucha i mówi, że mam poczekać, pójdzie zobaczyć do Masajów. Po dziesięciu minutach jest z powrotem i tłumaczy, że musimy poczekać; nie ma go tam, nie spał również u nich, tylko poleciał w busz. Na pewno wróci, a jeśli nie, to pójdą go szukać. „Czego on szuka w buszu?" – pytam zrozpaczona. Prawdopodobnie piwo i *miraa* pomieszały mu w głowie, mówi. Powinnam uzbroić się w cierpliwość. Lketinga nie wraca. Idę do naszego domku i czekam. Około dziesiątej pojawia się z dwoma wojownikami, którzy prowadzą go całkowicie wyczerpanego. Każdy z nich trzyma jedną jego rękę na barkach. I tak wloką go do domu i kładą na łóżko, dyskutując przy tym zawzięcie, a mnie ogarnia wściekłość, że nic nie rozumiem. Potem leży apatycznie ze wzrokiem wlepionym w sufit. Mówię coś do niego, ale chyba mnie nie poznaje. Cały zlany potem, przeszywa mnie wzrokiem na wskroś, jakbym była powietrzem. Jestem bliska paniki, gdyż nie mogę sobie tego wszystkiego wytłumaczyć. Również pozostali są bezradni. Znaleźli go w buszu pod drzewem i opowiadają, że wpadł w amok, dlatego jest taki wycieńczony. Pytam Priscillę, czy mam sprowadzić lekarza, na co ona odpowiada, że na Diani-Beach mają tylko jednego lekarza, ale on tutaj nie przyjdzie. Trzeba samemu do niego pójść. To jednak w obecnej sytuacji jest niemożliwe.

Lketinga śpi i majaczy o lwach, które na niego napadają. Wierzga dziko rękami i nogami, tak że dwaj wojownicy muszą go przytrzymywać. O mało nie pęknie mi serce, gdy to widzę. Gdzie się podział mój dumny, radosny Masaj? Łzy napływają mi do oczu. „Tak się nie robi! Płacze się tylko wtedy, gdy ktoś umrze" – beszta mnie Priscilla.

Dopiero po południu Lketinga dochodzi do siebie i patrzy na mnie ze zdziwieniem. Szczęśliwa uśmiecham się do niego i pytam ostrożnie: „*Hello, darling*, pamiętasz mnie?". „Dlaczego nie, Corinne?" – odpowiada, patrzy na Priscillę i pyta, co się dzieje. Rozmawiają ze sobą. Potrząsa głową i nie chce wierzyć w to, co słyszy. Zostaję przy nim, podczas gdy pozostali wycofują się do swoich zajęć. Jest głodny i boli go żołądek. Gdy pytam, czy mam mu przynieść trochę mięsa, odpowiada: *Oh yes, it's okay*. Z miejsca wyruszam do straganu z mięsem, a następnie spieszę z powrotem. Lketinga leży w łóżku i śpi. Po jakiejś godzinie, gdy jedzenie jest już gotowe, próbuję go obudzić. Otwiera oczy i patrzy na mnie skonsternowany. Czego od niego chcę i kim w ogóle jestem, napada na mnie. *I'm Corinne, your girlfriend* – brzmi moja odpowiedź. Ciągle na nowo pyta mnie, kim jestem. Ogarnia mnie rozpacz, zwłaszcza że Priscilla nie powróciła jeszcze z plaży, gdzie sprzedaje *kangi*. Proszę go, aby coś zjadł. On jednak śmieje się szyderczo i mówi, że takiego jedzenia nie ruszy, na pewno chcę go otruć. Nie jestem w stanie powstrzymać się od łez. Gdy to widzi, pyta, kto umarł. Aby zachować spokój, głośno się modlę. W końcu Priscilla wraca do siebie, natychmiast ją sprowadzam. Ona również usiłuje porozmawiać z Lketingą, ale nic z tego nie wychodzi. Po chwili mówi: *He's crazy!* Wielu *moranów*, wojowników, którzy przybywają na wybrzeże, dostaje napadu mombaskiego szału. W przypadku Lketingi jest on jednak szczególnie mocny. Być może ktoś zrobił go *crazy*, rzucił na niego urok. „Co, jak i kto taki?" – jąkam się i nadmieniam, że nie wierzę w takie rzeczy. Tutaj, w Afryce, jest wiele dziwów, o których nie mam pojęcia, poucza mnie Priscilla. „Musimy mu pomóc!" – błagam ją. *Okay!* – mówi. Zaraz pośle kogoś na wybrzeże północne, aby sprowadził pomoc. Tam znajduje się wielkie centrum Masajów z wybrzeża. W szerszym znaczeniu naczelnikowi tego centrum podlegają wszyscy wojownicy. On musi rozstrzygnąć, co należy zrobić.

Koło dziewiątej wieczorem przybywają do nas dwaj wojownicy z wybrzeża północnego. Pomimo że wcale nie jestem nimi zachwycona, ogarnia mnie radość, że w końcu coś się dzieje. Mówią coś do Lketingi i rozcierają na jego czole intensywnie pachnące suszone kwiaty. Kiedy rozmawiają, Lketinga udziela całkiem normalnych odpowiedzi. Nie mogę w to uwierzyć. Jeszcze przed chwilą był taki odurzony, a teraz mówi tak spokojnie. Aby znaleźć jakieś zajęcie dla siebie, gotuję dla wszystkich herbatę. Nie rozumiem, o czym mówią, przez co czuję się bezradna i zbędna.

Między tymi trzema mężczyznami panuje taka zażyłość, że wcale nie dostrzegają mej obecności. Mimo to chętnie przyjmują herbatę, a ja pytam, co się dzieje. Jeden z nich mówi trochę po angielsku i tłumaczy mi, że z Lketingą nie jest dobrze, ma chorą głowę. Być może wkrótce przejdzie mu to. Potrzebuje spokoju i dużo miejsca, dlatego wszyscy trzej będą spali w buszu. Rano pojadą z nim na wybrzeże północne, aby wszystko załatwić. „A czemu nie może spać tutaj, przy mnie?" – pytam wzburzona, gdyż nikomu już nie dowierzam, chociaż widać, iż obecnie z Lketingą jest lepiej. Nie, uważają, moja obecność nie jest teraz dobra dla jego krwi. Również Lketinga zgadza się z nimi. Ponieważ dotychczas nie miał takiej choroby, ja muszę być jej przyczyną. Jestem zaszokowana. Nie pozostaje mi jednak nic innego, jak tylko zgodzić się, aby poszedł z nimi. Wracają następnego ranka, żeby napić się herbaty. Lketinga czuje się dobrze, prawie tak jak przed wybuchem choroby. Dwaj pozostali obstają jednak przy tym, aby udał się z nimi na północne wybrzeże. Śmiejąc się, przystaje na to. *Now I'm okay!* Gdy wspominam, że muszę dziś w nocy jechać do Nairobi, aby załatwić wizę, mówi: „*No problem*, pojedziemy najpierw razem na wybrzeże północne, a potem razem do Nairobi".

Przybywszy na miejsce, najpierw oddajemy się pogaduszkom z paroma ludźmi, potem wreszcie prowadzą nas do chaty wodza. Nie jest taki stary, jak sądziłam, i przyjmuje nas serdecznie, pomimo że nie może nas widzieć, gdyż jest ociemniały. Cierpliwie przekonuje Lketingę. Siedzę i obserwuję tę scenę, nic a nic nie rozumiejąc. Nie ośmielam się jednak przerwać dialogu. Powoli zaczyna brakować mi czasu. Wprawdzie chcę jechać dopiero nocnym autobusem, ale muszę jeszcze załatwić bilet, trzy, cztery godziny przed odjazdem, w przeciwnym razie nie dostanę miejsca.

Po godzinie wódz oświadcza, że powinnam jechać bez Lketingi, gdyż znajduje się on w takim stanie, że Nairobi nie będzie dobre dla jego wrażliwej duszy. Będą tu na niego uważali, a ja mam wrócić jak najszybciej. Zgadzam się, jako że byłabym całkowicie bezradna, gdyby coś podobnego wydarzyło się w Nairobi. Przyrzekam Lketindze, że jeśli wszystko pójdzie zgodnie z moim planem, jutro wieczorem złapię autobus powrotny i pojutrze wcześnie rano będę tu z powrotem. Gdy wsiadam do mikrobusu, Lketinga jest bardzo smutny. Trzyma mnie za rękę i pyta, czy aby naprawdę wrócę. Zapewniam go, że ma się nie martwić, na pewno wrócę i wtedy zobaczymy, co dalej zrobimy. Jeśli nie będzie czuł się lepiej, możemy nawet udać się do lekarza. Przyrzeka mi, że będzie czekał i spróbuje wszystkiego, żeby tylko nie nastąpił nawrót choroby. *Matatu* odjeżdża, a mnie jest ciężko na sercu. Żeby tylko wszystko się udało!

W Mombasie kupuję bilet i czekam pięć godzin do odjazdu. Wczesnym rankiem, po ośmiogodzinnej podróży, jestem w Nairobi. Czekam w autobusie prawie do siódmej, zanim wysiądę. Najpierw piję herbatę, a potem, jako że nie znam drogi, biorę taksówkę do siedziby Nyayo. Gdy przybywam, panuje tam wielki zamęt. Biali i czarni pchają się do różnych okienek, każdy czegoś chce. Z trudem brnę przez różnorakie formularze, które muszę wypełnić, naturalnie po angielsku! Potem oddaję je i czekam. Mijają pełne trzy godziny, aż w końcu mnie wywołują. Usilnie żywię nadzieję, że dostanę pieczątkę. Kobieta przy okienku mierzy mnie wzrokiem i pyta, dlaczego chcę ponownie o trzy miesiące przedłużyć wizę. Najspokojniej w świecie odpowiadam: „Gdyż nie zobaczyłam jeszcze wszystkiego w tym wspaniałym kraju, a mam wystarczająco dużo pieniędzy, aby pozostać tu jeszcze przez trzy miesiące". Otwiera mój paszport, przewraca kartki i na jednej z nich przybija wielką pieczątkę. Mam wizę, tak więc znowu zrobiłam krok naprzód! Szczęśliwa uiszczam żądaną opłatę i opuszczam ten straszny budynek. W tym momencie nie wiem jeszcze, że będę tu tak często przychodziła, iż w końcu go znienawidzę.

Mając już w kieszeni bilet na wieczorny autobus, idę coś zjeść. Jest wczesne popołudnie. Kręcę się trochę po Nairobi, żeby nie zasnąć. Nie spałam od ponad trzydziestu godzin. Przechadzam się tylko po dwóch ulicach, żeby nie pobłądzić. O dziewiętnastej jest ciemno i z wolna, gdy zamykane są sklepy, budzi się nocne życie w barach. Nie chcę dłużej przebywać na ulicy, z minuty na minutę krążą po niej coraz to ciemniejsze typy. Żaden bar nie wchodzi w grę, dlatego wstępuję do położonego niedaleko McDonalda, aby przeczekać tam ostatnie dwie godziny, jakie mi zostały.

Wreszcie siedzę w autobusie do Mombasy. Kierowca żuje *miraa*. Pędzi jak szalony – i rzeczywiście, jesteśmy na miejscu w rekordowym czasie, o czwartej rano. I znowu muszę czekać, aż pojedzie pierwsza *matatu* na wybrzeże północne. Jestem ciekawa, jak idzie Lketindze.

Krótko przed siódmą znajduję się już w wiosce masajskiej. Ponieważ wszyscy śpią i herbaciarnia jest jeszcze zamknięta, czekam przed nią, gdyż nie wiem, w której chacie zatrzymał się Lketinga. W pół do ósmej przychodzi właściciel herbaciarni i otwiera. Siadam w środku i czekam na pierwszą herbatę. Przynosi mi i od razu znika ponownie w kuchni. Wkrótce schodzą się wojownicy i zasiadają przy sąsiednich stołach. Panuje przygnębiający nastrój, nikt nic nie mówi. Z pewnością winę za to ponosi tak wczesna pora, myślę. Po ósmej nie wytrzymuję i pytam właściciela, czy nie wie, gdzie jest Lketinga. Potrząsa głową i ponownie znika. Jednakże pół godziny później przysiada się do mojego stołu i mówi, że nie powinnam dłużej czekać, tylko jechać na wybrzeże południowe. Zdumiona patrzę na niego i pytam: „Dlaczego?". „Już go tu nie ma. Dziś w nocy pojechał z powrotem do domu" – wyjaśnia mężczyzna. Serce mi się ściska. „Do domu na południowym wybrzeżu?" – pytam naiwnie. *No, home to Samburu-Maral.*

No, that's not true! – krzyczę, oniemiała z przerażenia. – „On jest tutaj, powiedz mi, gdzie!". Od stołu wstają dwaj wojownicy, podchodzą i zaczynają mnie uspokajać. Odtrącam ich ręce, miotam się i wrzeszczę z całych sił na tę całą bandę po niemiecku: „Przeklęte świnie, podstępna hołota, wszystko żeście zaplanowali!". Łzy wściekłości spływają mi po twarzy, tym razem jest mi to jednak całkowicie obojętne.

Jestem tak rozwścieczona, że najchętniej sprałabym pierwszego lepszego z nich na kwaśne jabłko. Wsadzili Lketingę tak po prostu do autobusu, chociaż wiedzieli, iż wracam autobusem jadącym w przeciwnym kierunku, dokładnie w tym samym czasie, tak że gdzieś w drodze musieliśmy się minąć. Nie mogę w to uwierzyć. Tyle podłości! Jakby coś naprawdę zależało od tych ośmiu godzin! Ponieważ zbiera się coraz więcej gapiów i nie jestem już w stanie panować nad sobą, wypadam z lokalu. To oczywiste, że wszyscy tutaj są w zmowie. Przybita i pełna gniewu jadę z powrotem na wybrzeże południowe.

PRZYJDZIESZ DO MEGO DOMU

Chwilowo nie wiem, jak sprawy potoczą się dalej. Mam wizę, ale Lketinga zniknął. Priscilla siedzi z dwoma wojownikami w swoim domu. Opowiadam, a ci dwaj czekają na jej tłumaczenie. Na koniec Priscilla radzi mi, abym zapomniała o Lketindze, pomimo że jest taki kochany. Mówi, że albo jest rzeczywiście chory, albo inni życzyli mu czegoś złego, co go zmusiło do powrotu do matki, gdyż inaczej byłby stracony w Mombasie. Musi udać się do czarownika. Nie mogę mu pomóc. Jako biała nie mogę przeciwstawiać się wszystkim, to niebezpieczne. Ogarnia mnie bezdenna rozpacz i już nie wiem, w co, a przede wszystkim komu mam wierzyć. Coś mówi mi, że przed moim powrotem odesłano Lketingę wbrew jego woli. Tego samego wieczoru przybywają pierwsi zalotnicy do mojego domku. Kiedy drugi w kolejności zaczyna czynić niedwuznaczne propozycje i uważa, że potrzebuje go jako *boyfrienda*, gdyż Lketinga jest *crazy* i więcej tu nie wróci, rozzłoszczona taką bezczelnością, wyrzucam wszystkich za drzwi. Opowiadam o tym Priscilli, a ta śmieje się tylko i mówi, że to normalne, nie powinnam się tym przejmować. Widocznie również i ona jeszcze nie pojęła, że nie chcę nikogo innego i że to tylko dla Lketingi zrezygnowałam z całego mojego życia w Szwajcarii.

Następnego dnia piszę od razu list do jego brata Jamesa z Maralalu. Może on wie coś więcej. Teraz na pewno miną dwa tygodnie, zanim otrzymam odpowiedź. Dwa długie tygodnie, podczas których nie będę wiedziała, co się dzieje. Toż to można oszaleć! Czwartego dnia mam dosyć czekania. W całkowitej tajemnicy postanawiam wyruszyć w daleką drogę do Maralalu. Tam zobaczę, co dalej. Na pewno jednak się nie poddam, jeszcze się zdziwią! Nawet Priscilli nie opowiadam o swoich planach, gdyż nikomu już nie wierzę. Gdy idzie na plażę, aby sprzedawać *kangi*, pakuję torbę podróżną i ruszam w stronę Mombasy.

Znowu przebywam dobre tysiąc czterysta kilometrów i po dwóch dniach docieram do Maralalu. Wprowadzam się do tego samego schroniska za cztery franki za dobę co poprzednim razem, a właścicielka dziwi się, że mnie ponownie widzi. W skromnie umeblowanym pokoju kładę się na pryczy i zastanawiam się, co dalej. Nazajutrz idę do brata Lketingi.

Najpierw przekonuję kierownika szkoły, w końcu jest gotowy sprowadzić Jamesa. Jemu również opowiadam wszystko, na co on oświadcza, że jeśli dostanie pozwolenie, zaprowadzi mnie do swojej matki. Po długich targach kierownik zgadza się, pod warunkiem jednak, że zdobędę auto, które zawiezie Jamesa i mnie do Barsaloi. Zadowolona,

79

że tak dużo osiągnęłam z tym swoim ubogim angielskim, chodzę po Maralalu i wypytuję wszystkich o auto. Ci, którzy mają, są niemalże bez wyjątku Somalijczykami. Gdy jednak mówię, dokąd się wybieram, albo śmieją się ze mnie, albo domagają się astronomicznej zapłaty. Drugiego dnia poszukiwań spotykam Toma, mojego dawnego wybawcę, który szukał i odnalazł Lketingę. Również on chciałby wiedzieć, gdzie jest Lketinga. Ponownie okazuje zrozumienie dla mojej sytuacji i próbuje załatwić auto, gdyż przy moim kolorze skóry cena byłaby pięciokrotnie wyższa. I rzeczywiście, krótko po obiedzie siedzimy oboje w landroverze, którego udało mu się wynająć wraz z szoferem za dwieście franków. Odmeldowuję się u Jamesa, jako że Tom zabiera się ze mną.

Landrower jedzie przez Maralal, a następnie pustą czerwoną drogą z gliny. Po krótkim czasie docieramy do gęstego lasu z wielkimi drzewami, które porastają liany. Nic nie widać dalej niż na dwa metry. Tylko ślady kół samochodowych świadczą o tym, że przebiega tędy droga. Reszta jest zarośnięta. Siedząc z tyłu w landroverze, niewiele widzę. Po położeniu samochodu rozpoznaję, że droga musi być bardzo stroma. Gdy po godzinie opuszczamy las, stajemy przed potężnymi blokami skalnymi. Dalej w życiu nie pojedziemy! Jednakże moi dwaj towarzysze podróży wysiadają i przesuwają kilka głazów, a następnie pojazd wlecze się z łoskotem po kamienistym zboczu góry. W tym momencie zdaję sobie sprawę, że cena za wynajem wozu nie była wyśrubowana. Po tym, co zobaczyłam, byłabym teraz gotowa zapłacić znacznie więcej. Stanie się cud, jeśli uda nam się bez awarii tędy przejechać! I staje się cud, nasz szofer jest wspaniałym kierowcą.

Od czasu do czasu mijamy *manyatty* lub dzieci z kozami czy krowami. Jestem podekscytowana. Kiedy w końcu będziemy na miejscu? Czy mój kochany ma gdzieś tutaj swój dom? A może ten cały wysiłek był nadaremny? Czy jest jeszcze jakaś szansa? Modlę się po cichu. Mój wybawca z kolei jest uosobieniem spokoju. W końcu przekraczamy szerokie łożysko rzeki i po dwóch albo trzech zakrętach dostrzegam kilka prostych szałasów, a nieco powyżej, na wzniesieniu, olbrzymi budynek, który wyróżnia się w całej okolicy niczym oaza: otacza go cudowna zieleń. „Gdzie jesteśmy?" – pytam Toma. „To Barsaloi-town, a tam w górze nowo zbudowana misja. Najpierw jednak pójdziemy do *manyatt* i zobaczymy, czy nie ma Lketingi u matki" – wyjaśnia mi. Przejeżdżamy obok misji i nie mogę wyjść z podziwu na widok całej tej zieleni, okolica jest bowiem bardzo sucha, jak półpustynia albo step. Po trzystu metrach skręcamy i podskakujemy po nierównym terenie. Dwie minuty później pojazd się zatrzymuje. Tom wysiada i mówi, że mam powoli iść za nim, a szofera prosi, aby zaczekał. Pod wielkim, płaskim drzewem siedzą dorośli i dzieci. Mój towarzysz podchodzi do nich, a ja czekam w odpowiedniej odległości. Wszyscy spozierają w moją stronę. Po dłuższej pogawędce z pewną starszą kobietą Tom wraca i mówi: *Corinne, come, his Mama tells me, Lketinga is here.* Idziemy przez wysokie, kolczaste krzaki i docieramy do trzech bardzo skromnych *manyatt*, które stoją w odległości jakiś pięciu metrów od siebie. Przed środkową sterczą dwie długie dzidy wbite w ziemię. Tom wskazuje na nie i mówi: *Here he is inside.* Nie ośmielam się poruszyć, tak więc on pochyla się i wchodzi do środka. Jestem tuż za nim i jego plecy mnie zasłaniają. Słyszę, jak Tom coś mówi, a chwilę potem rozlega się głos Lketingi. W tym momencie nie wytrzymuję i przeciskam się obok Toma. Do końca życia nie zapomnę zaskoczenia, radości i niedowierzania, z jakim Lketinga patrzy na mnie w tym momencie. Leży na krowiej skórze w małym pomieszczeniu za paleniskiem w zadymionym półmroku i nagle wybucha śmiechem. Tom odsuwa się, a ja pełznę na czworakach prosto w rozpostarte ramiona Lketingi. Długo się tulimy do siebie. „Zawsze wiedziałem, że jeśli mnie kochasz, to przyjdziesz do mego domu".

To ponowne spotkanie, to ponowne odnalezienie się jest piękniejsze niż wszystko, co dotychczas się wydarzyło. W jednej sekundzie wiem, że pozostanę tutaj, nawet jeśli będziemy mieli tylko siebie. Lketinga mówi to, co sama czuję głęboko w sercu: „Teraz zostaniesz moją żoną, *you stay with me like a Samburu-wife*". Nie posiadam się ze szczęścia.

Tom patrzy na mnie sceptycznie i pyta, czy naprawdę ma wracać sam landrowerem do Maralalu. Tu będzie mi ciężko. Nie ma prawie nic do jedzenia, a spać będę musiała na ziemi. Nie dam również rady dojść na piechotę do Maralalu. To wszystko jest mi zupełnie obojętne, mówię więc do niego: „Gdzie żyje Lketinga, tam i ja potrafię".

Na krótką chwilę robi się ciemno w chacie, matka Lketingi przeciska się przez dziurę wejściową. Przysiada naprzeciwko paleniska i w milczeniu długo wpatruje się we mnie z posępną miną. Mam świadomość, że są to rozstrzygające minuty, toteż nie odzywam się. Siedzimy, trzymamy się z Lketingą za ręce, a nasze twarze płoną. Gdybyśmy byli w stanie wyprodukować w ten sposób światło, cała chata byłaby jasno oświetlona. Lketinga wymienia z matką parę zdań, od czasu do czasu rozumiem tylko „mzungu" i „Mombasa". Matka nie odrywa ode mnie wzroku. Jest całkiem czarna. Jej ogolona głowa ma piękny kształt. Na szyi i w uszach nosi kolorowe obręcze z pereł. Ciało, obnażone po pas, ma dość obfite, z przodu zwisają jej dwie długie, wielkie piersi. Nogi ma okryte brudną spódnicą.

Nagle wyciąga do mnie rękę i mówi: „Jambo". Następnie płynie wielki potok słów. Patrzę na Lketingę. Ten śmieje się. „Matka udzieliła nam błogosławieństwa, możemy zostać w jej chacie". Tom żegna się, idę z nim, aby zabrać torbę z landrowera. Gdy powracam, wokół *manyatty* zebrała się spora grupa ludzi.

Pod wieczór słyszę odgłosy dzwonków. Wychodzimy na dwór i spostrzegam pokaźne stado kóz. Większość idzie dalej, część – jakieś trzydzieści sztuk – zostaje zagoniona do naszego *kraalu*, zagrody dla zwierząt z ciernistych krzaków, której wejście zastawiane jest dodatkowymi ciernistymi chaszczami. Potem mama bierze tykwę i idzie wydoić kozy. Udojonego mleka starcza ledwo do herbaty. Stadem opiekuje się ośmioletni chłopak, który przysiada obok *manyatty* i nieśmiało mnie obserwuje, wypijając łapczywie dwa kubki wody. Jest synem starszego brata Lketingi.

Godzinę później zapada zmrok. Siedzimy we czwórkę w ciasnej *manyatcie*, mama z przodu, obok wejścia, a przy niej przestraszona Saguna, trzyletnia dziewczynka. Saguna jest młodszą siostrą chłopaka od kóz. Przyciska się zlękniona do babci, która teraz jest jej matką. Kiedy pierwsza córka najstarszego syna jest wystarczająco duża, należy do jego matki, jako pewnego rodzaju pomoc dla starszych ludzi, do zbierania drewna albo przynoszenia wody, tłumaczy mi Lketinga.

Siedzimy oboje na krowiej skórze. Mama grzebie w popiele między trzema krzemieniami i wyciąga rozżarzony kawałek drewna. Potem powoli rozdmuchuje iskrę. Powstaje gryzący dym, który przez kilka minut wyciska mi łzy z oczu. Wszyscy się śmieją. Gdy dostaję napadu kaszlu, przeciskam się na zewnątrz. Powietrza, powietrza, to jedyne, o czym jestem w stanie myśleć.

Na dworze jest zupełnie ciemno. Miliony gwiazd wydają się znajdować tak blisko, jakby można je było zerwać z nieba niczym kwiaty. Rozkoszuję się uczuciem spokoju. Wszędzie w *manyattach* widać migotanie ognisk. Także w naszej płonie przytulnie ogień. Mama zaparza herbatę, która jest naszą kolacją. Po niej muszę iść siusiu. Lketinga śmieje się. „Tu nie ma toalety, tylko busz. Chodź ze mną, Corinne!". Sprężystym krokiem podąża przodem, odrzuca jeden krzak kolczasty na bok, tworząc w ten sposób przejście. Płot z cierni jest jedynym zabezpieczeniem przed dzikimi zwierzętami. Oddalamy się jakieś trzysta metrów od *kraalu* i Lketinga pokazuje mi swoim *rungu* na krzak, który w przyszłości będzie moją ubikacją. Siusiu mogę robić w nocy także przy *manyatcie*, gdyż piasek wszystko wchłonie. Ale reszty nie wolno mi załatwiać w pobliżu chaty, w przeciwnym wypadku będziemy musieli ofiarować sąsiadom kozę i wyprowadzić się stąd, co byłoby wielkim wstydem.

Idąc do *manyatty*, zasuwamy krzak z powrotem na miejsce. Wracamy na krowią skórę. O myciu nie ma mowy, wody starcza ledwo na herbatę. Gdy pytam o to Lketingę, odpiera: „Jutro nad rzeką, *no problem!*". W chacie jest całkiem ciepło, gdyż płonie ogień, na dworze z kolei panuje chłód. Dziewczynka śpi już nago obok babci, a my usiłujemy rozmawiać. Tutejsi ludzie udają się na spoczynek między ósmą a dziewiątą. Również i my się kładziemy. Ogień przygasa i prawie siebie nie widzimy. Przytulamy się mocno z Lketingą. Pomimo że oboje chcielibyśmy więcej, naturalnie nie dzieje się nic w obecności matki i w tej bezkresnej ciszy.

Pierwszej nocy źle śpię, ponieważ nie jestem przyzwyczajona do twardej ziemi. Przewracam się z boku na bok i wsłuchuję w różne odgłosy. Raz po raz dźwięczy kozi dzwonek, co w tej głuchej nocy brzmi w moich uszach niemalże jak dzwon kościelny. W oddali wyje jakieś zwierzę. Później coś szeleści w krzakach. Tak, wyraźnie słyszę, jak ktoś albo coś usiłuje dostać się do *kraalu*. Uważnie nasłuchuję, a serce skacze mi do gardła. Ktoś się zbliża. Leżąc, wbijam wzrok w mały otwór wejściowy i widzę dwie czarne belki, nie, to przecież nogi!, i końce dwóch dzid. W chwilę potem rozlega się męski głos: *Supa Moran!* Szturcham Lketingę w bok i szepczę: „*Darling*, ktoś tu jest". On wydaje z siebie niezrozumiałe dźwięki, które brzmią niemal jak chrumkanie, i patrzy na mnie przez ułamek sekundy niemalże ze złością. *Outside is somebody* – tłumaczę przejęta. Ponownie rozlega się głos: *Moran supa!* Następnie toczy się krótka rozmowa, po której nogi ruszają się i znikają. *What's the problem?* – pytam. Mężczyzna, również wojownik, chciał u nas przenocować, co normalnie nie byłoby problemem, lecz ponieważ ja teraz tutaj mieszkam, nie jest to możliwe. Spróbuje znaleźć schronienie w jakiejś innej *manyatcie*. A teraz mam już spać. O szóstej rano wstaje słońce, a z nim budzą się zwierzęta i ludzie. Kozy głośno meczą, gdyż chcą iść na pastwisko. Zewsząd dobiegają mnie głosy, a miejsce mamy jest już puste. Godzinę później wstajemy także i my i pijemy herbatę. Jest to istna męka, jako że wraz z porannym słońcem obudziły się również muchy. Kiedy tylko stawiam kubek obok siebie na ziemi, tuziny much nad nim krążą. Poza tym nieustannie bzyczą mi koło głowy. Saguna sprawia wrażenie, jakby ich w ogóle nie zauważała, a przecież muchy siedzą jej w kącikach oczu, a nawet ust. Pytam Lketingę, skąd się biorą te wszystkie muchy. Pokazuje na kozie bobki, których nazbierało się podczas nocy. W ciągu dnia bobki schną pod wpływem gorąca i much jest wtedy mniej. Dlatego wczorajszego wieczora nie odczułam tego tak natrętnie. Lketinga śmieje się i mówi, że to dopiero początek. Gdy powrócą krowy, będzie o wiele gorzej, ich mleko przyciąga bowiem tysiące much. Jeszcze bardziej nieprzyjemne są komary pojawiające się po deszczu. Po wypiciu herbaty chcę iść nad rzekę, aby w końcu się umyć. Wyruszamy, wyposażeni w mydło, ręcznik i świeżą bieliznę. Lketinga dźwiga jedynie żółty kanister na wodę do herbaty. Przez jakiś kilometr schodzimy po wąskiej drodze, aż do szerokiego łożyska rzeki, przez którą przeprawialiśmy się poprzedniego dnia landrowerem. Na prawo i na lewo od rzeki stoją wielkie, soczysto zielone drzewa, jednakże wody ani śladu. Idziemy suchym korytem, aż do zakrętu, za którym wynurzają się skały. I faktycznie, z piasku wypływa tutaj niewielki potok.

Nie jesteśmy sami. Obok strumyka kilka dziewcząt wykopało w piasku dół i cierpliwie czerpią z niego kubkiem wodę, którą wlewają do kanistrów. Na widok mojego wojownika zawstydzone pochylają głowy i chichocząc, pracują dalej. Dwadzieścia metrów dalej stoi nad strumieniem grupa nagich wojowników. Myją się wzajemnie. Ich narzuty na biodra leżą na rozgrzanych skałach i schną. Moje pojawienie się powoduje, że milkną, lecz nic nie wskazuje na to, żeby wstydzili się swojej nagości. Lketinga przystaje i z nimi rozmawia. Niektórzy przypatrują mi się otwarcie, a ja już po krótkim czasie nie wiem, gdzie uciec wzrokiem. Jeszcze nigdy w życiu nie widziałam tylu nagich mężczyzn naraz, w dodatku nieświadomych tego, że właśnie są nadzy. Szczupłe, pełne wdzięku ciała błyszczą cudownie w porannym słońcu.

Nie bardzo wiem, jak mam się zachować w tej niecodziennej dla mnie sytuacji, dlatego też idę dalej, a po paru metrach przysiadam nad płynącą wąską strużką wody i myję sobie nogi. Lketinga przystępuje do mnie. *Corinne, come, here is not good for lady!* Idziemy za następne zakole rzeki, tak daleko, że nikt nas nie może wypatrzyć. Tam Lketinga rozbiera się i myje. Gdy również i ja chcę ściągnąć z siebie wszystko, patrzy na mnie przerażony. *No, Corinne, this is not good!* „Dlaczego? – pytam. – To jak mam się myć, jeśli nie mogę zdjąć podkoszulka i spódnicy?". Tłumaczy, że nie wolno mi obnażać nóg, gdyż jest to nieprzyzwoite. Dyskutujemy zawzięcie, aż w końcu jednak przyklękam nago w wodzie i dokładnie się myję. Lketinga namydla mi plecy i włosy, przy czym stale rozgląda się wokoło, sprawdzając, czy rzeczywiście nikt nas nie widzi.

Rytuał mycia trwa mniej więcej dwie godziny, potem ruszamy z powrotem. Nad rzeką panuje teraz duży ruch. Wiele kobiet myje sobie włosy i nogi, inne grzebią dziury, aby ich kozy miały co pić, a jeszcze inne napełniają wytrwale pojemniki wodą. Lketinga podstawia również swój mały kanister, który z miejsca zostaje napełniony przez jakąś dziewczynę.

Potem przechadzamy się po wiosce, gdyż chcę zajrzeć do sklepów. Trzy czterokątne domki z gliny nazywane są tutaj sklepami. Lketinga rozmawia z poszczególnymi właścicielami, każdy z nich jest Somalijczykiem. Wszyscy kręcą przecząco głowami. Nie ma nic do kupienia, poza odrobiną herbaty w proszku i puszkami z tłuszczem marki Kimbo. W największym sklepie udaje nam się znaleźć kilogram ryżu. Gdy właściciel nam go pakuje, zauważam mnóstwo małych czarnych robaczków. *Oh no* – mówię – *I don't want this!* Jest mu przykro i zabiera ryż z powrotem. Tak więc nie mamy nic do jedzenia.

Pod drzewem siedzi wiele kobiet i sprzedaje krowie mleko w tykwach. Przynajmniej kupujemy mleko. Za parę groszy bierzemy dwie pełne tykwy – mniej więcej litr – do domu. Mama cieszy się, widząc taką ilość mleka. Zaparzamy herbatę, a Saguna dostaje kubek pełen mleka i jest szczęśliwa. Lketinga i mama omawiają kiepską sytuację. Zachodzę w głowę, czym ci ludzie się tutaj żywią? Od czasu do czasu starsze kobiety dostają z misji po kilogramie mąki kukurydzianej, lecz obecnie nawet na to nie ma co liczyć. Lketinga postanawia zabić wieczorem kozę, jak tylko stado wróci do zagrody. Przytłoczona tymi wszystkimi nowymi wydarzeniami nie odczuwam na razie głodu.

Ponieważ matka gawędzi z innymi kobietami pod wielkim drzewem, pozostałą część popołudnia spędzamy w *manyatcie*. Wreszcie możemy się trochę pokochać. Na wszelki wypadek nie rozbieram się, w końcu jest dzień i w każdej chwili może ktoś wejść do chaty. Tego popołudnia odbywamy wiele krótkich stosunków. Nie jestem przyzwyczajona do tego, że wszystko zawsze tak szybko się kończy, a następnie, tylko po krótkiej przerwie, zaczyna na nowo. Ale nie przeszkadza mi to, nie tęsknię za niczym innym. Jestem szczęśliwa, że mogę być z Lketingą.

Wieczorem kozy przychodzą do domu, a z nimi również starszy brat Lketingi, ojciec Saguny. Między nim a matką toczy się ostra dyskusja, podczas której mierzy mnie niekiedy dzikim wzrokiem. Później biorę Lketingę na spytki. Opowiada mi szczegółowo, że jego brat troszczy się wyłącznie o moje zdrowie. Z pewnością niebawem zjawi się tu szef prowincji i będzie chciał wiedzieć, dlaczego jakaś biała mieszka w takiej chacie, to przecież nie jest normalne.

Potem mówi, że za dwa, trzy dni wszyscy ludzie z całego regionu dowiedzą się o mnie i tu przybędą. Gdyby coś mi się stało, na pewno pojawi się policja, a coś takiego nie zdarzyło się jeszcze w całej historii ich rodu, rodu Leparmorijo. Uspokajam Lketingę i zapewniam go, że jeśli przybędzie szef prowincji, to zarówno ze mną, jak i z moim paszportem wszystko jest w porządku. Jak dotychczas, jeszcze nigdy w życiu nie byłam poważnie chora. Poza tym zaraz idziemy przecież jeść kozę i postaram się zjeść jak najwięcej.

Gdy tylko robi się ciemno, wyruszamy w trójkę: Lketinga, jego brat i ja. Lketinga trzyma kozę na postronku. Oddalamy się od wioski o jakiś kilometr w kierunku buszu, Lketindze nie wolno bowiem nic jeść w chacie matki, jeśli ona jest przy tym obecna. Mnie, zmuszeni koniecznością, akceptują, jako że jestem biała. Pytam, co w takim razie będzie jadła mama i Saguna, a także jej matka? Lketinga śmieje się i tłumaczy, że pewne kawałki są przeznaczone tylko dla kobiet i żaden mężczyzna ich nie ruszy. Te kawałki i wszystko, czego nie zjemy, zaniesiemy mamie do domu. Zawsze, gdy jest mięso, czuwa ona do późnej nocy, nawet Saguna jest budzona. Uspokajam się, ale ciągle mam wątpliwości, czy aby na pewno wszystko dobrze rozumiem, gdyż nasz angielski, pomieszany z masajskim oraz językiem gestów, jest nadal ubogi.

Nareszcie docieramy do odpowiedniego miejsca. Szukamy drewna na opał, a pobliski krzak traci gałęzie. Zostają powiązane na piaszczystej ziemi w coś na kształt łoża. Następnie Lketinga chwyta meczącą kozę za przednie i tylne nogi i kładzie ją bokiem na to zielone łoże. Jego brat trzyma łeb i dusi biedne zwierzę, zaciskając mu nozdrza i pysk. Koza wierzga gwałtownie, a po chwili wytrzeszcza znieruchomiałe oczy na pełne gwiazd, czyste niebo. Z konieczności przyglądam się temu wszystkiemu z bliska; nie mogę się oddalić ze względu na panujące ciemności. Nieco zbulwersowana pytam, dlaczego nie poderżną kozie gardła, tylko duszą ją tak okrutnie. Odpowiedź jest krótka: u Samburu nie może się polać krew podczas zabijania zwierząt, tak było zawsze.

Po raz pierwszy w życiu uczestniczę w ćwiartowaniu. Na szyi zwierzęcia zostaje zrobione nacięcie i podczas gdy brat ściąga skórę, powstaje coś w rodzaju niecki, która od razu napełnia się krwią. Przyglądam się z odrazą i zdumieniem, jak Lketinga pochyla się i chłepcze kilka łyków. Jego brat robi to samo. Jestem przerażona, nie mówię jednak ani słowa. Śmiejąc się, Lketinga pokazuje na posokę. *Corinne, you like blood, make very strong!* Przecząco kręcę głową.

Potem wszystko toczy się szybko. Wprawnie ściągają z kozy skórę, obcinają głowę i nogi i rzucają je na łoże z liści. A mnie czeka kolejny szok. Otwierają ostrożnie brzuch i straszliwie cuchnąca, zielonkawa masa wypływa na ziemię. To zawartość żołądka. Z miejsca tracę apetyt. Brat dalej dzieli mięso, a mój Masaj niestrudzenie rozdmuchuje żar. Po godzinie kładą poćwiartowane kawałki mięsa na gałęziach, formując je w kształt piramidy. Żeberka idą w całości na sam spód, ponieważ muszą piec się krócej niż zadnie nogi. Głowa i kopyta leżą bezpośrednio na ogniu.

Wszystko to wygląda dość okropnie, lecz wiem, że powinnam się do tego przyzwyczaić. Po krótkim czasie żeberka zostają wyciągnięte z ognia i stopniowo pieczona jest reszta kozy. Lketinga rozcina maczetą żeberka na pół i podaje mi porcję. Dzielnie częstuję się i zaczynam obgryzać. Z odrobiną soli byłoby to na pewno smaczniejsze. Odrywanie łykowatego mięsa od kości nie przychodzi mi wcale łatwo, za to Lketinga i jego brat pałaszują szybko i z wprawą. Ogryzione kości rzucają za siebie w busz, skąd w chwilę potem dobiegają szelesty. Co dobiera się do tych resztek, tego nie wiem. Ale gdy Lketinga jest przy mnie, niczego się nie boję.

Obaj przegryzają się przez pierwszą tylną nogę, nożem odcinając warstwami mięso, przy czym ciągle na nowo odkładają ją na ogień, aby lepiej podpiec. Brat pyta, czy mi smakuje. Odpowiadam: „O tak, bardzo dobre!" – i dalej obgryzam. Przecież w końcu muszę mieć coś w żołądku, jeśli nie chcę się sama w krótkim czasie zamienić w kościotrupa. Wreszcie poradziłam sobie z żeberkami i bolą mnie zęby. Lketinga sięga do ogniska i wręcza mi całą przednią nogę. Pytająco patrzę na niego. „To dla mnie?". „Tak, to jest tylko dla ciebie". Ale ja mam już pełny brzuch, nie wcisnę nic więcej. Nie chce im się w to wierzyć, stwierdzają, że nie jestem jeszcze prawdziwą Samburu. „Zabierz do domu, zjesz jutro" – mówi Lketinga dobrodusznie. Odtąd tylko siedzę i przyglądam się, jak bracia kilogram po kilogramie pochłaniają mięso.

Kiedy już najedli się do syta, pakują pozostałe kawałki kozy z podrobami, głową i kopytami w skórę i maszerujemy z powrotem do *manyatty*. Moje „śniadanie" dźwigam sama. W *kraalu* panuje cisza. Wpełzamy do chat, a mama od razu podnosi się z legowiska. Mężczyźni wręczają jej mięso. Prawie nic nie widzę poza czerwono pobłyskującym żarem z paleniska.

Brat opuszcza nas, zabierając część mięsa dla żony. Mama grzebie w ognisku i ostrożnie dmucha, aby na nowo wzniecić ogień. Naturalnie nie obywa się to bez dymu i znowu mocno kaszlę. Potem buchają płomienie i w chacie robi się jasno i przytulnie. Mama rzuca się na kawałek upieczonego mięsa i budzi Sagunę. Jestem pełna podziwu, jak ta mała dziewczynka, wyrwana z głębokiego snu, łapczywie dobiera się do mięsa i nożem obcina małe kawałki tuż przy wargach. Podczas gdy one jedzą, zagotowuje się woda. Pijemy z Lketingą herbatę. Tylna noga kozy, którą dostałam, wisi nam nad głowami przyczepiona do gałęzi na suficie. Ledwo z jedynego w chacie garnka zostaje wypita herbata, mama wrzuca do niego pocięte, małe kawałki mięsa i przypieka je na chrupiący brąz. Następnie napełnia nimi puste tykwy. Usiłuję dowiedzieć się, czemu to robi. Lketinga tłumaczy mi, że w ten sposób mięso będzie na parę dni zakonserwowane. Mama przerobi wszystko, co ma, bo inaczej, gdy rano zlecą się do nas kobiety, musiałaby się z nimi podzielić, i znowu nic byśmy nie mieli. Głowa kozy, całkowicie sczerniała w popiele, uchodzi za szczególny przysmak, mama zachowa ją na rano.

Ogień przygasł, układamy się z Lketingą do snu. Jak zazwyczaj, Lketinga opiera głowę na trójnożnym, wyrzeźbionym z drewna koziołku wysokości około dziesięciu centymetrów, aby jego długie czerwone włosy nie zmierzwiły się i nie zafarbowały wszystkiego. W Mombasie nie miał tej podstawki, dlatego też związywał włosy w coś na kształt chustki na głowę. Jest dla mnie zagadką, jak można wygodnie spać na czymś tak twardym, w dodatku z wyciągniętą głową. Jak widać jednak, dla niego to nie problem, gdyż właśnie zasnął. Natomiast do mnie już drugą noc sen jakoś nie chce przyjść. Ziemia jest twarda, a mama ciągle jeszcze zajada ze smakiem i dość głośno. Z rzadka brzęczą mi nad głową natrętne komary.

Rano budzi mnie meczenie kóz i osobliwy szum. Spoglądam przez otwór wyjściowy i widzę spódnicę mamy. Między jej nogami rozlewa się szumiący potok. Wygląda na to, że kobiety sikają na stojąco, podczas gdy mężczyźni w tym celu nieskrępowanie kucają, co podpatrzyłam u Lketingi. Gdy szum ustaje, wyczołguję się z chaty i przykucnąwszy za *manyattą*, również załatwiam potrzebę. Potem idę do kóz i przyglądam się mamie, kiedy je doi. Po zwyczajowej porannej herbacie udajemy się nad rzekę i przynosimy pięć litrów wody.

Kiedy wracamy, w *manyatcie* siedzą trzy kobiety, które natychmiast wychodzą, gdy tylko spostrzegają Lketingę i mnie. Mama coś nie w humorze, gdyż zapewne już wcześniej były u niej inne kobiety, a ona nie ma w domu ani herbaty, ani cukru, ani nawet kropli wody. Gościnność nakazuje, aby każdemu odwiedzającemu zaproponować herbatę albo przynajmniej kubek wody. Mówi, że wszyscy wypytywali ją o białą. Przedtem się nią nie interesowali, toteż niech i teraz zostawią ją w spokoju. Proponuję Lketindze, aby w którymś ze sklepów załatwić przynajmniej herbatę w proszku. Gdy wracamy, w cieniu przed *manyattą* siedzi w kucki kilkoro starych ludzi. Wykazują przy tym niezmierną cierpliwość. Przesiadują tak godzinami, gawędzą i czekają, dobrze wiedząc, że *mzungu* kiedyś w końcu przecież będzie jadła i gościnność nie pozwoli jej, aby wyłączyła z tego ich, starych. Lketinga chce pokazać mi okolicę. Jako wojownik nie czuje się dobrze pośród tylu mężatek i starych mężczyzn. Maszerujemy na przełaj przez busz. Lketinga wymienia nazwy roślin i zwierząt, które widzimy. Okolica jest sucha, a podłoże stanowi albo czerwona, twarda jak kamień ziemia, albo piasek. Ziemia jest spękana, niekiedy nawet przechodzimy przez prawdziwe kratery. Przy tym upale odczuwam po krótkim czasie pragnienie. Lketinga jednak uważa, że im więcej wody będę piła, tym pragnienie będzie większe. Odcina z jakiegoś krzaka dwa kawałki drewna, jeden z nich wsadza sobie do ust, a mnie podaje drugi. Mówi, że to dobre do czyszczenia zębów, a jednocześnie zabija pragnienie.

Moja szeroka, bawełniana spódnica zahacza się co jakiś czas o kolczaste krzaki. Po kolejnej godzinie jestem kompletnie spocona, a w dodatku chce mi się pić. Tak więc idziemy w kierunku rzeki, z daleka można rozpoznać, gdzie się znajduje, gdyż drzewa są tam większe i bardziej zielone. Na próżno jednak szukam wody w wysuszonym korycie rzeki. Podążamy przez jakiś czas wzdłuż koryta, aż spostrzegamy w pewnej odległości grupę małp, które w popłochu rozpierzchają się i skaczą po skałach. U stóp tych skał Lketinga wygrzebuje w piasku dziurę. Kilka chwil potem piasek ciemnieje i robi się wilgotny. Niebawem tworzy się pierwsza kałuża wody, która z czasem robi się klarowna. Zaspokajamy pragnienie i ruszamy do domu.

Reszta koziej nogi stanowi moją kolację. Siedzimy w półmroku i rozmawiamy, najlepiej jak potrafimy. Mama chce dowiedzieć się wszystkiego o moim kraju i rodzinie. Kiedy mamy trudności z dogadaniem się, nierzadko się śmiejemy. Saguna śpi, jak zazwyczaj mocno przytulona do babci. Z wolna przyzwyczaiła się do mojej obecności, ale nadal nie pozwala się dotknąć. Po dziewiątej udajemy się na spoczynek. Nie ściągam podkoszulka, spódnicę kładę pod głowę jako poduszkę. Za przykrycie służy mi cienka *kanga*, która jednak wcale nie chroni mnie przed porannym chłodem.

Czwartego dnia wyruszamy z Lketingą i przez cały dzień pasiemy

90

kozy. Jestem dumna, że pozwolono mi pójść, i cieszę się z tego. Utrzymanie kóz w stadzie wcale nie jest takie proste. Kiedy napotykamy inne stadka, nie mogę wyjść z podziwu, jak nawet dzieci potrafią rozpoznać poszczególne zwierzęta do nich należące. Bądź co bądź, jest tych zwierząt najczęściej pięćdziesiąt albo i więcej. Podąża się spokojnie kilometr za kilometrem, a kozy ogryzają i bez tego już niemalże łyse krzaki. W porze obiadu zaganiamy je nad rzekę i poimy, a potem ruszamy dalej. Również i my pijemy wodę. Tego dnia jest ona naszym jedynym posiłkiem. Pod wieczór wracamy do domu. Wykończona i spieczona prażącym słońcem, myślę: „Ten raz i nigdy więcej!". Podziwiam ludzi, którzy są w stanie robić to dzień w dzień, przez całe życie. Przy *manyatcie* witają mnie radośnie mama, starszy brat i jego żona. Z rozmowy, jaka toczy się między nimi, wnioskuję, jak bardzo wzrosło ich poważanie w stosunku do mnie. Są dumni, że udało mi się wytrwać. Po raz pierwszy śpię głęboko i mocno aż do późnego rana.

Ze świeżą bawełnianą spódnicą wyczołguję się z *manyatty*. Mama dziwi się i pyta, ile to ja mam spódnic? Pokazuję cztery palce, na co ona pyta, czy nie mogłabym jej jakiejś odstąpić. Ona ma tylko tę jedną i nosi ją już od wielu lat. Patrząc na dziury i brud, można w to łatwo uwierzyć. Moje spódnice są jednak dla niej o wiele za długie i za ciasne. Przyrzekam jej z najbliższej wyprawy przywieźć jedną. Jak na szwajcarskie stosunki nie mam zbyt wielu ubrań, tutaj jednak, z czterema spódnicami i jakimiś dziesięcioma podkoszulkami, wydaję się zamożna.

Dzisiaj mam zamiar wyprać swoje rzeczy w skąpych wodach rzeki. Dlatego też udajemy się do sklepu i kupujemy proszek Omo. Ten jedyny proszek do prania, jaki można nabyć w całej Kenii, używany jest również do mycia ciała i włosów. Nie jest łatwo wyprać ubranie, mając do dyspozycji mało wody i dużo piasku. Lketinga nawet mi pomaga, z czego obecne nad rzeką dziewczyny i kobiety chichoczą. Za to, że z mojego powodu naraża się na ośmieszenie, kocham go jeszcze bardziej. Mężczyźni nie zajmują się prawie żadną pracą, a już na pewno nie kobiecymi zajęciami, jak przynoszeniem wody, szukaniem drewna na opał czy właśnie przepierką. Tylko własne *kangi* najczęściej piorą sami.

Po południu postanawiam zajrzeć do „pompatycznej" misji

i przedstawić się. Jakiś ojciec misjonarz, który wygląda, jakby był nie w sosie, zdziwiony otwiera drzwi. *Yes?* Szperam w głowie, poszukując najlepszych angielskich słówek, aby wytłumaczyć, że chcę zostać tu, w Barsaloi, i że żyję razem z jednym z mężczyzn Samburu. Patrzy na mnie lekko nieobecnym wzrokiem i mówi z włoskim akcentem: *Yes, and now?* Pytam go, czy byłoby możliwe, abym zabrała się z nim czasami do Maralalu, żeby kupić tam coś do jedzenia. Chłodno odpiera, że nigdy wcześniej nie wie, kiedy wybierze się do Maralalu. Poza tym jest tu po to, aby transportować chorych ludzi, a nie po to, żeby stwarzać komuś możliwości zakupów. Wyciąga rękę i żegna się ze mną chłodno słowami: *I'm Pater Giuliano, arrivederci.*

Oszołomiona taką odprawą, stoję przed zamkniętymi drzwiami i usiłuję jakoś przetrawić to spotkanie z moim pierwszym w życiu misjonarzem. Ogarnia mnie wściekłość i wstydzę się, że jestem biała. Powoli idę z powrotem do *manyatty*, do mojego biednego ludu, który jest gotowy dzielić się ze mną tym, co ma, mimo że jestem dla nich zupełnie obca.

O moich przeżyciach opowiadam Lketindze. Śmieje się i mówi, że ci dwaj misjonarze nie są dobrzy. Drugi z nich, ojciec Roberto, jest jednak bardziej przystępny. Ich poprzednicy bardziej im pomagali, a przy takiej klęsce głodu jak ta stale rozdawali mąkę kukurydzianą. Tym obecnym wcale do tego nie spieszno. Odmowa ojca misjonarza napełnia mnie smutkiem. Wygląda na to, że nie mam co liczyć na okazje zabranie się do miasta. A nikogo nie będę prosić na kolanach.

Dni mijają monotonnie. Jedyną odmianą są przeróżni goście, jacy zachodzą do naszej *manyatty*. Raz są to starzy ludzie, innym razem wojownicy w tym samym wieku co Lketinga. Najczęściej muszę godzinami się przysłuchiwać, aby przynajmniej niekiedy wyłowić choć jedno zrozumiałe dla mnie słowo.

LANDROWER

Po czternastu dniach staje się dla mnie jasne, że dłużej nie wytrzymam tego jednostronnego odżywiania się, pomimo że codziennie łykam europejską tabletkę z witaminami. Straciłam już kilka kilogramów, co zauważam po spódnicach, które robią się coraz większe.

Chcę tu pozostać, co do tego nie ma dwóch zdań, ale nie chcę umrzeć z głodu. Jednocześnie brakuje mi papieru toaletowego, a i zapas chusteczek higienicznych się kurczy. Pomimo najlepszych chęci nie mogę zaakceptować na dłuższą metę metody podcierania się kamieniami, jaką stosują Samburu, aczkolwiek jest ona bardziej przyjazna dla środowiska naturalnego od mojego białego papieru, który później leży za krzakami.

Krótko potem podejmuję decyzję: potrzebne jest auto. Oczywiście musi to być samochód terenowy, żaden inny nie nadawałby się tutaj do niczego. Omawiam to z Lketingą, a on z kolei rozmawia z mamą, dla której ta myśl jest absurdalna. Auto? Toż wtedy jest się kimś z innej planety, z mnóstwem, mnóstwem pieniędzy! Jeszcze nigdy nie jechała samochodem. A ludzie, co na to powiedzą ludzie? O nie, mama wcale nie jest zachwycona tym pomysłem, ale rozumie mój i nas wszystkich problem: brak żywności.

Myśl o posiadaniu auta i bycia dzięki temu niezależną dodaje mi skrzydeł. Ponieważ pieniądze trzymam w Mombasie, oznacza to, że ponownie muszę wyruszyć w daleką podróż. Poproszę matkę, aby przelała dodatkową sumę z mojego szwajcarskiego konta do Barclays Bank w Mombasie. Rozważam to starannie i mam nadzieję, że Lketinga będzie mi towarzyszył, gdyż nie mam zielonego pojęcia, gdzie mogłabym dostać samochód. Takich dealerów aut, jacy są u nas, w Szwajcarii, dotychczas nie widziałam. Niejasne jest dla mnie również, w jaki sposób dostaje się papiery wozu i tablice rejestracyjne. Jedno jednak wiem: bez samochodu nie wrócę.

Ponownie ruszam w nieprzyjemną drogę do misji. Tym razem otwiera mi ojciec Roberto. Donoszę mu o moim zamiarze i proszę o możliwość zabrania się z nim do Maralalu. Uprzejmie powiada, abym przyszła znowu za dwa dni, być może będzie wtedy jechał.

Przed odjazdem Lketinga oświadcza mi niespodziewanie, że nie pojedzie ze mną. Nigdy więcej nie chce oglądać Mombasy. Jestem zawiedziona, lecz po tym wszystkim, co mu się tam przydarzyło, rozumiem go. Dyskutujemy przez pół nocy i czuję, że się boi, iż mogłabym już nie wrócić. Mama uważa podobnie. Nieustannie przyrzekam, że najdalej za tydzień zjawię się z powrotem. Rano panuje przygnębiający nastrój. Z trudem przychodzi mi okazywanie radości.

Godzinę później siedzę już obok Roberta i jedziemy nie znaną mi nową drogą do Baragoi w okręgu Turkana, a dopiero potem w kierunku Maralalu. Ta droga nie jest tak górzysta, prawie wcale nie korzystamy z napędu na cztery koła. Za to spotyka się na niej mnóstwo niedużych, ostrych kamieni, które mogą przebić oponę, a do Maralalu prawie cztery godziny jazdy. Krótko po czternastej docieramy na miejsce. Grzecznie dziękuję i udaję się do schroniska, aby zostawić torbę. Muszę spędzić w miasteczku noc, gdyż autobus odjeżdża dopiero o szóstej rano. Dla zabicia czasu wałęsam się po Maralalu i nagle słyszę, jak ktoś mnie woła. Zaskoczona odwracam się i z radością spostrzegam Toma, mojego wybawcę. Dobrze mi robi widok znajomej twarzy pośród tylu obcych, którzy nieustannie mnie lustrują wzrokiem. Opowiadam mu o swoich planach. Daje mi do zrozumienia, że nie będzie to takie łatwe, gdyż w Kenii nie wystawia się zbyt wielu używanych samochodów na sprzedaż. Rozejrzy się jednak. Dwa miesiące temu ktoś chciał w Maralalu sprzedać landrowera, być może jeszcze nie poszedł. Umawiamy się o piętnastej w schronisku.

Landrower byłby najlepszy! I rzeczywiście, Tom zjawia się pół godziny wcześniej i oznajmia, że natychmiast musimy przyjrzeć się temu landrowerowi. Pełna nadziei idę z nim. Wóz jest wprawdzie stary, ale właśnie taki, jakiego szukałam. Pertraktuje z grubym właścicielem, należącym do ludu Kikuju. Po długich targach godzimy się na cenę dwu i pół tysiąca franków. Nie posiadam się ze szczęścia, ale pozostaję spokojna, gdy dobijamy interesu przez podanie ręki. Wyjaśniam mu, że pieniądze są w Mombasie i że za cztery dni wrócę, aby zapłacić za auto. W żadnym wypadku nie powinien go nikomu innemu sprzedawać, zdaję się w tej sprawie na niego. Nie wręczam mu zaliczki, gdyż nie wzbudza we mnie zbytniego zaufania. Szczerząc zęby, zapewnia mnie, że poczeka jeszcze cztery dni. Mój wybawca i ja opuszczamy Kikuju i idziemy coś zjeść. Szczęśliwa, że jeden problem mam z głowy, przyrzekam Tomowi, że kiedyś zaproszę go z żoną na przejażdżkę.

Podróż do Mombasy mija bez kłopotów. Priscilla cieszy się ogromnie, kiedy zjawiam się w osadzie. Dużo mamy sobie do opowiedzenia. Gdy jej oświadczam, że chcę zrezygnować z mojego tutejszego domku i na zawsze wyprowadzić się do Samburu, markotnieje i jest nieco zatroskana. Wszystko, czego nie mogę zabrać ze sobą, daję jej w prezencie, nawet moje wspaniałe łóżko.

Zaraz następnego ranka jadę do Mombasy. Tam podejmuję potrzebną mi sumę pieniędzy, co wcale nie jest takie łatwe. Załatwianie spraw w banku wymaga wiele cierpliwości. Po prawie dwóch godzinach dostaję wielką furę banknotów, które ukrywam na całym ciele. Nawet bankier ostrzega, żebym uważała, tutaj to olbrzymi majątek i mając takie pieniądze, szybko można stracić życie. Opuszczając bank, nie czuję się najlepiej, ponieważ wielu z czekających w kolejce ludzi dokładnie mnie widziało. Na ramieniu dźwigam ciężką torbę podróżną, wypełnioną pozostałymi rzeczami z Mombasy, a w drugiej ręce trzymam drewnianą pałkę, jak tego nauczyłam się od Jutty Rambo. W razie potrzeby zrobię z niej natychmiast użytek.
Nieustannie zmieniam strony ulic, aby zorientować się, czy ktoś z banku nie podąża za mną. Dopiero po jakiejś godzinie udaję się na dworzec autobusowy, gdzie kupuję bilet na nocny autobus do Nairobi. Potem idę z powrotem do centrum i przysiadam w hotelu Castel. Jest to najdroższy hotel w Mombasie, prowadzą go Szwajcarzy. Nareszcie mogę znowu zjeść po europejsku, oczywiście za wyśrubowaną cenę. Ale niech to! Nie wiem, kiedy znowu zobaczę sałatę czy frytki.
Autobus odjeżdża punktualnie, a ja cieszę się, że niebawem będę w domu i że dowiodę Lketindze, iż może mi ufać. Po półtorej godzinie jazdy autobusem nagle zarzuca i chwilę potem staje jak wryty. Robi się zamieszanie, jeden mówi przez drugiego. Kierowca stwierdza, że tylne koło jest przebite. Tak więc wszyscy wychodzą. Niektórzy wyciągają szale albo wełniane koce i przysiadają na brzegu drogi. Jest ciemno choć oko wykol, w pobliżu nie ma żadnego osiedla. Zagaduję po angielsku pewnego mężczyznę w okularach, gdyż przyjmuję, że ktoś, kto nosi pozłacane oprawki, z pewnością zna ten język. Faktycznie, rozumie mnie i mówi, że to może trochę dłużej potrwać, gdyż zapasowe koło jest również przebite, zatem musimy teraz poczekać na jakiś pojazd, który nadjedzie z naprzeciwka i zabierze kogoś do Mombasy, kto zarządzi, żeby przysłali nam inne koło.
To się w głowie wprost nie mieści, żeby w nocy wysyłać rozklekotany autobus w tak daleką drogę bez porządnych kół zapasowych! Wygląda na to, że większości to specjalnie nie przeszkadza. Siedzą albo leżą na skraju szosy. Jest zimno, marznę. Po trzech kwadransach nadjeżdża w końcu ktoś z naprzeciwka. Nasz kierowca staje na dro-

dze i macha rękami jak opętany. Samochód zatrzymuje się i jeden z pasażerów wsiada do niego. Teraz musimy znowu czekać, przynajmniej trzy godziny, jako że przecież półtorej godziny byliśmy już w drodze. Myśląc o przedłużającej się podróży, wpadam w panikę. Zabieram torbę i ustawiam się zdecydowanie na drodze, aby zatrzymać następne przejeżdżające auto. Niedługo potem widzę w oddali dwa jasne reflektory. Macham jak oszalała. Jakiś mężczyzna wręcza mi latarkę, mówiąc, że bez niej zginę. Po wysokości świateł poznaję, że to autobus. Rzeczywiście, tuż przede mną piszczą opony i staje autobus z Maraika Safari. Tłumaczę, że muszę jak najszybciej dostać się do Nairobi i pytam, czy mogę zabrać się z nimi. Wygląda na to, że mam do czynienia z indyjskim przedsiębiorstwem, gdyż w autobusie siedzą głównie Hindusi. Uiszczam ponownie opłatę za bilet i mogę jechać.

Dzięki Bogu, że udało mi się z pieniędzmi zniknąć z tej ciemnej szosy. Zapadam w półsen i chyba przysnęłam na dobre, gdy w spokojnym dotychczas autobusie robi się nagle głośno. Rozespana spoglądam w ciemności i stwierdzam, że również i ten autobus stoi na poboczu. Wielu podróżnych już wysiadło i stoją wokoło. Wytaczam się na zewnątrz i patrzę na koła. Wszystkie całe. Dopiero po chwili zauważam podniesioną maskę i dowiaduję się, że pękł pasek klinowy. „I co teraz?" – zwracam się do kogoś. Mówi, że ciężko będzie, mamy jeszcze co najmniej dwie godziny drogi do Nairobi, a warsztaty otwierają dopiero o siódmej. Tylko tam możemy liczyć na części zamienne. Odwracam się, gdyż nie chcę, żeby widział, jak łzy cisną mi się do oczu.

Jednej i tej samej nocy na tej przeklętej drodze zepsuły się dwa różne autobusy, a ja w nich siedziałam! Dzisiejszy dzień jest trzeci z kolei, a ja muszę złapać autobus odchodzący o siódmej rano z Nairobi do Nyahururu, żeby czwartego dnia zdążyć na jedyny autobus do Maralalu. W przeciwnym razie Kikuju może sprzedać zarezerwowane dla mnie auto. Jestem zrozpaczona. Co za pech! Że też musiało mi się to akurat teraz przydarzyć, kiedy liczy się każda godzina. W głowie kołacze mi się tylko jedna myśl: muszę dotrzeć do Nairobi przed świtem!

Mijają mnie dwa samochody osobowe, boję się jednak zatrzymywać prywatne pojazdy. Upływa dwie i pół godziny, gdy w oddali dostrzegam duże reflektory jakiegoś autobusu. Z dwoma płonącymi zapalniczkami ustawiam się na drodze i mam nadzieję, że kierowca mnie zobaczy. Zatrzymuje się. To mój pierwszy autobus! Śmiejąc się, kierowca otwiera drzwi, a ja zawstydzona wsiadam. W Nairobi starcza mi jeszcze czasu, aby wypić herbatę i połknąć kilka ciastek. Potem siedzę w kolejnym autobusie, do Nyahururu. Bolą mnie plecy, kark i nogi. Pocieszam się tym, że chociaż mam przy sobie tyle pieniędzy, nadal żyję, a w dodatku wszystko toczy się zgodnie z planem. Z bijącym sercem wchodzę w Maralalu do sklepu Kikuju. Za ladą stoi jakaś kobieta i nie rozumie po angielsku. Z tego, co mówi w suahili, pojmuję tyle, że męża nie ma w domu, mam przyjść jutro. Jakie to rozczarowujące, że stres i niepewność jeszcze nie mają końca!

Koło obiadu następnego dnia widzę wreszcie tę tłustą twarz. Załadowany po brzegi landrower stoi przed sklepem. Kikuju wita się ze mną przelotnie i rozładowuje gorliwie auto. Stoję obok, jakbym wrosła w ziemię. Gdy grubas wreszcie sprząta z samochodu ostatni worek, chcę przystąpić do sfinalizowania transakcji. Zażenowany zaciera ręce, aż w końcu oświadcza, że musi zażądać, po przeliczeniu, tysiąca franków więcej, gdyż ma możliwość sprzedania auta komuś innemu.

Z trudem panując nad sobą, mówię mu, że mam przy sobie umówioną sumę i ani grosza więcej. Wzrusza ramionami i stwierdza, że może poczekać, póki nie zdobędę reszty. To niemożliwe, myślę, zbyt wiele dni będzie trwało, zanim w ogóle pieniądze nadejdą ze Szwajcarii, a do Mombasy więcej nie pojadę. Gdy mnie tak po prostu zostawia samą sobie i zaczyna obsługiwać innych ludzi, wypadam ze sklepu i pędzę w kierunku schroniska. Co za nędzny łajdak! Mogłabym go rozszarpać!

Przed schroniskiem stoi landrower managera hotelu dla turystów. Muszę przejść przez bar, aby dojść do tylnego podwórza, gdzie znajdują się pomieszczenia do spania. Manager od razu mnie rozpoznaje i zaprasza na piwo. Przedstawia mnie swojemu towarzyszowi, który pracuje w Maralalu w urzędzie. Rozmawiamy najpierw o rzeczach nieistotnych, lecz mnie naturalnie interesuje, czy Jutta jest jeszcze w okolicy. Niestety nie, pojechała na jakiś czas do Nairobi, aby tam malowaniem zarobić znowu trochę grosza.

W końcu wspominam o moim nieszczęśliwym wypadku z landrowerem. Manager śmieje się i stwierdza, że nie jest on wart więcej, niż dwa tysiące franków, inaczej byłby już dawno sprzedany. Przy tak małej liczbie pojazdów, zna tu wszystkie. Mimo to nadal jestem gotowa zapłacić te moje dwa i pół tysiąca franków, jeśli go tylko dostanę. Proponuje mi pomoc i jedziemy jego samochodem do Kikuju. Po długich debatach samochód wreszcie staje się mój.

Dzięki managerowi dowiaduję się, że muszę dostać od Kikuju dziennik samochodu i że musimy wspólnie udać się do urzędu, aby przepisać auto na mnie, gdyż tutaj kupuje się pojazdy wraz z numerami rejestracyjnymi i ubezpieczeniem. Manager obstaje przy tym, abyśmy sporządzili pisemną umowę kupna-sprzedaży, z nim jako świadkiem, i następnie od razu poszli do urzędu. Krótko przed zamknięciem biura trzymam w rękach przepisany na mnie dziennik samochodu i jestem znowu o sto franków uboższa, ale też szczęśliwa. Kikuju wręcza mi kluczyki i życzy mi dużo szczęścia.

Ponieważ jeszcze nigdy nie prowadziłam podobnego wehikułu, wyjaśnia mi wszystko i wiozę go z powrotem do sklepu. Ulica jest pełna wybojów, a kierownica ma spore luzy, jak stwierdzam już po pięciu metrach. Biegi przeskakują z oporem, a hamulec funkcjonuje z dużym opóźnieniem. I tak wpadam naturalnie od razu w pierwszą dziurę, a przerażony Kikuju chwyta z całych sił deskę rozdzielczą. „Ty masz prawo jazdy?" – pyta z powątpiewaniem. *Yes* – odpowiadam krótko i próbuję zmienić bieg, co mi się po kilku pchnięciach udaje. Ponownie mnie rozprasza, mówiąc, że jadę po złej stronie. *Oh, shit*, tu jest ruch lewostronny! Oddychając z ulgą, Kikuju wysiada przed swoim sklepem. Jadę dalej w kierunku szkoły, aby z dala od ludzkich oczu zapoznać się bliżej z landrowerem. Po kilku rundach jako tako już nad nim panuję.

Następnie jadę na stację benzynową, gdyż wskaźnik paliwa pokazuje, że mam jeszcze tylko jedną czwartą baku. Prowadzący stację Somalijczyk ubolewa, ale chwilowo nie ma benzyny. „A kiedy będzie?" – pytam optymistycznie. Dziś wieczorem albo może jutro. Obiecano mu ją już dawno, ale nigdy nie wie dokładnie, kiedy dostanie. I tak oto stoję przed kolejnym problemem. Wprawdzie mam teraz auto, lecz nie mam benzyny.

Przecież to kpiny! Wróciwszy do Kikuju, proszę go o benzynę. Nie ma, ale przynajmniej daje mi wskazówkę, gdzie można kupić po czarnorynkowych cenach. Dostaję dwadzieścia litrów, po franku za litr. To jednak nie wystarczy mi do Barsaloi i z powrotem. Jadę do managera hotelu dla turystów i dostaję jeszcze dwadzieścia litrów. Teraz dopiero jestem zadowolona i postanawiam jutro po zakupach jechać prosto do Barsaloi.

NIEBEZPIECZEŃSTWA W BUSZU

Następnego dnia idę wcześnie rano do tutejszego banku i otwieram konto, czemu towarzyszy długie tłumaczenie; ponieważ nie jestem w stanie podać ani stałego miejsca zamieszkania, ani numeru skrzynki pocztowej. Gdy wyjaśniam, że mieszkam w jednej z *manyatt* w Barsaloi, całkowicie głupieją. Chcą wiedzieć, jak tam dojadę. Opowiadam o zakupie auta i w końcu zakładają mi konto. Piszę do matki, aby odtąd przesyłała pieniądze do Maralalu.

Obładowana żywnością, ruszam przed siebie. Naturalnie wybieram krótszą drogę przez busz, gdyż inaczej nie starczyłoby mi benzyny na jazdę tam i z powrotem. Cieszę się, wyobrażając sobie minę Lketingi, gdy zajadę do wioski autem.

Landrower wspina się po stromej, czerwonej polnej drodze. Przed lasem muszę już włączyć napęd na cztery koła, bo inaczej utknęłabym w miejscu. Jestem dumna, że tak dobrze daję sobie radę z tym wehikułem. Drzewa wydają się olbrzymie, a po zarośniętych koleinach widać, że dawno nikt tędy nie jechał. Potem droga zaczyna opadać i jazda staje się łatwiejsza. Nagle widzę jakieś pokaźne stado przed sobą. Z miejsca hamuję i nie mogę wyjść z podziwu. Czyż Lketinga nie opowiadał mi, że tutaj nie pasą się żadne stada krów? Gdy zbliżam się do zwierząt na odległość jakichś pięćdziesięciu metrów, dociera do mnie, że te krowy przeobraziły się właśnie w bawoły.

Jak to Lketinga mówił? Najbardziej niebezpiecznym zwierzęciem nie jest lew, tylko właśnie bawół. A tutaj mamy przynajmniej trzydzieści sztuk, w dodatku z cielakami. Bawoły są olbrzymie, mają imponujące rogi i rozdęte nozdrza. Jedne dalej pasą się spokojnie, inne spoglądają na moje auto. Nad stadem unosi się para. A może to kurz? Jak urzeczona wpatruję się w bawoły. Zatrąbić czy nie? Czy wiedzą już, co to pojazd mechaniczny? Po dłuższym czekaniu, gdy nadal nie schodzą mi z drogi, naciskam klakson. Natychmiast wszystkie podnoszą łby. Na wszelki wypadek wrzucam wsteczny bieg i nadal trąbię raz za razem. Kończy się pokojowe skubanie trawy. Niektóre z kolosów spuszczonymi łbami bodą powietrze. Zafascynowana przyglądam się przedstawieniu. Mam nadzieję, że znikną wreszcie w lesie, a nie przyjdą tu do mnie na górę! Zanim zdążę ogarnąć wszystko wzrokiem, na drodze nie ma już ani jednego zwierzęcia. I po strachu. Pozostał tylko obłok kurzu. Czekam jeszcze kilka minut, a potem naciskam gaz do dechy i pędzę w dół. Landrower klekocze, jakby za chwilę miał się rozpaść. Myślę tylko o tym, żeby jak najszybciej stąd uciec. Mijając miejsce, gdzie zwierzęta zniknęły, rzucam okiem w kierunku lasu, jednak dalej niż na metr nic nie widzę. Czuję jedynie woń świeżych odchodów. Z całej siły trzymam kierownicę, inaczej wymknęłaby mi się z rąk. Po pięciu minutach szaleńczej jazdy zwalniam, gdyż droga staje się na powrót stroma. Zatrzymuję się i włączam napęd na cztery koła. Ufam, że dzięki niemu pokonam ten spadzisty odcinek i się nie wywrócę. Nieustannie pojawiają się szczeliny w ziemi lub wyboje. Z całych sił modlę się, aby pojazd się nie wywrócił. Tylko nie naciskać sprzęgła, bo inaczej wyskoczy bieg! Najprzeróżniejsze myśli przelatują mi przez głowę, gdy tak metr po metrze posuwam się naprzód. Pot zalewa mi oczy, nie mogę go jednak obetrzeć, gdyż oburącz muszę mocno trzymać kierownicę. Po jakiś dwustu, może trzystu metrach przeszkodę mam za sobą. Las rzednie z wolna i robi się jaśniej, co podnosi mnie na duchu. Niedługo potem stoję przed kamienistym zwałem. Całkiem inaczej zachowałam go w pamięci. Kiedy jechałam tą drogą po raz pierwszy jako pasażer, siedziałam z tyłu, a moje myśli krążyły wyłącznie wokół Lketingi.

Zatrzymuję się i wysiadam, aby sprawdzić, czy droga rzeczywiście wiedzie dalej. W niektórych miejscach kamienie są w połowie tak wielkie jak koła landrowera. Ogarnia mnie przerażenie i czuję się samotna. Pomimo że całkiem nieźle prowadzę samochód, jest to chyba ponad moje siły. Aby zmniejszyć różnice wysokości, nakładam kamienie jeden na drugi. Czas upływa, za dwie godziny będzie ciemno. Jak daleko mam jeszcze do Barsaloi? Ze zdenerwowania nie mogę sobie niczego przypomnieć. Włączam napęd na cztery koła i mimo że droga prowadzi ostro w dół, wiem, że nie wolno mi pod żadnym pozorem hamować ani wciskać sprzęgła, tylko muszę pozwolić, aby wóz sam przebrnął przez to wszystko. Samochód pokonuje pierwsze kawałki skał. O mało kierownica nie wyskakuje mi z rąk. Opieram się na niej całym tułowiem i w myślach dodaję sobie otuchy, że wszystko jakoś się uda. Pojazd gruchocze i zgrzyta. Ponieważ jest dość długi, jego tył stoi zazwyczaj jeszcze na ostatnim kamieniu, podczas gdy przód wpełza już na następny. Pośrodku zbocza góry silnik gwałtownie dławi się i gaśnie. Wiszę pochyło nad kawałkiem skały, a silnik zdechł! Czy uda mi się go ponownie zapuścić? Wciskam sprzęgło, a landrower w jednej chwili toczy się z trzaskiem pół metra naprzód. Z miejsca puszczam sprzęgło, gdyż nie tędy chcę jechać. Wysiadam i spostrzegam, że jedno z tylnych kół wisi w powietrzu. Podkładam pod drugie spory kamień. W tym czasie o mało nie wpadam w histerię.

Gdy wsiadam do wozu, spostrzegam dwóch wojowników stojących na pobliskiej skale, którzy z zainteresowaniem wpatrują się we mnie. Nie wpada im oczywiście do głowy, aby mi pomóc, mimo to czuję się lepiej, gdyż nie jestem teraz tutaj sama jak palec. Usiłuję zapuścić silnik. Terkocze chwilę i milknie. Próbuję do upadłego. Chcę stąd zniknąć. Tych dwóch stoi bez ruchu na skale. Jak zresztą mogliby mi pomóc, z pewnością i tak nie znają się na samochodach.

Gdy zaczynam już tracić wiarę, nagle silnik zaskakuje, jak gdyby nigdy nic. Powoli, bardzo powoli puszczam sprzęgło, żywiąc nadzieję, że samochód da sobie radę z leżącym pod nim kamieniem. Koła ślizgają się, lecz dzięki cierpliwości, jaką wykazałam przy sprzęgle, zaskakują i samochód kołysze się naprzód z kamienia na kamień. Po jakiś dwudziestu metrach najgorsze jest za mną i nieco się rozluźniam. Dopiero teraz płaczę z wycieńczenia i uzmysławiam sobie niebezpieczeństwo, w jakim się znajdowałam.

Dalej droga biegnie dość płasko. Spostrzegam kilka stojących z dala od drogi *manyatt* i dzieci, które radośnie machają do mnie rękami. Zwalniam, żeby przypadkiem nie przejechać jakiejś kozy, od których tutaj się roi. Mniej więcej pół godziny później docieram do wielkiej rzeki Barsaloi. Przeprawa nie jest zupełnie bezpieczna, bo choć nie ma wody, zagrożeniem są lotne piaski. Ponownie włączam napęd na cztery koła i pędzę ze znaczną prędkością przez szerokie na blisko sto metrów koryto rzeki. Samochód bierze ostatnie wzniesienie przed Barsaloi i powoli z dumą jadę przez wioskę. Wszyscy ludzie zatrzymują się, nawet Somalijczycy opuszczają swoje sklepy; zewsząd słyszę: *Mzungu-mzungu!*

Nagle na środku drogi staje Lketinga razem z dwoma innymi wojownikami. Wskakuje do pojazdu, zanim jeszcze zdążę porządnie zahamować, i promieneje ze szczęścia. „Corinne, wróciłaś, w dodatku samochodem!". Z niedowierzaniem patrzy na mnie i cieszy się jak dziecko. Najchętniej zaraz bym go objęła. Zaprasza wojowników, aby wsiedli, i jedziemy do *manyatty*. Mama ucieka, także Saguna odskakuje z krzykiem. W krótkim czasie samochód otaczają młodzi i starzy. Mama nie chce, aby stał pod drzewem, gdyż obawia się, że ktoś mógłby go przypadkiem uszkodzić. Lketinga otwiera płot z ciernistych krzaków, a ja parkuję koło *manyatty*, która teraz, gdy stoi obok niej taki duży pojazd, sprawia wrażenie jeszcze mniejszej. Rzeczywiście, wyglądają obok siebie groteskowo.

Wyładowujemy żywność i rozmieszczamy ją w chacie. Cieszę się na herbatę mamy, a ona jest szczęśliwa z powodu cukru, który przywiozłam. Jak się dowiaduję, w sklepach pojawiła się mąka kukurydziana, lecz nadal brak cukru. Lketinga podziwia z dwoma wojownikami samochód. Mama bez przerwy coś do mnie mówi. Wprawdzie nic z tego nie rozumiem, lecz ona chyba jest bardzo zadowolona. Kiedy uśmiecham się bezradnie, przytakuje mi.

Tego wieczoru idziemy późno spać, gdyż najpierw muszę dokładnie o wszystkim opowiedzieć. Przy historii z bawołami wszyscy poważnieją, a mama mruczy stale *Enkai-Enkai*, co oznacza Bóg. Gdy starszy brat wraca z kozami do domu, też bardzo się dziwi. Omawiamy wszystko dokładnie. Podejmujemy decyzję, że trzeba będzie pilnować samochodu, aby nikt nic z niego nie ukradł albo złośliwie go nie uszkodził. Lketinga zgłasza gotowość spędzenia pierwszej nocy w landrowerze. Inaczej sobie wyobrażałam nasze chwile po tak długiej rozłące, nic jednak nie mówię, ponieważ jego oczy błyszczą z dumy.

Następnego dnia chce zaraz wyruszyć na wycieczkę i odwiedzić swego przyrodniego brata, który w Sitedi zajmuje się wypasem krów. Próbuję wytłumaczyć mu, że nie możemy robić zbyt dalekich wypraw, gdyż nie mam zapasu benzyny. Wskaźnik bowiem pokazuje, że bak jest tylko do połowy pełny, co w sam raz wystarczy, aby dojechać jakoś do Maralalu. Niechętnie się ze mną zgadza. Jest mi przykro, że nie mogę go przewieźć dumnie po okolicy, ale muszę być twarda.

Trzy dni później pomocnik szefa policji stoi przed naszą *manyattą*. Rozmawia z Lketingą i mamą. Rozumiem tylko *mzungu* i *car*. Chodzi o mnie i o samochód. W tym swoim niedopasowanym zielonym uniformie wygląda śmiesznie. Tylko wielki karabin dodaje mu nieco powagi. Nie mówi po angielsku. Później chce zobaczyć mój paszport. Pokazuję mu i pytam, o co chodzi. Lketinga tłumaczy jego słowa, że muszę zarejestrować się w urzędzie w Maralalu, ponieważ Europejczykom nie wolno mieszkać w *manyattach*.

PLANY NA PRZYSZŁOŚĆ

Tego samego popołudnia Lketinga i ja postanawiamy wspólnie z mamą, że się pobierzemy. Minipolicjant uważa, iż musimy załatwić to w urzędzie w Maralalu, gdyż tradycyjny ślub w buszu nie wystarczy. Gdy wszystko zostaje omówione, policjant chce zostać zawieziony do domu. Dla Lketingi jest to oczywiste, w końcu jest on urzędową osobą. Ja z kolei uważam, że bezwstydnie nas wykorzystuje. Gdy przekręcam kluczyk, rzucam przypadkiem okiem na wskaźnik paliwa i z przerażeniem stwierdzam, że znikła benzyna, pomimo że samochód nie był wcale używany. Nie potrafię tego wytłumaczyć.

Ruszamy. Policjant siada obok mnie, a Lketinga zajmuje miejsce z tyłu. Uważam to wprawdzie za bezczelność, w końcu samochód należy do nas, ale nic nie mówię, gdyż, jak się zdaje, Lketindze to nie przeszkadza. U celu policjant oświadcza wyniośle, że za dwa dni musi być w Maralalu, a jako że ja i tak mam sprawę w urzędzie, moglibyśmy go zabrać. Rzeczywiście, moja wiza kończy się za miesiąc.

Wróciwszy do *manyatty*, stwierdzam, że nie wystarczy nam benzyny, aby dojechać do Maralalu, poza tym chciałabym wybrać dłuższą, lecz wygodniejszą drogę. Idę do misji. Otwiera mi ojciec Giuliano i pyta, tym razem nieco milej: *Yes?* Wyjaśniam mu, że mam problemy z benzyną. Na jego pytanie, a którą drogą przyjechałam, odpowiadam: „Tą przez las". Po raz pierwszy mam wrażenie, że przygląda mi się dokładniej, w dodatku z odrobiną respektu. „To bardzo niebezpieczna droga, nie jedź tamtędy więcej" – mówi, a potem oświadcza, żebym przyprowadziła do niego samochód, przyjrzy się bakowi. Rzeczywiście, z jednej strony bak wisi o jakieś pięć centymetrów za nisko i benzyna cieknie. Teraz wiem, dlaczego zaczepiałam o kamienie. W następnych dniach ojciec misjonarz spawa bak. Jestem mu bardzo wdzięczna. Przy okazji pyta, u kogo mieszkam, i życzy mi dużo sił oraz mocnych nerwów. Od niego dowiaduję się, że o benzynę w Maralalu niełatwo, lepiej bym zrobiła, gdybym załatwiła sobie jedną albo dwie beczki dwustulitrowe i trzymała je w misji, ponieważ on nie będzie mógł stale odstępować mi swojej benzyny. Cieszę się z jego propozycji, tym bardziej że mogę odstawiać na noc wóz do misji, która także wtedy jest strzeżona. Ciężko przychodzi mi przekonanie Lketingi, aby tam parkować samochód, gdyż on nie dowierza nawet misjonarzom.

Następne dni mijają spokojnie, z wyjątkiem tego, że codziennie zjawiają się coraz to nowi ludzie i pytają, kiedy wybieramy się do Maralalu. Wszyscy chcą z nami jechać. Wreszcie jakiś Samburu posiada pojazd i wszyscy traktują auto jako wspólną własność. Stale muszę tłumaczyć, że przy takim stanie dróg nie mogę zapakować do samochodu dwudziestu osób.

Zaraz ruszamy, oczywiście z minipolicjantem na pokładzie, który wyznacza, komu wolno z nami jechać. Naturalnie tylko mężczyznom, czekające kobiety mają zostać. Wyławiam jedną wzrokiem, która trzyma zawinięte w *kandze* dziecko z mocno zaropiałymi i posklejanymi oczami, i pytam, po co chce do Maralalu. Do szpitala, ponieważ tutaj nie można dostać żadnych lekarstw na oczy, odpowiada, patrząc strachliwie pod nogi. Każę jej wsiadać.

Gdy policjant chce usiąść na siedzeniu obok mnie, zbieram się na odwagę i mówię: „Nie, to miejsce jest dla Lketingi", patrząc mu przy tym prosto w oczy. Posłuchał, jednak wiem, że odtąd nie będzie już darzył mnie szczególną sympatią. Podróż przebiega dobrze, w samochodzie rozbrzmiewają rozmowy i śpiew. Dla większości jest to pierwsza w życiu jazda samochodem.

Trzy razy przeprawiam się przez rzekę, używając napędu na cztery koła, poza tym obywam się bez niego. Muszę się mocno koncentrować na drodze, gdyż jest pełna dziur i kolein. Jazda zdaje się nie mieć końca, a benzyny szybko ubywa.

Po południu docieramy do Maralalu. Pasażerowie nas opuszczają, a my udajemy się od razu na stację benzynową. Ku mojemu wielkiemu rozczarowaniu nadal nie ma benzyny. Wszystko wskazuje na to, że od czasu gdy kupiłam auto, w całym Maralalu brak benzyny. Somalijczyk zaręcza uroczyście, że dzisiaj albo jutro będzie. Nie wierzę w ani jedno jego słowo. Zajmujemy z Lketingą pokój w schronisku i spędzamy w nim pierwszą noc. Niedawno w Maralalu padało. Wszystko jest zielone, jakbyśmy nagle znaleźli się w zupełnie innym kraju. Za to w nocy jest jeszcze zimniej. Po raz pierwszy doświadczam, jak okropne mogą być komary. Już przy kolacji, którą jemy w naszym zimnym pokoju, aby nikt nie mógł nas obserwować, tną mnie całymi seriami. W krótkim czasie mam opuchnięte całe ręce. Nieustannie tłukę dokuczliwe owady, lecz wciąż z bzykiem nadlatują nowe. Śmieszne, ale zdaje się, że wolą białą skórę, gdyż mój Masaj nie jest nawet w połowie tak pogryziony jak ja. Gdy leżymy w łóżku, stale któryś brzęczy przy mojej głowie. Lketinga naciąga przykrycie na twarz i naturalnie niczego nie zauważa.

W pewnym momencie zdenerwowana włączam światło i budzę go. „Nie mogę spać z tymi komarami" – mówię zrozpaczona. Podnosi się z łóżka i wychodzi. Po dziesięciu minutach wraca i stawia na podłodze zielony, ślimakowato poskręcany przedmiot, „maczugę na komary", którą z jednego końca zapala. Po chwili bydlęta rzeczywiście znikają, za to w pomieszczeniu potwornie śmierdzi. W końcu jakoś zasypiam i budzę się dopiero o piątej rano, gdy komary na nowo zaczynają się do mnie dobierać. Maczuga całkowicie się wypaliła, widocznie starcza tylko na sześć godzin.

Czekamy już cztery dni i ciągle nie ma benzyny. Z nudów Lketinga żuje znowu *miraa*. W dodatku w tajemnicy pije po dwa, trzy piwa. Nie podoba mi się to, ale co mam mu powiedzieć, całe to czekanie denerwuje również i mnie. Tymczasem byliśmy już w urzędzie i podaliśmy do wiadomości, że zamierzamy się pobrać. Odsyłają nas od Annasza do Kajfasza, aż w końcu znajdujemy kogoś, kto zna się na ślubach cywilnych. Takie śluby zdarzają się tutaj bardzo rzadko, ponieważ większość Samburu może mieć po kilka żon, jeśli żenią się zgodnie z tradycją. Nie mają pieniędzy na urząd stanu cywilnego i nikt nie przywiązuje do tego specjalnej wagi, gdyż wtedy ożenek z wieloma kobietami nie byłby już możliwy. To wyjaśnienie wywołuje zamęt w naszych głowach, w głowie Lketingi jednak z zupełnie innego powodu niż w mojej, o czym niebawem się przekonam. Ale w tym momencie nie mamy okazji, aby zastanowić się nad tym głębiej. Gdy urzędnik żąda karty identyfikacyjnej Lketingi i mojego paszportu, aby zanotować nasze dane, okazuje się, że Lketinga nie ma tego dokumentu. Urzędnik robi zakłopotaną minę i mówi, że w takim razie musi zamówić kartę w Nairobi, co jednak z pewnością potrwa przynajmniej dwa miesiące. Dopiero wtedy, gdy będzie miał już wszystkie dane, może nas zapisać i po sześciu tygodniach udzielić nam ślubu, jeśli nikt oczywiście nie wniesie sprzeciwu. Oznacza to dla mnie, że najpóźniej za trzy tygodnie muszę opuścić Kenię, ponieważ kończy mi się wiza.

Podczas gdy Lketinga znowu je to swoje zielsko, zagaduję go o wielożeństwo. Stwierdza, że jest to dla niego problemem, jeśli po naszym ślubie nie wolno mu będzie mieć więcej żon. To oświadczenie boleśnie mnie dotyka, lecz nic nie daję po sobie poznać, gdyż przecież dla niego poligamia jest normalna, nie ma w niej nic złego ani fałszywego. Niemniej z mojego europejskiego punktu widzenia jest ona nie do przyjęcia. Usiłuję wyobrazić sobie, jak Lketinga żyje ze mną i jeszcze jedną albo dwiema kobietami. Z zazdrości zaczyna brakować mi tchu.

Gdy tak rozmyślam, Lketinga stwierdza, że nie może ożenić się ze mną w urzędzie, jeśli mu później nie pozwolę na drugie, tradycyjne małżeństwo z kobietą Samburu. Tego już za wiele, nie jestem w stanie powstrzymać się od łez. Przestraszony spogląda na mnie i pyta: *Corinne, what's the problem?* Próbuję mu wytłumaczyć, że my, biali, czegoś takiego nie znamy i że takiego wspólnego życia nie potrafię sobie wyobrazić. Śmieje się, bierze mnie w ramiona i całuje przelotnie w usta. *No problem, Corinne. Now you will get my first wife, pole, pole.* Chce mieć dużo dzieci, przynajmniej osiem. Mimo wszystko muszę się uśmiechnąć i wyjaśniam, że wystarczy mi dwoje. No właśnie, uznaje mój wojownik, tak więc będzie lepiej, jeśli jeszcze jedna kobieta urodzi mu dzieci. A poza tym to on przecież wcale nie wie, czy jestem w ogóle w stanie obdarować go dziećmi, a mężczyzna bezdzietny jest nic niewart. Ten argument akceptuję, ponieważ rzeczywiście nie wiem, czy mogę mieć dzieci. Zanim przyjechałam do Kenii, nie miało to dla mnie żadnego znaczenia. Omawiamy to i owo, aż w końcu jestem gotowa uznać, że jeśli w ciągu dwóch lat nie będę miała dziecka, wolno mu jest ponownie się ożenić, w innym wypadku musi czekać przynajmniej pięć lat. Zgadza się na moją propozycję. Uspokajam się, mówiąc sobie, że pięć lat to kawał czasu i wiele może się wydarzyć.

Opuszczamy sypialnię i spacerujemy po Maralalu, w nadziei, że nadeszła dostawa benzyny. Lecz benzyny jak nie było, tak nie ma. Za to spotykamy Toma, mojego wiecznego wybawcę, i jego młodą żonę, prawie jeszcze dziecko, która bojaźliwie wbija wzrok w ziemię. Nie wygląda mi na szczęśliwą. Wspominamy, że już od czterech dni czekamy na benzynę. Nasz przyjaciel pyta, dlaczego nie pojedziemy nad jezioro Baringo, to stąd tylko jakieś dwie godziny drogi, a benzyna jest tam zawsze. Jestem zachwycona tą propozycją, ponieważ całe te czekanie napawa mnie wstrętem. Proponuję, aby on i jego żona zabrali się z nami, jestem mu przecież winna jedną przejażdżkę. Naradza się chwilę z żoną, ona jednak boi się auta. Lketinga śmieje się i udaje mu się ją przekonać. Postanawiamy wyruszyć skoro świt.

Zachodzimy do miejscowego garażu, którego właściciel jest oczywiście Somalijczykiem, i kupuję od niego dwie puste beczki, które dobrze mieszczą się z tyłu w landrowerze. Przymocowujemy je powrozami i od razu czuję się lepiej. Jesteśmy szczęśliwi, że w końcu wyruszamy. Tylko dziewczyna zamknęła się jeszcze bardziej w sobie i milczy jak zaklęta. Strachliwie trzyma się z całych sił beczek.

Całą wieczność jedziemy po zakurzonej, wyboistej drodze i nikt nie nadjeżdża z naprzeciwka. Od czasu do czasu widzimy stada zebr albo żyrafy, ale jak okiem sięgnąć, nie widać ani drogowskazów, ani śladu ludzkiego życia. Nagle przód landrowera opada i kierowanie staje się mocno utrudnione – złapaliśmy gumę. O zmianie kół nie bardzo mam pojęcie, gdyż w mej dziesięcioletniej praktyce jako kierowca nie musiałam jeszcze nigdy tego robić. *No problem* – mówi Tom. Wyciągamy koło zapasowe, klucz krzyżakowy i stary jak świat lewarek. Tom wczołguje się pod samochód, żeby w odpowiednim miejscu umieścić podnośnik. Zabiera się do odkręcania nakrętek kluczem krzyżakowym, ale brzegi narzędzia są tak wyrobione, że klucz tylko ślizga się po nich. Próbujemy piaskiem, kawałkami drewna i szmatami uszczelnić klucz i w końcu jakoś udaje się nam poluzować trzy nakrętki, lecz pozostałe mocno siedzą. Musimy się poddać. Żona Toma wybucha płaczem i biegnie w środek buszu.

Tom uspokaja nas, mówiąc, abyśmy ją zostawili, na pewno wróci.

Lketinga jednak idzie i sprowadza ją z powrotem, gdyż znajdujemy się już w Baringo, w innej prowincji. Wszyscy jesteśmy spoceni jak myszy, brudni i bardzo spragnieni. Wprawdzie mamy wystarczająco dużo benzyny, ale nic do picia, gdyż nie liczyliśmy się z tym, że przejażdżka potrwa tak długo. Siadamy w cieniu i mamy nadzieję, że wkrótce zjawi się jakiś samochód. W końcu droga wygląda na bardziej uczęszczaną od tej do Barsaloi. Mijają godziny i nic. Gdy Lketinga powraca z krótkiego rekonesansu, nie znajdując ani jeziora Baringo, ani jakichkolwiek chat, postanawiamy spędzić noc w landrowerze. Ta noc zdaje się nie mieć końca. Z głodu, pragnienia i zimna prawie nie zmrużyliśmy oczu. Rano mężczyźni ponownie się mozolą, ale ich wysiłki są nadaremne. Decydujemy się poczekać jeszcze do południa na pomoc. W gardle mi całkiem zaschło, a wargi mam spierzchnięte. Dziewczyna znowu płacze i Tom zaczyna tracić cierpliwość.

Nagle Lketinga zaczyna nasłuchiwać i wydaje mu się, że słyszy jakiś pojazd. Po kilku minutach również i ja jestem w stanie rozpoznać odgłos silnika. Z ogromną ulgą spostrzegamy mikrobus safari. Afrykański kierowca zatrzymuje się i opuszcza szybę. Włoscy turyści przyglądają się nam bacznie z zaciekawieniem. Tom opowiada kierowcy o naszych kłopotach, ten jednak stwierdza z przykrością, że nie wolno mu zabierać obcych. Wręcza nam swój klucz krzyżakowy, który, niestety, nie pasuje, jest za mały. Próbuję zmiękczyć kierowcę, proponując mu pieniądze. Lecz on zamyka okno i po prostu odjeżdża. Włosi przez cały czas nic nie mówią, tylko z pewną rezerwą mierzą mnie wzrokiem. Widocznie jestem dla nich zbyt brudna, a pozostali nazbyt dzicy. Wściekła rzucam za odjeżdżającym mikrobusem najgorsze przekleństwa. Wstydzę się za białych, ponieważ żaden z nich nie próbował nawet porozmawiać z szoferem.

Tom stwierdza, że przynajmniej znajdujemy się na właściwej trasie, i właśnie chce wyruszyć dalej pieszo, gdy ponownie dobiega nas odgłos silnika. Tym razem postanawiam, że w żadnym wypadku nie przepuszczę tego pojazdu, jeśli nie zabierze kogoś z nas. To podobny mikrobus safari, również z Włochami.

Podczas gdy Tom i Lketinga pertraktują z nieprzychylnym kierowcą i znowu nie otrzymują nic poza kręceniem głowa, otwieram gwałtownie tylne drzwi mikrobusu i krzyczę do środka: *Do you spe-*

ak English? No, solo italiano – rozlega się. *Yes, just a little bit, what's problem?* – mówi tylko pewien młodszy mężczyzna. Tłumaczę mu, że stoimy tutaj od wczoraj rana, bez jedzenia i picia, i że potrzebujemy pomocy. Kierowca mówi: „To nie jest dozwolone" i chce zamknąć drzwi. Dzięki Bogu młody Włoch wstawia się za nami, mówiąc, że płacą za ten autobus i dlatego mogą decydować, czy ktoś z nas zostanie zabrany, czy też nie. Chcąc nie chcąc, kierowca wpuszcza Toma na przednie siedzenie. Z ulgą dziękuję turystom. Musimy wytrzymać jeszcze prawie trzy godziny, aż wreszcie w oddali dostrzegamy obłok kurzu. Tom wraca jakimś landrowerem z jego właścicielem. Na szczęście dla nas przywozi ze sobą coca-colę i chleb. Od razu rzucam się na picie, ale Tom uprzedza mnie, żebym piła tylko małymi łykami, gdyż będzie mi niedobrze. Czuję się jak nowo narodzona i poprzysięgam sobie, że nigdy więcej nie wyruszę tym pojazdem bez zapasu wody.

Ostatnia nakrętka puszcza, gdy Tom rozbija ją młotkiem i przecinakiem na pół. Potem sprawnie zostaje zmienione koło i w chwilę potem jedziemy dalej, z jedną śrubą mniej. Po półtorej godzinie docieramy wreszcie do jeziora Baringo. Stacja benzynowa znajduje się zaraz obok pełnej przepychu restauracji w ogrodzie. Po tylu trudach zapraszam wszystkich do restauracji dla turystów. Dziewczyna jest zdumiona tym nowym światem, nie czuje się jednak w nim dobrze. Siadamy przy stoliku z pięknym widokiem na jezioro, w którym uwijają się tysiące różowych flamingów. Kiedy patrzę na zadziwione twarze moich towarzyszy, jestem mimo wszystko dumna, że oprócz trudów mogę zaproponować im także coś niezwykłego.

Do naszego stolika podchodzą dwaj kelnerzy, lecz nie dlatego, abyśmy mogli coś zamówić, tylko po to, żeby nam zakomunikować, że nic tu nie dostaniemy, gdyż restauracja jest tylko dla turystów. Przerażona odpowiadam: „Jestem turystką i zaprosiłam swoich przyjaciół". Czarny kelner uspokaja mnie i mówi, że mogę zostać, ale Masajowie muszą opuścić restaurację. Podnosimy się i wychodzimy. Niemalże namacalnie odczuwam, jak bardzo upokorzeni muszą czuć się ci zwykle tak dumni ludzie.

Ale przynajmniej dostajemy benzynę. Ale gdy właściciel stacji widzi, że chcę napełnić dwie wielkie beczki, muszę najpierw pokazać mu pieniądze. Lketinga trzyma węża w beczce, a ja oddalam się o kilka metrów, aby po tych wszystkich przykrościach zapalić papierosa. Nagle podnosi krzyk i z przerażeniem spostrzegam, jak benzyna rozpryskuje się wokół niczym woda przy podlewaniu ogrodu. Biegnę do samochodu, podnoszę porzucony kurek i wyłączam go. Rygiel zaciął się i benzyna leciała dalej, chociaż beczka była już pełna. Kilka litrów spłynęło do ziemi, a część do wnętrza auta. Zauważam, jak nieswojo czuje się Lketinga, i próbuję się opanować, podczas gdy Tom stoi ze swą żoną nieco z boku i ze wstydu o mało nie zapadnie się pod ziemię. Właściciel stacji nie pozwala nam napełnić drugiej beczki, mamy zapłacić i natychmiast się wynieść. Najchętniej byłabym teraz w domu, w *manyatcie*, i to bez auta. Jak dotychczas, miałam z nim tylko same kłopoty.

W wiosce pijemy w milczeniu herbatę, a potem wyruszamy w drogę. W aucie śmierdzi potwornie benzyną i po jakimś czasie dziewczyna zaczyna wymiotować. Potem wzbrania się wsiąść z powrotem do auta i chce iść do domu pieszo. Tom wścieka się i grozi jej, że gdy tylko wrócą do Maralalu, natychmiast odeśle ją do rodziców i weźmie sobie inną żonę. Musi to być wielkim wstydem, gdyż dziewczyna wsiada. Lketinga nie powiedział jeszcze ani słowa. Współczuję mu i próbuję go pocieszać. Jest ciemno, gdy docieramy do Maralalu.

Tom i jego żona żegnają się z nami pospiesznie, a my idziemy do naszego pokoju. Pomimo że jest chłodno, udaję się pod spływający wąską strużką prysznic, bo dosłownie lepię się od brudu i kurzu. Także Lketinga idzie się umyć. Następnie zjadamy w pokoju dużą porcję mięsa, którą popijamy piwem. Tym razem wszystko smakuje mi wybornie. Po posiłku czuję się znakomicie. Spędzamy piękną noc, przy czym po raz pierwszy przeżywam z Lketingą orgazm. Ponieważ nie odbywa się to całkiem bezgłośnie, przerażony zatyka mi usta i pyta: *Corinne, what's problem?* Gdy już oddycham spokojnie, próbuję mu objaśnić, jak przejawia się u mnie szczytowanie. Nie rozumie tego i tylko śmieje się z niedowierzaniem. Dochodzi do wniosku, że coś takiego występuje tylko u białych. Szczęśliwa i zmęczona zasypiam.

Wczesnym rankiem robimy porządne zakupy. Kupujemy ryż, ziemniaki, warzywa, owoce, nawet ananasa. Napełniamy również drugą beczkę, ponieważ w Maralalu pojawiła się właśnie benzyna. Załadowani po brzegi wyruszamy w drogę do domu. Zabieramy jeszcze ze sobą dwóch Samburu.

Lketinga chce jechać krótszą drogą przez busz. Mam nieco wątpliwości, które jednak w jego obecności szybko się rozwiewają. Podróż przebiega dobrze i docieramy do pochyłego odcinka. Ponieważ pełne beczki potęgują kołysanie auta, proszę obydwu pasażerów, aby chwilowo wysiedli z całymi bagażami na zbocze góry, gdyż obawiam się, że samochód może się przewrócić. Wszyscy milczą, gdy zabieram się do dwustumetrowego odcinka. Udaje się i w aucie na powrót rozbrzmiewa paplanina. Przy skałach wszyscy muszą wysiąść i Lketinga sprawnie pilotuje mnie przez kamienie. Gdy również i to kończy się pomyślnie, odczuwam ulgę i dumę. Bez kłopotów docieramy do Barsaloi.

ŻYCIE CODZIENNE

Przez następne dni wiedzie się nam doskonale. Jedzenia i benzyny mamy w bród. Niemal codziennie odwiedzamy autem krewnych albo rąbiemy drewno na opał, które zwozimy do domu. Czasem jedziemy nad rzekę, odprawiamy nasz rytuał mycia i zabieramy kanistry z wodą dla połowy Barsaloi, niekiedy nawet dwadzieścia sztuk. Te małe wycieczki pożerają mnóstwo drogocennego paliwa, tak że zgłaszam sprzeciw. Ale za każdym razem kończy się tylko na długiej debacie.

Pewien *moran* donosi, że dziś rano ocieliła się jedna z krów Lketingi. Takie wydarzenie warte jest obejrzenia. Jedziemy do Sitedi. Nie jest to zbyt uczęszczana droga, muszę więc stale uważać, aby nie wjechać na kolce. Zachodzimy do *kraalu* przyrodniego brata Lketingi. Wieczorami spędzane są tutaj krowy, toteż brodzimy w krowich plackach, które przyciągają tysiące much. Przyrodni brat pokazuje nam nowo narodzonego cielaczka. Krowa matka została pierwszego dnia w zagrodzie. Lketinga promienieje, podczas gdy ja walczę z muchami. Moje plastikowe sandały zapadają się w krowie łajno. Teraz widzę różnicę między naszym *kraalem* bez krów a tym. Nie, nie mam ochoty zbyt długo tutaj zostać.

Zostajemy zaproszeni na herbatę i Lketinga prowadzi mnie do chaty przyrodniego brata i jego młodej żony, która przed dwoma tygodniami urodziła dziecko. Wygląda na uradowaną z naszej wizyty. Wszyscy trajkoczą jak najęci, a ja nie rozumiem ani słowa. Chmary much zupełnie mnie wykańczają i pijąc herbatę, trzymam stale dłoń nad parującym kubkiem, aby przynajmniej nie połknąć jednej z nich. Gołe dziecko zwisa w *kandze* matki. Pokazuję ręką na *kangę*, gdyż dziecko niepostrzeżenie się załatwiło, a kobieta śmieje się, wyjmuje dziecko i czyści je, spluwając na pupę i wycierając ją. *Kanga* i spódnica zostają otrzepane i potarte piaskiem w celu osuszenia. Zbiera mi się na wymioty, gdy pomyślę, że taki obrządek czyszczenia odbywa się codziennie wiele razy. Zagaduję o to Lketingę, on jednak uważa, że to całkiem normalne. W każdym razie muchy pomagają w sprzątnięciu resztek.

Kiedy w końcu chcę wracać do domu, Lketinga informuje mnie: „Nic z tego, dziś śpimy tutaj!". Chce zostać przy swojej krowie, a brat przyrodni ma zamiar zabić dla nas kozę, poza tym jego żona bardzo potrzebuje mięsa po porodzie. Myśl o nocowaniu tutaj powoduje, że niemal wpadam w panikę. Z jednej strony nie chcę być niegrzeczna, z drugiej jednak czuję się tutaj całkiem zagubiona.

Przez większość czasu Lketinga przebywa z innymi wojownikami przy krowach, a tymczasem ja siedzę z trzema kobietami w ciemnej chacie i nie mówię ani słowa. Kobiety rozmawiają całkiem jawnie o mnie i chichoczą przy tym radośnie. Jedna z nich bada białą skórę na moim ramieniu, inna chwyta mnie za włosy. Długie, jasne włosy zbijają je mocno z tropu, gdyż wszystkie mają gładko wygolone głowy, przyozdobione na czołach kolorowymi przepaskami z korali, a z uszu im zwisają długie kolczyki.

Kobieta znowu karmi dziecko, a potem mi je podaje. Biorę niemowlę na ręce, nie mogę jednak jakoś przekonać się do niego, gdyż boję się, że przydarzy mi się to samo co wcześniej jego mamie. Rozumiem, że nie mają tutaj pieluszek, ale jeszcze się do tego nie przyzwyczaiłam. Przez jakiś czas podziwiam dziecko, a następnie z ulgą oddaję je z powrotem.

Lketinga zagląda do chaty. Pytam go, gdzie był tak długo, a on śmiejąc się, wyjaśnia, że pije z wojownikami mleko. Później mają zamiar zabić kozę i przynieść nam smaczne kawałki. Musi znowu jeść w buszu. Chcę zabrać się z nim, lecz tym razem to nie przechodzi, gdyż *kraal* jest wielki, za dużo tu kobiet i wojowników. Tak więc czekam z kobietami około dwóch godzin, aż przyniosą przypadającą nam część mięsa.

Tymczasem robi się ciemno, a pani domu gotuje nasze mięso. Połową kozy muszą podzielić się trzy kobiety i czworo dzieci. Drugą połowę zjedli Lketinga i jego przyrodni brat. Najedzona do syta, wychodzę na czworakach i przyłączam się do mojego Masaja i pozostałych wojowników, którzy na uboczu siedzą w kucki przy krowach. Pytam Lketingę, kiedy przyjdzie spać. Śmieje się: „Oh no, Corinne, nie mogę spać w tym domu z kobietami, będę spał z przyjaciółmi i z krowami". Nie pozostaje mi nic innego, jak wczołgać się z powrotem do obcych kobiet. To pierwsza noc bez Lketingi i bardzo brakuje mi jego ciepła. U wezgłowia mojego posłania są uwiązane trzy nowo narodzone kozy, które ciągle beczą. Tej nocy nie śpię.

Wczesnym rankiem krzątanina jest o wiele żywsza niż u nas w Barsaloi. Tutaj dojone są nie tylko kozy, lecz również krowy. Zewsząd rozlega się niecierpliwe beczenie i muczenie. Udojem zajmują się kobiety albo dziewczyny. Po herbacie wreszcie wyruszamy. Ogarnia mnie wprost uniesienie, gdy pomyślę o naszej czystej manyatce z mnóstwem jedzenia i o rzece. Landrower jest pełen kobiet pragnących w Barsaloi sprzedać mleko. Są szczęśliwe, że dzisiaj nie muszą tej całej długiej drogi iść na piechotę. Po jakimś czasie Lketinga zaczyna pchać się do kierownicy. Na wszystkie sposoby próbuję mu to wybić z głowy. W końcu jednak nie znajduję już słów, aby go powstrzymać, tym bardziej że kobiety chyba go podpuszczają. Stale łapie za kierownicę, aż w końcu zatrzymuję się rozsierdzona. Dumnie zajmuje siedzenie dla kierowcy, a wszystkie kobiety biją brawo. Czuję się nieswojo i desperacko próbuję przynajmniej wytłumaczyć mu, gdzie jest gaz i hamulec. Broni się: „Wiem, wiem". Promieniejąc ze szczęścia, rusza z łoskotem naprzód. Tylko przez kilka sekund jestem w stanie podzielać jego radość, gdyż już po jakichś stu metrach wołam: Slowly, slowly! Ale Lketinga jedzie szybciej zamiast wolniej, a w dodatku kieruje samochód prosto na drzewo. Wygląda na to, że wszystko mu się poplątało. Krzyczę: „Wolniej, bardziej na lewo!". W panice, tuż przed drzewem szarpię kierownicę w lewo, dzięki czemu unikamy wprawdzie zderzenia czołowego, lecz samochód zaczepia błotnikiem o drzewo i silnik gaśnie.

Nie jestem w stanie dłużej panować nad sobą. Wysiadam, przyglądam się szkodom i grzmocę w ten przeklęty pojazd. Kobiety piszczą, ale nie z powodu wypadku, tylko dlatego że krzyczę na mężczyznę.

Lketinga stoi zdruzgotany obok mnie. On tego przecież nie chciał. Ogłupiały pakuje swoje dzidy i chce iść pieszo do domu. Mówi, że nigdy więcej nie wsiądzie do tego auta. Gdy widzę, w jakim jest stanie, po tym jak dwie minuty temu był taki wesoły, budzi się we mnie współczucie. Ponieważ wszystko nadal funkcjonuje, wycofuję samochód i udaje mi się namówić Lketingę, żeby wsiadł. Dalsza jazda odbywa się w milczeniu, a ja wyobrażam już sobie blamaż, gdy *mzungu* zajedzie poobijanym samochodem do Maralalu.

W Barsaloi mama oczekuje już nas radośnie i nawet Saguna pozdrawia mnie serdecznie. Lketinga kładzie się w chacie. Jest mu niedobrze i przejmuje się policją, ponieważ nie wolno mu jeździć samochodem. Znajduje się w tak kiepskim stanie, że zaczynam się obawiać, czy aby znowu nie zwariuje. Uspokajam go i przyrzekam, że nikomu nie pisnę ani słówka. Powiem, że mnie się to przydarzyło, a wóz zreperujemy w Maralalu.

Chcę iść nad rzekę, aby się umyć. Lketinga nie wybiera się jednak ze mną, woli siedzieć w chacie. Muszę więc iść sama, pomimo że mama się złości, gdyż boi się puścić mnie bez asysty. Ona nie była tam już od lat. Zabieram kanister na wodę i ruszam. Myję się w tym samym miejscu co zawsze. Nie czuję się jednak zupełnie swobodnie i nie odważam się całkiem rozebrać. Śpieszę się. Gdy wracam i wczołguję się do chaty, Lketinga pyta mnie zaciekawiony, co tak długo robiłam nad rzeką i kogo tam spotkałam. Zaskoczona odpowiadam, że nie znam przecież tych wszystkich ludzi i że bardzo się śpieszyłam. Nic nie odpowiada.

Omawiam z nim i mamą podróż do Szwajcarii, gdyż moja wiza wkrótce się kończy i za dwa tygodnie muszę opuścić Kenię. Oboje nie wyglądają na specjalnie szczęśliwych z tego powodu. Lketinga pyta strachliwie, co się stanie, jeśli nie wrócę, skoro już w urzędzie podaliśmy do wiadomości, że zamierzamy się pobrać. „Wrócę, *no problem!*" – odpowiadam. Ponieważ nie mam ważnego biletu i zarezerwowanego lotu, planuję wyruszyć już za tydzień. Dni szybko mijają. Z wyjątkiem naszej codziennej ceremonii mycia, przesiadujemy cały czas w domu i omawiamy przyszłość.

W przedostatni dzień leżymy leniwie w chacie, gdy nagle słychać na zewnątrz głośne krzyki kobiet. *What's that?* – pytam zaskoczona. Lketinga wsłuchuje się uważnie w rozmowę. Jego twarz ciemnieje.

What's problem? – pytam ponownie i czuję, że coś jest nie w porządku. W chwilę potem do chaty przychodzi wzburzona mama i patrzy gniewnie na Lketingę, wymieniając z nim dwa, trzy zdania. On udaje się na dwór i słyszę głośną sprzeczkę. Chcę również wyjść, ale mama zatrzymuje mnie, kręcąc głową. Siadam z powrotem na swoim miejscu i serce bije mi jak szalone. Musiało wydarzyć się coś złego. W końcu Lketinga wraca i mocno rozsierdzony siada obok mnie. Na dworze robi się ciszej. Teraz chcę wiedzieć, co się stało. Po dłuższym milczeniu dowiaduję się, że przed chatą stoi matka jego długoletniej przyjaciółki w asyście dwóch innych kobiet.

Robi mi się słabo ze strachu. O tym, że istnieje jakaś przyjaciółka, słyszę po raz pierwszy. Za dwa dni wyjeżdżam, chcę mieć jasność, i to natychmiast: „Lketinga, ty masz dziewczynę, musisz się z nią ożenić?". Lketinga śmieje się wymuszenie i mówi: „Tak, przez wiele lat miałem dziewczynę, ale nie wolno mi wziąć z nią ślubu!". Nic nie rozumiem. „Dlaczego?". Dowiaduję się, że prawie każdy wojownik ma przyjaciółkę, którą obdarowuje perłami i dba o to, aby z upływem lat kupić jej wiele ozdób, żeby wyglądała jak najpiękniej, kiedy będzie wychodziła za mąż. Jednakże wojownikowi nie wolno jest nigdy żenić się z taką przyjaciółką. Mogą uprawiać wolną miłość, ale tylko do dnia poprzedzającego jej ślub. Potem ona zostaje przez rodziców sprzedana komuś innemu. Dopiero w dniu ślubu dziewczyna dowiaduje się, kto ma zostać jej mężem.

Wstrząśnięta tym wszystkim, czego się dowiedziałam, stwierdzam, że to musi być straszne. „Dlaczego?" – pyta Lketinga. „To jest dla wszystkich normalne!". Opowiada mi, że jego dziewczyna zerwała wszystkie ozdoby z szyi, gdy dowiedziała się, że żyję z nim, chociaż jeszcze nie wydano jej za mąż. Dla niej jest to okropne. Powoli wzbiera we mnie zazdrość i pytam go, kiedy ostatni raz był u niej i gdzie w ogóle ona mieszka. Odpowiada, że daleko stąd, w kierunku na Baragoi, i że od czasu gdy tutaj jestem, nie spotkał się z nią. Zastanawiam się i proponuję mu, że kiedy wyjadę, niech pójdzie do niej i wszystko do końca wyjaśni. Jeśli potrzeba, niech kupi jej ozdoby. Kiedy jednak wrócę, sprawa ma być załatwiona. Nic mi nie odpowiada. Tak więc nawet w dniu odjazdu nie wiem, co zrobi. Ale ufam mu i wierzę w naszą miłość.

Żegnam się z mamą i Saguną, które mnie szczerze polubiły. „*Ha-*

kuna matata, nie ma problemu". Śmieję się do nich, a następnie jedziemy landroverem do Maralalu, gdyż chcę go na czas mej nieobecności oddać do naprawy w garażu. Lketinga ma zamiar wrócić do domu pieszo. W buszu natykamy się na niewielką grupę bawołów, która z miejsca rzuca się do ucieczki, gdy tylko słyszy odgłos silnika. Mimo to Lketinga z miejsca chwyta dzidy i wydaje z siebie chrząkanie. Patrzę na niego ze śmiechem, aż się uspokaja. Parkujemy od razu w garażu, żeby jak najmniej ludzi zwróciło uwagę na pogięty błotnik. Przychodzi właściciel, Somalijczyk, i ogląda uszkodzenie. Będzie to kosztowało przynajmniej jakieś sześćset franków, mówi. Jestem zdumiona, że naprawa ma kosztować jedną czwartą ceny kupna auta. Zawzięcie targuję się i w końcu spuszcza do trzystu pięćdziesięciu franków, co i tak jest sumą wygórowaną. Noc spędzamy w naszym ulubionym schronisku. Z powodu mojego wyjazdu i chmar komarów nie śpimy zbyt wiele. Pożegnanie przychodzi z trudem. Lketinga stoi nieco zagubiony obok odjeżdżającego autobusu. Owijam twarz, aby do Nairobi nie dojechać całkiem zakurzona.

OBCA SZWAJCARIA

W Igbolu, hotelu dla obieżyświatów, biorę pokój i najpierw najadam się do syta. Sprawdzam wszystkie firmy lotnicze, aż w końcu dostaję lot w Alitalii. Po raz pierwszy od miesięcy telefonuję do domu. Gdy oświadczam matce, że przylatuję na krótko, bardzo się wzrusza. Dwa dni w Nairobi, jakie zostały mi do odlotu, są męczarnią. Wałęsam się po ulicach, aby zabić czas. Na każdym rogu stoją kaleki i żebracy, którym daję jakieś drobne. Wieczorami rozmawiam w Igbolu z globtroterami albo oganiam się od Hindusów i Afrykanów, którzy oferują mi swoje usługi jako gigolo.

Wreszcie siedzę w taksówce, która wiezie mnie na lotnisko. Gdy samolot wzbija się w powietrze, nie potrafię naprawdę cieszyć się ze zbliżającego się pobytu w domu, gdyż wiem, jak rozpaczliwie Lketinga i reszta rodziny czekają na mój powrót.

W Meiringen, w Alpach Berneńskich, gdzie mieszka moja mama z mężem, początkowo cieszę się ze spotkania, ale potem nie czuję się najlepiej. Wszystko odbywa się według europejskiego rozkładu dnia.

W sklepach z żywnością robi mi się niedobrze na widok tej całej obfitości produktów, jak również nie służą mi mrożonki. Stale mam kłopoty z żołądkiem. Załatwiam w urzędzie gminnym zaświadczenie po niemiecku i angielsku, że jestem stanu wolnego. Przynajmniej moje papiery są teraz w porządku. Matka kupuje dla „mojego wojownika" przepiękny krowi dzwonek jako prezent ślubny. Ja nabywam kilka małych dzwoneczków dla swoich kóz; bądź co bądź mam już przecież cztery własne. Dla mamy i Saguny szyję po dwie nowe spódnice oraz kupuję dwa prześliczne koce: jaskrawoczerwony dla Lketingi, a prążkowany dla nas obojga do przykrycia. Pakowanie nie jest wcale proste. Na spód torby podróżnej kładę długą, białą suknię ślubną, którą dostałam w prezencie od jednego z dostawców, kiedy zamykałam swój sklep. Wtedy przyrzekłam mu, że włożę ją, jeśli kiedykolwiek będę wychodziła za mąż. Tak więc musi teraz koniecznie lecieć ze mną, wraz z przynależnym do niej welonem. Na sukni układam torebki z budyniami, sosami i zupami, a potem prezenty. Puste miejsca wypełniam lekarstwami, plastrami, bandażami, maścią na rany i witaminami. Na wierzch kładę koce. Obie torby pękają w szwach. Zbliża się czas odjazdu. Moja cała rodzina nagrywa kasetę dla Lketingi na nasz ślub. Z tego powodu muszę wcisnąć jeszcze do torby podróżnej niewielkie radio z magnetofonem. Z trzydziestodwukilogramowym bagażem stoję gotowa do odlotu na lotnisku Kloten. Ogromnie cieszę się na powrót do domu. Tak, gdy wsłuchuję się w siebie, wiem dokładnie, gdzie jest mój prawdziwy dom. Naturalnie pożegnanie z matką przychodzi mi z trudem, lecz moje serce należy już do Afryki. Nie wiem, kiedy ponownie tutaj zawitam.

OJCZYZNA: AFRYKA

W Nairobi jadę taksówką do hotelu Igbol. Kierowca zauważa ozdoby masajskie na moich ramionach i pyta, czy dobrze znam Masajów. *Yes, I go to marry a Samburu-man* – brzmi moja odpowiedź. Taksówkarz kręci głową z niedowierzaniem. Widać nie pojmuje, dlaczego jakaś biała chce wyjść za mąż akurat za kogoś z tak prymitywnego ludu. Rezygnuję z dalszej dyskusji i jestem szczęśliwa, że dotarłam do Igbolu. Dzisiaj jednak nie mam szczęścia, bo wszystkie pokoje są zajęte. Szukam innego, taniego hoteliku i znajduję dwie ulice dalej. Dźwiganie bagażu sprawia mi ogromne trudności, pomimo że mam niedaleko. Potem jeszcze muszę wdrapać się na trzecie piętro, póki nie znajdę się za moim przepierzeniem. Wcale nie jest tu tak przytulnie jak w Igbolu, w dodatku jestem jedyną białą. Łóżko zapada się i leżą pod nim dwie używane prezerwatywy. Na szczęście prześcieradła są czyste. Idę jeszcze do Igbolu, aby zadzwonić do misji w Maralalu. Stamtąd mogą rano przekazać za pomocą radiotelegrafu wiadomość do misji w Barsaloi, że za dwa dni dotrę do Maralalu. W ten sposób Lketinga będzie wiedział o moim przyjeździe. Ten pomysł przyszedł mi do głowy w samolocie. Chcę go wypróbować, pomimo że nie znam misjonarzy z Maralalu. Po telefonie nadal nie wiem, czy wszystko się uda. Wprawdzie mój angielski się polepszył, lecz podczas rozmowy doszło do wielu nieporozumień, gdyż poczciwy misjonarz nie bardzo mnie rozumiał.

W nocy śpię źle. Według wszelkich znaków na niebie i ziemi wylądowałam w hotelu na godziny dla tuziemców, gdyż w pomieszczeniach na lewo i prawo słychać skrzypienie łóżek, postękiwania i śmiechy. Drzwi ciągle się zamykają i otwierają z hukiem. Lecz również i ta noc dobiega wreszcie końca.

Podróż autobusem do Nyahururu przebiega bez przeszkód. Spoglądam przez okno i rozkoszuję się krajobrazem. Mam coraz bliżej do domu. W Nyahururu pada i jest zimno. Muszę tu jeszcze przenocować, zanim następnego ranka złapię przestarzały autobus do Maralalu. Odjazd opóźnia się o półtorej godziny, gdyż bagaże na dachu muszą najpierw zostać przykryte plastikowymi plandekami. Także moja wielka czarna torba podróżna znajduje się na górze. Mniejszą zatrzymuję przy sobie.

Po krótkim odcinku asfaltowej szosy skręcamy w polną drogę. Czerwony kurz zmienił się w czerwonobrązowe błoto. Autobus jedzie jeszcze wolniej niż zwykle, żeby nie wpaść w wielkie dziury, które teraz wypełnia woda. Lawiruje między kałużami, niekiedy staje prawie w poprzek i zawraca na szlak. Jazda zajmie nam dwa razy więcej czasu. Droga staje się coraz gorsza. Z rzadka natykamy się na jakiś pojazd, który ugrzązł w szlamie, a różni ludzie próbują go z niego wydobyć. Miejscami koła naszego autobusu pogrążają się w błocie na głębokość trzydziestu centymetrów, a przez okna nie widać prawie nic, tak mocno są zachlapane.

Mniej więcej w połowie trasy autobus wpada w poślizg, a jego tyłem tak zarzuca, że staje nagle w poprzek drogi. Tylne koła tkwią w przydrożnym rowie. Dalej nie pojedzie, koła obracają się w miejscu. Najpierw wysiadają wszyscy mężczyźni. Autobus przesuwa się dwa metry w bok i ponownie utyka. Teraz muszą wszyscy wysiąść. Ledwo znalazłam się na zewnątrz, utkwiłam po kostki w błocie. Stoimy nieco powyżej na łące i obserwujemy daremne starania. Wielu pasażerów, także i ja, odrywa gałęzie z krzaków, które następnie zostają podłożone pod koła. Wszystko jednak na nic, autobus nadal stoi w poprzek drogi. Niektórzy pakują swoje manatki i dalej idą na piechotę. Pytam kierowcę, co teraz będzie. Wzrusza ramionami i oświadcza, że musimy poczekać do rana; być może przestanie wreszcie padać, a wtedy droga szybko wyschnie. Ponownie utknęłam w środku buszu, bez wody i jedzenia, jedynie z budyniem w proszku. Prędko robi się zimno i marznę w tych swoich przemoczonych rzeczach. Wracam na swoje miejsce w autobusie. Przynajmniej mam tam ciepły wełniany koc. Jeśli w ogóle Lketinga otrzymał moją wiadomość, to czeka teraz na próżno w Maralalu.

Ludzie wyciągają jedzenie. Każdy, kto coś ma, dzieli się z sąsiadami. Również i mnie ktoś proponuje chleb i owoce. Przyjmuję z podziękowaniem, mocno zawstydzona, gdyż nie mam nic do zaoferowania, pomimo że wiozę najwięcej bagażu. Wszyscy przygotowują się do spania na siedząco, jak kto może. Nieliczne wolne miejsca przypadają kobietom z dziećmi. W nocy przejeżdża obok nas landrower, ale się nie zatrzymuje.

Około czwartej nad ranem jest tak zimno, że kierowca zapuszcza silnik i prawie przez godzinę grzeje w autobusie. Czas wlecze się w nieskończoność. Z wolna czerwienieje niebo, słońce wschodzi opieszale. Jest kilka minut po szóstej. Pierwsze osoby opuszczają autobus, aby załatwić się za krzakami. Również wysiadam i prostuję zesztywniałe członki. Przed autobusem jest takie same błoto jak wczoraj. Musimy poczekać, aż słońce zacznie porządnie grzać, wtedy spróbujemy ponownie. Od dziesiątej do południa pchamy z całych sił i usiłujemy wydobyć pojazd z rowu, ale nie udaje nam się przesunąć go dalej niż o trzydzieści metrów. Następna noc tutaj byłaby straszna.

Nagle widzę białego landrowera, który przedziera się przez grzęzawisko i częściowo jedzie obok drogi. Zrozpaczona biegnę w jego kierunku i zatrzymuję pojazd. W środku siedzi starsza para Anglików, którym zwięźle wyjaśniam całą sytuację i błagam, aby zabrali mnie ze sobą. Kobieta z miejsca się zgadza. Radośnie skaczę do autobusu i każę zdjąć moją torbę z dachu. W landrowerze kobieta wysłuchuje z przerażeniem mojej historii. Litościwie podaje mi kanapkę, którą łapczywie połykam.

Nie ujechaliśmy jeszcze nawet kilometra, gdy z naprzeciwka nadjeżdża jakiś szary landrower. Teraz obowiązuje daleko posunięta ostrożność, aby żaden z samochodów nie wpadł w poślizg, ponieważ droga jest bardzo wąska. Jedziemy powoli, a samochód z naprzeciwka zbliża się szybko. Gdy znajduje się jakieś dwadzieścia metrów przed nami, zdaje mi się, że widzę fatamorganę. *Stop, please, stop your car, this is my boyfriend!* To Lketinga jedzie po tej koszmarnej drodze.

Jak oszalała macham przez opuszczoną szybę, żeby zwrócić na siebie uwagę, gdyż Lketinga jedzie ze wzrokiem wbitym w drogę. Nie wiem, co jest większe: moja olbrzymia radość i duma z niego, czy też strach, jak uda mu się zatrzymać teraz wóz. Rozpoznaje mnie i dumnie śmieje się do nas przez szybę. Po jakichś dwudziestu metrach samochód staje. Wypadam na zewnątrz i biegnę do Lketingi. Nasze spotkanie jest fantastyczne. Lketinga szczególnie pięknie pomalował się i przyozdobił. Nie potrafię powstrzymać łez radości. Towarzyszy mu dwóch wojowników. Dobrowolnie podaje mi kluczyki, mówiąc, że lepiej będzie, jeśli ja pojadę z powrotem. Wyciągamy moje bagaże i przeładowujemy je. Dziękuję moim dobroczyńcom za pomoc, a Anglik mówi, że widząc tak pięknego mężczyznę, rozumie teraz, dlaczego tutaj jestem.

Podczas drogi powrotnej Lketinga opowiada, że czekał na autobus. Otrzymał wiadomość od ojca Giuliano i natychmiast pomaszerował do Maralalu. Dopiero koło dwudziestej drugiej dowiedział się, że autobus utknął po drodze i że jest tam jedna biała. Gdy rano autobusu nadal nie było, poszedł do garażu, zabrał nasze zreperowane auto i po prostu ruszył przed siebie, aby ratować swoją kobietę. Nie mogę wprost uwierzyć, jak mu się to udało. Droga jest wprawdzie dość prosta, lecz strasznie błotnista. Przez cały czas jechał na drugim biegu i co jakiś czas gasł mu silnik, musiał go wtedy znowu zapalać, ale poza tym *hakuna matata, no problem*. Docieramy do Maralalu i wprowadzamy się do hotelu. Wszyscy trzej wojownicy siedzą na jedynym łóżku, ja naprzeciwko. Lketinga chce naturalnie dowiedzieć się, co przywiozłam. Również pozostali patrzą z niecierpliwością. Otwieram torby i najpierw wyciągam pledy. Lketinga promienieje na widok miękkiego, jaskrawoczerwonego koca. Trafiłam w jego gust. Prążkowany koc chce od razu podarować swojemu przyjacielowi, co jednak spotyka się z moim protestem, chcę go zatrzymać dla siebie, ponieważ kenijskie drapią. Uszyłam dla Lketingi jeszcze trzy *kangi* i te może porozdawać, jeśli ma na to ochotę, tym bardziej że pozostali robią wielkie oczy na ich widok. Słysząc głosy mojej rodziny, które rozbrzmiewają z radiomagnetofonu, Lketinga kompletnie osłupiał, szczególnie wtedy gdy rozpoznaje Erica i Jelly. Jego radość nie ma granic, a ja cieszę się wraz z nim, ponieważ jeszcze nigdy w życiu nie spotkałam się z takim zachwytem i z tak szczerą radością z powodu normalnych europejskich rzeczy. Mój *darling* grzebie w torbie podróżnej, aby zobaczyć, co tam jeszcze mam. Gdy odkrywa krowi dzwonek, prezent ślubny od mojej matki, jest zachwycony. Pozostali ożywiają się, każdy potrząsa dzwonkiem, który tutaj, jak mi się wydaje, brzmi o wiele głośniej i piękniej. Dwaj wojownicy również chcą dostać po dzwonku, lecz mam tylko ten jeden, tak więc wręczam im dwa małe dzwoneczki dla kóz, z których również się cieszą. Gdy stwierdzam, że to już wszystko, mój *darling* nadal grzebie w torbie i dziwi się, widząc torebki z budyniem i medykamenty.

Teraz w końcu możemy opowiedzieć sobie o wszystkim. W domu wszystko w porządku, ponieważ przyszedł deszcz, tyle że pojawiło się dużo komarów. Saguna jest chora i od czasu gdy wyjechałam, nie chce nic jeść. Jakże się cieszę, że jutro jedziemy do domu!

Teraz jednak najpierw wszyscy idziemy razem coś zjeść. Naturalnie znowu łykowate mięso i placki, poza tym coś w rodzaju szpinaku. W krótkim czasie po podłodze walają się kości. Świat wygląda znowu inaczej niż przed trzema dniami, tutaj czuję się nareszcie dobrze. Późnym wieczorem dwaj wojownicy wychodzą i w końcu zostajemy sami. Przez ten ciągły deszcz w Maralalu jest zimno i mogę zapomnieć o prysznicu na wolnym powietrzu. Lketinga załatwia dużą miednicę z gorącą wodą, tak więc przynajmniej mogę umyć się w pokoju. Czuję się szczęśliwa, gdyż znowu jestem tak blisko mego ukochanego. Nie mogę jednak jakoś spać, łóżko jest takie wąskie i zapadnięte, muszę na powrót się do niego przyzwyczić.

Wczesnym rankiem idziemy do urzędu, aby dowiedzieć się, czy coś już się wyjaśniło w związku z kartą identyfikacyjną Lketingi. Niestety nie. Ponieważ nie potrafimy podać jej numeru, wszystko się opóźni, informuje nas urzędnik. Ta wiadomość powoduje, że bardzo upadam na duchu, ponieważ przy wjeździe otrzymałam wizę tylko na dwa miesiące. Jak w takich warunkach będą mogła w tak krótkim czasie wyjść za mąż, pozostaje dla mnie zagadką.

Decydujemy się pojechać do domu. Z powodu wilgoci nie możemy skorzystać z drogi przez las tropikalny, tylko jedziemy naokoło. Ta droga mocno się zmieniła. Wszędzie leżą wielkie kamienie i gałęzie, a głębokie rowy przecinają cały szlak. Mimo to posuwamy się szybko naprzód. Półpustynia kwitnie, a gdzieniegdzie pojawiła się nawet trawa. Tutaj po deszczu wszystko się szybko zieleni. Tu i ówdzie pasą się spokojnie zebry albo rodziny strusi uciekają śpiesznie, słysząc odgłos silnika. Przeprawiamy się przez małą rzekę, jakiś czas potem przez większą. Obie toczą wody, ale dziękować Bogu za napęd na cztery koła, nie grzęźniemy w lotnych piaskach.

Znajdujemy się dobrą godzinę jazdy od Barsaloi, gdy słyszę ciche syczenie, a następnie auto staje krzywo. Sprawdzam, co się stało. Złapaliśmy gumę! Najpierw wyładowujemy wszystko, aby dostać się do koła zapasowego, potem wpełzam pod całkowicie utytłane auto, aby ustawić lewarek. Lketinga pomaga mi i pół godziny później jesteśmy gotowi, możemy jechać dalej. W końcu docieramy do *manyatt*.

Mama stoi, śmiejąc się, przed chatką, a Saguna wpada mi w ramiona. Jest to serdeczne powitanie, całuję nawet mamę w policzek. Zanosimy wszystko do *manyatty*, która przez to wypełnia się niemal po brzegi. Mama gotuje herbatę, a ja daję jej i Sagunie spódnice, które dla nich uszyłam. Wszyscy są szczęśliwi. Lketinga włącza kasetę, co wywołuje nader ożywioną dyskusję. Kiedy wręczam Sagunie brązową lalkę, którą moja matka dla niej kupiła, wszyscy rozdziawiają usta, a Saguna wybiega z krzykiem z chaty. Nie rozumiem, co ich tak poruszyło. Również mama przygląda się lalce z daleka, a Lketinga pyta, czy to jest nieżywe dziecko. Początkowo jestem zaskoczona, lecz potem wybucham śmiechem. *No, this is only plastic.* Jednakże dopiero po pewnym czasie nabierają zaufania do lalki z włosami, a przede wszystkim z oczami, które to otwierają się, to zamykają. Pojawia się coraz więcej zdumionych dzieci i dopiero gdy jakaś dziewczynka chcę podnieść lalkę, Saguna zrywa się i przytula ją do siebie. Od tego momentu nikomu nie wolno dotknąć lalki, nawet babci. Saguna śpi odtąd stale ze swoim *baby.* O zachodzie słońca napadają nas komary. Ponieważ wszystko jest wilgotne, czują się w swoim żywiole. Pomimo że w chacie pali się ogień, brzęczą nam nad głowami i ciągle muszę się od nich oganiać. Tak przecież nie można spać! Dobierają się do mnie nawet przez skarpetki. Na moją radość, że jestem w domu, pada cień. Śpię w ubraniu i przykrywam się pod szyję nowym kocem. Głowy jednak nie mogę przykryć, w odróżnieniu od pozostałych domowników. Popadłszy niemalże w histerię, zasypiam dopiero nad ranem. O świcie nie mogę otworzyć jednego oka, tak bardzo jestem pokłuta. Nie mam zamiaru nabawić się malarii. Trzeba kupić moskitierę, pomimo że nie jest to całkiem bezpieczne w *manyatcie,* gdzie pali się otwarty ogień.

W misji pytam ojca, czy ewentualnie nie mógłby mi załatać dętki. Nie ma teraz czasu, ale daje mi zapasowe koło i radzi mi, abym kupiła jeszcze jedno, gdyż może się zdarzyć, że przebiją się dwie dętki naraz. Przy okazji pytam, jak daje sobie radę z komarami. W swoim solidnym domu nie ma z nimi większych problemów, a pomaga sobie sprayem. Najlepiej byłoby szybko zbudować dom, to wcale dużo nie kosztuje. Policjant mógłby nam wyznaczyć plac, który musielibyśmy wciągnąć do księgi w Maralalu.

Budowa domu nie daje mi spokoju. Jakże wspaniale byłoby mieć chatę z prawdziwego zdarzenia! Uskrzydlona tym pomysłem wracam do *manyatty* i opowiadam o wszystkim Lketindze. Nie jest specjalnie zachwycony i nie wie, czy w takiej chacie będzie się dobrze czuł. Możemy się jeszcze nad tym zastanowić. Mówię, że wybieram się do Maralalu, gdyż nie mam zamiaru spędzić kolejnej nocy bez moskitiery.

W ciągu krótkiego czasu zbiera się wokół landrowera mnóstwo ludzi. Wszyscy chcą do Maralalu. Niektórych znam z widzenia, inni są mi całkowicie obcy. Lketinga wyznacza, kto ma z nim jechać. I zno-

123

wu jesteśmy prawie pięć godzin w drodze, zanim bez awarii docieramy późnym popołudniem do celu. Najpierw oddajemy oponę do załatania, co okazuje się nie lada przedsięwzięciem. Czekając, aż skończą, przyglądam się dokładniej pozostałym oponom w moim pojeździe i stwierdzam, że prawie nie mają bieżnika. Dowiaduję się w garażu o nowe. O mało nie zwala mnie z nóg, gdy słyszę horrendalną cenę. Za cztery sztuki żądają, po przeliczeniu, prawie tysiąc franków. Toż to są ceny jak w Szwajcarii! Tutaj odpowiada to trzem miesięcznym wypłatom. Potrzebuję jednak nowych opon, jeśli nie chcę stale mieć po drodze kłopotów.

W jednym ze sklepów znalazłam moskitierę, poza tym nabywam kilka opakowań „maczug na komary". Wieczorem poznaję w barze schroniska samego wielkiego szefa prowincji Samburu. Jest sympatycznym człowiekiem i mówi dobrze po angielsku. Słyszał już o moim istnieniu i tak czy inaczej miał zamiar wkrótce nas odwiedzić. Gratuluje mojemu Masajowi tak odważnej kobiety. Opowiadam mu o planach budowy domu, małżeństwie i problemach z kartą identyfikacyjną. Przyrzeka nam pomóc, gdzie będzie mógł, jednak budowa domu to ciężka sprawa, gdyż prawie nie ma już drewna.

Przynajmniej zatroszczy się o kartę identyfikacyjną. Następnego dnia idzie od razu z nami do urzędu. Rozmowy toczą się bez końca, wypełniane są formularze i padają różne nazwiska. Ponieważ wie wszystko o rodzinie Lketingi, dowód może zostać wystawiony w ciągu dwóch, trzech tygodni w Maralalu. Wypełniamy od razu podanie o ślub. Jeśli w ciągu trzech tygodni nikt nie wniesie sprzeciwu, będziemy się mogli pobrać. Musimy tylko przyprowadzić dwóch piśmiennych świadków. Nie wiem, jak mam temu szefowi dziękować, taka jestem szczęśliwa. Tu i tam muszę coś zapłacić, ale po kilku godzinach wszystko jest gotowe. Mamy przyjść znowu za czternaście dni i przynieść zaświadczenia. Zadowoleni zapraszamy szefa na obiad. Jest pierwszym, który rzeczywiście pomógł nam z dobrego serca. Lketinga wsuwa mu wspaniałomyślnie nieco pieniędzy.

Po kolejnej nocy spędzonej w Maralalu ruszamy z powrotem. Przed opuszczeniem miasta spotykamy Juttę. Naturalnie musimy skoczyć na herbatę i opowiedzieć sobie o wszystkim. Jutta chce być obecna na naszym ślubie. Chwilowo mieszka u Sophii, innej białej, która niedawno sprowadziła się do Maralalu ze swoim rastafarianinem. Po winnam ją od czasu do czasu odwiedzić; my, biali, musimy trzymać się razem, stwierdza ze śmiechem. Lketinga spoziera ponuro, nie rozumiejąc ani słowa, ponieważ mówimy po niemiecku i dużo się śmiejemy. Chce do domu, dlatego też się zbieramy. Tym razem wybieramy drogę przez las. Trasa jest w kiepskim stanie. Na śliskim zakręcie wstrzymuję oddech. Moje modły zostają tym razem wysłuchane i bez kłopotów docieramy do Barsaloi. Następne dni przebiegają spokojnie, życie toczy się zwyczajnym trybem. Ludzie mają mleka pod dostatkiem, a w podupadłych sklepach jest mąka kukurydziana i ryż. Mama jest zajęta przygotowaniami do największego święta Samburu. Wkrótce będzie uroczyście obchodzony Koniec Czasu Wojowników dla rocznika mojego ukochanego. Po tym święcie, które odbędzie się za jakiś miesiąc, wolno jest wojownikom oficjalnie wyruszyć na poszukiwanie narzeczonej i żenić się. Rok później nastąpi przyjęcie następnego pokolenia w poczet wojowników, rozpoczynające się wielkim świętem obrzezania.

Nadchodząca uroczystość, która odbędzie się w specjalnie wyznaczonym do tego miejscu, gdzie spotkają się wszystkie matki ze swymi synami wojownikami, jest bardzo ważna dla Lketingi. Już za dwa, trzy tygodnie opuścimy z mamą naszą *manyattę* i udamy się na plac, gdzie kobiety tylko na użytek tego święta zbudują nowe chaty. O dokładnym terminie tego trzydniowego święta dowiedzą się wszyscy na krótko przedtem, gdyż księżyc odgrywa w nim bardzo ważną rolę. Obliczam, że mniej więcej czternaście dni wcześniej musimy zajść do urzędu stanu cywilnego. Jeśli coś pójdzie nie tak, pozostanie mi tylko kilka dni do upływu wizy.

Lketinga dużo przebywa poza domem, ponieważ musi gdzieś zdobyć czarnego byka określonej wielkości. Wymaga to wielu odwiedzin u krewnych, gdyż trzeba przeprowadzić transakcje wymienne. Niekiedy idę z nim, ale sypiam wyłącznie w domu pod moskitierą, która dobrze mnie chroni. Za dnia zajmuję się powszednią pracą. Rankami chodzę sama albo z Lketingą nad rzekę. Niekiedy zabieram ze sobą Sagunę, która bardzo się cieszy z kąpieli. Wcześniej nigdy tego nie robiła. Piorę nasze zadymione ubrania i nadal zdzieram sobie skórę na kostkach. Potem dźwigamy wodę do domu, a następnie udajemy się na poszukiwanie drewna na opał.

KŁOPOTY Z URZĘDAMI

Czas upływa i musimy ruszyć do Maralalu, aby wziąć ślub. Mama gniewa się, że Lketinga wyjeżdża tak krótko przed ceremonią. My jednak uważamy, że tydzień to naprawdę aż zanadto czasu na załatwienie wszystkiego. Tego samego dnia mama przerywa wszystkie zajęcia i wyrusza z innymi matkami w drogę, a towarzyszą im objuczone osły. W żadnym wypadku nie chce zabrać się z nami. Jeszcze nigdy nie siedziała w aucie i wcale nie zamierza próbować. Tak więc pakuję tylko moje torby do samochodu, resztę załatwi mama. Lketinga zabiera Jomo, starszego faceta, który zna nieco angielski. Nie przypada mi do gustu, a w drodze stale narzuca się, że chce zostać naszym świadkiem albo przynajmniej być na ślubie. Potem mężczyźni rozmawiają o nadchodzącym święcie. Z tej okazji zejdą się ze wszystkich stron matki, zbudują na pewno czterdzieści, może pięćdziesiąt *manyatt*, a tańcom nie będzie końca. Bardzo się cieszę na to pierwsze wielkie masajskie święto, w jakim wolno mi wziąć udział. Według położenia księżyca zostało nam mniej więcej dwa tygodnie, ocenia nasz pasażer.

W Maralalu idziemy najpierw do urzędu meldunkowego. Dyżurny urzędnik jest nieobecny, mamy przyjść ponownie jutro w południe. Bez dowodu nie możemy zamówić terminu ślubu. Przechadzamy się po miasteczku i szukamy dwóch świadków. To nie jest wcale takie proste. Ci, których Lketinga zna, nie umieją pisać albo nie rozumieją suahili bądź angielskiego, James jest za młody, a inni z kolei boją się pójść do urzędu, gdyż nie pojmują, czemu to wszystko ma służyć. Dopiero następnego dnia spotykamy dwóch *moranów* znających Mombasę, na dodatek mają dowody osobiste. Przyrzekają, że pozostaną przez następne dni w Maralalu.

Gdy po południu ponownie zjawiamy się w urzędzie, leży tam rzeczywiście dowód Lketingi. Musi tylko jeszcze umieścić na nim odcisk palca i udajemy się do urzędu stanu cywilnego, aby wyznaczono nam termin ślubu. Urzędnik sprawdza mój paszport oraz zaświadczenie, że jestem stanu wolnego. Od czasu do czasu stawia Lketindze pytania w suahili, które ten nie zawsze rozumie, co go irytuje. Ośmielam się zapytać, kiedy w takim razie mamy termin, i od razu podaję nazwiska świadków. Urzędnik oświadcza, że musimy rozmawiać bezpośrednio z urzędnikiem prowincji, gdyż tylko on może udzielić nam ślubu. Siadamy w rzędzie czekających ludzi, z których każdy chce rozmawiać z tym ważnym człowiekiem. Po dwóch godzinach zostajemy wezwani do środka. Za eleganckim biurkiem siedzi masywny mężczyzna, przed którym kładę nasze papiery i wyjaśniam, że prosimy o wyznaczenie terminu ślubu. Przerzuca kartki mojego paszportu i pyta, dlaczego w ogóle chcę wyjść za jakiegoś Masaja i gdzie będziemy żyli. Z podniecenia mam trudności z prawidłową budową zdań po angielsku. „Ponieważ go kocham i chcemy w Barsaloi zbudować sobie dom". Przez jakąś chwilę wędruje wzrokiem między Lketingą a mną, i w końcu mówi, że za dwa dni o czternastej mamy stawić się tutaj ze świadkami. Wylewnie dziękujemy i wychodzimy.

Nagle wszystko idzie tak normalnie, o czym nie śmiałabym nawet marzyć. Lketinga kupuje *miraa* i siada z piwem w schronisku. Odradzam mu to, lecz on uważa, że teraz tego potrzebuje. Około dziewiątej słychać pukanie do drzwi. Na zewnątrz stoi nasz pasażer i również żuje *miraa*. Omawiamy wszystko jeszcze raz, ale im więcej mija czasu, tym Lketinga staje się bardziej niespokojny. Ma wątpliwości, czy aby naprawdę dobrze robi, żeniąc się w ten sposób. Nie zna nikogo, kto zrobiłby to w urzędzie. Jestem szczęśliwa, że ten drugi wszystko mu wyjaśnia. Lketinga tylko kiwa głową. Żeby tylko te dwa dni jakoś przeszły i żeby nie opadł całkiem z sił! Bardzo źle znosi te wizyty w urzędzie.

Następnego dnia szukam Jutty i Sophii i spotykam obie. Sophia mieszka bardzo wygodnie w dwupokojowym domu z elektrycznym światłem, wodą, a nawet lodówką. Obie cieszą się z naszego ślubu i przyrzekają, że będą o czternastej w urzędzie. Sophia pożycza mi śliczną klamrę do włosów i fantastyczną bluzkę. Kupujemy jeszcze Lketindze dwie piękne *kangi* i jesteśmy gotowi.

Rano w dniu naszego ślubu jestem nieco zdenerwowana. Już dwunasta, a nasi świadkowie nie pojawili się jak dotąd w mieście. Ba, nawet jeszcze nie wiedzą, że za dwie godziny ich obecność będzie konieczna! Dlatego musimy poszukać dwóch innych. I tak oto Jomo, mimo wszystko, załapuje się, co jest mi całkowicie obojętne, bylebyśmy tylko znaleźli drugą osobę. Zdesperowana pytam szefową schroniska, która z radością od razu się zgadza. O czternastej stoimy przed urzędem. Sophia i Jutta są na miejscu, mają nawet aparaty fotograficzne. Siedzimy na ławce i czekamy z kilkoma innymi ludźmi. Nastrój jest nieco napięty i Jutta stroi sobie ciągle ze mnie żarty. Jeśli mam być szczera, wyobrażałam sobie te chwile przed ślubem nieco bardziej uroczyście.

Upłynęło pół godziny i nie wywołano nas jeszcze, a inni wchodzą i wychodzą. Jeden człowiek rzuca mi się szczególnie w oczy, gdyż wchodzi do środka już po raz trzeci. Mija czas i Lketinga się denerwuje. Obawia się, że wsadzą go do więzienia, jeśli z papierami coś jest nie w porządku. Uspokajam go jak tylko mogę. Przez *miraa* prawie nie spał. *„Hakuna matata*, jesteśmy w Afryce, *pole, pole"* – mówi Jutta, gdy nagle drzwi otwierają się i jesteśmy z Lketingą proszeni do środka. Świadkowie muszą czekać na zewnątrz. Robi mi się trochę nieswojo.

Urzędnik prowincji siedzi ponownie za swoim eleganckim biurkiem, a miejsca przy długim stole stojącym przed nim zajmują dwaj mężczyźni. Jeden z nich to ten, który ciągle wchodził i wychodził. Mamy usiąść naprzeciwko tych dwóch. Przedstawiają się jako policjanci w cywilu i żądają mojego paszportu i dowodu Lketingi.

Serce podchodzi mi do gardła. Co jest grane? Boję się, że ze zdenerwowania nie zrozumiem angielskiego urzędników. Spada na mnie grad pytań: od kiedy przebywam w prowincji Samburu, gdzie poznałam Lketingę, od kiedy, jak i z czego tu żyjemy, kim jestem z zawodu, jak się porozumiewamy itd. Niekończące się pytania.

Lketinga ciągle pyta, o czym mówimy, jednakże nie mogę mu teraz wszystkiego wyjaśnić w sposób, w jaki zwykliśmy się porozumiewać. Przy pytaniu, czy byłam już zamężna, o mało nie pękam ze złości. Wzburzona odpowiadam, że w moim akcie urodzenia i paszporcie widnieje to samo nazwisko, jak również dysponuję odpowiednim zaświadczeniem po angielsku, które wydał szwajcarski kanton. Jeden z policjantów mówi, że nie uznają go, ponieważ nie zostało potwierdzone w ambasadzie w Nairobi. „A co z moim paszportem?" – pytam rozsierdzona. Może być również sfałszowany, odpiera policjant. Z wściekłości o mało nie wychodzę z siebie. Policjant pyta Lketingę, czy jest już żonaty z kobietą Samburu. Zgodnie z prawdą, Lketinga odpowiada, że nie. Policjant chce wiedzieć, jak to może udowodnić. W Barsaloi wszyscy o tym wiedzą, mówi Lketinga. Znajdujemy się

128

jednak tutaj, w Maralalu, brzmi odpowiedź. W jakim języku chcemy brać ślub? Mówię, że po angielsku, z tłumaczeniem na masajski. Urzędnik śmieje się złośliwie i stwierdza, że nie ma czasu na podobne specjalne przypadki, a poza tym nie zna masajskiego. Mamy przyjść ponownie, gdy będziemy mówili w tym samym języku, po angielsku albo w suahili, ja podstempluję mój papier w Nairobi, a Lketinga przyniesie podpisany przez szefa policji list, że nie jest jeszcze żonaty.

Wściekła z powodu tych szykan, wychodzę zupełnie z siebie i krzyczę na urzędnika, dlaczego nie wspomniał o tym wszystkim za pierwszym razem. Wyniośle oświadcza, że tutaj, jak na razie, on wyznacza, kiedy o czymś się kogoś informuje, a jeśli mi coś nie pasuje, może zatroszczyć się o to, abym już jutro opuściła kraj. Cios jest celny. *Come, darling, we go, they don't want give the marriage.* Wściekła i z płaczem opuszczam urząd, Lketinga podąża za mną. Na podwórzu pstrykają aparaty Sophii i Jutty, gdyż obie są przekonane, że mamy to już za sobą.

W tym czasie przed urzędem zebrało się przynajmniej dwudziestu ludzi. Najchętniej zapadłabym się pod ziemię. Jutta pierwsza zauważa, że coś jest nie tak. „Co jest, Corinne, Lketinga, *what's the problem?*". *I don't know* – odpowiada oszołomiony. Biegnę do auta i pędzę z szaloną prędkością do schroniska. Chcę być sama. Padam na łóżko i wyję jak pies. Drżę na całym ciele. To przeklęte świnie!

Po jakimś czasie przychodzi Lketinga i siada przy mnie, próbując mnie uspokoić. Pomimo że zdaję sobie sprawę z tego, iż on nie bardzo wie, co począć w takiej sytuacji, nie potrafię przestać płakać. Jutta również zagląda i przynosi kieliszek kenijskiej wódki. Ze wstrętem wypijam jednym haustem i spazmy powoli mi przechodzą. Czuję się zmęczona i otępiała. W pewnym momencie Jutta wychodzi, a Lketinga pije piwo i żuje *miraa*.

Chwilę później słychać pukanie do drzwi. Leżę w łóżku ze wzrokiem wlepionym w sufit. Lketinga otwiera i dwaj policjanci w cywilu wchodzą ukradkiem do środka. Grzecznie przepraszają nas za najście i oferują pomoc. Ponieważ w ogóle nie reaguję, jeden z nich, Samburu, rozmawia z Lketingą. Gdy staje się dla mnie oczywiste, że te świnie chcą tylko kupy pieniędzy, a wtedy pozwolą nam na ślub, wpadam we wściekłość. Wrzeszczę, że mają natychmiast się wynosić.

A właśnie że wyjdę za tego mężczyznę, w Nairobi albo gdziekolwiek indziej, i to bez ich plugawych propozycji! Speszeni wychodzą.

Jutro pojedziemy do Nairobi, aby potwierdzić moje zaświadczenie i na wszelki wypadek przedłużyć wizę. Mamy wypełnione formularze ślubne, powinno się więc udać. Potem będziemy mieli jeszcze trzy miesiące na załatwienie papieru od szefa policji. To dopiero będziemy śmiać się w kułak, jeśli wszystko załatwimy bez łapówek! Niesympatyczny Jomo zagląda do nas, gdy właśnie idę spać. Lketinga opowiada mu o naszym planie i Jomo chce nam towarzyszyć. Nairobi zna jak własną kieszeń, zapewnia nas. Ponieważ droga do Nyahururu nadal jest w złym stanie, postanawiamy pojechać do Isiolo przez Wambę, a stamtąd autobusem publicznym do Nairobi. Ze względu na zbliżające się święto mamy tylko cztery, góra pięć dni czasu.

Trasa jest dla mnie nowa, jednak wszystko idzie jak z płatka i prawie po pięciu godzinach docieramy do Isiolo. Pytam wszystkich o misję. Jeśli będziemy mieli szczęście, może uda nam się tam zaparkować samochód. Jeden z misjonarzy pozwala na to. Gdybym tak po prostu gdziekolwiek odstawiła pojazd, z pewnością nie postałby tam zbyt długo.

Do Nairobi są trzy, cztery godzin jazdy, postanawiamy więc przenocować tutaj, aby wyruszyć wcześnie rano i po południu pójść do urzędu. Nasz towarzysz stwierdza, że właśnie skończyły mu się pieniądze. Nie pozostaje mi więc nic innego, jak zapłacić również za jego pokój i za jedzenie, i picie. Niechętnie to robię, gdyż nadal nie udało mu się zaskarbić mej sympatii. Chociaż na dworze jeszcze jest jasno, rzucam się w pokoju jak długa na łóżko i zasypiam. Lketinga i Jomo piją piwo i gawędzą. Rano mam straszne pragnienie. Jemy śniadanie i zajmujemy miejsca w autobusie. Ponad godzinę później jest w końcu pełny i możemy ruszać. Przed południem docieramy do Nairobi.

Najpierw udajemy się do szwajcarskiej ambasady, aby uwierzytelnić mój papier. Czegoś takiego nie robią, słyszę, a w ogóle to z moim niemieckim paszportem powinnam udać się do ambasady niemieckiej. Zgłaszam wątpliwości, że Niemcy nie znają przecież pieczątek szwajcarskich kantonów, ale to ich wcale nie przekonuje. Ambasada niemiecka znajduje się w innej dzielnicy. Z trudem wlokę się przez parne i duszne Nairobi. U Niemców ruch jak na bazarze i trzeba ustawić się w ogonku. Gdy wreszcie przychodzi moja kolej, referent kręci przecząco głową i chce mnie odesłać z powrotem do ambasady szwajcarskiej. Gdy wkurzona mówię, że właśnie stamtąd przychodzimy, mężczyzna chwyta za słuchawkę i dzwoni do Szwajcarów, aby to sprawdzić. Potrząsając głową, wraca i oświadcza, że teraz zrobi coś zupełnie bezsensownego. Ale im więcej pieczątek i podpisów na papierze, tym lepiej dla urzędników z Maralalu. Dziękując, opuszczam ambasadę. Lketinga pragnie się dowiedzieć, dlaczego nikomu nie podobają się moje papiery. Żadna odpowiedź nie przychodzi mi do głowy i przez to rośnie jego nieufność w stosunku do mnie. Biegniemy truchtem do innej dzielnicy, do siedziby Nyayo, gdzie chcę przedłużyć wizę, której ważność upływa za dziesięć dni. Nogi mam jak z ołowiu, a zostało nam zaledwie półtorej godziny. W siedzibie Nyayo trzeba znowu wypełnić formularze. Jestem szczęśliwa, że Jomo nam towarzyszy, gdyż kręci mi się w głowie i rozumiem tylko co drugie pytanie. Lketinga, na którego wszyscy wytrzeszczają oczy, zarzucił *kangę* na twarz. Czekamy, aż mnie zawołają. Czas mija. Od ponad godziny siedzimy w dusznej sali. Nie jestem już w stanie wytrzymać ustawicznego trajkotania ludzi. Spoglądam na zegarek. Za piętnaście minut zamykają, a jutro całe to czekanie zacznie się od początku.

W końcu jednak widzę, jak ktoś trzyma mój paszport w górze. „Miss Hofmann!" – rozbrzmiewa głos kobiecy. Przeciskam się do okienka. Kobieta patrzy na mnie i pyta, czy mam zamiar wyjść za mąż za Afrykańczyka. „Tak!" – brzmi moja krótka odpowiedź. *Where is your husband?* Pokazuję w kierunku stojącego Lketingi. Kobieta pyta rozbawiona, czy rzeczywiście chcę być żoną Masaja. „Tak, a dlaczego by nie?" – odpowiadam. Idzie i sprowadza dwie koleżanki, które wlepiają spojrzenia najpierw w Lketingę, a potem we mnie. Wszystkie trzy się śmieją. Stoję dumna i nie pozwalam, aby ich bezczelność mnie dotknęła. W końcu pieczęć spada z mlaskiem na jedną ze stron paszportu. Mam swoją wizę! Grzecznie dziękuję i opuszczamy budynek.

MALARIA

W powietrzu wisi ciężka duchota, a wyziewy spalin jeszcze nigdy nie były dla mnie tak nieprzyjemne jak dzisiaj. Jest czwarta po południu, wszystkie papiery mam w porządku. Jakże chętnie pokazałabym, jak bardzo się cieszę, ale nie mam na to zupełnie sił. Musimy udać się w okolice, gdzie można znaleźć jakiś hotel. Już po kilkuset metrach robi mi się słabo i nogi uginają się pode mną. *Darling, help me!* – proszę. Lketinga pyta: *Corinne, what's problem?* Wszystko wiruje, muszę gdzieś natychmiast usiąść, ale w pobliżu nie ma żadnej restauracji. Opieram się o deskę przy wystawie sklepowej i czuję się naprawdę nędznie, poza tym straszliwie chce mi się pić. Lketindze jest wstyd, gdyż przechodnie zatrzymują się i patrzą na nas. Ciągnie mnie, lecz nie mogę iść o własnych siłach, toteż mnie wloką.

Nagle ogarnia mnie lęk przestrzeni. Zbliżających się ludzi widzę jak przez mgłę. I te zapachy! Na każdym rogu ktoś piecze rybę, kolby kukurydzy albo mięso. Robi mi się niedobrze. Jeśli natychmiast stąd nie zniknę, zacznę zwracać. W pobliżu znajduje się bar piwny. Wchodzimy do środka. Chcę do łóżka. Najpierw stwierdzają, że nie mają żadnych łóżek, ale gdy Jomo mówi, że nie mogę dalej iść, prowadzą nas na górę do pokoju.

Jest to typowy hotel na godziny. Rzępolenie muzyki Kikuju słychać w pokoju niemalże tak samo głośno jak piętro niżej, w barze. Padam jak ścięta na łóżko i w tym samym momencie wszystko podchodzi mi do gardła. Pokazuję, że będę zwracała. Lketinga podpiera mnie i wlecze do toalety. Nie udaje mi się tam dotrzeć. Pierwsza fontanna tryska mi z ust jeszcze na korytarzu. W toalecie następuje ciąg dalszy, aż w końcu wymiotuję już tylko żółcią. Chwiejąc się na nogach, wracam do pokoju. Wstydzę się, że tak naświniłam. Kładę się do łóżka i mam wrażenie, że umieram z pragnienia. Lketinga przynosi mi schweppesa i jednym tchem opróżniam całą butelkę, potem jeszcze jedną i jeszcze jedną. Nagle czuję, że marznę. Tak marznę, jakbym siedziała w lodówce. Coraz gorzej ze mną. Dzwonię tak mocno zębami, że aż rozbolała mnie szczęka; nie mogę jednak przestać. *Lketinga, I feel so cold, please give me blankets!* Lketinga wręcza mi koc, nic to jednak nie daje. Jomo wychodzi i przynosi mi dodatkowe dwa koce. Pomimo tylu koców moje skostniałe, rozdygotane ciało unosi się ponad łóżkiem. Chcę herbaty, bardzo, bardzo gorącej herbaty. Mam uczucie, że mijają całe godziny, zanim w końcu ją dostaję. Ponieważ tak mocno się trzęsę, nie jestem niemalże w stanie jej pić. Po dwóch, trzech łykach znowu przewraca mi się w żołądku. Nie mam już sił

132

podnieść się z łóżka. Lketinga pędzi i przynosi jedną z misek stojących w prysznicach. Zwracam wszystko, co wypiłam. Lketinga jest całkowicie zrozpaczony. Nieustannie pyta, co się ze mną właściwie dzieje. Sama nie wiem. Boję się. Dreszcze mijają i opadam jak galareta na poduszki. Wszystko mnie boli. Jestem tak wyczerpana, jakbym godzinami biegała ze śmiercią na wyścigi. Zalewa mnie fala gorączki. W krótkim czasie jestem przemoknięta do suchej nitki. Włosy lepią mi się do głowy i mam uczucie, jakbym spalała się od wewnątrz. Chcę zimnej coli. Wlewam w siebie napój i zaraz muszę do toalety. Lketinga mnie prowadzi. Mam biegunkę. Cieszę się, że Lketinga, choć kompletnie zrozpaczony, jest przy mnie. Po powrocie do łóżka marzę tylko o tym, aby jakoś udało mi się zasnąć. Nie mogę mówić. Drzemiąc, słyszę głosy Lketingi i Jomo, które są cichsze od rzępolenia dobiegającego z baru na dole.

Nadchodzi kolejny atak. Zimno rozpełza się po moim ciele i zaczynam się trząść. Przerażona trzymam się z całych sił łóżka. *Darling, help me!* – błagam. Lketinga kładzie się połową ciała na mnie, a ja nadal cała dygoczę. Jomo stoi obok i mówi, że pewnie mam malarię i muszę iść do szpitala. W głowie mi grzmi: malaria, malaria, malaria! Z sekundy na sekundę przestaję się trząść, lecz za to teraz pot leje się ze mnie ciurkiem. Pościel jest porządnie przemoczona. Pić, pić! Muszę się czegoś natychmiast napić! Hotelarka zagląda do pokoju. Patrząc na mnie, mówi: *Mzungu, malaria, hospital.* Przecząco kręcę głową. Nie chcę w Nairobi iść do szpitala. Tyle złego słyszałam o tutejszych szpitalach, a poza tym, co z Lketingą?! Przecież on zginie sam w Nairobi!

Hotelarka oddala się i wraca z proszkiem przeciwko malarii. Popijam go wodą i padam. Gdy otwieram oczy, wokół jest ciemno. W głowie mi szumi. Wołam Lketingę, jednakże nikogo nie ma w pokoju. Po kilku minutach albo godzinach – nie wiem, ile to trwało – Lketinga wraca. Był na dole w barze. Czuć od niego piwo, od razu na nowo przewraca mi się w żołądku. W nocy mam nieustające dreszcze.

Gdy budzę się rano, słyszę, jak Lketinga i Jomo dyskutują. Chodzi o święto. Jomo zbliża się do łóżka i pyta, jak mi idzie. Po prostu źle, odpowiadam. Czy w takim razie pojedziemy dzisiaj? Nie jestem w stanie. Muszę iść do ubikacji. Ledwo mogę ustać na chwiejnych nogach. Przez głowę przelatuje mi myśl, że powinnam coś zjeść.

Lketinga schodzi na dół i wraca z talerzem mięsa. Zapach jedzenia wywołuje u mnie skurcze żołądka, który i tak mnie już piekielnie boli. Znowu muszę zwracać. Jednak poza odrobiną żółtej cieczy nic ze mnie nie wypływa, właśnie ten rodzaj wymiotowania sprawia szczególny ból. Dławienie wywołuje dodatkowo biegunkę. Czuję się jak zbity pies i mam wrażenie, że oto naprawdę wybiła moja ostatnia godzina. Drugiego dnia wieczorem stale przysypiam między nawrotami gorączki i tracę zupełnie poczucie czasu. Rzępolenie z dołu tak mi działa na nerwy, że wyję i zatykam uszy. Widocznie Jomo ma tego dosyć, gdyż mówi, że idzie odwiedzić krewnych i wróci za trzy godziny. Lketinga przelicza gotówkę, a mnie się wydaje, że trochę brakuje. Jest mi to jednak obojętne. Uzmysławiam sobie, że jeśli zaraz nie wezmę się w garść, to nigdy nie opuszczę żywa ani Nairobi, ani tego koszmarnego hotelu.

Lketinga wychodzi po tabletki z witaminami i miejscowy środek przeciwko malarii. Dławiąc się, połykam tabletki. Gdy zwracam, natychmiast połykam następne. Tymczasem nadeszła północ, a Jomo nadal nie wraca. Martwimy się o niego, bo te okolice Nairobi są niebezpieczne. Lketinga prawie nie śpi i czule troszczy się o mnie.

Dzięki środkowi na malarię napady nieco osłabły, lecz jestem tak wycieńczona, że nie mogę ruszyć ani ręką, ani nogą. Lketinga jest załamany. Chce udać się na poszukiwanie Jomo, co w tym nie znanym mu mieście jest szaleństwem. Błagam go, aby został przy mnie, bo inaczej będę tu zupełnie sama. Musimy jak najszybciej opuścić Nairobi. Połykam tabletki z witaminami niczym cukierki. Powoli rozjaśnia mi się w głowie. Jeśli nie chcę tu zdechnąć, muszę zebrać resztki sił. Posyłam ukochanego, aby kupił mi owoce i chleb. Tylko nic, co pachnie jedzeniem! Zmuszając się, połykam kawałek po kawałku. Przy jedzeniu owoców moje popękane usta nieludzko pieką. Muszę jednak wrócić do sił, aby móc iść. Jomo opuścił nas w biedzie.

Już sam strach, że Lketinga mógłby znowu dostać obłędu, dodaje mi sił. Chcę się umyć, aby poczuć się lepiej. Mój *darling* prowadzi mnie do łazienki, gdzie z ogromnym trudem udaje mi się wziąć prysznic. Potem domagam się nowej pościeli, w końcu należy mi się po trzech dniach pobytu tutaj. Na czas przebierania pościeli wychodzę, aby rozruszać trochę nogi. Na ulicy kręci mi się w głowie, ale się

134

nie poddaję. Idziemy może pięćdziesiąt metrów, a mnie się wydaje, jakby było to pięć kilometrów. Muszę zawrócić, gdyż smród ulicy źle działa na mój żołądek. Ale jestem dumna ze swego osiągnięcia. Przyrzekam Lketindze, że jutro opuścimy Nairobi. Kiedy znowu leżę w łóżku, marzę o tym, aby znaleźć się u matki w Szwajcarii. Taksówka zawozi nas rano na dworzec autobusowy. Lketinga jest niespokojny, gdyż uważa, że zostawiamy Jomo samego. Ale po dwóch dniach czekania mamy chyba prawo wyjechać, tym bardziej że święto coraz bliżej! Podróż do Isiolo trwa całą wieczność. Lketinga musi mnie podtrzymywać, żebym nie spadła na zakrętach z siedzenia. W Isiolo Lketinga proponuje, abyśmy tu przenocowali, jednakże ja chcę do domu, a przynajmniej do Maralalu, może spotkam tam Juttę albo Sophię. Wlokę się do misji i wsiadam do samochodu, podczas gdy Lketinga żegna się z misjonarzami. Chce usiąść za kierownicą, lecz na to nie mogę się w żadnym wypadku zgodzić. Znajdujemy się w małej miejscowości i roi się tu od policjantów.

Ruszam. Ledwo jestem w stanie wycisnąć pedał sprzęgła. Kilka pierwszych kilometrów drogi jest pokrytych asfaltem, który potem znika. Na trasie przystajemy i zabieramy trzech Samburu, którzy udają się do Wamba. Kierując, nie myślę o niczym, koncentruję się wyłącznie na drodze. Wyboje rozpoznaję już z daleka. Nie zwracam uwagi na to, co dzieje się w aucie. Dopiero gdy ktoś zapala papierosa, żądam, aby natychmiast go zgasił, bo inaczej zwymiotuję. Czuję, jak buntuje się mój żołądek. Żebym tylko nie musiała zatrzymywać się i nie rzygała, to kosztuje zbyt wiele energii! Pot leje się ze mnie ciurkiem. Stale wycieram czoło wierzchem dłoni, aby pot nie zalał mi całkiem oczu. Jadąc tak w nieskończoność, ani na sekundę nie odrywam oczu od drogi.

Nadchodzi wieczór, pojawiają się światła, jesteśmy w Maralalu. Ledwo mogę w to uwierzyć, gdyż zupełnie straciłam poczucie czasu. Parkuję przed schroniskiem, wyłączam silnik i spoglądam na Lketingę. Czuję, jak moje ciało staje się bardzo lekkie. A potem jest już tylko ciemno.

W SZPITALU

Otwieram oczy przekonana, że oto nareszcie budzę się ze złego snu. Ale gdy spoglądam wokół siebie, dochodzę do wniosku, iż krzyki i jęki są rzeczywiste. Leżę w szpitalu i znajduję się w olbrzymiej sali, w której łóżko stoi obok łóżka. Na lewo ode mnie leży stara, wyniszczona kobieta Samburu, a po prawej stronie stoi różowo-czerwone łóżeczko ze szczeblami, w które uderza jakieś dziecko i krzyczy. Gdziekolwiek spojrzę, wszędzie ludzka nędza. Dlaczego jestem w szpitalu? Nie pojmuję, w jaki sposób dostałam się tutaj. Gdzie jest Lketinga? Wpadam w panikę. Jak długo tu już jestem? Na dworze świeci słońce. Moje łóżko ma żelazną ramę, cienki materac i brudną, szarawą pościel. Przechodzi dwóch młodych lekarzy w białych kitlach. *Hello!* Macham ręką. Mówię za cicho. Jęki mnie zagłuszają, a podnieść się nie mam siły, gdyż mam za ciężką głowę. Łzy napływają mi się do oczu. Co to wszystko ma znaczyć? Gdzie jest Lketinga?

Kobieta Samburu mówi coś do mnie, nic jednak nie rozumiem. Potem nagle widzę nadchodzącego Lketingę. Jego widok uspokaja mnie i podnosi na duchu. *Hello, Corinne, how you feel now?* Próbuję się uśmiechnąć i odpowiadam, że czuję się całkiem nieźle. Opowiada mi, jak to zaraz po naszym przyjeździe straciłam przytomność. Szefowa schroniska od razu wezwała karetkę pogotowia, i tak od wczoraj wieczór jestem tutaj. Siedział przy mnie całą noc, ale nie ocknęłam się ani razu. Lekarz dał mi zastrzyk.

Po jakimś czasie obaj miejscowi medycy stają przy moim łóżku. Mam ostrą malarię, ale niewiele mogą dla mnie zrobić, gdyż brakuje im lekarstw. Dostaję jedynie pigułki. Mam dużo jeść i spać. Już przy samym słowie jedzenie robi mi się niedobrze, a o spaniu wśród tych jęków i krzyku dzieci też pewnie mogę zapomnieć. Lketinga siedzi na brzegu łóżka i patrzy na mnie bezradnie.

Nagle dociera do mnie przenikliwy zapach kapusty. Żołądek podchodzi mi do gardła. Potrzebuję jakiegoś pojemnika. Zrozpaczona chwytam za dzban z wodą i wymiotuję. Lketinga trzyma dzban i podtrzymuje mnie, sama nie dałabym rady. Natychmiast pojawia się obok nas ciemna pielęgniarka, wyrywa mi dzban i zastępuje go kubłem. „Co z tym robisz? To jest do wody pitnej!" – wyjeżdża na mnie z pyskiem. Czuję się podle. Nieprzyjemny zapach dobiega od wózka z jedzeniem, na którym stoją blaszane miski, napełniane papką z ryżu i kapusty. Przy każdym łóżku stawiana jest jedna miska. Całkowicie wycieńczona wymiotowaniem leżę na pryczy i zatykam ramieniem nos. Nie mogę jeść. Przed jakąś godziną dostałam pierwsze tabletki i powoli zaczyna mnie wszystko swędzieć. Jak dzika drapię się po całym ciele. Lketinga zauważa plamy i pryszcze na mej twarzy. Podnoszę spódnicę i odkrywamy, że również nogi mam pokryte pryszczami. Lketinga sprowadza lekarza. Widocznie mam uczulenie na to lekarstwo. Nie może mi jednak w tej chwili dać niczego innego, ponieważ wszystko zostało zużyte, codziennie czekają na dostawę z Nairobi.

Koło wieczoru Lketinga mnie opuszcza. Chce coś zjeść i zobaczyć, czy nie spotka może kogoś ze swoich, żeby dowiedzieć się, kiedy zaczyna się wielkie święto. Śmiertelnie zmęczona marzę tylko o śnie. Cała jestem zlana potem, a termometr wskazuje czterdzieści jeden stopni gorączki. Piłam dużo wody i teraz czuję potrzebę udania się do toalety. Ale jak ja tam dojdę? Ubikacja znajduje się jakieś trzydzieści metrów od wejścia do sali. Jak mam przebyć tak długą drogę? Pomału stawiam stopy na podłodze i wsuwam je w plastikowe sandały. Następnie podciągam się na ramie łóżka. Nogi mi drżą, ledwo mogę na nich ustać. Biorę się w garść, gdyż w żadnym razie nie chciałabym teraz upaść. Opierając się o łóżka, docieram do wyjścia. Trzydzieści metrów wydaje się nieskończonością, a ostatni odcinek przebywam na czworakach, gdyż nie mam się czego trzymać. Zaciskam zęby i ostatkiem sił docieram do ubikacji. Tutaj jednak nie można nawet usiąść, wprost przeciwnie, muszę kucnąć. Jakoś trzymam się ścian z kamienia.

Uświadamiam sobie, co to takiego malaria, gdy dociera do mnie, jak straszliwie jestem osłabiona, ja, która jeszcze nigdy nie byłam tak naprawdę chora. Przed drzwiami stoi Masajka w zaawansowanej ciąży. Gdy spostrzega, że nie puszczam drzwi, ponieważ inaczej bym upadła, bez słowa pomaga mi dotrzeć do wejścia na salę. Jestem jej tak wdzięczna, że łzy lecą mi po twarzy. Z trudem wlokę się do łóżka i zanoszę się płaczem. Przychodzi siostra i pyta, czy coś mnie boli. Potrząsam głową i czuję się jeszcze nędzniej. Nie wiem, kiedy wreszcie zasypiam.

Budzę się w nocy. Dziecko w łóżeczku krzyczy przeraźliwie i uderza głową o szczeble. Nikt się nie zjawia, a ja o mało nie dostaję obłędu. Jestem tu już cztery dni i czuję się nadal kiepsko. Lketinga często mnie odwiedza. Także i on nie wygląda najlepiej, chce jechać do domu, ale tylko razem ze mną, gdyż boi się, że umrę. Poza witaminami nadal jeszcze niczego nie jadłam. Siostry stale złoszczą się na mnie, ale za każdym razem, gdy wezmę coś do ust, wymiotuję. Potwornie boli mnie żołądek. Pewnego razu Lketinga przynosi mi całą nogę kozy, pięknie upieczoną, i rozpaczliwie prosi, abym ją zjadła, a wtedy na pewno wyzdrowieję. Ale nie mogę. Zawiedziony wychodzi.

Piątego dnia zjawia się Jutta, gdyż doszły ją słuchy, że jakaś biała jest w szpitalu. Gdy mnie zobaczyła, upadła z przerażenia. Muszę natychmiast się przenieść do szpitala misyjnego w Wambie. Nie pojmuję, dlaczego mam iść do innego szpitala, wszędzie jest przecież tak samo. Tak czy inaczej, nie wytrzymam czteroipółgodzinnej jazdy. „Gdybyś mogła siebie zobaczyć, zrozumiałabyś dlaczego. Pięć dni i nic ci jeszcze nie dali? Tak więc jesteś dla nich mniej warta niż koza. Być może wcale nie chcą ci pomóc" – oświadcza. „Jutto, proszę, zabierz mnie do schroniska. Nie chcę tutaj umrzeć, a do Wamby nie dojadę po tych drogach, nie mogę nawet siedzieć". Jutta rozmawia z lekarzami. Nie chcą mnie wypuścić. Dopiero gdy podpisuję świstek, że wychodzę na własną odpowiedzialność, zgadzają się.

Jutta szuka Lketingi, aby pomógł doprowadzić mnie do schroniska. Biorą mnie w środek, i tak idziemy powoli do miasteczka. Wszędzie zatrzymują się ludzie i gapią się na nas. Wstydzę się, że taką bezradną wloką mnie przez całe miasto.

Lecz będę walczyła, by przeżyć. Dlatego proszę, aby zaprowadzili mnie do somalijskiej restauracji, spróbuję tam zjeść porcję wątróbki. Restauracja leży w odległości dwustu metrów, a nogi uginają się pode mną. Nieustannie powtarzam sobie: „Corinne, dasz sobie radę! Musisz tam dojść!". Wyczerpana, lecz dumna, siadam. Somalijczyk jest również przerażony, gdy mnie widzi. Zamawiamy wątróbkę. Żołądek się buntuje, gdy spoglądam na talerz. Zbieram siły, przezwyciężam się i wolno zaczynam jeść. Po dwóch godzinach talerz jest prawie pusty, a ja wmawiam sobie, że czuję się fantastycznie. Lketinga jest zadowolony i idziemy w trójkę do schroniska, gdzie Jutta żegna się z nami. Mówi, że jutro albo pojutrze znowu do mnie zajrzy. Przez całe pozostałe popołudnie siedzę w słońcu przed schroniskiem. Jak pięknie jest czuć ciepło.

Wieczorem leżę w łóżku, powoli jem marchewkę i jestem dumna ze swoich postępów. Żołądek uspokoił się, przyjmuje teraz wszystko, co zjem. Corinne, teraz tylko do przodu, myślę pełna ufności i zasypiam. Wcześnie rano Lketinga dowiaduje się, że ceremonia właśnie się zaczęła. Jest przejęty i chcę natychmiast wyruszać. Nie jestem jednak w stanie jechać tak daleko, a jeśli pójdzie sam na piechotę, to i tak dopiero następnego dnia będzie na miejscu. Myśli dużo o swojej mamie, która czeka zrozpaczona i nie wie, co się z nim dzieje. Przyrzekam mu, że jutro ruszamy w drogę. Mam więc jeszcze jeden pełny dzień na zebranie sił, abym przynajmniej mogła utrzymać w dłoniach kierownicę. Jak już znajdziemy się poza Maralalem, Lketinga mógłby ewentualnie prowadzić, ale tutaj jest to zbyt niebezpieczne z powodu policji.

Ponownie udajemy się do Somalijczyka, gdzie zamawiam to samo jedzenie. Dzisiaj udało mi się prawie całą drogę przebyć bez niczyjej pomocy. Z jedzeniem też mi idzie znacznie lepiej. Czuję, jak powoli moje ciało budzi się do życia. Brzuch mam teraz płaski, już nie wklęsły. W schronisku, po raz pierwszy od dawna, przyglądam się sobie w lustrze. Bardzo zmieniła mi się twarz. Oczy są takie ogromne, a kości policzkowe tak wystają. Zanim wyruszamy, Lketinga kupuje jeszcze parę kilogramów tytoniu do żucia i cukru, a ja załatwiam ryż i owoce. Pierwsze kilometry są dla mnie szczególnie ciężkie, gdyż stale muszę zmieniać biegi z pierwszego na drugi, tracąc przy tym mnóstwo energii na wciskanie sprzęgła. Siedzący obok Lketinga pomaga mi, naciskając ręką na moje udo. Ponownie jadę jak w transie i po wielu godzinach docieramy do miejsca uroczystości.

CEREMONIA

Chociaż jestem całkowicie wyczerpana, porywa mnie imponujący widok wielkiego *kraalu*. Z niczego kobiety zbudowały nową wioskę, przeszło pięćdziesiąt *manyatt*. Wszystko tętni życiem, a nad każdą chatą unosi się dym. Lketinga szuka najpierw *manyatty* mamy, a ja czekam przy landrowerze. Nogi mi drżą, a wychudłe ramiona bolą. W ciągu krótkiego czasu gromadzą się wokół dzieci, kobiety i starcy i wytrzeszczają na mnie oczy. Liczę na to, że Lketinga zaraz wróci. I rzeczywiście, pojawia się w towarzystwie mamy, która mierząc mnie wzrokiem, ma posępną twarz. *Corinne, jambo... wewe malaria?* Kiwam głową i przełykam napływające łzy.

Wyładowujemy wszystko i zostawiamy zamknięty samochód przed *kraalem*. Musimy przejść obok mniej więcej piętnastu *manyatt*, zanim docieramy do tej, która należy do mamy. Cała droga jest usiana krowimi plackami. Naturalnie wszyscy sprowadzili swoje zwierzęta, które teraz pasą się w drodze i dopiero wieczorem wrócą do zagród. Pijemy herbatę, a mama rozmawia z rozgorączkowanym Lketingą. Później dowiaduję się, że przegapiliśmy dwa z trzech dni świątecznych. Mój *darling* jest zawiedziony i sprawia wrażenie zakłopotanego. Współczuję mu. Ma się zebrać rada starszych, która ustali, czy Lketinga zostanie dopuszczony do ceremonii i jak to będzie z nim dalej. Mama, również należąca do tej rady, wychodzi, aby spotykać się z najważniejszymi mężczyznami.

Uroczystości zaczną się dopiero po zapadnięciu zmroku, kiedy zwierzęta będą już z powrotem. Siedząc przed *manyattą*, przyglądam się całemu zamieszaniu. Dwaj wojownicy opowiadają Lketindze o wszystkim, co się wydarzyło, przystrajając go jednocześnie i malując artystycznie. W *kraalu* panuje niesamowite napięcie. Czuję się wyłączona z wszystkiego i zapomniana, gdyż od kilku godzin nikt nie odezwał się do mnie ani słowem. Niebawem nadejdą krowy i kozy, a potem zapadnie noc. Wraca mama i omawia z Lketingą całą sytuację. Wygląda, jakby była nieco podpita. Starszyzna pije w dużych ilościach piwo warzone domowym sposobem.

Chcę się w końcu dowiedzieć, co zostało ustalone. Lketinga wyjaśnia mi, że musi zabić dla starszyzny dużego wołu albo pięć kóz. Wtedy będą gotowi dopuścić go do ceremonii. Dziś w nocy udzielą mu przed chatą mamy swego błogosławieństwa i będzie mógł poprowadzić taniec wojowników, aby wszyscy dowiedzieli się oficjalnie, że to rażące spóźnienie, które normalnie oznaczałoby wykluczenie z ceremonii, zostało mu wybaczone. Kamień spada mi z serca. Lketinga mówi, że w chwili obecnej nie ma pięciu odpowiednich kóz, tylko najwyżej dwie, pozostałe będą miały koźlęta, tych nie wolno zabijać.

Proponuję, aby odkupił kozy od krewnych. Wyciągam zwitek pieniędzy i wręczam mu. Początkowo nie chce wziąć, ponieważ wie, iż dzisiaj każda koza kosztuje podwójnie, ale mama energicznie go przekonuje. Lketinga chowa pieniądze i opuszcza chatę przy pierwszych dźwiękach dzwonków obwieszczających powrót zwierząt. *Manyatta* z wolna napełnia się kobietami. Mama gotuje *ugali*, potrawę z kukurydzy, i dużo się rozmawia. Ogień tylko nieznacznie rozjaśnia chatę. Od czasu do czasu któraś z kobiet próbuje wdać się ze mną w rozmowę. Jakaś młoda kobieta z małym dzieckiem siedzi obok i podziwia moje ręce obwieszone malajskimi ozdobami, a później odważa się dotknąć moich długich, gładkich włosów. Rozlega się śmiech, a ona pokazuje na swą łysą czaszkę, ozdobioną tylko przepaską z pereł. Potrząsam głową. Ciężko przychodzi mi wyobrazić sobie siebie z całkowitą łysiną.

Na dworze jest już bardzo ciemno, gdy dobiega mnie odgłos chrząkania. Jest to typowy pomruk, jaki wydają z siebie podnieceni mężczyźni, czy to gdy grozi im niebezpieczeństwo, czy też gdy uprawiają seks. W jednej sekundzie zapada w chacie całkowita cisza. Mój wojownik wsuwa głowę do środka, znika jednak od razu, widząc tyle kobiet. Słyszę nasilające się głosy. Nagle rozlega się krzyk, a następnie z wielu gardeł wydobywa się coś w rodzaju nucenia albo burczenia. Zaciekawiona wyczołguję się na dwór i jestem zaskoczona, jak wielu wojowników i młodych dziewcząt zebrało się do tańca przed naszą chatą. Wojownicy są pięknie pomalowani, a na biodrach mają chusty. Ich ciała są obnażone do pasa i przyozdobione sznurami pereł. Czerwone malunki przebiegają od szyi do środka piersi i kończą się szpicem. Przynajmniej trzy tuziny wojowników porusza ciałami w równym rytmie. Dziewczęta – częściowo bardzo młode, od dziewięcioletnich po piętnastoletnie – tańczą w jednym rzędzie, zwrócone twarzami do mężczyzn, ruszając do rytmu głowami. Stopniowo, bardzo powoli, rytm przyspiesza. Po godzinie pierwsi wojownicy zaczynają podskakiwać, wykonując typowe dla Masajów skoki.

Lketinga wygląda wspaniale. Skacze jak sprężyna, ciągle wyżej i wyżej. Długie włosy łopocą przy każdym podskoku, nagi tułów lśni od potu. W blasku rozgwieżdżonego nieba wszystko widać niewyraźnie, za to atmosfera przesycona jest erotyką, która nasila się podczas trwającego całymi godzinami tańca. Wojownicy mają poważne twarze i wzrok utkwiony przed siebie. Niekiedy rozlega się dziki okrzyk albo jakiś solista coś śpiewa, a wtedy pozostali przyłączają się do niego. Jest fantastycznie. Na całe godziny zapominam o chorobie i zmęczeniu.

Dziewczyny wybierają sobie coraz to innego wojownika, przed którym kołyszą nagimi piersiami i wielkimi naszyjnikami. Widząc je, ogarnia mnie smutek, gdyż staje się dla mnie jasne, że ja, z tymi swymi dwudziestoma siedmioma latami, tutaj jestem już stara. Być może później Lketinga weźmie sobie jedną z tych młodych dziewcząt za drugą żonę. Udręczona zazdrością, czuję się nie na miejscu i wykluczona ze wspólnoty.

Grupa formuje się do czegoś w rodzaju poloneza, a Lketinga dumnie prowadzi kolumnę. Wygląda dziko i nieprzystępnie. Powoli taniec dobiega końca. Dziewczyny, chichocząc, odchodzą nieco na bok, a starszyzna, otulona wełnianymi kocami, siedzi w kręgu na ziemi. *Moranowie* również tworzą krąg. Teraz starszyzna udziela błogosławieństwa. Jeden z nich mówi całe zdanie, a wszyscy odpowiadają *enkai*, masajskie słowo określające Boga. Powtarza się to przez pół godziny, a potem wspólna uroczystość na dziś dobiega końca. Lketinga podchodzi do mnie i mówi, żebym poszła z mamą spać; on udaje się z innymi wojownikami do buszu, gdzie zabiją kozę. Spania nie będzie, tylko rozmowy o starych i nadchodzących czasach. Dobrze rozumiem, co ma na myśli, i życzę mu wspaniałej nocy.

W przepełnionej *manyatce* układam się najwygodniej, jak mogę. Długo nie mogę zasnąć, gdyż zewsząd słychać głosy. W oddali ryczą lwy, sporadycznie beczą kozy. Modlę się, abym szybko wróciła do sił.

O szóstej rano pobudka. Tyle zwierząt zgromadzonych w jednym miejscu powoduje wielki hałas. Mama wychodzi, aby wydoić nasze kozy i krowy. Robimy herbatę. Siedzę otulona w koc, gdyż jest mi zimno. Niecierpliwie czekam na Lketingę. Od dawna muszę iść do ubikacji, ale przy tylu ludziach nie mam odwagi opuścić *kraalu*. Każdy będzie patrzył za mną, szczególnie dzieci, które stale są w pobliżu, gdy tylko zrobię parę kroków bez Lketingi.

W końcu przychodzi. Z promiennym uśmiechem wsuwa głowę do chaty. *Hello, Corinne, how are you?* – wita się ze mną, odwijając przy tym swą drugą *kangę* i podając mi zapakowaną w liście, upieczoną nogę owcy. – *Corinne, now you eat slowly, after malaria this is very good.* To pięknie, że pomyślał o mnie, ponieważ nie jest to normalne, aby wojownik przynosił swojej narzeczonej gotowe, upieczone mięso. Gdy niezdecydowana trzymam nogę w ręce, siada obok mnie i odcina swoim wielkim nożem małe, łatwe do przełknięcia kawałki. Wcale nie mam ochoty na mięso, jednak niczego innego nie ma, a jeść przecież muszę, jeśli chcę być silna. Zmuszam się, by zjeść kilka kęsów i Lketinga jest zadowolony. Pytam, gdzie moglibyśmy się umyć, co go bardzo rozbawiło, mówi, że rzeka jest bardzo daleko, że nawet samochodem do niej nie dotrzemy. Kobiety przynoszą tylko wodę potrzebną na herbatę, na więcej nie starcza. Tak więc z myciem musimy poczekać jeszcze kilka dni. Robi mi się nieprzyjemnie, gdy o tym pomyślę. Za to prawie nie ma komarów, tylko mnóstwo much. Kiedy myję zęby przed *manyattą*, przyglądają mi się z zaciekawieniem, emocje widzów sięgają zenitu, gdy wypluwam pianę. Teraz to z kolei ja muszę się śmiać.

Tego dnia na środku placu zabijają wołu. Okropne widowisko. Sześciu mężczyzn usiłuje przewrócić zwierzę na ziemię, co wcale nie jest proste, gdyż śmiertelnie przerażony wół rzuca łbem na wszystkie strony. Dopiero po wielu próbach udaje się dwóm wojownikom chwycić go za rogi i przekręcić łeb na bok, a wtedy pomału pada na ziemię. Natychmiast krępują mu nogi. Trzech ludzie zajmuje się duszeniem wołu, podczas gdy pozostali trzymają go za kończyny. Straszne. Jednakże dla Masajów jest to jedyny sposób zabijania zwierząt. Gdy wół przestaje się wreszcie ruszać, otwierają mu tętnicę i wszyscy stojący wokół mężczyźni chcą się napić krwi. Musi to być przysmak, gdyż robi się prawdziwy tłok. Potem następuje ćwiartowanie. Starcy i dzieci ustawiają się w kolejce, aby dostać swą część. Najlepsze kawałki przypadają starym mężczyznom, dopiero później obsługiwane są kobiety i dzieci. Po czterech godzinach nie zostaje z wołu nic poza kałużą krwi i rozpiętą skórą. Kobiety wycofały się do chat i gotują. Starszyzna siedzi w cieniu pod drzewami, pije piwo i czeka na swoje porcje.

Późnym popołudniem słyszę odgłos silnika i po chwili pojawia się Giuliano na motocyklu. Witam się z nim radośnie. Słyszał, że jestem tutaj i że mam malarię, dlatego przyjechał mnie odwiedzić. Przywiózł chleb domowego wypieku i banany. Ucieszona czuję się, jakby przyszedł do mnie Święty Mikołaj z prezentami. Opowiadam mu o całej mej biedzie, od niedoszłego ślubu po malarię. Radzi mi, abym natychmiast jechała do Wamby albo z powrotem do Szwajcarii, aby wrócić do sił, bo z malarią nie ma żartów. Mówiąc te słowa, patrzy na mnie stanowczym wzrokiem i wreszcie dociera do mnie, że wcale nie jestem jeszcze zdrowa. Potem wsiada na motocykl i pędzi z powrotem. Myślę o domu, o matce i o ciepłej kąpieli. Tak, to byłoby rzeczywiście wspaniałe! Wprawdzie nie tak dawno byłam w Szwajcarii, wydaje mi się, jakby upłynęła od tego czasu już cała wieczność. Na widok mojego ukochanego od razu zapominam o Szwajcarii. Pyta się o stan mego zdrowia, a ja opowiadam mu o odwiedzinach ojca misjonarza, który poinformował mnie, że dziś uczniowie z Maralalu zostaną puszczeni do domu i że część z nich ojciec Roberto przywiezie tutaj swoim pojazdem. Gdy mama dowiaduje się o tym, żywi głęboką nadzieję, że James będzie wśród nich. Ja również cieszę się, że będę mogła przez dwa tygodnie rozmawiać po angielsku.

Co jakiś czas jem kilka kawałków mięsa, z których jednak muszę najpierw przepłoszyć chmary much. Woda pitna nie wygląda jak woda, tylko raczej przypomina kakao. Nie pozostaje mi jednak nic innego, jak pić ją, jeśli nie chcę umrzeć z pragnienia. Mleka nie dostaję, gdyż mama uważa, że po malarii jest to bardzo niebezpieczne, mógłby nastąpić nawrót choroby.

Przybywają pierwsi chłopcy ze szkoły i James jest pośród nich, a także dwaj jego przyjaciele. Wszyscy ubrani tak samo: krótkie szare spodnie, jasnoniebieska koszula i ciemnoniebieski pulower. Pozdrawia mnie serdecznie, natomiast swą matkę z pełnym szacunkiem. Podczas wspólnego picia herbaty obserwuję chłopców i dostrzegam, jak bardzo różnią się od Lketingi i jego rówieśników. Nie bardzo pasują do tych *manyatt*. James przygląda mi się i mówi, że słyszał w Maralalu, iż mam malarię. Podziwia mnie, że jako biała jestem w stanie żyć w *manyatcie* jego matki. On, który jest przecież Samburu, zawsze ma na początku problemy, gdy przyjeżdża na ferie szkolne do domu. Wszystko jest tutaj takie brudne i ciasne.

Chłopcy wnoszą dużo urozmaicenia, dzień upływa mi jak z bicza trzasł. Oto już krowy i kozy wracają do zagród. Wieczorem odbywa się wielka potańcówka. Nawet stare kobiety tańczą, jednakże tylko między sobą. Poza *kraalem* tańczą również chłopcy, częściowo ubrani w swoje szkolne uniformy. Wygląda to śmiesznie. Późno w nocy ponownie zbierają się królowie uroczystości – wojownicy. James stoi obok i nagrywa ich śpiewy na magnetofon. Sama bym na to nie wpadła. Po dwóch godzinach kaseta jest nagrana. Taniec wojowników staje się coraz dzikszy. Nagle jeden z nich wpada w coś w rodzaju odurzenia. Ekstatycznie trzęsie się, w końcu pada na ziemię i głośno krzycząc, wierzga nogami i rękami. Dwaj wojownicy odłączają się od grupy tańczących i przemocą przytrzymują go na ziemi. Podniecona podchodzę do Jamesa i pytam, co się stało. Odpowiada, że ten *moran* wypił najprawdopodobniej zbyt dużo krwi i poprzez taniec wpadł w trans. Teraz walczy z urojonym lwem, ale nie stanie mu się nic złego, ponieważ pilnują go i za jakiś czas znowu wróci do normy. Krzycząc, mężczyzna tarza się po ziemi. Oczy ma wbite w niebo, a z ust toczy pianę. Wygląda to okropnie. Mam nadzieję, że coś takiego nie przydarzy się Lketindze. Poza dwoma strażnikami nikt nie troszczy się o leżącego wojownika, uroczystość biegnie dalej. Także i ja po chwili odwracam wzrok ku Lketindze i patrzę, jak elegancko podskakuje. Po raz ostatni rozkoszuję się tym widokiem, gdyż dziś w nocy oficjalnie kończy się już święto.

Mama siedzi podpita w *manyatcie*. Chłopcy włączają magnetofon i wszyscy dziwią się niezmiernie. Zaciekawieni wojownicy zbierają się wokół urządzenia, które James stawia na ziemi. Lketinga pierwszy orientuje się, o co chodzi, i promienieje na twarzy, gdy rozpoznaje poszczególnych *moranów* po krzyku albo śpiewie. Jedni stoją bez ruchu z wytrzeszczonymi oczami, inni zaś obmacują urządzenie. Lketinga bierze z dumą magnetofon na ramię i niektórzy wojownicy zaczynają na nowo tańczyć.

Robi się zimno, więc idę do *manyatty*. James będzie spał u swojego kolegi, a mój *darling* udaje się z innymi do buszu. Ponownie zewsząd dobiegają mnie odgłosy, które przeszkadzają mi zasnąć. Wejście do szałasu nie jest zakryte, tak więc widzę nogi przechodzących ludzi. Cieszę się, że wkrótce wrócimy do Barsaloi. Wszystkie moje rzeczy cuchną dymem i są brudne. Również ciało domaga się umycia, nie wspominając już o włosach.

Wcześnie rano chłopcy są w *manyatcie* przed Lketingą. Mama gotuje właśnie herbatę, gdy Lketinga wsadza głowę do środka. Widząc chłopców, mówi coś do nich ze złością. Mama odpowiada coś i młodzieńcy opuszczają *manyattę*, nie wypiwszy herbaty. Ich miejsca zajmują Lketinga i jego towarzysz. „W czym jest problem, *darling*?" – pytam nieco zdezorientowana. Po dłuższej chwili wyjaśnia mi, że to jest szałas dla wojowników i że nie obrzezani chłopcy nie mają tu wstępu. Aby coś zjeść lub wypić, James musi poszukać sobie innego szałasu, takiego, gdzie kobieta nie ma syna w wieku wojownika, tylko w jego wieku. Mama milczy uparcie. Jestem zawiedziona, że muszę zrezygnować z pogadania sobie po angielsku, a ponadto współczuję chłopcom. Jednakże muszę akceptować takie obyczaje.

Pytam, jak długo tu jeszcze zostaniemy. Jakieś dwa, trzy dni, brzmi odpowiedź, potem każda rodzina wraca do siebie. Jestem przerażona, że jeszcze tak długo będę musiała wytrzymać bez wody, pośród krowich placków i uciążliwych much. Ponownie myślę o Szwajcarii. Nadal czuję się słaba. Za potrzebą chodzę do buszu, ale nie mam siły zrobić więcej niż kilka kroków. Ponadto chciałabym wieść normalne życie z moim ukochanym.

Po południu zagląda do nas Giuliano i przynosi mi kilka bananów i list od matki, który podnosi mnie na duchu, pomimo że matka bardzo się o mnie martwi, gdyż długo nie dawałam znaku życia. Rozmawiam chwilę z misjonarzem, i już go nie ma. Wykorzystuję wolny czas, pisząc odpowiedź. O chorobie wspominam tylko na marginesie i bagatelizuję ją, aby nie martwić matki. Daję jednak do zrozumienia, że mogę wkrótce przybyć do Szwajcarii. List oddam w misji, gdy wrócimy do domu. Matka dostanie go za trzy tygodnie.

W końcu wyruszamy. Wszystko jest szybko zapakowane. Jak najwięcej rzeczy umieszczamy w landrowerze, resztą mama objucza dwa osiołki. Naturalnie jesteśmy długo przed nią w Barsaloi. Od razu kieruję się nad rzekę. Ponieważ Lketinga nie chce zostawić auta bez nadzoru, jedziemy wyschniętym korytem dalej, gdzie nikt nam nie będzie przeszkadzał. Ściągam z siebie przesiąknięte dymem ubranie i myjemy się dokładnie. Zabarwiona na czarno piana mydlana ścieka mi po ciele. Skórę mam pokrytą grubą warstwą sadzy. Lketinga cierpliwie myje mi kilka razy włosy.

Długo nie oglądałam siebie nago, dlatego też teraz rzucają mi się w oczy moje wychudzone nogi. Po umyciu czuję się jak nowo narodzona. Owijam się *kangą* i zabieram się do prania rzeczy. Jak zawsze, spieranie brudu zimną wodą przychodzi z trudem, jednak przy dosta-

146

tecznej ilości Omo jako tako mi się to udaje. Lketinga pomaga mi. Piorąc moje spódnice, podkoszulki, a nawet majtki, dowodzi, jak bardzo mnie kocha. Żaden inny mężczyzna nie wyprałby nigdy rzeczy kobiety. Rozkoszuję się naszym sam na sam. Mokre ubrania rozwieszamy na krzakach albo kładziemy na rozgrzanych skałach. Siadamy w słońcu, ja w *kandze*, a Lketinga całkowicie nagi. Wyciąga lusterko i patyczkiem maluje świeżo umytą twarz pomarańczową ochrą. Jego długie, eleganckie palce robią to tak starannie, że przyglądanie się mu sprawia mi prawdziwą przyjemność. Wygląda fantastycznie. Czuję, jak wreszcie po tylu dniach budzi się we mnie znowu pożądanie. Spogląda na mnie ze śmiechem: „Co tak patrzysz na mnie, Corinne?". „Ślicznie, bardzo pięknie" – wyjaśniam. Lketinga kręci tylko głową i odpowiada, że czegoś takiego nie wolno mówić, bo to przynosi człowiekowi pecha.

Ubrania szybko schną. Zbieramy wszystko i wyruszamy. Zatrzymujemy się w wiosce i zachodzimy do herbaciarni, w której oprócz herbaty można dostać *mandazi*, niewielkie placki kukurydziane. Herbaciarnia jest skrzyżowaniem baraku z dużą *manyattą*. Na ziemi znajdują się dwa paleniska, na których gotuje się herbatę. Deski wzdłuż ścian służą za ławki do siedzenia. W środku siedzą trzej starsi mężczyźni i dwaj *moranowie*. Pozdrowienie brzmi: *Supa moran!*, na co odpowiedzią jest: *Supa*. Zamawiamy herbatę i podczas gdy dwaj wojownicy bacznie mi się przyglądają, Lketinga zagaja rozmowę, używając do tego zdań, które już rozumiem. Każdego nieznajomego pyta się tutaj o nazwisko, teren, na którym mieszka, o to, jak się wiedzie jego rodzinie i zwierzętom, skąd właśnie przybywa i dokąd zmierza. Następnie omawia się wydarzenia, które miały miejsce. Zastępuje to w buszu gazetę albo telefon. Gdy poruszamy się pieszo, z każdą napotkaną osobą rozmawia się właśnie w ten sposób. Obaj wojownicy chcą jeszcze wiedzieć, kim jest ta *mzungu*. I na tym rozmowa się kończy. Opuszczamy herbaciarnię.

Mama zdążyła tymczasem wrócić i zajmuje się łataniem i naprawianiem starej *manyatty*. Dach zostaje wzmocniony kartonami i sizalowymi matami, gdyż chwilowo brakuje krowiego łajna. Lketinga udaje się z Jamesem do buszu, aby naścinać trochę ciernistych krzaków. Chcą zreperować i podwyższyć ogrodzenie. Ludzi, którzy pozostali na czas święta w Barsaloi, odwiedziły dwa lwy i porwały kilka kóz. Przybyły nocą i przeskoczyły cierniste ogrodzenie, a następnie schwytały kozy i bez śladu znikły w ciemnościach. Jako że w wiosce nie było wojowników, nie zorganizowano pościgu. Natychmiast jednak podwyższono ogrodzenie. Cała okolica mówi o tym wydarzeniu. Trzeba się mieć na baczności, gdyż lwy z pewnością wrócą. Z naszym *kraalem* nie pójdzie im tak łatwo, gdyż decydujemy się zaparkować landrowera obok chaty, i w ten sposób zastawiamy połowę placu. Pod wieczór wracają nasze zwierzęta. Z powodu szwajcarskiego dzwonka słychać je już z daleka. Wychodzimy z Lketingą im naprzeciw. Jest to piękne widowisko, gdy zwierzęta przepychają się do zagrody, najpierw kozy, a za nimi krowy. Nasza wieczerza składa się z *ugali*. Lketinga je dopiero późno w nocy, kiedy wszyscy już śpią. Nareszcie możemy się pokochać. Musi się to odbywać po cichu, gdyż mama i Saguna śpią półtora metra obok. Mimo wszystko pięknie jest czuć jedwabistą skórę Lketingi i jego podniecenie. Po stosunku Lketinga szepcze: „Teraz będziesz miała dziecko". Gdy słyszą, z jakim przekonaniem to mówi, nie mogę powstrzymać śmiechu. Jednocześnie uświadamiam sobie, że już od dawna nie miałam okresu. Przypisuję to jednak raczej nadszarpniętemu zdrowiu niż ciąży. Myśląc o dziecku, zasypiam szczęśliwa.

W nocy budzę się i czuję ssanie w żołądku. W chwilę potem czuję, że dostaję rozwolnienia. Wpadam w panikę. Ostrożnie szturcham Lketingę, ten jednak mocno śpi. Mój Boże, przecież w życiu nie znajdę tego przejścia w ogrodzeniu! Poza tym być może lwy są w pobliżu. Bezgłośnie wyczołguję się z *manyatty* i rozglądam dookoła, sprawdzając, czy nie ma kogoś w pobliżu. Następnie kucam za landrowerem i już leje się ze mnie. Nie widać końca. Strasznie się wstydzę, gdyż wiem, jak poważnym występkiem jest załatwianie tego typu potrzeby w obrębie *kraalu*. W żadnym wypadku nie wolno mi używać papieru, tak więc podcieram się majtkami, które ukrywam w podwoziu landrovera. Przysypuję wszystko piaskiem, pełna nadziei, że rano nie będzie śladu po tym koszmarnym śnie. Nieśmiało wczołguję się z powrotem do *manyatty*. Nikt się nie przebudził, tylko Lketinga raz chrząknął.

Żeby tylko znowu mnie nie przycisnęło! Do rana wszystko jest w porządku, potem muszę pośpiesznie zniknąć w buszu. Biegunka nie ustaje, drżą mi nogi. Po powrócie do *kraalu* zaglądam dyskretnie za landrowera i stwierdzam z ulgą, że po moim nocnym nieszczęściu nie ma nawet śladu. Prawdopodobnie jakiś wałęsający się pies załatwił całą sprawę. Opowiadam Lketindze, że mam kłopoty z żołądkiem i zamierzam zapytać w misji o lekarstwa. Mimo że biorę węgiel, biegunka nie ustępuje przez cały dzień. Mama przynosi piwo domowego wyrobu, którego litr mam wypić. Piwo wygląda okropnie, i tak też smakuje. Na szczęście po dwóch kubkach alkohol zaczyna działać i połowę dnia spędzam w półśnie.

W pewnym momencie nadchodzą chłopcy. Lketinga jest we wsi, mogę więc z czystym sumieniem cieszyć się rozmową z nimi. Mówimy o tym i owym, o Szwajcarii, o mojej rodzinie i jak się spodziewam, rychłym ślubie. James podziwia mnie i jest dumny, że jego brat, człowiek niełatwy w pożyciu, dostanie białą, dobrą kobietę. Dużo opowiadają o surowej szkole i o tym, jak odmienia się życie, jeśli ktoś ma możność się uczyć. Wiele rzeczy w domu stało się już dla nich niepojęte. Podają przykłady, z których wszyscy się śmiejemy.

Podczas rozmowy James pyta, dlaczego nie prowadzę jakiegoś interesu, mam przecież auto. Mogłabym transportować dla Somalijczyków kukurydzę albo worki cukru, albo mogłabym wozić ludzi. Z powodu stanu dróg nie jestem zachwycona tym pomysłem, wspominam jednak, że po ślubie chcę robić coś, co przyniesie zysk. Najchętniej otworzyłabym sklep spożywczy, ale to na razie pozostanie w sferze marzeń, gdyż obecnie jestem zbyt słaba, a poza tym najpierw musimy uzyskać zezwolenie na ślub, zanim otrzymam pozwolenie na pracę. Chłopcy są zafascynowani pomysłem otwarcia sklepu. James zapewnia, że za niecały rok, kiedy wreszcie skończy szkołę, będzie mógł mi na stałe pomagać. Propozycja jest kusząca, ale rok to kawał czasu.

Wraca Lketinga i po jakimś czasie chłopcy odchodzą pełni szacunku. Pyta, o czym to tak rozmawialiśmy. Opowiadam mu o bliżej nie skonkretyzowanym pomyśle ze sklepem. Ku mojemu zdziwieniu również i on daje się ponieść wyobraźni. Byłby to jedyny w całej okolicy masajski sklep i Somalijczycy straciliby wszystkich klientów, gdyż ludzie woleliby przychodzić do swojaka. Następnie spogląda na mnie i mówi, że to będzie kosztowało masę pieniędzy, czy mam aż tyle? Uspokajam go, że w Szwajcarii coś mi tam jeszcze zostało. Nad wszystkim jednak trzeba się dokładnie zastanowić.

POLE, POLE

W ostatnim czasie często zajmowałam się chorymi. Od dnia, gdy dzięki maści wyleczyłam ropiejący wrzód na nodze małego dziecka sąsiadki, codziennie matki przynoszą do mnie swoje dzieci, niektóre mają okropne ropnie. Czyszczę, smaruję maścią i bandażuję, jak potrafię, i każę przyjść za dwa dni. Napływ chorych jest tak duży, że już wkrótce nie mam maści i nie mogę więcej pomagać. Odsyłam kobiety do szpitala albo do misji, ale odchodzą bez słowa, nie stosując się wcale do mojej rady.

Za dwa dni uczniowie wracają do szkoły. Jestem smutna, gdyż miałam z nich dużo pociechy. Tymczasem pomysł ze sklepem dojrzał we mnie i pewnego dnia podejmuję decyzję, że jednak polecę do Szwajcarii, aby nabrać energii i przytyć kilka kilogramów. Propozycja, że Roberto albo Giuliano zabiorą mnie do Maralalu, jest nęcąca. Mogłabym tutaj zostawić landrowera i nie musiałabym tak osłabiona pokonywać sama całej tej trasy. Nie namyślając się wiele, zawiadamiam Lketingę o decyzji. Moje plany wyjazdu za dwa dni całkowicie wytrącają go z równowagi. Przyrzekam mu, że pomyślę o sklepie i że przywiozę pieniądze. Ma się tylko dowiedzieć, gdzie i jak można zdobyć jakiś lokal na sklep. Kiedy omawiam z nim to wszystko, konkretyzuje się w mej głowie wizje wspólnego sklepu. Teraz potrzebuję tylko czasu, aby wszystko przygotować i odzyskać zdrowie.

Oczywiście Lketinga znowu się boi, że chcę go opuścić. Jednakże tym razem są przy mnie chłopcy i tłumaczą mu słowo w słowo moje przyrzeczenie, że za trzy, cztery tygodnie będę tu zdrowa z powrotem. O dokładnym terminie poinformuję go, gdy tylko kupię bilet. Mówię mu, że jadę do Nairobi, licząc na łut szczęścia, i mam nadzieję, że jak najprędzej odlecę do Szwajcarii. Z ciężkim sercem się zgadza. Zostawiam mu trochę pieniędzy, jakieś trzysta franków.

Z niewielkim bagażem czekam z gromadą uczniów przed misją. Nie wiemy, kiedy wyruszymy, jednak jeśli kogoś nie będzie, przyjdzie mu później iść na piechotę. Mama i mój *darling* również są obecni.

150

Podczas gdy mama udziela Jamesowi ostatnich wskazówek, ja pocieszam Lketingę. Uważa, że miesiąc beze mnie będzie bardzo, bardzo długi. Potem pojawia się Giuliano. Pozwala mi usiąść obok siebie, a chłopcy tłoczą się z tyłu. Lketinga macha ręką i mówi na pożegnanie: „Uważaj na nasze dziecko!". Śmieję się z tego jego przekonania o mojej domniemanej ciąży. Ojciec Giuliano pędzi jak na złamanie karku. Z trudem utrzymuję równowagę. Nie rozmawiamy zbyt wiele. Kiedy mu wyjaśniam, że chcę za miesiąc przylecieć z powrotem, mówi, że potrzebowałabym przynajmniej trzech miesięcy, aby naprawdę przyjść do siebie. To jednak nie wchodzi w grę.

W Maralalu panuje chaos. Miasteczko przepełnione jest wyjeżdżającymi uczniami. Rozdziela się ich po całej Kenii, aby wymieszać różne plemiona. James ma szczęście, gdyż zostaje w Maralalu. Jeden chłopak z naszej wioski musi udać się do Nakuru, tak więc kawałek drogi pojedziemy razem. Najpierw jednak musimy zdobyć bilety. Wygląda to beznadziejnie. Wszystkie miejsca są wyprzedane na dwa dni naprzód. Kilku zamiejscowych przybyło do Maralalu odkrytymi pikapami, żeby dzięki wyśrubowanym cenom dobrze zarobić. Ale nawet u nich nie znajdujemy miejsca. Ktoś obiecuje, że może jutro o piątej rano da się coś zrobić. Rezerwujemy, ale nie dajemy pieniędzy.

Chłopak stoi bezradnie, gdyż nie wie, gdzie spędzi noc, skoro nie ma pieniędzy. Jest bardzo nieśmiały i usłużny. Stale dźwiga moją torbę podróżną. Proponuję, abyśmy poszli do znanego mi schroniska, czegoś się tam napili i zapytali o pokoje. Gospodyni pozdrawia mnie radośnie, lecz gdy pytam o dwa pokoje, kręci z ubolewaniem głową. Ponieważ jestem stałym gościem, jeden mógłby się ewentualnie wieczorem zwolnić. Pijemy herbatę i obchodzimy inne schroniska. Jestem gotowa zapłacić za chłopaka, dla mnie to żaden wydatek. Wszystko jednak jest zajęte. Tymczasem zrobiło się ciemno i zimno. Rozważam na wszystkie sposoby, czy powinnam chłopaka zakwaterować u siebie na drugim łóżku. Dla mnie nie byłby to problemem, ale co powiedzą na to ludzie? Pytam go, co zamierza robić. Wyjaśnia mi, że musi spróbować w *manyattach* poza Maralalem. Jeśli znajdzie jakąś mamę, która ma syna w jego wieku, to będzie musiała go przyjąć na noc.

Takie rozwiązanie wydaje mi się dość uciążliwe, jako że o piątej mamy jechać. Nie zastanawiając się dłużej, proponuję mu drugie łóżko, stojące przy ścianie naprzeciwko. W pierwszej chwili patrzy na mnie zmieszany i odmawia, dziękując. Mówi, że w żadnym razie nie może spać w jednym pomieszczeniu z narzeczoną wojownika, z tego wynikną tylko problemy. Śmieję się, nie biorąc tego wszystkiego zbyt poważnie, i mówię, żeby w takim razie nikomu o tym nie opowiadał. Idę najpierw sama do schroniska, daję portierowi kilka szylingów i proszę, aby obudzono mnie o czwartej trzydzieści. Chłopak zjawia się pół godziny później. W ubraniu leżę już w łóżku, pomimo że dopiero ósma. Po zapadnięciu ciemności nic się w miasteczku nie dzieje, tylko w niektórych barach panuje ruch. Światło nagiej żarówki dokładnie obnaża całą brzydotę pokoju. Pomalowany na niebiesko tynk odpada od ścian i wszędzie widać brązowe plamy, od których ciągną się w dół zacieki. Są to pozostałości po wyplutym tytoniu. Początkowo mama i starsi goście robili to samo w naszej *manyatcie*, aż w końcu zaprotestowałam. Teraz mama pluje pod któryś z kamieni paleniska. Pokój w schronisku uważam za niezwykle obrzydliwy. Chłopak kładzie się w ubraniu na łóżku i odwraca do ściany. Gasimy rażące światło i nie rozmawiamy.

Słychać walenie do drzwi. Wyrwana z głębokiego snu, pytam przestraszona, co się dzieje. Zanim jeszcze słyszę odpowiedź, chłopak mówi, że jest już prawie piąta. Musimy się zbierać! Gdy pikap będzie pełny, to po prostu odjedzie bez nas. Zbieramy rzeczy i biegniemy pędem na umówione miejsce. Wszędzie stoją uczniowie w grupkach. Niektórzy wsiadają do jakiegoś pojazdu. Reszta, jak my, czeka w zimnie i ciemnościach. Straszliwie marznę. O tej godzinie Maralal jest zimny i wilgotny od rosy. Nawet nie możemy napić się herbaty, gdyż wszystkie lokale są jeszcze pozamykane.

O szóstej obok nas przejeżdża z trąbieniem przeładowany autobus liniowy. Nasz kierowca jeszcze się nie zjawił. Wygląda na to, że wcale mu się nie spieszy, jako że i tak jesteśmy zdani na niego. Robi się jasno, a my nadal czekamy. Ogarnia mnie wściekłość. Chcę jeszcze dzisiaj dostać się do Nairobi. Chłopak szuka rozpaczliwie innej okazji, jednakże nieliczne samochody są całkowicie przepełnione. Istnieje tylko możliwość zabrania się ciężarówką załadowaną kapustą. Ponieważ nie mamy wyboru, z miejsca się zgadzam. Już po pierwszych metrach mam wątpliwości, czy właściwie postąpiłam. Siedzenie na niewygodnych główkach kapusty, które w dodatku stale się poruszają, jest istną torturą. Trzymać się mogę jedynie poręczy, która bez przerwy wbija mi się pod żebra. Na każdym wyboju wzlatujemy w powietrze i następnie lądujemy na twardej kapuście. Nie można rozmawiać. Jest za głośno i zbyt niebezpiecznie, gdyż przy takich podskokach można sobie przygryźć język. Jakoś udaje mi się przeżyć te cztery i pół godziny drogi do Nyahururu. Całkowicie rozbita zsuwam się z ciężarówki i żegnam z moim młodym towarzyszem. Udaję się do toalety w restauracji. Gdy spuszczam dżinsy, odkrywam na udach wielkie fioletowe siniaki. Mój Boże, zanim dotrę do Szwajcarii, moje chude nogi będą jeszcze całkiem sine! Matka dostanie apopleksji, gdyż od ostatniej wizyty przed dwoma miesiącami bardzo się zmieniło moje ciało. Ona nawet jeszcze nie wie, że znowu zawitam do domu, niezamężna i z mocno nadszarpniętym zdrowiem.

W restauracji zamawiam colę i porządne jedzenie. Mają kurczaki, tak więc spożywam pół brojlera z papkowatymi frytkami. Na nocowanie tutaj jest jeszcze za wcześnie. Dlatego dźwigam torbę na dworzec autobusowy, gdzie – jak zawsze – dużo się dzieje. Mam szczęście, autobus do Nairobi stoi właśnie gotowy do odjazdu. Drogę pokrywa asfalt, co przyjmuję z ulgą, i wkrótce zasypiam na siedzeniu. Gdy ponownie spoglądam przez okno, jesteśmy jakąś godzinę drogi od celu. Jeśli nie opuści mnie szczęście, dotrzemy jeszcze przed zmrokiem do metropolii, co jest ważne, gdyż Hotel Igbol nie leży w szczególnie bezpiecznej okolicy. Zmierzcha, gdy wjeżdżamy na przedmieścia.

Gdzie tylko możliwe, ludzie wysiadają ze swoim dobytkiem, a ja przyciskam kurczowo twarz do szyby, próbując w morzu świateł zorientować się, gdzie właśnie jesteśmy. Jak dotychczas nie dostrzegłam nic znajomego. W autobusie znajduje się jeszcze tylko pięć osób, a ja jestem niezdecydowana, czy nie powinnam po prostu już wysiąść, gdyż nie mam najmniejszego zamiaru jechać aż na dworzec autobusowy. O tej godzinie byłoby tam dla mnie zbyt niebezpiecznie. Kierowca stale spogląda w lusterko wsteczne i dziwi się, dlaczego *mzungu* nie wysiada. Po jakimś czasie pyta mnie, dokąd chcę jechać. Odpowiadam: *To Igbol Hotel*. Wzrusza ramionami. Nagle przypomina mi się nazwa wielkiego kina, które znajduje się niedaleko hotelu. „*Mi-*

ster, zna pan Odeon Cinema?" – pytam pełna nadziei. „Odeon Cinema? To nie jest dobre miejsce dla *mzungu-lady!*" – poucza mnie. „To nie problem – mówię do niego. – Muszę się tylko dostać do hotelu Igbol. Tam będzie na pewno więcej białych ludzi". Zmienia kilka razy pas, skręca to w lewo, to w prawo i zatrzymuje się prosto przed hotelem. Wdzięczna za taką obsługę, daję mu kilka szylingów. Jestem tak wyczerpana, że cieszę się z każdego metra, którego nie muszę przebyć o własnych siłach. W hotelu panuje duży ruch. Wszystkie stoliki są zajęte i wszędzie stoją plecaki trampów. Mężczyzna w recepcji poznaje mnie i pozdrawia słowami: *Jumbo, Massai-lady!* Ma jeszcze wolne tylko jedno łóżko w trzyosobowym pokoju. Gdy tam docieram, trafiam na dwie Angielki zatopione w przewodniku turystycznym. Od razu udaję się pod prysznic w korytarzu, zabierając ze sobą torebkę z paszportem i pieniędzmi. Rozbieram się i z przerażeniem spostrzegam, jak bardzo jestem poobijana. Nogi, jeden pośladek i przedramiona są pokryte niebieskimi siniakami. Prysznic robi ze mnie na powrót człowieka. Potem siadam w restauracji, aby wreszcie coś zjeść i poobserwować sobie turystów. Im dłużej przyglądam się Europejczykom, przede wszystkim mężczyznom, tym większa ogarnia mnie tęsknota za moim pięknym wojownikiem. Po krótkim czasie wycofuję się do łóżka, żeby wreszcie wyciągnąć moje obolałe ciało.

Po śniadaniu maszeruję do biura Swissair. Jestem bardzo zawiedziona, gdy dowiaduję się, że dopiero za pięć dni mają wolne miejsce. To strasznie długo. W Kenya-Airways czas oczekiwania jest jeszcze dłuższy. Pięć dni w Nairobi – na pewno popadnę w depresję! Dlatego też odwiedzam dalsze firmy lotnicze, aż w Alitalia dostaję lot za dwa dni, z czterogodzinnym postojem w Rzymie. Pytam o cenę i rezerwuję. Zaraz też pędzę do pobliskiego Kenya Commercial Bank, aby podjąć pieniądze.

W banku potworne kolejki. Wejścia strzeże dwóch policjantów uzbrojonych w pistolety maszynowe. Staję w jednym z ogonków i po półgodzinie przedstawiam swoje życzenie. Wystawiłam czek na potrzebną mi sumę. Będzie to olbrzymi plik banknotów, który muszę przenieść przez całą Nairobi do Alitalia. Mężczyzna w okienku ogląda czek na wszystkie strony i pyta, gdzie leży ten Maralal. Odchodzi i wraca po kilku minutach. Pyta, czy jestem pewna, że chcę podjąć aż tyle gotówki? *Yes* – odpowiadam rozdrażniona. Sama nie czuję się najlepiej, gdy pomyślę o takiej sumie. Gdy już podpisałam różnorakie kwity, dostaję stosy banknotów, które natychmiast chowam do plecaka. Na szczęście w pobliżu prawie nie ma ludzi. Urzędnik banku pyta mimochodem, co zamierzam zrobić z taką ilością pieniędzy i czy nie potrzebowałabym czasem jakiegoś gigolo. Odmawiam i wychodzę. Nie nagabywana przez nikogo docieram do biura Alitalia. Ponownie muszę wypełnić formularze, a mój paszport zostaje poddany kontroli. Jedna z urzędniczek chce wiedzieć, dlaczego nie mam biletu powrotnego do Szwajcarii. Tłumaczę, że mieszkam w Kenii, a w Szwajcarii byłam przed dwoma i pół miesiącem tylko na wakacjach. Kobieta zauważa grzecznie, że jestem mimo wszystko turystką, gdyż nigdzie nie napisane, że mieszkam na stałe w Kenii. Wszystkie te pytania zupełnie zbijają mnie z tropu. Ja przecież tylko chcę kupić bilet powrotny i zapłacić za niego gotówką. Jednak właśnie to jest problemem. Mam zaświadczenie, że pobrałam pieniądze z kenijskiego konta. Jako turystce, nie wolno mi być właścicielką takiego konta, a poza tym muszę udokumentować, że pieniądze zostały przywiezione ze Szwajcarii. Inaczej urzędniczka musi założyć, że są to nielegalne pieniądze, ponieważ turystom nie wolno w Kenii pracować. Zatyka mnie na amen. Przekaz pieniężny załatwiała moja matka, dlatego też wszystkie dowody znajdują się w Barsaloi. Wytrącona z równowagi stoję przed tą kobietą, z plikiem pieniędzy, których ona nie chce ode mnie wziąć. Afrykańska kasjerka wyraża swoje ubolewanie, że nie może mi wystawić biletu, jeśli nie przedstawię dowodu, skąd pieniądze pochodzą. Całkowicie rozstrojona wybucham płaczem i jąkając się, mówię, że z taką ilością pieniędzy za nic w świecie nie opuszczę tego biura, bo jeszcze mnie zabiją po drodze.

Afrykanka patrzy na mnie przerażona, a gdy widzi moje łzy, w mgnieniu oka spuszcza z tonu. *Wait a moment* – mówi uspokajająco i znika. Wkrótce potem pojawia się druga kobieta, wyjaśnia mi ponownie, na czym polega problem, i zapewnia, że one spełniają tylko swój obowiązek. Proszę ją, aby zasięgnęła informacji w banku w Maralalu, tamtejszy manager dobrze mnie zna. Kobiety omawiają między sobą całą sprawę, a następnie jedynie kopiują dowód pobrania pieniędzy oraz mój paszport. Dziesięć minut później opuszczam biuro z biletem w ręce. Teraz muszę tylko znaleźć telefon do rozmów międzynarodowych, aby uprzedzić matkę o niespodziewanej wizycie.

Podczas lotu moje uczucia oscylują między radością z powodu powrotu do cywilizacji a tęsknotą za moją afrykańską rodziną. Na lotnisku w Zurychu matka z trudem jest w stanie ukryć przerażenie, jakie ogrania ją na mój widok. Jestem jej wdzięczna, że nie wyraża go dodatkowo w słowach. Głodna nie jestem, gdyż w samolocie zjadłam ze smakiem wszystkie posiłki, ale z chęcią napiłabym się dobrej szwajcarskiej kawy, zanim wyruszymy w Alpy Berneńskie. W następnych dniach matka prawdziwie rozpieszcza mnie swą sztuką kulinarną i powoli nabieram ciała. Dużo rozmawiamy o mej przyszłości i opowiadam o planach dotyczących sklepu spożywczego. Rozumie, że muszę zarabiać pieniądze i że potrzebuję jakiegoś zajęcia. Dziesiątego dnia udaję się do ginekologa na badania. Niestety, wynik jest negatywny, nie jestem w ciąży. Za to mam o wiele za mało krwi i jestem niedożywiona. Po wizycie u lekarza wyobrażam sobie, jak bardzo Lketinga będzie zawiedziony. Pocieszam się myślą, że mamy jeszcze dużo czasu, aby doczekać się potomstwa. Codziennie spaceruję pośród zieleni, lecz myślami jestem w Afryce. Już po dwóch tygodniach planuję wyjazd i rezerwuję lot powrotny za dziesięć dni. Ponownie kupuję mnóstwo lekarstw, poza tym różnorakie przyprawy i paczki makaronu. Wysyłam na adres misji telegram do Lketingi informujący go o moim przyjeździe.

Pozostałe dziewięć dni upływa bez większych wydarzeń. Jedynym urozmaiceniem jest ślub brata Erica z Jelly. Przeżywam go jakby w transie. Razi mnie ten cały luksus i obfite jedzenie. Wszyscy chcą wiedzieć, jak to żyje się w Kenii, i na zakończenie każdy próbuje przemówić mi do rozumu. Tyle że mój rozum jest w Kenii, przy mojej wielkiej miłości, gdzie życie jest takie skromne. Chcę wreszcie stąd wyjechać.

POŻEGNANIE I POWITANIE

Ciężko obładowana przybywam na lotnisko. Pożegnanie z matką przychodzi mi tym razem ze szczególnym trudem, gdyż nie wiem, kiedy znowu przyjadę. Pierwszego czerwca 1988 roku ląduję w Nairobi i biorę taksówkę do hotelu Igbol.

Dwa dni potem przybywam do Maralalu, zanoszę bagaż do schroniska i zastanawiam się, jakby tu dostać się do Barsaloi. Codziennie przeczesuję miejscowość w nadziei, że znajdę jakiś pojazd, który tam jedzie. Chcę odwiedzić Sophie, ale dowiaduję się, że przebywa obecnie we Włoszech na urlopie. Trzeciego dnia słyszę, że po południu wyrusza do misji w Barsaloi ciężarówka z mąką kukurydzianą i cukrem. W napięciu czekam rano przed magazynem, gdzie odbierane są worki. Około południa rzeczywiście pojawia się ciężarówka. Rozmawiam z kierowcą i targuję się o cenę, jeśli będę siedziała z przodu. Po południu wreszcie ruszamy. Jedziemy przez Baragoi, toteż będziemy potrzebowali z pewnością sześciu godzin i dotrzemy do Barsaloi dopiero w nocy. Na ciężarówce znajduje się przynajmniej piętnaście osób i kierowca na tym dobrze zarabia.

Podróż trwa nieskończenie długo. Po raz pierwszy przebywam tę trasę w ciężarówce. W głębokich ciemnościach przeprawiamy się przez pierwszą rzekę. Tylko strumienie światła reflektorów przebijają ciemną dal. Koło dziesiątej jesteśmy na miejscu. Ciężarówka zatrzymuje się przed magazynem misji. Wielu ludzi czeka już na *lori*, jak tutaj nazywa się ciężarówkę. Dawno wypatrzyli jej światła i spokojne Barsaloi opanowała gorączka. Niektórzy chcą zarobić nieco grosza przy wyładunku ciężkich worków.

Zmęczona, ale radośnie podniecona schodzę z ciężarówki. Jestem w domu, do *manyatt* mam tylko kilkaset metrów. Kilku ludzi pozdrawia mnie przyjaźnie. Pojawia się Giuliano z latarką, aby wydać polecenia. Także i on pozdrawia mnie w pośpiechu i zaraz znika. Stoję bezradna z ciężkimi torbami. W takich ciemnościach nie jestem w stanie dźwigać ich sama do chaty mamy. Dwóch chłopców, którzy widocznie nie chodzą do szkoły, co widać po ich tradycyjnych strojach, proponują mi pomoc. Gdy jesteśmy w połowie drogi, z naprzeciwka nadchodzi ktoś z latarką. To mój *darling*. *Hello!* Patrzy na mnie promiennym wzrokiem. Radośnie obejmuję go i całuję prosto w usta. Z podniecenia nie jestem w stanie wydusić z siebie ani słowa. W milczeniu idziemy do *manyatty*.

Mama również bardzo się cieszy na mój widok i od razu rozpala ogień, aby obowiązkowo zagotować herbatę. Rozdaję prezenty. Później Lketinga puka czule w mój brzuch i pyta: *How is our baby?* Czuję się niewyraźnie, gdy mówię mu, że niestety nie mam w brzuchu dziecka. Jego twarz ciemnieje. *Why? I know you have baby before!* Najspokojniej, jak mnie na to stać, tłumaczę mu, że nie dostałam miesiączki tylko z powodu malarii. Lketinga jest bardzo zawiedziony. Pomimo to tej nocy kochamy się wspaniale. Następne tygodnie są bardzo szczęśliwe. Życie toczy się utartym trybem, aż do dnia, kiedy udajemy się do Maralalu, aby po raz kolejny dowiedzieć się o termin ślubu. Brat Lketingi zabiera się z nami. Tym razem mamy szczęście. Gdy zgłaszamy się w urzędzie i pokazujemy moje potwierdzone papiery, a także list od szefa policji, który otrzymał Lketinga, wygląda na to, że wszystkie problemy zostały rozwiązane.

URZĄD STANU CYWILNEGO I PODRÓŻ POŚLUBNA

Dwudziestego szóstego lipca 1988 roku zawieramy związek małżeński. Obecni są dwaj nowi świadkowie, starszy brat Lketingi oraz kilku nie znanych mi ludzi. Ceremonię prowadzi miły urzędnik, najpierw po angielsku, potem w suahili. Wszystko przebiega gładko, poza jednym wyjątkiem, kiedy to mój *darling* w rozstrzygającym momencie nie wypowiada sakramentalnego *Yes*, aż w końcu kopię go mocno w nogę. Następnie zostaje podpisany akt ślubu. Lketinga bierze mój paszport i mówi, że teraz muszę mieć kenijski, gdyż obecnie nazywam się Leparmorijo. Urzędnik wyjaśnia, że należy to zrobić w Nairobi, gdyż Lketinga i tak musi złożyć tam wniosek o wpisanie mi stałego miejsca zamieszkania. Nic z tego nie rozumiem. Sądziłam, że teraz jest już wszystko w porządku i wojna papierkowa wreszcie się skończyła. Ale tak nie jest. Mimo ślubu nadal jestem tylko turystką i to dopóty, dopóki nie będę miała wbitego w paszporcie prawa do pobytu. Moja radość rozpływa się, również Lketinga nie rozumie tego wszystkiego. W schronisku postanawiamy pojechać do Nairobi.

Wspólnie ze świadkiem oraz starszym bratem, który jeszcze nigdy nie podróżował tak daleko, wyruszamy następnego dnia. Do Nyahururu jedziemy landrowerem, potem autobusem do Nairobi. Brat nieustannie się dziwi. Dla mnie to radość obserwować kogoś, kto w wieku czterdziestu lat po raz pierwszy odwiedza miasto. Jest oniemiały i jeszcze bardziej bezradny niż Lketinga. Bez naszej pomocy nie potrafiłby nawet przejść na drugą stronę ulicy. Gdybym nie wzięła go za rękę, stałby z pewnością do wieczora w jednym miejscu, gdyż ruch i mrowie aut napawają go trwogą. Widząc wysokie bloki, nie rozumie, jak ludzie mogą żyć jedni na drugich. Docieramy do siedziby Nyayo i ustawiam się w kolejce, aby wypełnić kilka formularzy. Gdy w końcu mi się to udaje, kobieta w okienku mówi, abyśmy zgłosili się ponownie za jakieś trzy tygodnie. Protestuję, tłumacząc jej, że przybywamy z bardzo daleka i w żadnym razie nie wrócimy bez ważnego wpisu w paszporcie. Niemal ją błagam, ale ona odpowiada grzecznie, że wszystko musi iść swoim torem i że spróbuje to załatwić może w ciągu tygodnia. Widząc, że jest to jej ostateczna decyzja, odchodzę z podziękowaniem.

Na ulicy omawiamy sytuację. Jest nas czworo i musimy czekać tydzień. Trzej mężczyźni z buszu w Nairobi – to przekracza moją wyobraźnię. Dlatego też proponuję, abyśmy pojechali do Mombasy, poza tym brat mógłby zobaczyć morze. Lketinga zgadza się, ponieważ w towarzystwie czuje się pewniej. I tak wyruszamy w ośmiogodzinną podróż, można powiedzieć: w podróż poślubną.

W Mombasie odwiedzamy najpierw Priscillę. Ogromnie cieszy się z naszego ślubu i wierzy, że teraz już wszystko będzie dobrze. Brat Lketingi chce w końcu pójść nad morze. Jednak gdy staje przed olbrzymimi masami wody, nie odstępuje nas na krok. Bliżej niż na dziesięć metrów nie podchodzi do wody i po kilku minutach musimy opuścić plażę, gdyż jego strach jest zbyt wielki. Pokazuję mu również hotel dla turystów. Nie może uwierzyć w to, co widzi. Raz nawet pyta mojego męża, czy na pewno jesteśmy nadal w Kenii. Pokazywanie świata komuś, kto jeszcze naprawdę potrafi się dziwić, jest pięknym zajęciem. Później idziemy coś zjeść i wypić, przy czym brat po raz pierwszy kosztuje piwa, co wcale nie wychodzi mu na zdrowie. W Ukundzie znajdujemy trzeciorzędne schronisko.

Pobyt w Mombasie kosztuje mnie mnóstwo pieniędzy. Mężczyźni piją piwo, a ja siedzę z nimi, gdyż sama nie chcę chodzić na plażę. Powoli zaczyna mnie to złościć, że stale muszę płacić za piwo dla trzech osób, co wywołuje pierwsze małe kłótnie. Lketinga, który teraz jest oficjalnie moim mężem, nie rozumie mnie i uważa, że to moja wina, iż musimy tak długo zwlekać z powrotem do Nairobi. On w ogóle nie pojmuje, po co mi jeszcze jedna pieczątka. W końcu przecież ożenił się ze mną i przez to stałam się jedną z Leparmorijo i Kenijką. Pozostali się z nim zgadzają. Siedzę jak struta i zupełnie nie wiem, jak mam im objaśnić ten cały biurowy kram. Po czterech dniach wyruszamy w złych humorach. Z największym trudem doprowadzam po raz kolejny Lketingę do biura w Nairobi. Jak podkreśla, po raz ostatni. Żywię ogromną nadzieję, że dostanę jeszcze dzisiaj tę pieczątkę. Przedkładam ponownie całą sprawę i proszę, aby zobaczono, czy jest już załatwiona. I znowu czekanie. Ci trzej denerwują się wzajemnie, a w dodatku mnie również. Ludzie i bez tego patrzą na nas osłupiali, gdyż przecież nie każdego dnia spotyka się w urzędzie Nyayo białą w towarzystwie trzech Masajów.

W końcu mój mąż i ja zostajemy wywołani, mamy pójść za pewną kobietą. Kiedy czekamy przed windą osobową, już się domyślam, co się zaraz będzie działo, gdy Lketindze przyjdzie wsiąść do niej. Drzwi windy otwierają się i wypływa tłum ludzi. Lketinga wlepia przerażony wzrok w pustą kabinę i pyta: *Corinne, what's that?* Tłumaczę mu, że w tej skrzyni pojedziemy na dwunaste piętro. Kobieta czeka niecierpliwie przy windzie, a Lketinga nie chce za nic wsiąść, gdyż boi się jechać w górę. *Darling, please, this is no problem, if we are in the 12th floor you go around like now. Please, please, come!* Błagam go, aby wsiadł, zanim kobieta straci ochotę do pracy. W końcu struchlały wsiada.

Zostajemy wprowadzeni do biura, gdzie oczekuje nas sroga Afrykanka. Pyta mnie, czy ten Samburu jest rzeczywiście moim mężem. Od Lketingi chce się dowiedzieć, czy jest w stanie zapewnić mi dom i wyżywienie. Lketinga wytrzeszcza na mnie oczy. *„Corinne, please,* jaki dom ja muszę mieć?". Mój Boże, myślę, powiedz po prostu: tak! Kobieta patrzy to na mnie, to na niego. Nerwy mam tak napięte, że pot się ze mnie leje ciurkiem. Zwracając srogi wzrok na mnie, pyta: „Chce pani mieć dzieci?". *„Oh yes,* dwoje" – odpowiadam krótko. Zapada milczenie. Potem urzędniczka podchodzi wreszcie do pulpitu i wyszukuje odpowiednią pieczątkę. Płacę dwieście szylingów i dostaję z powrotem ostemplowany paszport. Mogłabym wyć z radości. Wreszcie się udało! Mogę pozostać w mej ukochanej Kenii. A teraz wynośmy się wreszcie stąd, do Barsaloi, do domu!

WŁASNA MANYATTA

Mama jest szczęśliwa, że wszystko zakończyło się pomyślnie. Teraz nadszedł czas, aby zaplanować tradycyjny ślub, jak to robią inni Samburu. Poza tym musimy mieć własną *manyattę*, gdyż po ślubie nie wolno nam dłużej mieszkać w jej domu. Jako że po przeciągających się w nieskończoność wizytach w urzędach wyleczyłam się już z myśli o domu z prawdziwego zdarzenia, proszę Lketingę, aby rozejrzał się za kobietami, które zbudują nam obszerną, piękną *manyattę*. Gałęzie przywiozę landroverem, ale budować nie potrafię. Wynagrodzeniem będzie jedna koza. W krótkim czasie cztery kobiety, w tym dwie siostry Lketingi, zabierają się do budowy naszej *manyatty*. Ma być dwa razy większa od chaty mamy, jak również wyższa, abym mogła się w niej wyprostować.

Kobiety pracują już dziesięć dni i nie mogę się doczekać, kiedy się wreszcie wprowadzimy. Chata będzie miała wymiary pięć na trzy i pół metra. Obrys zostaje wytyczony za pomocą grubych słupków, między którymi następnie zostaną przeplecione witki wierzbowe. Wnętrze dzielimy na trzy części. Zaraz przy wejściu znajduje się palenisko, nad którym wisi półka na kubki i garnki. Półtora metra dalej zaczyna się pleciona ściana. Połowa pomieszczenia za nią przeznaczona jest dla mojego ukochanego i dla mnie. Na ziemię kładziemy krowią skórę, na nią słomianą matę, a z kolei na nią prążkowany szwajcarski koc. Nad naszym miejscem do spania będzie wisiała moskitiera. Naprzeciwko legowiska znajduje się dodatkowe miejsce do spania, przeznaczone dla dwóch, trzech gości. Całkiem z tyłu będzie stał stojak na moje rzeczy.

Z grubsza nasza superchata jest już gotowa, trzeba tylko jeszcze położyć tynk, czyli krowie łajno. Jako że w Barsaloi nie ma krów, jedziemy do Sitedi, do przyrodniego brata Lketingi, i ładujemy krowie placki do landrovera. Trzy razy musimy obracać, aż mamy tyle, ile potrzebujemy.

Dwie trzecie chaty zostaje od środka otynkowane nawozem, który w panującym upale schnie bardzo szybko. Jedna trzecia ścian i dach są tynkowane z zewnątrz, aby dym mógł się ulatniać przez porowate pokrycie. Śledzenie budowy domu jest bardzo zajmujące. Kobiety nakładają gołymi rękami łajno na ściany chaty i śmieją się, gdy zatykam nos. Wszystko jest gotowe, za tydzień możemy się wprowadzać. Do tego czasu łajno stwardnieje na kamień i nie będzie śmierdziało.

WESELE SAMBURU

Spędzamy ostatnie dni w chacie mamy. Wszystko obraca się teraz wokół zbliżającej się ceremonii ślubnej według tradycji Samburu. Każdego dnia schodzą się u mamy starsi mężczyźni i kobiety, aby ustalić jakiś możliwy termin. Żyjemy bez kalendarza, wszystko zależy od księżyca. Marzy mi się wesele w Boże Narodzenie, jednak Masajowie nie znają tych świąt, a poza tym nie wiedzą, w jakiej pozycji będzie wtedy znajdował się księżyc. Mimo to ustalamy tymczasowo termin na ten właśnie dzień. Ponieważ tutaj jeszcze nigdy nie pobierali się biała z czarnym, nie wiemy, ilu przyjdzie ludzi. Wieści rozejdą się od wioski do wioski i dopiero w dniu wesela dowiemy się, kto nas zaszczyci swą obecnością. Im więcej ludzi przybędzie, przede wszystkim starych, tym większym poważaniem będziemy się cieszyli.

Pewnego wieczoru odwiedza nas łowczy, spokojny, dostojny mężczyzna, do którego od razu czuję sympatię. Niestety, mówi tylko trochę po angielsku. Długo rozmawia z Lketingą. Po jakimś czasie jestem ciekawa i pytam mego męża, o czym tak rozmawiają. Wyjaśnia mi, że łowczy mógłby wynająć nam swój niedawno zbudowany sklep, który – poza tym, że ojciec Giuliano trzyma tam kukurydzę – stoi pusty. Podniecona pytam, ile by to kosztowało. Proponuje, abyśmy rano wspólnie obejrzeli sklep, a później będziemy negocjować. Tej nocy śpię niespokojnie, gdyż podjęliśmy z Lketingą pewne decyzje.

Po porannym myciu w rzece wleczemy się przez wioskę do sklepu. Mąż wdaje się w rozmowę z każdą napotkaną osobą. Chodzi oczywiście o nasze wesele. Nawet Somalijczycy opuszczają swoje sklepy i pytają, kiedy się odbędzie. Jednakże starszyzna nie określiła jeszcze dokładnego terminu. Chwilowo chcę tylko zobaczyć sklep, poganiam więc Lketingę.

Łowczy już czeka na nas w otwartym, pustym domu. Zatyka mnie. Jest to murowany budynek w pobliżu misji i zawsze myślałam, że należy do ojca Giuliano. Sklep jest olbrzymi, z bramą, która otwiera się na zewnątrz. Na lewo i prawo od niej znajdują się okna. Pośrodku stoi coś w rodzaju lady, a na tylnej ścianie są półki z prawdziwego drewna. Za drzwiami znajduje się równie obszerne pomieszczenie, które mogłoby służyć za magazyn albo mieszkanie. Jestem w stanie sobie wyobrazić, że przy odrobinie talentu można by tu prowadzić najpiękniejszy sklep w Barsaloi i całej okolicy. Muszę jednak ukryć swój zachwyt, jeśli nie chcę podbijać czynszu. Dogadujemy się w przeliczeniu na pięćdziesiąt franków miesięcznie, jeśli rzecz jasna Lketinga dostanie licencję, gdyż wcześniej nie podejmę wiążącej decyzji, nazbyt fatalne są moje doświadczenia z tutejszymi urzędami. Łowczy się zgadza. Wracamy do mamy. Lketinga opowiada jej o wszystkim i zaczynają się sprzeczać. Potem tłumaczy mi ze śmiechem: „Mama boi się, że mogą być problemy z Somalijczykami, kiedy ludzie nie będą chodzili do ich sklepów. Somalijczycy są niebezpieczni i mogliby życzyć nam wiele złego. Najpierw chce mieć nasz ślub za sobą".

Potem mama patrzy na mnie długo, bardzo długo i mówi, że powinnam lepiej zakrywać brzuch, żeby nie każdy widział, iż noszę w nim dziecko. Gdy Lketinga to tłumaczy, zatyka mnie kompletnie. Ja w ciąży? Jednakże po dłuższym zastanowieniu uzmysławiam sobie, że trzy tygodnie temu powinnam była dostać okres, o czym całkowicie zapomniałam. Ale żeby w ciąży? Nie, na pewno bym zauważyła! Skąd mama to wie, pytam Lketingę. Mama podchodzi do mnie i przejeżdża palcem wzdłuż żył prowadzących do piersi. Nie za bardzo jej dowierzam i nie wiem, czy będzie mi to teraz pasowało, gdy zamierzamy otworzyć sklep. Rzecz jasna chcę mieć dziecko z moim mężem, najlepiej córkę. Mama jest przekonana, że jej prognoza jest prawidłowa i upomina Lketingę, że teraz musi mnie zostawić w spokoju. Zaskoczona pytam: „Dlaczego?". Mozolnie wyjaśnia mi, że jeśli kobieta ciężarna ma stosunek z mężczyzną, dziecko będzie miało później zatkany nos. Pomimo że widać jak na dłoni, iż naprawdę tak myśli, muszę się rozśmiać. Póki sama się nie upewnię, że jestem w ciąży, nie mam zamiaru żyć bez seksu.

Dwa dni później, gdy powracamy znad rzeki, pod drzewem mamy siedzi wiele osób i radzą. Nadal pozostajemy w chacie mamy. Nasza będzie gotowa do zamieszkania za trzy dni, co oznacza, że sama będę musiała rozpalać ogień i odpowiadać za zapas drewna na opał. Wodę mogę przywozić samochodem z rzeki, jeśli nikt nie będzie chciał za drobną opłatą załatwić tego za mnie. Jako że pięć litrów nie bardzo mi wystarcza, chcę mieć w domu dwudziestolitrowy kanister. Mama wchodzi do *manyatty* i rozmawia z Lketingą. Wygląda na wzburzonego, tak więc pytam: *What's the problem? Corinne, we have to make the ceremony in five days, because the moon is good.* Za pięć dni ma się odbyć ceremonia ślubna? Musimy więc jak najszybciej jechać do Maralalu, aby załatwić ryż, tytoń, herbatę, słodycze, napoje i inne rzeczy.

Lketinga jest nieszczęśliwy, gdyż nie zdąży zapleść sobie na nowo warkoczyków, co zazwyczaj trwa u niego kilka dni, od rana do wieczora. Nawet mama się gorączkuje, ponieważ musi uwarzyć mnóstwo piwa z kukurydzy, na co właściwie potrzebowałaby prawie tygodnia. Najchętniej wcale nie puściłaby nas w drogę, ale we wsi nie ma ani cukru, ani ryżu, jest tylko mąka kukurydziana. Wręczam jej pieniądze, aby mogła przystąpić do warzenia piwa, a my z Lketingą jedziemy.

W Maralalu kupujemy pięć kilo tytoniu do żucia, przeznaczonego na potrzeby starszyzny, sto kilogramów cukru, bez którego trudno sobie wyobrazić picie herbaty, jak również dwadzieścia litrów sterylizowanego mleka, gdyż nie wiem, ile kobiet przyniesie ze sobą mleko, co właściwie należy do zwyczaju. Nie chcę jednak ryzykować, gdyż ma to być piękna uroczystość, nawet jeśli nie przyjdzie zbyt wiele osób. Potrzebujemy jeszcze ryżu, którego chwilowo nie ma. Zbieram się na odwagę i proszę w misji o ryż. Szczęśliwym trafem misjonarz sprzedaje nam swój ostatni dwudziestokilogramowy worek. Potem udajemy się do szkoły, aby zawiadomić Jamesa. Kierownik szkoły informuje nas, że od 15 grudnia uczniowie mają ferie, a jako że my wyprawiamy wesele 17 grudnia, nie widzi żadnych przeszkód, aby James wziął w nim udział. Na ostatek postanawiam kupić starą beczkę po benzynie, która po umyciu będzie służyła za zbiornik na wodę. Kiedy pakujemy do samochodu słodycze dla dzieci, jest już po piątej.

Mimo to decydujemy się z miejsca wyruszyć w drogę powrotną. W ten sposób przejedziemy niebezpieczny odcinek lasu jeszcze przed zapadnięciem ciemności. Mama oddycha z ulgą na nasz widok. Zaraz też schodzą się sąsiedzi i żebrzą o cukier. Tym razem jednak Lketinga pozostaje nieprzejednany. Żeby nic nie zginęło, śpi w samochodzie.

Następnego dnia wyrusza w drogę, aby kupić kilka kóz, które musimy zabić. Nasze chcę zostawić przy życiu, ponieważ każdą z nich zdążyłam dobrze poznać. Potrzebny jest również wół. Nad rzeką usiłuję wywabić zapach benzyny ze starej beczki, co wcale nie jest łatwe. Przez cały ranek przetaczam tam i z powrotem beczkę napełnioną Omo i piaskiem, aż w końcu jest mniej więcej czysta. Trójka dzieci pomaga mi, puszkami napełniając beczkę wodą. Mama siedzi przez cały dzień w buszu i warzy piwo, gdyż nie wolno tego robić we wsi.

Pod wieczór zachodzę do misji, przekazuję wieści o naszej uroczystości i pytam o kilka ławek kościelnych oraz o naczynia. Ojciec Giuliano nie jest zaskoczony, ponieważ dowiedział się już o wszystkim od swojej pracownicy, i przyrzeka mi, że w dniu wesela będę mogła odebrać potrzebne mi rzeczy. Ponieważ jakiś czas temu, kiedy zostawiłam w misji beczki z benzyną, zostawiłam tam również moją suknię ślubną, żeby nie sczerniała od dymu w *manyatcie*, proszę ojca o pozwolenie przebrania się w misji. Jest zaskoczony moim pomysłem, że chcę tutaj brać ślub w bieli, ale się zgadza.

Jeszcze tylko dwa dni, a Lketinga nadal nie wrócił ze swojego koziego safari. Powoli zaczynam się denerwować. Z nikim nie mogę sobie porozmawiać, wszyscy biegają tam i z powrotem zajęci swymi sprawami. Pod wieczór zjawiają się uczniowie, z czego bardzo się cieszę. James jest bardzo podniecony z powodu zbliżającego się wesela. Proszę go, aby opowiedział mi, jak właściwie przebiega tradycyjne wesele u Samburu.

Zazwyczaj uroczystość rozpoczyna się rano. Najpierw panna młoda zostaje obrzezana w chacie. Jestem bezgranicznie zdumiona. Chcę się dowiedzieć, po co to? Ponieważ inaczej nie stałaby się prawdziwą kobietą i nie mogłaby rodzić zdrowych dzieci, odpowiada z pełną powagą zazwyczaj tak bardzo uświadomiony James. Nie zdążyłam jeszcze w pełni oprzytomnieć, gdy w chacie pojawia się Lketinga. Uśmiecha się promiennie, ja również się cieszę, że jest już w domu. Przyprowadził cztery duże kozy, co nie było takie proste, gdyż bez przerwy wyrywały się z powrotem do swojego stada.

Po wypiciu herbaty chłopcy nas opuszczają. Mogę w końcu zapytać Lketingę, co to za historia z tym obrzezaniem, i dodaję stanowczo, że we wszystkim wezmę udział, ale w tym na pewno nie. Przygląda mi się łagodnie. „Dlaczego nie, Corinne? Wszystkie tutejsze kobiety to robią". Zamieniam się w słup soli i właśnie zbieram się do wyjaśnienia mu, że w tej sytuacji, mimo całej miłości do niego, jestem zmuszona zrezygnować ze ślubu, gdy bierze mnie w ramiona i uspokaja: „Nie ma problemu, moja żono. Powiem wszystkim, że biali ludzie mają to – przy tym pokazuje między moje nogi – wycinane, gdy są dziećmi". Z powątpiewaniem wpatruję się w niego. Gdy jednak klepie mnie czule po brzuchu i pyta: „Jak jest z moim dzieckiem?", z ulgą rzucam mu się na szyję. Później dowiaduję się, że tę bajkę opowiedział nawet swojej matce. Bardzo cenię go za to, że uratował mnie przed tym obrzędem.

Dzień przed weselem przybywają z odległych stron pierwsi goście i rozchodzą się po leżących w pobliżu *manyattach*. Mój *darling* udaje się do przyrodniego brata po wołu, co zajmie mu cały dzień. Jadę z chłopcami do buszu, aby naciąć wystarczająco dużo drewna na opał. Nieźle musimy się nabiegać, zanim samochód jest wreszcie pełny. Chłopcy są przy tym bardzo pracowici. Pod wieczór jedziemy nad rzekę i napełniamy beczkę oraz wszystkie możliwe kanistry wodą. Wracając do domu, proszę Jamesa, aby zamówił na jutro w herbaciarnio-restauracji *mandazi*, niewielkie placki chlebowe. Kiedy czekam w samochodzie, wychodzi do mnie najmłodszy właściciel, sympatyczny Somalijczyk, i składa mi życzenia z okazji jutrzejszego wesela.

Spędzamy ostatnią noc w domostwie mamy. Wprawdzie nasza *manyatta* jest już gotowa, ale wolę przenieść się do niej dopiero w dniu wesela, ponieważ Lketinga był ostatnio ciągle w drodze i nie chciałam spać sama w nowej chacie.

Budzimy się wcześnie i jestem bardzo zdenerwowana. Udaję się nad rzekę, aby umyć się cała, łącznie z włosami. Lketinga jedzie z chłopcami do misji i odbiera ławki oraz naczynia. Gdy wracam, wszędzie panuje żywa krzątanina. Ławki stoją pod rzucającym cień drzewem. Starszy brat Lketingi gotuje herbatę w olbrzymim garze. Teraz z kolei Lketinga jedzie nad rzekę, aby się wystroić. Umawiamy się godzinę później przy misji. W misji wkładam suknię ślubną i pasującą do niej biżuterię. Pomaga mi przy tym pracownica ojca Giuliana. Ciasna suknia ledwo pasuje, tak więc sama zaczynam wierzyć, że być może rzeczywiście jestem w ciąży. Nieco uciska mnie na piersiach i brzuchu. Gdy już jestem całkiem umalowana, ojciec Giuliano staje oniemiały w drzwiach i doczekuję się komplementu, co mnie już dawno nie spotkało. Śmiejąc się, zauważa, że ta biała, długa do ziemi suknia nie nadaje się specjalnie do *manyatt*, a szczególnie do ciernistych krzewów. Potem zjawia się mój *darling*, cudownie umalowany, i mnie zabiera. Z lekka podirytowany pyta, dlaczego włożyłam taką suknię. Trochę zażenowana śmieję się. „Aby być piękna". Dzięki Bogu mam na nogach normalne białe sandały z plastiku, a nie europejskie buty na wysokim obcasie. Giuliano przyjmuje nasze zaproszenie. Kiedy wysiadam z auta, dzieci i dorośli dziwują się niezmiernie, jako że takiej sukni jeszcze nigdy nie widzieli. Czuję się niepewnie i nie wiem, co mam teraz robić. Wszędzie coś się gotuje, kozy są patroszone i ćwiartowane. Jest dopiero parę minut po dziesiątej, a zjawiło się już ponad pięćdziesiąt osób. Starsi mężczyźni siedzą na ławkach i piją herbatę, kobiety natomiast siedzą z boku pod innym drzewem. Dzieci skaczą wokół mnie. Rozdzielam gumę do żucia. Starsi ustawiają się w kolejce do Jamesa, który wydaje tytoń. Zewsząd napływają ludzie. Kobiety zostawiają tykwy z mlekiem u mamy, inne przywiązują do drzew kozy. Na wielkim ognisku gotuje się w kotle ryż z mięsem. Woda znika z zatrważającą prędkością, jako że stale gotowana jest herbata. Koło południa pierwszy posiłek jest gotowy. Rozdzielam jedzenie, a ojciec Giuliano, który w tym czasie się pojawił, filmuje wydarzenia.

Pomału zaczynam tracić orientację, gdyż już zebrało się prawie dwieście pięćdziesiąt osób, nie licząc dzieci. Co chwila słyszę, że jest to największy ślub, jaki dotychczas odbył się w Barsaloi. Jestem z tego dumna, przede wszystkim ze względu na mojego ukochanego, który zaryzykował małżeństwo z białą, mimo że nie wszyscy byli tym zachwyceni. James przychodzi z wiadomością, że skończył się ryż i wiele kobiet, a przede wszystkim dzieci jeszcze nic nie dostało. Donoszę Giulianowi o tym nieszczęściu. Od razu rusza w drogę i wraca z dwudziestokilogramowym workiem, który przekazuje nam jako prezent ślubny.

Podczas gdy wojownicy zaczynają tańczyć całkiem na uboczu, dla pozostałych nadal gotowane jest jedzenie. Lketinga prawie przez cały czas przebywa wśród wojowników, którzy dopiero w nocy dostaną coś do zjedzenia. Czas upływa, a ja czuję się nieco opuszczona. W końcu to moje wesele, lecz nie ma tu nikogo z moich krewnych, a mój mąż spędza więcej czasu ze swymi wojownikami niż ze mną.

Goście tańczą. Każda grupa tańczy między sobą: kobiety pod swoim drzewem, chłopcy osobno, a wojownicy z dala od wszystkich. Kilka kobiet Turkana tańczy dla mnie. Mam tańczyć z nimi, ale po pierwszych podskokach mama bierze mnie na stronę i daje mi do zrozumienia, że ze względu na dziecko nie powinnam tak skakać. Na uboczu zostaje tymczasem poćwiartowany wół i rozdzielony po kawałku. Zadowolona stwierdzam, że jedzenia i picia starcza dla wszystkich. Zanim robi się ciemno, otrzymujemy prezenty albo przyrzeczenie prezentu. Każdy, kto chce coś podarować, czy to mojemu mężowi, czy to mnie, wstaje i to ogłasza. Osoba taka musi szczególnie podkreślić, dla kogo jest prezent, gdyż u Samburu żony i mężowie mają osobne majątki, czyli zwierzęta. Jestem niezwykle zaskoczona, jak dużo dostaję od ludzi: czternaście kóz, dwie owce, koguta, kurę, dwa młode cielaczki i małego wielbłąda – i to wszystko tylko dla mnie. Mąż dostaje mniej więcej tyle samo. Nie wszyscy zjawili się od razu ze swymi prezentami, tak więc Lketinga będzie musiał później pójść po nie.

Uroczystość dobiega końca, a ja podążam do nowej *manyatty*, którą mama wyszykowała jak należy. Wreszcie mogę zdjąć przyciasną suknię. Siedzę przed ogniskiem i czekam na męża, który przebywa jeszcze w buszu. Jest przepiękna noc. Po raz pierwszy znajduję się sama w naszej wielkiej *manyatcie*. Teraz zaczyna się dla mnie nowe życie, życie samodzielnej gospodyni.

SKLEP

Tydzień po weselu jedziemy do Maralalu dowiedzieć się o zezwolenie na prowadzenie sklepu dla Lketingi. Tym razem może pójść to szybko, stwierdza pewien uprzejmy urzędnik. Wypełniamy formularze i mamy zgłosić się ponownie za trzy dni. Ponieważ w sklepie niezbędna jest waga, wyruszamy w drogę do Nyahururu, gdzie oprócz tego chcę kupić siatkę drucianą, aby móc lepiej wystawić na półkach towary. Mam zamiar oferować do sprzedaży ziemniaki, marchew, pomarańcze, kapustę, banany i inne rzeczy.

W Nyahururu nie znajdujemy żadnej wagi. Są bardzo drogie i dlatego można je dostać tylko w Nairobi, tłumaczy nam właściciel jedynego w mieście sklepu z towarami żelaznymi. Lketinga jest niepocieszony. Bez wagi jednak nie da rady, toteż jedziemy autobusem do znienawidzonego Nairobi. Tam wag zatrzęsienie, wszędzie je można kupić, przy czym ceny strasznie się różnią. Koniec końców nabywamy za trzysta pięćdziesiąt franków najtańszą wagę wraz z przynależnymi do niej odważnikami i wracamy do Maralalu. Tutaj obchodzimy wszystkich hurtowników i rynki, aby wypytać o najtańsze ceny poszczególnych produktów. Mąż uważa, że wszystko jest za drogie, ja jednak jestem przekonana, że jeśli będziemy się dobrze targować, dostaniemy takie same ceny jak Somalijczycy. Największy handlarz w miasteczku proponuje mi zorganizowanie ciężarówki, która przewiezie towary do Barsaloi.

Będąc dobrej myśli, idziemy trzeciego dnia do urzędu. Uprzejmy urzędnik wyjaśnia mam, że pojawił się niewielki problem. Musimy dostarczyć zaświadczenie od weterynarza z Barsaloi, że sklep jest czysty, i jeśli tylko przedłożymy mu jeszcze portret prezydenta państwa, który musi wisieć w każdym sklepie, od ręki otrzymamy licencję. Lketinga zaczyna pomstować, ale powstrzymuję go, gdyż i tak chcę najpierw udać się do domu, aby sporządzić na piśmie umowę o wynajem sklepu i wszystko tak w nim urządzić, żeby towary mogły być sensownie poukładane. A poza tym trzeba znaleźć jakiegoś pomocnika, ponieważ ja za mało znam język, a mój mąż nie potrafi rachować.

Wieczorem odwiedzamy Sophie i jej przyjaciela. Wróciła z Włoch i mamy sobie dużo do opowiedzenia. Przy okazji zwierza mi się, że jest w trzecim miesiącu ciąży. Bardzo się cieszę z tej wiadomości, mam powody przypuszczać, że także będę miała dziecko. Brak mi jednak stuprocentowej pewności, a jej nie. W odróżnieniu ode mnie Sophia każdego ranka wymiotuje. Bardzo się dziwi, gdy słyszy o moich kupieckich planach. Ale samochód musi w końcu zacząć na siebie zarabiać, nie mogę przecież w nieskończoność wydawać pieniędzy.

W Barsaloi sporządzamy umowę i stajemy się szczęśliwymi najemcami sklepu. Całymi dniami czyszczę zakurzone półki i przybijam gwoździami drucianą siatkę do lady. Z tylnego pomieszczenia usuwam stare deski. Nagle słyszę syczenie i widzę, jak pod resztką drewna znika zielone ciało węża. W całkowitej panice wybiegam na dwór i krzyczę: *Snake, snake!* Zjawia się kilku mężczyzn. Gdy jednak dowiadują się, o co chodzi, żaden nie odważa się wejść do środka.

Po krótkim czasie zebrało się sześć osób, lecz nikt nie kiwnie nawet palcem, aż przybywa z długim kijem pewien postawny Turkana. Ostrożnie wchodzi do środka i grzebie w stosie drewna, odrzucając kawałek po kawałku na bok. Wyskakuje prawie metrowy wąż. Turkana próbuje go zabić, jednakże – pomimo ciosów – wąż pełznie szybko przez drzwi w naszym kierunku. Jakiś chłopiec Samburu wbija błyskawicznie dzidę w niebezpieczne zwierzę. Dopiero gdy dowiaduję się, w jak niebezpiecznej sytuacji się znalazłam, trzęsą się mi kolana. Jakąś godzinę później przybywa mój mąż. Był u weterynarza, który wprawdzie dał mu zaświadczenie, ale pod warunkiem, że w ciągu miesiąca zostanie wzniesiony w pobliżu sklepu wychodek. I co jeszcze! Melduje się kilku ochotników, przede wszystkim z ludu Turkana, którzy gotowi są wykopać trzymetrowy dół i zbudować całą resztę. Wliczając materiał, kosztuje to prawie sześćset franków. Płacę, płacę i końca nie widać! Mam nadzieję, że wkrótce zacznę wreszcie zarabiać.

Informuję ojca Giuliana i Roberta o moich zamiarach otwarcia sklepu. Są zachwyceni, ponieważ tutaj przez połowę roku nie można dostać kukurydzy. Nie wspominam o ciąży, nawet w listach do Szwajcarii, pomimo że bardzo się cieszę. Wiem, jak szybko można tu zachorować, i nie chcę nikogo niepokoić.

W końcu nadchodzi nasz wielki dzień. Wyruszamy w drogę, aby wrócić z pełną ciężarówką. Znaleźliśmy również przyjemną pomocnicę, Annę, żonę wioskowego policjanta. Jest krzepka i pracowała już w Maralalu, a poza tym przy odrobinie dobrej woli rozumie nawet trochę po angielsku.

W Maralalu udajemy się do Commercial Bank, aby dowiedzieć się, czy przyszły już pieniądze ze Szwajcarii. Mamy szczęście. Podejmuję w przeliczeniu pięć tysięcy franków przeznaczonych na zakup towarów. Dostajemy mnóstwo plików kenijskich szylingów. Lketinga jeszcze nigdy w życiu nie widział tylu pieniędzy. Pytamy u somalijskiego hurtownika, kiedy jakaś ciężarówka będzie do naszej dyspozycji. Obecnie w rzekach nie ma wody, dlatego też droga do Barsaloi nie jest żadnym problemem dla ciężkich *lori*, za dwa dni jedna będzie wolna.

Dokonujemy zakupów. Ciężarówka kosztuje trzysta franków, dlatego musimy w pełni wykorzystać jej ładowność, która wynosi dziesięć ton. Zamawiam osiemset kilo mąki kukurydzianej i tysiąc pięćset kilo cukru – tutaj cały majątek. Kiedy płacę, Lketinga zabiera mi sprzed nosa plik pieniędzy i stwierdza, że daję tym Somalijczykom o wiele za dużo. On musi wszystko skontrolować. Jest mi strasznie głupio, gdyż niepotrzebnie obraża ludzi, a w dodatku nie umie przecież liczyć aż do tylu. Ustawia kupkę za kupką i wszyscy się dziwią, po co on się tak bawi tymi pieniędzmi. Z anielską cierpliwością przekonuję go, aby dał wreszcie spokój, aż w końcu decyduje się oddać mi pieniądze. Na jego oczach odliczam ponownie należną sumę. Gdy zostaje mi w ręce tylko trzy tysiące szylingów, mówi ze złością: „Widzisz, to było o wiele za dużo!". Uspokajam go i tłumaczę, że to są pieniądze za wynajem ciężarówki. Trzej lekko podirytowani Somalijczycy patrzą po sobie. Koniec końców towar jest zamówiony i zarezerwowany dla nas do czasu przyjazdu ciężarówki. Jeżdżę po miasteczku i kupuję tu sto kilogramów ryżu, tam sto kilogramów ziemniaków, a jeszcze gdzieś indziej kapustę i cebulę.

Późnym popołudniem ciężarówka jest załadowana. Wcześniej niż przed jedenastą nie dojedziemy do Barsaloi. Pakuję do landrowera rzeczy, które mogą się potłuc, jak woda mineralna, coca-cola i fanta, a ponadto pomidory, banany, chleb, Omo, margarynę, herbatę i inne produkty. Auto jest wypełnione po dach. Nie jadę okrężną drogą, tylko przez las, bo w ten sposób mogę być za dwie godziny w Barsaloi. Lketinga siedzi w ciężarówce, gdyż ma uzasadnione podejrzenia, że towar może gdzieś zniknąć po drodze.

Łowczy i dwie kobiety jadą ze mną. Ponieważ samochód jest załadowany po brzegi, włączam napęd na cztery koła, kiedy podjeżdżam w lesie pod górę. Muszę się dopiero przyzwyczaić do prowadzenia auta z takim ciężarem, bądź co bądź jest tego siedemset kilogramów. Czasami przejeżdżamy prosto przez kałuże, które tutaj, w gąszczu, rzadko całkiem wysychają.

Łąka, na której kiedyś spotkałam bawoły, jest dzisiaj pusta. Rozmawiam w suahili z łowczym o sklepie, ciężko nam to idzie. Niedaleko „zbocza śmierci" pojawia się stroma serpentyna. Kiedy skręcam do wąwozu, stoi przed nami wielki, szary mur. Hamuję jak opętana, jednakże przeładowany samochód zsuwa się siłą bezwładności powoli w kierunku słonia. *Stop, stop the car!* – krzyczy łowczy. Próbuję wszystkiego, łącznie z ręcznym hamulcem, który nie funkcjonuje jednak najlepiej. Zatrzymujemy się w końcu jakieś trzy metry przed olbrzymim zadem. Zwierzę próbuje obrócić się na wąskiej drodze. Szybko wrzucam wsteczny bieg. Kobiety piszczą z tyłu i chcą wysiadać. Słoń obrócił się już i patrzy na nas oczami jak guziki. Wznosi trąbę i ryczy. Jego wielkie ciosy sprawiają niesamowite wrażenie. Samochód powoli pełznie do tyłu, znajdujemy się teraz w odległości sześciu metrów od słonia. Łowczy uprzedza jednak, że bezpieczni będziemy dopiero wtedy, gdy staniemy się niewidzialni, co oznacza: gdy znikniemy za zakrętem. Ponieważ samochód załadowany jest do pełna i nie ma bocznego lusterka, nie widzę, co dzieje się za mną. Tak więc łowczy musi mną kierować, a ja mam nadzieję, że dobrze interpretuję jego znaki.

W końcu odległość jest tak znaczna, że nie widzimy słonia, jedynie go słyszymy. Dopiero teraz czuję, jak bardzo drżą mi kolana. Nie chcę nawet myśleć o tym, co by się stało, gdyby samochód wjechał na słonia albo gdyby podczas wycofywania się zgasł mi nagle silnik.

Łowczy ciągle czuje zapach słonia. Jak na ironię, nie ma dzisiaj przy sobie broni. Znajdujemy się teraz osiemdziesiąt metrów dalej, ale wciąż słyszymy, jak słoń łamie drzewa. Gdy na dłuższą chwilę zapada cisza, łowczy podkrada się do zakrętu. Wraca i zdaje relację, że słoń broni swojego rewiru i beztrosko pasie się na drodze, a na lewo i prawo od niego leżą małe drzewa.

Stopniowo robi się ciemno. Gzy nie dają nam spokoju, tną straszliwie. Oprócz łowczego nikt nie wysiada. Godzinę później słoń nadal znajduje się na drodze. Denerwuje mnie to, gdyż mamy przed sobą jeszcze długą drogę i muszę ciężko załadowanym autem pokonać w ciemnościach kamieniste zbocze. Gdy sytuacja nie ulega zmianie, łowczy zbiera duże kamienie i podkrada się ponownie do zakrętu, skąd rzuca nimi w kierunku gęstego lasu, co wywołuje głośny stukot. Wkrótce potem słoń wreszcie opuszcza drogę.

W Barsaloi zajeżdżam od razu pod sklep i wyładowuję towary w świetle reflektorów. Dzięki Bogu pomaga mi kilku ludzi. Nareszcie mogę pójść do naszej *manyatty*. Jakiś czas później przychodzi chłopak z sąsiedztwa i donosi, że widział w oddali dwa światła. Również starszy brat Lketingi wypatruje oczy. Wszyscy czekają w napięciu. Niedługo tu będzie! Pierwsza ciężarówka Samburu!

Idę z bratem do sklepu, aby tam zaczekać. Zjawia się także wetery-narz i przynosi z chaty lampę naftową. Stawiamy ją na ladzie i z miej-sca w sklepie robi się przytulnie. Zastanawiam się, gdzie co wyładu-jemy i ułożymy. Coraz więcej ludzi kręci się wokół sklepu i czeka na *lori*. W końcu nadjeżdża z hałasem. Jest do dla mnie doniosła chwila i jednocześnie ogarnia mnie uczucie szczęścia, kiedy pomyślę, że oto w Barsaloi stoi sklep, w którym zawsze będzie można kupić coś do je-dzenia. Od teraz nikt nie będzie musiał głodować, gdyż żywności jest w bród. Lketinga wysiada dumny z ciężarówki i pozdrawia kilku lu-dzi, w tym łowczego. Z przerażeniem wysłuchuje jego opowieści, a potem podchodzi do mnie i ze śmiechem pyta: „Hello, żono, rze-czywiście widziałaś słonia?". „Pewnie, że tak!". Chwyta się za głowę. „A to dopiero! Bardzo niebezpieczne, naprawdę, Corinne, bardzo niebezpieczne!". „Tak, wiem, ale teraz wszystko już w porządku" – odpowiadam i rozglądam się, kto mógłby pomóc w rozładunku.

Prowadzone są rokowania, wybieramy trzech mężczyzn, którzy również u Somalijczyków w ten sposób od czasu do czasu zarabiają pieniądze. Najpierw zostają rozmieszczone worki z ziemniakami i ry-żem, a pomieszczenie na zapleczu, które ma służyć za magazyn, na-pełnia się workami mąki kukurydzianej i cukru. Pozostałe produkty składamy z przodu sklepu.

Panuje ożywiony ruch. Pół godziny później ciężarówka jest pusta i rusza w całkowitych ciemnościach w drogę powrotną do Maralalu. Stoimy w totalnym chaosie, między Omo a paczkami herbaty. Poja-wiają się pierwsi klienci i chcą kupić cukier. Odmawiam jednak sprzedaży, gdyż jest zbyt późno i najpierw musimy posprzątać. Zamy-kamy sklep i udajemy się do *manyatty*.

Wstajemy rano i jak zazwyczaj siedzimy ze zwierzętami w słońcu, gdy kilka kobiet zbliża się do nas. Lketinga pyta, o co chodzi. Chcą wiedzieć, kiedy otworzymy sklep. Lketinga chce od razu ruszać, mó-wię mu jednak, aby przekazał, że przed południem nic nie będzie sprzedawane, gdyż najpierw musimy wszystko rozpakować, a ponad-to nie ma jeszcze Anny.

Anna wie, jak należy sensownie wystawić towary. Po dwóch godzi-nach sklep wygląda niemalże perfekcyjnie. Siedzi przed nim z pięć-dziesiąt kobiet i mężczyzn i wszyscy czekają na otwarcie. Siatka druciana bardzo się przydaje. Pod ladą wystawiam ziemniaki, kapustę, marchewki, cebulę, pomarańcze i mango. Na sznurze, przyczepionym do sufitu, zwisają kiście bananów. Z tyłu, na półkach, stoją w szeregu proszki Omo, puszki z tłuszczem Kimbo, herbata, papier toaletowy, który później będzie się sprzedawał jak złoto, różne mydła, słodycze, a także zapałki. Obok wagi stawiamy po worku cukru, mąki kukurydzianej i ryżu. Jeszcze raz sprzątamy podłogę i otwieramy bramę sklepu.

Przez krótką chwilę razi nas wpadające do środka światło słoneczne, potem kobiety szturmują sklep. Falą nadpływają ku mnie barwnie przystrojeni ludzie. Sklep jest tak pełny, że mało nie pęknie. Wszyscy wyciągają do nas swoje *kangi* albo ręcznie uszyte worki i Anna zaczyna napełniać je mąką kukurydzianą. Aby przy tym za wiele się nie rozsypywało, zrobiliśmy z kartonu coś w rodzaju łopatki. Również biorę się do porcjowania cukru i mąki. Większość ludzi kładzie po prostu pieniądze na ladę i chce za nie różne artykuły. To wymaga szybkiego liczenia.

Pierwszy wielki worek mąki kukurydzianej zostaje sprzedany w niespełna godzinę, cukier do połowy. Cieszę się, że wcześniej napisałam ceny na wszystkich artykułach. Mimo to panuje straszliwy nieporządek. Z pudła, które służy za kasę, wysypują się pieniądze, ponieważ do wieczora sprzedajemy prawie sześćset kilo mąki kukurydzianej, dwieście kilo cukru i różne inne artykuły. Gdy zaczyna się ściemniać, chcemy już zamykać, ale przychodzi to jedno, to drugie dziecko i chce kupić cukier albo mąkę na kolację. O siódmej w końcu zamykamy. Ledwo jestem w stanie się ruszać. Również Anna idzie do domu znużona i wyczerpana.

Z jednej strony dzisiejszy dzień był olbrzymim sukcesem, z drugiej jednak taki przepływ klientów daje mi dużo do myślenia. Jutro, od rana do wieczora, nie będzie inaczej. Przydałoby się umyć nad rzeką. Kiedy jednak mam to zrobić?

O ósmej jesteśmy znowu w sklepie, Anna już czeka. Interes powoli się rozkręca. Od dziewiątej do popołudnia sklep jest przepełniony. Szybko się opróżniają skrzynki z wodą mineralną, colą i fantą. Zbyt długo musiano tutaj rezygnować z napoi chłodzących.

Wielu wojowników i chłopców sterczy po prostu godzinami w sklepie albo przed nim i rozmawia. Kobiety i dziewczyny siedzą w cieniu sklepu. Także żony weterynarza, lekarza i nauczyciela przychodzą i kupują kilogramami ziemniaki i owoce. Wszyscy cieszą się ze wspaniale zaopatrzonego sklepu. Naturalnie już teraz zauważam, ile mi brakuje. Lketinga jest niemalże cały czas przy nas i rozmawia z ludźmi albo sprzedaje proste rzeczy, jak mydło albo Omo. Pomaga, jak umie. Mama pojawiła się dzisiaj po raz pierwszy, aby obejrzeć nasz sklep. Pod koniec drugiego dnia opanowuję już wszystkie cyfry w języku *maa*. Sporządziłam tabelę, z której można od razu odczytać ceny za różne ilości mąki czy cukru, co bardzo ułatwia naliczanie. Także i tego dnia pracujemy bez przerwy i wleczemy się zmęczeni do domu. Oczywiście znowu nie jadłam nic ciepłego, co w moim stanie nie jest zbyt rozsądne. Od ciągłego pochylania się bolą mnie plecy. Tylko dzisiaj rozważyliśmy i sprzedaliśmy osiem worków mąki i prawie trzysta kilogramów cukru.

Mama gotuje dla mnie mąkę kukurydzianą z odrobiną mięsa, a ja omawiam z Lketingą tę trudną do wytrzymania sytuację. Anna i ja potrzebujemy po prostu przerwy, aby móc coś zjeść i umyć się. Postanawiamy, że od jutra sklep będzie od dwunastej do drugiej zamknięty. Anna również cieszy się z takiego rozwiązania. Przewozimy czterdzieści litrów wody do sklepu, żebym mogła się przynajmniej w tylnym pomieszczeniu umyć.

Stopniowo znikają owoce i warzywa. Nawet drogi ryż się rozszedł. Do domu zabrałam tylko trzy kilogramy. Giuliano i Roberto odwiedzają nas tego dnia po raz pierwszy i wyrażają swój podziw, co podnosi mnie na duchu. Pytam, czy mogę u nich deponować utarg, gdyż nie bardzo wiem, gdzie przechowywać tak dużo pieniędzy. Giuliano zgadza się, tak więc każdego dnia zachodzę do misji i oddaję kopertę pełną pieniędzy.

Ludzie nie dochodzą do ładu z nowymi godzinami otwarcia, gdyż na ogół nie mają zegarków. Albo musimy zamykać, używając niemalże przemocy, albo jest tak dużo ludzi, że pracujemy bez przerwy. Po dziewięciu dniach sklep jest prawie pusty, zostało tylko pięć worków mąki, a cukru nie ma od dwóch dni. Tak więc trzeba ponownie wybrać się do Maralalu. Przy odrobinie szczęścia za trzy dni będziemy z ciężarówką z powrotem. Anna zostaje sama w sklepie, nie ma cukru, to i ruch jest znacznie mniejszy.

W Maralalu również brakuje cukru. Nie sprzedaje się stukilogramowych worków, zaopatrzenie jest dopiero w drodze. Bez cukru nie opłaca się wracać do Barsaloi. Gdy po trzech dniach wreszcie się pojawia, worki są racjonowane i zamiast dwudziestu, dostajemy tylko osiem. Piątego dnia ruszamy z ciężarówką.

Podczas pobytu w Maralalu poszerzyłam asortyment – kupiłam *kangi*, na które jest popyt, tytoń do żucia dla starszych, a nawet dwadzieścia par różnej wielkości sandałów z opon samochodowych. Niestety, dotychczas zarobione pieniądze nie wystarczają na nowe zakupy. Muszę pobrać dodatkowe pieniądze z banku i postanawiam podnieść nieco ceny za kilogram mąki i cukru, pomimo że są one ustanawiane przez państwo. Przy tak wysokich kosztach transportu nie mogę sprzedać za taką samą cenę, jaka jest w Maralalu. Ponadto napełniamy dwustulitrową beczkę benzyną.

Tym razem Lketinga nie pozwala mi jechać samej landrowerem, gdyż obawia się ponownego spotkania ze słoniami albo bawołami. A kto będzie pilnował *lori*? Lketinga posyła z ciężarówką pewnego znajomego, któremu, jak uważa, może zaufać. Koło południa ruszamy i docieramy do Barsaloi bez kłopotów. To rzeczywiście jest bardzo dziwne: jeśli mój mąż jest przy mnie, wszystko idzie jak z płatka.

W sklepie panuje całkowita cisza. Znudzona Anna wychodzi nam naprzeciw. W ciągu pięciu dni sprzedała resztę mąki i tylko czasem zjawia się ktoś po herbatę albo Omo. Kasa jest do połowy napełniona banknotami, skontrolować jej nie jestem jednak w stanie, ponieważ w magazynie znajduje się jeszcze to i owo. Mam zaufanie do Anny.

Idziemy do *manyatty*, w której zastajemy dwóch smacznie śpiących wojowników. Nie jestem tym specjalnie zachwycona, że *manyatta* jest zajęta, jednak wiem, co nakazuje prawo gościnności. Wszyscy mężczyźni, którzy są w wieku Lketingi, mają prawo odpocząć lub przenocować w naszej chacie. Muszę również częstować ich herbatą. Gdy rozpalam ogień, mężczyźni rozmawiają. Lketinga tłumaczy mi, że w Sitedi bawół rozpruł jednemu wojownikowi udo i że musi natychmiast pojechać tam autem i zabrać go do lekarza. Zostaję na miejscu, gdyż *lori* powinna przybyć w ciągu najbliższych dwóch godzin. Niezbyt chętnie wręczam mężowi kluczki do auta. Wybiera się tą samą trasą, na której przed rokiem zdemolował samochód.

Schodzę do Anny i porządkujemy sklep, aby wszystko było gotowe do rozładunku. Pod wieczór zapalamy dwie nowe lampy naftowe. Oprócz nich załatwiłam jeszcze prostą maszynkę na węgiel drzewny, żeby niekiedy móc ugotować na zapleczu herbatę lub coś do jedzenia. W końcu nadjeżdża *lori*. Niebawem też gromadzi się mnóstwo ludzi wokół sklepu. Rozładunek nie trwa długo. Tym razem przeliczam worki, aby upewnić się, czy wszystkie dotarły. Jak się okazuje, moja nieufność była nie na miejscu. Po rozładowaniu towaru panuje chaos. Wszędzie piętrzą się kartony, które musimy rozpakować. Nagle pojawia się w sklepie mąż. Pytam, czy wszystko jest w porządku. „Nie ma problemu, Corinne, tylko ten mężczyzna ma wielki problem" – brzmi jego odpowiedź. Zawiózł ofiarę wypadku do lekarza, który oczyścił dwudziestocentymetrową ranę na nodze i zszył ją bez narkozy. Teraz leży w naszej *manyatcie*, gdyż codziennie musi chodzić na kontrolę.

Lketinga kupił w Maralalu całe kilogramy *miraa*, którą teraz korzystnie odsprzedaje. Wszyscy mieszkańcy wioski przychodzą po to zielsko, a nawet dwóch Somalijczyków przekracza po raz pierwszy próg naszego sklepu. Oni również palą się do *miraa*. Mój mąż patrzy na nich gniewnie i pyta protekcjonalnie, czego tutaj szukają. Przykro mi z powodu jego zachowania, gdyż ci dwaj są uprzejmi i doświadczyli już wystarczająco wielu strat z powodu naszego interesu. Dostają *miraa* i wychodzą. Koło dwudziestej pierwszej sklep jest wreszcie w takim stanie, że jutro możemy na nowo zacząć sprzedawać.

Gdy wczołguję się do chaty, leży w niej przysadzisty wojownik z grubo obandażowaną nogą i cicho pojękuje. Pytam, jak się czuje. Odpowiada, że okay. To jednak nic nie znaczy, gdyż żaden Samburu nie odpowiedziałby nigdy inaczej, nawet gdyby za chwilę miał wydać ostatnie tchnienie. Bardzo się poci, czuć mocną mieszaniną potu i jodyny. Po krótkim czasie przybywa Lketinga z dwoma wiązkami *miraa*. Zagaduje rannego, ale ten odpowiada z trudem. Pewnie ma wysoką gorączkę. Udaje mi się namówić go, aby zmierzył temperaturę. Termometr pokazuje czterdzieści i pół stopnia. Podaję mu lekarstwa na obniżenie gorączki i krótko potem zasypia. Tej nocy źle śpię. Mój mąż żuje przez cały czas *miraa*, a ranny wojownik jęczy i niekiedy krzyczy przez sen.

Następnego dnia Lketinga zostaje przy swoim towarzyszu, a ja idę do sklepu. Interes idzie jak złoto. Wieści o nowej dostawie cukru i mąki kukurydzianej rozeszły się lotem błyskawicy. Tego dnia Anna sprawia wrażenie, jakby była osłabiona. Raz na jakiś czas musi przysiąść. Niekiedy wybiega na dwór i wymiotuje. Zaniepokojona pytam, co się z nią dzieje. Anna mówi, że da sobie radę, chyba ma lekki atak malarii. Każę jej iść do domu. Mężczyzna, który eskortował naszą ciężarówkę, proponuje mi pomoc. Jestem szczęśliwa, że pomaga, gdyż rzeczywiście daje z siebie wszystko. Po wielu godzinach znowu straszliwie boli mnie krzyż. Nie wiem, czy to dlatego, że jestem w ciąży, czy też może od wiecznego schylania się. Przypuszczam, że to końcówka trzeciego miesiąca. Nic jednak jeszcze nie widać, poza niewielkim wybrzuszeniem. Mąż powątpiewa w moją brzemienność, mówi, że pewnie mam tylko wrzód w brzuchu.

Po jakimś czasie Lketinga pojawia się w sklepie. W pierwszej chwili jest zaskoczony i wrzeszczy na mężczyznę, czego on tam szuka za ladą. Ja obsługuję dalej. Mężczyzna opowiada, że Anna źle się czuje i dlatego poszła do domu. Pracujemy, a mój mąż siedzi i żuje *miraa*, co wcale mi się nie podoba. Posyłam go do weterynarza, aby zobaczył, czy zabito dzisiaj jakąś kozę, gdyż chciałabym ugotować coś dobrego do jedzenia, mięso i ziemniaki. W południe mam zamiar zamknąć sklep, aby na zapleczu ugotować posiłek i umyć się, ale Lketinga i pomocnik wolą pracować bez przerwy. Na piecyku gotuję smaczny jednodaniowy obiad. Nareszcie mogę znowu zjeść w spokoju. Połowę zostawiam Lketindze. Z pełnym żołądkiem lepiej mi się pracuje.

Po dziewiętnastej jesteśmy w domu. Chory siedzi w naszej chacie i wygląda, jakby czuł się lepiej. Cóż jednak za chaos panuje tutaj! Wszędzie walają się obgryzione łodygi *miraa* i przeżute grudki gumy do żucia. Garnek z zaschniętymi resztkami kukurydzy stoi obok paleniska, a wokół leżą kawałki jedzenia, po których krzątają się mrówki. Do tego dodać należy paskudny odór, jaki rozchodzi się po chacie. Zatyka mnie. Wracam zmęczona z pracy i najpierw muszę sprzątać chatę, nie wspominając już o myciu garnka na herbatę, czyli skrobaniu go paznokciami.

Gdy mówię mężowi, że jestem niezadowolona, spotykam się z brakiem zrozumienia. Odurzony *miraa*, czuje się zaatakowany i stwierdza, że nie chcę pomóc jego przyjacielowi, który ledwo uszedł z życiem. A przecież domagam się tylko nieco porządku. Wojownik, utykając, opuszcza chatę i idzie z Lketingą do mamy. Słyszę ożywioną dyskusję i czuję się odrzucona i samotna. Żeby nie stracić panowania nad sobą, wyciągam magnetofon i słucham niemieckiej muzyki. Po jakimś czasie Lketinga wsuwa głowę do chaty i patrzy na mnie niezadowolony. „Corinne, co się dzieje? Dlaczego słuchasz tej muzyki? Co to ma znaczyć?". O Boże, jak ja mam mu wytłumaczyć, że czuję się niezrozumiana i wykorzystywana i że szukam pocieszenia w muzyce? On tego nie zrozumie. Biorę go za rękę i proszę, aby usiadł przy mnie. Słuchamy razem muzyki i wpatrujemy się w ogień. Czuję, jak z wolna budzi się erotyczne napięcie i rozkoszuję się nim. Lketinga wygląda fantastycznie w blasku ognia. Kładę dłoń na jego ciemnym, nagim udzie i czuję jego podniecenie. Spogląda na mnie dziko i nagle trzymamy się w ramionach. Całujemy się. Po raz pierwszy mam wrażenie, że jemu również to się podoba. Pomimo że ciągle próbowałam, całowanie tak naprawdę nie bawiło dotychczas Lketingi, i dlatego moje usiłowania kończyły się szybko niepowodzeniem. Teraz jednak całuje mnie i staje się coraz bardziej niepohamowany. Kochamy się. Jest cudownie. Gdy rozładowuje swoje napięcie, głaszcze mnie czule po niewielkim brzuchu i pyta: „Corinne, jesteś pewna, że masz dziecko?". Szczęśliwa, śmieję się. „Tak!". „Corinne, jeśli masz dziecko, dlaczego potrzebujesz kochania? Wszystko jest w porządku, dałem ci dziecko, teraz czekam na nie". Naturalnie jestem nieco rozczarowana taką postawą, nie biorę jej jednak całkiem poważnie. Zadowoleni zasypiamy.

Następnego dnia jest niedziela. Sklep jest zamknięty i postanawiamy pójść na mszę, którą odprawia ojciec Giuliano. Kościółek pęka w szwach. Znajdują się w nim głównie kobiety i dzieci. Kilku mężczyzn, jak weterynarz z rodziną, lekarz i nauczyciel, siedzi po jednej stronie. Giuliano odprawia mszę w suahili, a nauczyciel tłumaczy na samburu. Od czasu do czasu kobiety i dzieci śpiewają i grają na bębnach. Panuje dość radosny nastrój. Lketinga jest jedynym wojownikiem, po raz pierwszy i jednocześnie ostatni poszedł do kościoła.

Popołudnie spędzamy wspólnie nad rzeką. Piorę rzeczy, a Lketinga myje samochód. Nareszcie mamy wystarczająco dużo czasu, aby wzajemnie się umyć. Jest tak, jak kiedyś, i z melancholią myślę o dawnych czasach. Oczywiście, że podoba mi się sklep, nasz jadłospis stał się dzięki niemu bardziej urozmaicony, nie mamy jednak już tyle czasu dla siebie. Wszystko toczy się teraz w takim tempie. Mimo to cieszę się, gdy nadchodzi poniedziałek. Zdążyłam już zaprzyjaźnić się z kobietami z wioski i częściowo z ich mężami, którzy trochę mówią po angielsku. Powoli wiem, kto do kogo należy. Anna bardzo przypadła mi do serca. Od kilku dni jej mąż przesiaduje w sklepie, gdyż ma urlop. Nie przeszkadza mi to, za to Lketindze – tak. Przy każdej wodzie sodowej, którą wypija mąż Anny, pyta, czy Anna ją policzyła. Nadszedł czas, aby znowu zorganizować cukier. Worki od kilku dni są puste i dlatego przychodzi mniej ludzi. Poza tym zbliżają się ferie szkolne, tak więc mogłabym załatwić w Maralalu cukier i przy okazji zabrać Jamesa do domu. Lketinga zostaje w sklepie, żeby pomagać Annie. Mamy jeszcze jakieś dwadzieścia worków mąki, które musimy sprzedać, żeby mieć pieniądze na wynajem ciężarówki.

Zabieram ze sobą sprawdzonego pomocnika. Pracuje dobrze i będzie w stanie wrzucić mi worki do landrowera. Dwadzieścia osób chce jechać z nami, co jest zupełnie normalne. Jako że za każdym razem dochodzi do nieporozumień, postanawiam domagać się drobnej opłaty, abym nie musiała ciągle sama ponosić kosztów benzyny. W ten sposób pojadą tylko ci, którzy rzeczywiście mają ważny powód. Gdy oznajmiam swoją decyzję, ogonek czekających szybko się kurczy. Pozostaje pięć osób, które płacą żądaną sumę. Landrower nie jest przeładowany. Wyjeżdżamy wcześnie, gdyż wieczorem chcę być z powrotem. Do tych, którzy płacą, należy tym razem również łowczy.

W Maralalu wszyscy wysiadają, a ja zmierzam do szkoły. Kierownik wyjaśnia mi, że uczniowie mają wolne dopiero od szesnastej. Umawiam się z nim, że wezmę trzech, czterech uczniów do Barsaloi. Załatwiamy z pomocnikiem trzy worki cukru oraz nieco owoców i warzyw. Więcej nie mogę ładować, jeśli chcę zabrać chłopców. Zostają mi dwie godziny. Wykorzystuję ten czas i odwiedzam Sophię.

Na mój widok Sophia nie posiada się z radości. Wiedzie jej się dobrze i, w odróżnieniu ode mnie, przytyła kilka kilo. Gotuje spaghetti, dla mnie prawdziwie odświętne jedzenie, gdyż tak długo obywam się bez makaronu. Nie ma się co dziwić, że tak szybko przybiera na wadze! Jej przyjaciel pojawia się na chwilę i znika z kilkoma przyjaciółmi. Sophia skarży się, że od czasu gdy jest w ciąży, prawie nie zwraca na nią uwagi. Pracować też nie chce, za to wydaje jej pieniądze na piwo i przyjaciół. Mimo wygód, jakie ma, wcale jej nie zazdroszczę. Wprost przeciwnie: na przykładzie Sophii uświadamiam sobie, jak dużo robi Lketinga. Żegnam się i przyrzekam, że za każdym razem, gdy tylko będę w Maralalu, zajrzę do niej na chwilę. Odbieram pomocnika i łowczego w umówionym miejscu i jedziemy pod szkołę, gdzie czeka już trzech chłopców. James bardzo się cieszy, że po niego przyjechałam. Od razu wyruszamy, gdyż chcemy przed zmrokiem dotrzeć do domu.

ŚCIEŻKI W DŻUNGLI

Samochód wspina się po czerwonej, pokrytej pyłem drodze. Krótko przed serpentyną uśmiechamy się z łowczym, myśląc o naszej przygodzie ze słoniem. Z tyłu samochodu chłopcy śmieją się i rozmawiają. Tuż przed stromym zboczem chcę włączyć napęd na cztery koła i naciskam hamulec raz, potem drugi, ale samochód toczy się po prostu dalej, wprost na zbocze śmierci. Przerażona krzyczę: *No brakes!* Jednocześnie widzę, że nie mogę skręcić na prawo, gdyż niedaleko drogi zaczyna się wąwóz, który zakrywają drzewa. Nie zastanawiając się dłużej, ciągnę kierownicę w lewo, podczas gdy łowczy manipuluje przy drzwiach.

Jakimś cudem samochód przedziera się przez próg wznoszących się coraz wyżej skał. Tam gdzie przejeżdżam, wysokość wynosi jakieś trzydzieści centymetrów. Gdybyśmy znajdowali się niewiele dalej, nie pozostałoby mi nic innego, jak jechać prosto na skalną ścianę. Modlę się, żeby auto zatrzymało się na krzakach, platforma, na której się znajdujemy, ma najwyżej pięć, sześć metrów długości, dalej zaczyna się stromy spad w kierunku dżungli.

Chłopcy są bardzo podekscytowani, a łowczy blady jak ściana. Wreszcie, jakiś metr przed końcem platformy, samochód się zatrzymuje. Tak drżę na całym ciele, że nie jestem w stanie wysiąść.

Ponieważ siedzimy z przodu bez ruchu i nie kwapimy się wcale do otworzenia tylnej klapy, uczniowie przeciskają się przez okna samochodu. Na miękkich nogach w końcu wysiadam, aby przyjrzeć się szkodom, i w tym momencie samochód powoli rusza. Błyskawicznie chwytam pierwszy lepszy kamień i podkładam go pod koło. Chłopcy odkrywają, że przewód hamulcowy jest wyrwany. Bezradni i zaszokowani stoimy przy pojeździe, nie dalej jak trzy metry od zbocza śmierci.

Nie możemy zostać tu, w buszu, twierdzi łowczy, pomimo że tym razem jest uzbrojony. Jak tylko się ściemni, będzie potwornie zimno. Jechać bez hamulców dalej, do Barsaloi, nie ma żadnego sensu, tak więc pozostaje tylko powrót do Maralalu. W najgorszym wypadku pokonam drogę bez hamulców, używając tylko napędu na cztery koła. Najpierw jednak trzeba na wąskiej platformie zawrócić tym długim samochodem. Wyszukujemy spore kamienie i powoli ruszam. Dalej niż pół metra do przodu nie wolno mi pojechać, dlatego chłopcy zatrzymują mnie, blokując kamieniami koła. Potem taki sam manewr do tyłu, przy którym prawie nic nie widzę. Pot leje mi się po twarzy i modlę się do Boga, aby nam pomógł. Po tym przeżyciu, przy którym ledwo uniknęliśmy śmierci, jestem w pełni przekonana, że istnieje. Ponad godzinę później ziszcza się drugi cud: zawróciłam samochód.

W dżungli jest już ciemno, gdy ruszamy; przez cały czas jedziemy na pierwszym biegu z włączonym napędem na cztery koła. Gdy droga prowadzi pod górę, samochód jedzie o wiele za szybko, gdy z kolei jedziemy prosto, silnik wyje potwornie. Nie mam jednak odwagi wrzucić dwójki. W krytycznych momentach naciskam odruchowo nie działający hamulec. Po ponad godzinie docieramy do Maralalu i oddychamy z ulgą. Ludzie przechodzą spokojnie przez ulicę przekonani, że nieliczne auta, jakie tu jeżdżą, zahamują. Ja mogę naciskać tylko klakson, a ludzie, przeklinając mnie, odskakują na boki. Przed garażem wyłączam stacyjkę i samochód toczy się, wytracając prędkość. Szef, Somalijczyk, właśnie zamyka. Tłumaczę mu, jaki mam problem i że samochód jest załadowany towarem, którego nie mogę zostawić bez opieki. Otwiera żelazną bramę i kilku mężczyzn wpycha pojazd do środka.

Idziemy wszyscy napić się herbaty i omówić naszą sytuację, jeszcze nie doszliśmy do siebie. Trzeba poszukać noclegu. Łowczy sam troszczy się o siebie, ja zapraszam chłopaków i pomocnika. Bierzemy dwa pokoje. Chłopcy mówią, że mogą przespać się w dwóch na jednym łóżku. Chcę być sama. Po jedzeniu idę do siebie. Gdy myślę o moim mężu, czuję się strasznie. Przecież on nawet nie wie, co się stało, i na pewno bardzo się martwi.

Wcześnie rano zachodzę do garażu. Mechanicy właśnie reparują mój samochód. Dla szefa jest zagadką, jak coś takiego mogło się stać. Dla mnie również. O jedenastej możemy ruszać, lecz tym razem nie odważam się jechać drogą przez las. Strach zagnieździł się we mnie, a poza tym jestem przecież w czwartym miesiącu ciąży. Jedziemy drogą okrężną przez Baragoi, co na ogół zabiera cztery i pół godziny. Podczas jazdy myślę o tym, jak bardzo mąż musi się o mnie martwić. Szybko posuwamy się naprzód. Ta trasa, której jedyną wadą są kamienie, nie jest zbyt wymagająca. Mamy już za sobą ponad połowę drogi, gdy po przekroczeniu wyschniętego łożyska rzeki słyszę dobrze mi znane syczenie. Złapałam gumę. Jakby nie dość już było tych wszystkich nieszczęść! Wszyscy wysiadają i chłopcy wyciągają spod worków cukru zapasowe koło. Pomocnik podkłada lewarek i po półgodzinie koło jest zmienione. Wyjątkowo nie mam nic do roboty, siedzę więc w prażącym słońcu i palę papierosa. Ruszamy dalej i po południu docieramy do Barsaloi.

Parkuję przed sklepem i właśnie mam wysiadać, gdy podchodzi do mnie mąż, rzucając wzrokiem gromy. Stoi przed drzwiczkami i kręci głową: „Corinne, co jest z tobą? Dlaczego tak późno?". Opowiadam mu, lecz on, pogardliwie oganiając się ode mnie, wcale nie słucha, tylko pyta, z kim spędziłam noc w Maralalu. Wściekłość we mnie wzbiera. Ledwo uszliśmy z życiem, a mój mąż jest przekonany, że go zdradziłam! Takiej reakcji z jego strony nigdy w życiu bym się nie spodziewała.

Chłopcy przychodzą mi z pomocą i zdają relację z podróży. Lketinga wczołguje się pod samochód i ogląda przewód. Gdy odkrywa rozmazane plamy płynu hamulcowego, daje spokój. Ja jednak jestem głęboko zawiedziona i postanawiam udać się do chaty. Niech sami sobie radzą z tym wszystkim. W końcu jest teraz jeszcze James. Przelotnie pozdrawiam mamę i Sagunę, a następnie chowam się i płaczę z wycieńczenia i rozczarowania.

Pod wieczór zaczynam marznąć. Nie przywiązuję do tego wagi i gotuję herbatę. Przychodzi Lketinga i bierze sobie herbaty. Prawie nie rozmawiamy. Późnym wieczorem rusza z wizytą do daleko położonego go *kraalu*, aby odebrać kozy, które dostaliśmy podczas wesela. Mówi, że wróci za dwa dni. Zarzuca na plecy swój czerwony koc, bierze dwie dzidy i bez zbędnych słów opuszcza *manyattę*. Słyszę, jak chwilę rozmawia z mamą, potem zapada cisza. Słychać tylko płacz dziecka w są-siedniej chacie.

Mój stan się pogarsza i w nocy ogarnia mnie strach. Czy to znowu atak malarii? Wyciągam tabletki fansidaru i czytam dokładnie ulot-kę. Trzy tabletki naraz przy podejrzeniu, jednak w przypadku ciąży należy skonsultować się z lekarzem. O Boże, w żadnym wypadku nie chcę stracić dziecka, co przy malarii do szóstego miesiąca ciąży łatwo może się zdarzyć. Postanawiam wziąć te trzy tabletki i podkładam drewna pod ogień, żeby było mi trochę cieplej.

Rano budzę się dopiero wtedy, gdy słyszę na dworze głosy. Wyczoł-guję się z chaty i oślepia mnie jasny blask słońca. Jest prawie w pół do dziewiątej. Mama siedzi przed swoją chatą i patrzy na mnie ze śmiechem. *Supa Corinne* – dobiega z jej strony. *Supa mama* – odpo-wiadam i maszeruję do buszu, aby się załatwić.

Czuję się słaba i pozbawiona energii. Gdy wracam do *manyatty*, sto-ją przed nią cztery kobiety i pytają o sklep. *Corinne, tuka* – słyszę wo-łanie mamy; mam otworzyć sklep. „*Ndjo, ja*, później". Ze zrozumia-łych względów wszyscy chcą kupić cukier, który wczoraj przywio-złam. Pół godziny później wlokę się do sklepu.

Czeka jakieś dwadzieścia osób, lecz Anny nie ma między nimi. Otwieram i od razu kobiety zaczynają się sprzeczać, każda chce być pierwsza. Obsługuję mechanicznie. Gdzie jest Anna? Pomocnik rów-nież się nie pokazuje. Nie wiem też, gdzie podziali się chłopcy. Ob-sługując klientów, czuję, że muszę szybko iść do ubikacji. Chwytam papier toaletowy i pędzę do przybytku. Mam rozwolnienie. Jestem porządnie zestresowana. Sklep pełen ludzi, a kasa to otwarte pudło, dostępne dla każdego, kto dostanie się za ladę. Bez sił wracam do roz-gadanych kobiet. Wiele razy muszę tego dnia biegać do toalety.

Anna zrobiła mnie w konia, nie przyszła. Dotychczas nie pojawił się żaden znajomy, któremu mogłabym wyjaśnić swą sytuację po an-gielsku i którego mogłabym poprosić o pomoc. Po południu ledwo trzymam się na nogach.

Wreszcie do sklepu zachodzi żona nauczyciela. Posyłam ją do ma-my, aby zobaczyła, czy chłopcy są w domu. Na szczęście pojawia się James z tym chłopcem, który wtedy nocował ze mną w schronisku. Są gotowi od razu przejąć prowadzenie sklepu, a ja mogę iść do domu. Mama patrzy na mnie zaskoczona i pyta, co się stało. Co mam jej odpowiedzieć? Wzruszam ramionami i mówię: *Mayby malaria*. Patrzy na mnie przerażona i chwyta się za brzuch. Rozumiem znaczenie tego gestu, sama jestem bezradna i smutna. Zachodzi do mnie i gotuje czarną herbatę, gdyż mleko nie będzie mi służyło. Czekając na zagotowanie się wody, mówi bez przerwy do Enkai, modląc się za mnie w sobie właściwy sposób. Naprawdę bardzo ją lubię, gdy tak sobie siedzi z obwisłymi piersiami, w brudnej spódnicy. W tym momencie jestem szczęśliwa, że mój mąż ma taką dobrą, troskliwą matkę, i nie chcę jej zawieść.

Gdy kozy wracają do zagrody, starszy brat zagląda do mnie zatroskany i próbuje rozmawiać w suahili. Jestem jednak zbyt zmęczona i ciągle przysypiam. W środku nocy budzę się zlana potem, gdy dobiega mnie odgłos kroków i ustawiania dzid obok chaty. Serce wali mi jak oszalałe, gdy rozbrzmiewa chrząknięcie i w chwilę potem pojawia się w chacie jakaś postać. Jest tak ciemno, że nie potrafię rozpoznać, kto to jest. *Darling?* – rzucam pełna nadziei w ciemności. *Yes, Corinne, no problem* – rozbrzmiewa bliski mi głos męża. Kamień spada mi z serca. Tłumaczę mu, w jakim jestem stanie, co go bardzo martwi. Jako że dotąd nie miałam dreszczy, nadal żywię nadzieję, że dzięki natychmiastowemu połknięciu fansidaru mój stan wróci do normy.

Przez następne dni nie ruszam się z chaty, a Lketinga z chłopcami prowadzą sklep. Powoli wracam do siebie, ponieważ biegunka kończy się po trzech dniach. Po tygodniu wylegiwania się mam już tego dosyć i po południu idę do pracy. Sklep wygląda fatalnie. Nikt w nim od dawna nie sprzątał i mączny pył pokrywa wszystko. Regały są prawie puste. Cztery worki cukru już dawno zostały sprzedane, a mąki mamy jeszcze ledwo półtora worka. Oznacza to, że znowu musimy wybrać się w podróż do Maralalu. Planujemy ją na przyszły tydzień, gdyż wtedy chłopcom i tak kończą się krótkie ferie i kilku z nich mogłabym zabrać ze sobą.

W sklepie panuje spokój. Jak tylko brakuje podstawowych środków żywności, nie zjawiają się klienci mieszkający poza wsią. Wybieram się z wizytą do Anny. Kiedy zachodzę do jej domku, leży w łóżku. Pytam, co się z nią dzieje, lecz nie chce udzielić mi odpowiedzi. Z czasem wyciągam z niej, że również jest w ciąży, dopiero w trzecim miesiącu, miała jednak niedawno krwawienia i dlatego nie zjawiła się w pracy. Umawiamy się, że przyjdzie, gdy chłopcy odjadą.

Zbliża się początek szkoły i wyruszamy. Tym razem zamykam sklep na cztery spusty. Po trzech dniach posyłamy pełną ciężarówkę do Barsaloi i pomocnik ją eskortuje. Lketinga jedzie ze mną przez dżunglę. Szczęściem droga przebiega bez kłopotów. Krótko przed zapadnięciem zmroku oczekujemy ciężarówki. Jednak zamiast niej przybywają dwaj wojownicy i opowiadają, że utknęła w ostatnim łożysku rzeki. Jedziemy ten krótki odcinek naszym samochodem i oglądamy cały ten kram. Niedaleko brzegu szerokiej, wyschniętej rzeki ciężarówka zakopała się lewym kołem w luźnym piasku. Kilku ludzi znajduje się na miejscu zdarzenia, częściowo podłożono już kamienie i gałęzie pod koła. Wskutek dużego obciążenia ciężarówka przechyla się coraz mocniej i kierowca wyjaśnia, że wszystko to na nic, trzeba rozładowywać. Nie jestem specjalnie uszczęśliwiona tą propozycją i chcę najpierw zapytać ojca Giuliana o radę. Nie jest zachwycony, gdy zjawiam się u niego, bo już wie, co się stało. Mimo to wsiada do swojego samochodu i jedzie za mną.

Zaczepia linkę, ale nasz landrower nie jest w stanie wyciągnąć ciężarówki. Tak więc sto worków, z których każdy waży sto kilogramów, musi zostać przetransportowane naszymi samochodami. Naraz możemy zabrać osiem worków. Giuliano jedzie pięć razy, potem wraca zdenerwowany do misji. Jadę jeszcze siedem razy, aż wszystko znajduje się w sklepie. Tymczasem zapadła noc, a ja dochodzę kresu sił. W sklepie panuje niewyobrażalny bałagan. Kończymy jednak na dziś pracę i dopiero następnego ranka układamy towary.

Często ludzie przynoszą nam na sprzedaż kozie i krowie skóry. Dotychczas stale odmawiałam, ale nie podoba się to kobietom, które urągając mi, opuszczają sklep, żeby sprzedać skóry u Somalijczyków. Ci od niedawna skupują skóry i to tylko od tych, którzy zaopatrują się wyłącznie u nich w mąkę i cukier. Dzień w dzień toczą się dyskusje i dlatego decyduję się w końcu na skup skór i magazynuję je na zapleczu.

Nie mijają dwa dni i zjawia się sprytny minipolicjant, który pyta o zezwolenie na handel skórami zwierzęcymi. Oczywiście, że nie mamy, nawet nie słyszałem, że coś takiego jest potrzebne. A poza tym, oświadcza, mógłby zamknąć mój sklep, ponieważ nie jest dozwolone magazynowanie skór i środków żywności w jednym budynku, musi być między nimi odległość przynajmniej pięćdziesięciu metrów. Zatyka mnie, gdy słyszę te nowości, jako że Somalijczycy trzymają skóry i żywność w tym samym pomieszczeniu, czemu policjant zaprzecza. Teraz wiem, kto napuścił go na nas. Ponieważ zdążyłam już uzbierać osiemdziesiąt skór, które zamierzam sprzedać podczas następnej wizyty w Maralalu, muszę grać na zwłokę i znaleźć inne, zamykane na klucz miejsce. Zapraszam policjanta na dwa napoje gazowane i proszę go, aby dał mi czas do jutra. Po długich dyskusjach z moim mężem dogadują się, że skóry do jutra znikną ze sklepu. Gdzie mam je jednak schować? Bądź co bądź – skóry to pieniądz. Idę po radę do misji. Tylko Roberto jest obecny i twierdzi, że również nie ma miejsca. Musimy poczekać na Giuliana. Wieczorem zajeżdża do nas na motorze. Ku mej radości proponuje mi starą szopę na pompę wodną w pobliżu, w której teraz magazynowane są zdezelowane maszyny. Wprawdzie jest w niej mało miejsca, ale lepsze to niż nic. Poza tym można ją zamknąć na klucz. I tak rozwiązałam kolejny problem. Powoli staje się dla mnie jasne, jak bardzo wiele zawdzięczamy ojcu Giulianowi.

Handel idzie nieźle. Anna zjawia się punktualnie i czuje się dobrze. Pewnego zwykłego popołudnia nagle mnożą się niecodzienne wypadki. Najpierw chłopak z sąsiedztwa wpada do sklepu i dyskutuje wzburzony z Lketingą. *Darling, what happened?* – pytam. Odpowiada, że dwie nasze kozy oddaliły od stada i że natychmiast udaje się w drogę, aby je odnaleźć, zanim zrobi się ciemno i dopadną je dzikie zwierzęta. Właśnie chce ruszać, uzbrojony w dwie długie dzidy, gdy zjawia się służąca nauczyciela, cała blada. Rozmawia z Lketingą, a ja tylko rozumiem, że chodzi o nasz samochód i Maralal. Zaniepokojona pytam Annę: *Anna, what's problem?* Pomału mówi, że żona lekarza oczekuje dziecka, musi natychmiast do szpitala, a w misji nikogo nie ma.

ŻONA NAUCZYCIELA

Darling, we have to go with her to Maralal – mówię zdenerwowana do męża. On jednak uważa, że to nie jego sprawa, gdyż musi szukać swoich ich kóz. Nie potrafię pojąć, co on wygaduje, i wściekła pytam, czy życie człowieka nie jest dla niego więcej warte niż życie jakiegoś zwierzęcia. Nie rozumie mnie, przecież to nie jego żona, a jego kozy zostaną pożarte najpóźniej za dwie godziny. Po tych słowach opuszcza sklep. Stoję oniemiała i zrozpaczona, że mój dobroduszny mąż potrafi mieć serce z kamienia.

Mówię do Anny, że najpierw zobaczę tę kobietę, a potem coś postanowię. Chata, w której mieszka, leży dwie minuty od sklepu. Gdy tam wchodzę, o mało nie padam z wrażenia. Wszędzie walają się zakrwawione szmaty, a młoda kobieta leży zwinięta w kłębek na podłodze i głośno pojękuje. Zagaduję do niej, gdyż wiem ze sklepu, że zna angielski. Jąkając się, opowiada, że krwawi już od dwóch dni, ale z powodu męża nie poszła do lekarza. Jest bardzo zazdrosny i przeciwny badaniom. Teraz, gdy go nie ma, chce stąd uciec.

Spogląda na mnie po raz pierwszy i widzę w jej oczach przeraźliwy strach. „Proszę, Corinne, pomóż mi, ja umieram!". Mówiąc to, uchyla sukienkę i widzę małą, siną rączkę, która wychyla się z jej pochwy. Z całych sił biorę się w garść i przyrzekam jej, że zaraz przyprowadzę samochód. Wypadam z chaty, biegnę do sklepu i mówię Annie, że natychmiast jadę do Maralalu, niech sama zamknie sklep, jeśli mój mąż nie wróci do siódmej.

Pędząc do *manyatty*, nie czuję, jak ierniste krzaki ranią mi nogi. Łzy przerażenia, a także wściekłości na męża spływają mi po twarzy. Żebyśmy tylko dotarły na czas do Maralalu! Mama jest w domu i nie rozumie, dlaczego wyciągam wszystkie wełniane koce, a nawet skórę z *manyatty* i rozpościeram je z tyłu w landrowerze. Nie mam czasu, żeby wyjaśnić jej całą historię, gdyż liczy się teraz każda minuta. Nie jestem w stanie pozbierać myśli, kiedy pędzę samochodem. Rzut oka na misję upewnia mnie, że żaden pojazd przed nią nie parkuje, czyli że nikogo nie ma. Zatrzymuję się przy chacie nauczyciela i wraz ze służącą pomagamy kobiecie wejść do auta.

Chodzi o śmierć albo życie, a mimo to nie mogę jechać za szybko, gdyż inaczej kobieta przetaczałaby się z jednej strony na drugą. Na każdym wyboju głośno krzyczy. Służąca mówi do niej coś po cichu, trzymając jej głowę na kolanach. Skąpana w pocie, ścieram łzy z oczu. Z zazdrości ten nauczyciel dopuszcza do tego, aby jego żona zdechła jak pies! On, który każdej niedzieli tłumaczy mszę w kościele, on, który umie czytać i pisać! Nigdy bym w to nie uwierzyła, gdybym nie widziała, jak zareagował mój mąż. Widocznie życie kobiety jest dla niego mniej warte niż życie kozy. Gdyby to jakiś wojownik był w potrzebie, jak ten, którego przez miesiąc mieliśmy w chacie, Lketinga zapewne zareagowałby całkiem inaczej. W tym wypadku chodzi jednak tylko o kobietę, która w dodatku nie jest jego. Co się stanie, jeśli u mnie wystąpią komplikacje? Takie myśli przelatują mi przez głowę, podczas gdy samochód wolno posuwa się naprzód. Kobieta ciągle traci na chwilę przytomność, przestaje jęczeć. Docieramy do skał i robi mi się niedobrze na samą myśl, jak zaraz zacznie trząść samochodem. Tutaj ta cała powolna jazda i tak jest bez znaczenia. Mówię do służącej, żeby mocno trzymała kobietę. Mężczyzna, który siedzi obok mnie, nie powiedział jeszcze ani słowa. Włączam napęd na cztery koła i samochód wspina się po dużych kawałkach skał. Kobieta krzyczy przeraźliwie. Gdy ten odcinek drogi jest za nami, natychmiast się uspokaja. Jadę przez las najszybciej, jak to tylko możliwe. Przed zboczem śmierci muszę znowu włączyć czterokołowy napęd i samochód pełznie pod górę. W połowie zbocza silnik nagle się zacina. Od razu rzucam okiem na wskaźnik benzyny i uspokajam się. Auto posuwa się dalej, potem jednak znowu się zacina. Turkocząc i grzechocząc, dociera jeszcze na wzniesienie, gdzie zatrzymuje się na dobre, tuż obok platformy, na której już kiedyś utknęłam.

Rozpaczliwie próbuję zapuścić silnik. Nic z tego. Mężczyzna, który siedzi obok mnie, ożywia się. Wysiadamy i oglądamy motor. Sprawdzam wszystkie świece, są w porządku. Akumulator też chyba jest w porządku. Co się mogło zepsuć w tym cholernym samochodzie? Potrząsam wszystkim kablami, patrzę pod spód, nic jednak nie mogę znaleźć. Ciągle na nowo próbuję zapalić. Nic z tego. Nawet światło nie działa.

Tymczasem zrobiło się ciemno i olbrzymie gzy niemal zjadają nas żywcem. Ogarnia mnie strach. W tyle samochodu jęczy kobieta. Koce są pełne krwi. Tłumaczę obcemu, że tutaj jesteśmy straceni, gdyż droga jest rzadko używana. Jedyna nasza nadzieja w tym, że sprowadzi pomoc z Maralalu. Liczę, że na piechotę będzie potrzebował półtorej godziny. Wzbrania się iść samemu bez broni. Przestaję panować nad sobą i wściekła obrzucam go wyzwiskami, gdyż nie pojmuje, że sytuacja jest tak czy inaczej niebezpieczna, a im dłużej będzie czekał, tym zrobi się ciemniej i zimniej. Tylko wtedy, gdy natychmiast wyruszy, będziemy mieli jakąś szansę. W końcu rusza w drogę.

Najwcześniej za dwie godziny może nadejść pomoc. Otwieram tył samochodu i próbuję porozmawiać z kobietą, ale znowu straciła przytomność. Robi się zimno, wkładam kurtkę. Kobieta przychodzi do siebie i chce wody. Bardzo chce się jej pić, ma całkiem spierzchnięte wargi. Mój Boże! W pośpiechu znowu popełniłam ogromny błąd. Zapomniałam wody pitnej! Przeszukuję samochód, znajduję pustą butelkę po coli i wyruszam na poszukiwanie wody. Przecież gdzieś musi być, wszystko tu takie zielone! Sto metrów dalej słyszę plusk wody, nic jednak nie widzę w gęstwinie. Ostrożnie, krok po kroku, wchodzę w krzaki. Po dwóch metrach zbocze stromo schodzi w dół. Na dole znajduje się strumyczek, do którego jednak nie mogę zejść, gdyż potem nie wdrapię się po śliskiej skalnej ścianie. Pędzę do samochodu i zabieram linę od beczek z benzyną. Kobieta wyje z bólu jak oszalała. Nacinam jeden koniec liny i przywiązuję do niego butelkę, którą spuszczam do wody. Napełnianie trwa całą wieczność. Gdy przystawiam kobiecie butelkę do ust, zauważam, jak bardzo biedaczka jest rozpalona, a jednocześnie tak bardzo marznie, że szczęka zębami. Wypija całą butelkę. Znowu idę ponownie po wodę.

Wracając do samochodu, słyszę wrzask, jakiego jeszcze nigdy w życiu nie słyszałam. Dziewczyna trzyma mocno kobietę i płacze. Jest taka młoda, ma trzynaście, może czternaście lat. Patrzę na twarz kobiety i w jej oczach widzę śmiertelny strach. „Umieram, umieram, Enkai! – bełkocze. – Corinne, pomóż mi!". Co ja mogę dla niej zrobić? Nigdy jeszcze nie byłam przy porodzie, sama jestem dopiero po raz pierwszy w ciąży. „Błagam, wyjmij to dziecko, błagam cię, Corinne!". Podnoszę sukienkę i znowu widzę znany mi już obraz. Niebieskofioletowa rączka wystaje teraz prawie cała.

Dziecko nie żyje, przelatuje mi przez głowę. Ułożone jest bokiem i bez cesarskiego cięcia się nie obejdzie. Płacząc, tłumaczę, że nie mogę jej pomóc, ale przy odrobinie szczęścia za godzinę przybędzie pomoc. Ściągam kurtkę i kładę ją na roztrzęsioną postać. Mój Boże, dlaczego zostawiasz nas tak samym sobie? Co ja takiego złego zrobiłam, że właśnie dziś ten samochód znowu się zepsuł? Nie rozumiem świata. Jednocześnie nie jestem w stanie słuchać dłużej tych przeraźliwych krzyków i zrozpaczona biegnę na oślep do ciemnego buszu. Zaraz jednak wracam do auta.

Śmiertelnie przerażona kobieta domaga się, abym dała jej swój nóż.

190

Gorączkowo zastanawiam się, co zrobić, rozstrzygam jednak, że jej nie dam. Nagle podnosi się z koców i kuca. Dziewczyna i ja wpatrujemy się z przerażeniem w walczącą ze śmiercią kobietę. Obiema rękami chwyta za wystającą z pochwy rączkę i ciągnie, i wykręca ją, aż po jakimś czasie na kocu leży niebieskofioletowe, nie w pełni jeszcze wykształcone dziecko. Jednocześnie kobieta przewraca się wyczerpana do tyłu i leży całkiem nieruchomo. Pierwsza dochodzę do siebie i zawijam okrwawione, nieżywe, może siedmiomiesięczne dziecko w *kangę*. Potem podaję kobiecie wodę. Drży na całym ciele, ale promienieje całkowitym spokojem. Myję jej ręce i staram się ją uspokoić. Jednocześnie nasłuchuję w napięciu, czy z buszu nie dobiegają jakieś odgłosy. Po chwili słyszę cichy warkot silnika.

Kamień spada mi z serca, gdy niedługo potem dostrzegam przez krzaki światła reflektorów. Trzymam latarkę w górze, żeby nas zobaczyli. To karetka ze szpitala. Wysiadają trzej mężczyźni. Wyjaśniam im, co się stało, i kładą kobietę oraz zawiniątko z nieżywym dzieckiem na nosze w swoim aucie. Również dziewczyna zabiera się z nimi. Kierowca karetki zagląda do mojego landrowera. Przekręca kluczyk w stacyjce i od razu wie, co jest nie tak. Pokazuje mi jakiś kabel, który zwisa z tyłu za kierownicą. To wyrwany kabel od zapłonu. W ciągu jednej minuty przymocowuje go i samochód zapala.

Podczas gdy oni udają się do Maralalu, ja ruszam w przeciwnym kierunku do domu. Całkowicie wyczerpana docieram do naszej *manyatty*. Mąż chce wiedzieć, dlaczego wracam tak późno. Gdy mu odpowiadam, spostrzegam, że mi nie wierzy. Załamana jego reakcją, nie jestem w stanie pojąć, dlaczego ma do mnie tak mało zaufania. Przecież nic na to nie poradzę, że samochód psuje się zawsze wtedy, gdy go przy tym nie ma. Nie wdaję się w dalsze dyskusje i kładę się spać.

Następnego dnia niechętnie udaję się do pracy. Ledwo otworzyłam, a zjawia się nauczyciel i dziękuje wylewnie za pomoc, nie pytając wcale, jak to wszystko zniosła jego żona. Co za obłudnik!

Nieco później przychodzi ojciec Giuliano i prosi, abym zdała mu relację. Przykro mu, że spotkały nas takie przeżycia. Nie jest to dla mnie żadne pocieszenie, że hojnie wynagradza mnie za jazdę. Biorąc pod uwagę okoliczności, kobieta czuje się dobrze, o czym dowiedział się przez radiotelefon.

Problemy ze sklepem wyczerpują mnie bardziej, niż chcę się do tego sama przed sobą przyznać. Od tego zdarzenia źle sypiam i śnią mi się straszne rzeczy dotyczące mojej ciąży. Trzeciego ranka po wydarzeniach jestem tak rozbita, że posyłam Lketingę samego do sklepu. Ma pracować z Anną, a ja przesiaduję z mamą pod drzewem. Po południu zachodzi do nas lekarz i opowiada, że żona nauczyciela najgorsze ma już za sobą, będzie musiała jednak zostać przez kilka tygodni w Maralalu. Rozmawiamy o tym, co się wydarzyło, i lekarz próbuje uspokoić moje sumienie, mówiąc, że wszystko przez to, iż ona wcale nie chciała tego dziecka i siłą myśli unieruchomiła samochód. Na pożegnanie pyta, co mi jest. Wspominam, że czuję się słabo, co przypisuję ostatnim przeżyciom. Zatroskany ostrzega mnie przed malarią, gdyż moje oczy mają żółty odcień.

STRACH O DZIECKO

Wieczorem zabijamy owcę. Jeszcze nigdy dotąd nie było tu owczego mięsa, dlatego jestem bardzo ciekawa. Mama przyrządza naszą część. Gotuje po prostu kawałki mięsa w wodzie. Kubkami pijemy tłusty i mdły ukrop. Mama mówi, że dla kobiety w ciąży to doskonały, wzmacniający napój. Widocznie mi nie służy, gdyż w nocy dostaję biegunki. Na szczęście udaje mi się zbudzić męża, który pomaga mi otworzyć bramę z ciernistych krzewów, a następnie ledwo przechodzę dwadzieścia metrów. Biegunka nie ma końca. Wlokę się z powrotem do *manyatty*, a Lketinga naprawdę martwi się o mnie i o dziecko.

Wczesnym rankiem przeżywam to samo, a w dodatku wymiotuję. Mimo że panuje straszliwy upał, chwytają mnie dreszcze. Wreszcie dostrzegam, że mam żółte oczy, i posyłam Lketingę do misji. Boję się o dziecko, gdyż jestem pewna, że to początek kolejnego ataku malarii. Niespełna dziesięć minut później słyszę odgłos samochodu i ojciec Giuliano przekracza próg naszej chaty. Widząc mnie, pyta, co się stało. Po raz pierwszy opowiadam mu, że jestem w piątym miesiącu ciąży. Jest zaskoczony, gdyż niczego nie zauważył. Z miejsca proponuje, że zawiezie mnie do Wamby, do szpitala misyjnego, bo inaczej mogłabym poronić i stracić dziecko. Pakuję kilka rzeczy i ruszamy. Lketinga zostaje, żeby zajmować się sklepem. Ojciec Giuliano ma wygodniejszy samochód ode mnie. Jedzie jak na złamanie karku, zna jednak wyśmienicie drogę. Z trudem zachowuję równowagę, gdyż jedną ręką trzymam się za brzuch. Podczas prawie trzygodzinnej jazdy do szpitala nie rozmawiamy zbyt wiele. Czekają na nas dwie białe siostry. Podtrzymują mnie i prowadzą do pokoju lekarskiego, gdzie mogę się położyć. Podziwiam czystość i panujący tu porządek. Kiedy tak leżę bezradnie na łóżku, ogarnia mnie głęboki smutek. Wchodzi Giuliano, aby się pożegnać, a mnie tryskają z oczu łzy. Przerażony pyta, co mi jest. A skąd mam wiedzieć! Boję się o dziecko, a poza tym zostawiłam męża samego w sklepie. Próbuje mnie uspokoić i przyrzeka, że każdego dnia będzie wszystko sprawdzał i przekazywał nowiny siostrom przez radiotelefon. Słysząc, jak wiele okazuje mi zrozumienia, znowu zaczynam ryczeć.

Sprowadza siostrę i dostaję zastrzyk. Potem zjawia się lekarz, który mnie bada. Gdy słyszy, który to miesiąc ciąży, stwierdza zatroskany, że jestem zbyt chuda i mam za mało krwi. Dlatego też dziecko jest o wiele za małe. Potem stawia diagnozę: początkowe stadium malarii. Z lękiem pytam, jakie to niesie konsekwencje dla mojego dziecka. Macha ręką i mówi, że najpierw muszę wypocząć, a wtedy z dzieckiem będzie wszystko w porządku. Gdybym przyjechała później, wskutek anemii mogłabym przedwcześnie urodzić. Wszystko dobrze się ułoży, w każdym razie dziecko żyje. Słysząc to, jestem tak uradowana, że z całych sił pragnę jak najszybciej wyzdrowieć. Zostaję zakwaterowana na oddziale położniczym w czteroosobowym pokoju.

Na dworze kwitną na krzakach czerwone kwiaty, wszystko jest tu inne niż w Maralalu. Jestem zadowolona, że tak szybko zadziałałam. Przychodzi siostra i wyjaśnia mi, że dostanę codziennie dwa zastrzyki i jednocześnie kroplówkę z soli fizjologicznej. Jest to niezbędne, gdyż inaczej nastąpiłoby odwodnienie organizmu. A więc w ten sposób leczy się malarię! Teraz dopiero uzmysławiam sobie, jak bliska byłam śmierci w Maralalu. Siostry bardzo się o mnie troszczą. Trzeciego dnia odstawiają w końcu kroplówkę, zastrzyki muszę jednak znosić jeszcze przez następne dwa dni.

Słyszę od sióstr, że w sklepie wszystko w porządku. Czuję się jak nowo narodzona i nie mogę się doczekać, kiedy wreszcie wrócę do domu do męża. Siódmego dnia zjawia się w towarzystwie dwóch wojowników. Bardzo się cieszę, ale mimo wszystko dziwię się, dlaczego zostawił sklep bez opieki. „No problem, Corinne, mój brat tam jest!" – odpowiada ze śmiechem. Potem opowiada, że wyrzucił Annę, gdyż okradała nas i częściowo rozdawała żywność za darmo. Nie mogę w to uwierzyć i pytam przestraszona, kto będzie mi w przyszłości pomagał. Zatrudnił pewnego chłopaka, który będzie kontrolowany przez niego i starszego brata. O mało nie wybucham śmiechem. Jest dla mnie zagadką, jak dwaj analfabeci zamierzają kontrolować byłego ucznia. Poza tym sklep jest prawie pusty, mówi. Dlatego przybył tu landrowerem i chce jechać dalej do Maralalu, żeby z tymi dwoma wojownikami zorganizować ciężarówkę. Przerażona pytam, skąd weźmie pieniądze. Pokazuje mi torbę pełną banknotów. Wszystko to odebrał od ojca Giuliana. Gorączkowo zastanawiam się, co można w tej sytuacji zrobić. Jeśli Lketinga pojedzie z tymi dwoma wojownikami do Maralalu, zostanie wystrychnięty na dudka. Banknoty spoczywają luzem w plastikowej torbie i on nawet nie wie ile tego ma.

Kiedy się zastanawiam nad tym wszystkim, zaczyna się wizyta lekarska i wojownicy muszą wyjść. Lekarz stwierdza, że malaria została tym razem pokonana. Proszę o wypisanie ze szpitala, przyrzeka mi że jutro. Ale nie powinnam zbyt wiele pracować, upomina mnie. Najpóźniej trzy tygodnie przed terminem rozwiązania mam się zjawić w szpitalu. Oddycham z ulgą i informuję Lketingę, że jutro wychodzę. On również cieszy się i przyrzeka, że mnie odbierze. Wezmą sobie w Wambie pokój w schronisku.

W drodze do Maralalu przejmuję kierownicę i – jak zawsze, gdy mój mąż jedzie ze mną – wszystko idzie jak po maśle. Szczęśliwym trafem już następnego dnia udaje nam się zamówić ciężarówkę. W schronisku liczę pieniądze, które ma przy sobie Lketinga, i z przerażeniem stwierdzam, że brakuje kilku tysięcy kenijskich szylingów, aby zapłacić za towar. Pytam Lketingę, a ten robi uniki, mówiąc, że jest jeszcze trochę rzeczy w magazynie. I tak nie pozostaje mi nic innego, jak znowu podjąć pieniądze w banku, zamiast wpłacić tam zyski. Cieszę się jednak, że tak prędko wracamy do Barsaloi. Nie było mnie w domu ponad dziesięć dni.

Ciężarówka jedzie okrężną drogą pod eskortą jednego z wojowników, a my wybraliśmy drogę przez las. Cieszę się, że mąż jest przy mnie. Czuję się zdrowa, gdyż regularne posiłki w szpitalu dobrze mi zrobiły.

NA ZBOCZU ŚMIERCI

Po drodze zorientowałam się, że ktoś przed nami jechał, gdyż widać świeże ślady kół. Lketinga rozpoznaje po bieżniku, że musiały to być obce pojazdy. Bez problemów pokonujemy zbocze śmierci, a ja usiłuję odsunąć od siebie myśli o martwym płodzie. Wchodzimy w ostatni zakręt przed skałami i w mgnieniu oka naciskam hamulec. Na środku drogi stoją dwa stare wojskowe landrowery, a między nimi porusza się wielu podnieconych białych. Nie możemy ich ominąć. Wysiadamy, aby zobaczyć, co się stało. Jak słyszę, jest to grupa młodych Włochów w towarzystwie jednego czarnego. Jeden z młodych mężczyzn siedzi i głośno szlocha, a dwie młode kobiety namawiają go do czegoś. Także po ich twarzach ściekają łzy. Lketinga rozmawia z czarnym, a ja usiłuję przypomnieć sobie kilka włoskich słów.

Od tego, co słyszę, dostaję natychmiast gęsiej skórki, pomimo czterdziestu stopni ciepła. Dwie godziny temu przyjaciółka płaczącego mężczyzny udała się w gęste krzaki obok skał za potrzebą. Zatrzymali się, gdyż uznali, że tutaj kończy się droga. Kobieta nie uszła nawet dwóch metrów i na ich oczach spadła w przepaść. Wszyscy słyszeli przeciągły krzyk, a potem odgłos uderzenia ciała w ziemię. Wołali ją, ale od tego czasu nie dała znaku życia. Nadaremnie próbowali zejść do stromego wąwozu.

Trzęsę się cała, gdyż wiem, że nie ma nadziei. Ponownie mężczyzna woła imię swojej przyjaciółki. Wstrząśnięta podchodzę do męża. On również jest oszołomiony i tłumaczy mi, że ta kobieta nie żyje, gdyż tutaj przepaść ma sto metrów głębokości, a na dnie znajduje się wyschnięte, kamieniste koryto rzeki. Jak dotychczas, jeszcze nikomu nie udało się zejść stąd na sam dół. Wygląda na to, że Włosi próbowali to zrobić, gdyż różne pozwiązywane ze sobą liny leżą na ziemi. Dwie dziewczyny podtrzymują zupełnie załamanego mężczyznę, który siedzi w kucki w prażącym słońcu, mokry od potu, cały rozdygotany i czerwony na twarzy. Podchodzę do nich i proponuję, aby usiedli pod drzewami. Ale mężczyzna tylko krzyczy na całe gardło.

Gdy spoglądam na Lketingę, zauważam, że nad czymś się zastanawia. Podchodzę do niego i pytam, co mu chodzi po głowie. Ma zamiar jakoś zejść z przyjacielem na dół i wyciągnąć kobietę. W panice chwytam go mocno za ramię i krzyczę: „Nie, kochanie, to szaleństwo, nie rób tego, to zbyt niebezpieczne!". Lketinga odtrąca moją rękę. Szlochający mężczyzna staje nagle przede mną i wymyśla mi, że chcę udaremnić pomoc. Wściekła mówię mu, że żyję tutaj, a to jest mój mąż, za trzy miesiące zostanie ojcem i ani mi się śni wychowywać dziecko bez ojca.

Tymczasem Lketinga i drugi wojownik podchodzą blisko niebezpiecznego zejścia. Widzę jeszcze przez chwilę ich zupełnie skamieniałe twarze. Samburu unikają zmarłych, nawet nie mówi się o nich. Siadam w cieniu i cicho płaczę.

Mija pół godziny i nic nie słyszymy. Umieram ze strachu. Jakiś Włoch spogląda w dół z miejsca, z którego wyruszyli. Wraca podekscytowany i mówi, że widział ich po drugiej stronie wąwozu, mają ze sobą coś w rodzaju noszy.

Panuje napięcie graniczące z histerią. Mija kolejne dwadzieścia minut, zanim obaj, kompletnie wyczerpani, wynurzają się z krzaków. Z miejsca doskakuje do nich kilku ludzi, aby odebrać nosze, zrobione z *kangi* Lketingi i dwóch długich gałęzi.

Po twarzach Masajów rozpoznaję, że kobieta jest martwa. Rzucam na nią wzrokiem i jestem zaskoczona, że jest taka młoda i że leży tak spokojnie. Gdyby nie ten słodkawy zapach, który przy tych temperaturach ulatnia się z ciała już po trzech godzinach, można by pomyśleć, że tylko śpi.

Mój mąż rozmawia przez chwilę z czarnym, który towarzyszy grupie, a następnie ich samochody zjeżdżają nieco na bok. Lketinga bierze kluczyki, gdyż sam chce kierować. Biorąc pod uwagę jego odrętwienie, na nic zdały się moje protesty. Przyrzekamy, że poinformujemy misję o wypadku, i jedziemy dalej. W samochodzie panuje całkowite milczenie. Przy pierwszej rzece obaj wojownicy wysiadają i myją się niemal godzinę. Jest to coś w rodzaju rytuału.

W końcu wyruszamy i mężczyźni nieśmiało rozmawiają. Dochodzi szósta, gdy docieramy do Barsaloi. Ponad połowa towaru leży już rozładowana przed sklepem. Wojownik, który towarzyszył ciężarówce, oraz brat Lketingi pilnują pomocników. Otwieram i staję w brudnym sklepie. Wszystko pokryte jest mąką kukurydzianą i wszędzie walają się puste kartony. Lketinga rozmieszcza towary, a ja idę do misjonarza. Jest zdumiony całym tym wypadkiem, pomimo że coś tam już słyszał o nim przez radio. Natychmiast wsiada do swego landcruisera i rusza pędem.

Idę do domu. Po tych wszystkich przeżyciach nie jestem w stanie znieść jeszcze dodatkowo harmideru w sklepie. Naturalnie mama pragnie się dowiedzieć, dlaczego ciężarówka dotarła na miejsce przed nami, ale ja potrafię tylko pobieżnie udzielić jej informacji. Gotuję herbatę i kładę się. Bez przerwy myślę o wypadku i postanawiam więcej nie jeździć tamtą drogą, gdyż w moim stanie jest to zbyt niebezpieczne. Około dwudziestej drugiej Lketinga przychodzi do domu z dwoma wojownikami. Gotują sobie garnek papki kukurydzianej, a ich rozmowy dotyczą tylko tego strasznego nieszczęścia. Nie wiem, kiedy zasypiam.

Rano pierwsi klienci wzywają nas do sklepu. Jako że jestem ciekawa naszego nowego współpracownika, który zastąpił Annę, wychodzę wcześnie z domu. Mąż przedstawia mi chłopaka. Od pierwszego wejrzenia bardzo mi się nie podoba, nie tylko dlatego, że okropnie wygląda, lecz również dlatego, iż sprawia wrażenie, jakby miał wstręt do pracy. Staram się jednak, aby moje uprzedzenie do niego nie było widoczne, ponieważ rzeczywiście powinnam mniej pracować, jeśli nie chcę stracić dziecka. Chłopak pracuje w połowie tak szybko jak Anna, o którą pyta co drugi klient.

Chcę się w końcu dowiedzieć od Lketingi, dlaczego zabrakło nam pieniędzy w Maralalu. Jeden rzut oka wystarczył mi, aby stwierdzić, że magazyn w żaden sposób nie jest w stanie wyrównać różnicy. Lketinga wyciąga zeszycik i z dumą pokazuje mi książeczkę z listą różnych dłużników. Jednych znam, innych nazwisk nawet nie potrafię odcyfrować. Ogarnia mnie złość, gdyż jeszcze przed otwarciem sklepu powiedziałam jasno i wyraźnie: *No credit!*

Chłopak wtrąca się i zaklina się, że zna tych ludzi i że na pewno nie będzie problemu. Mimo to nie zgadzam się z nim. Wysłuchuje moich argumentów ze znudzoną miną, niemal pogardliwie, co powoduje, że jestem jeszcze bardziej wściekła. W końcu mąż stwierdza, że jest to sklep Samburu, a on musi pomagać swoim ludziom. I znowu wychodzę na złą, chciwą białą, a przecież ja walczę tylko o przeżycie. Moich pieniędzy ze Szwajcarii starczy jeszcze ledwo na dwa lata. I co wtedy będzie? Lketinga opuszcza sklep, gdyż nie może znieść, kiedy staję się nieco energiczniejsza. Naturalnie wszyscy obecni przyglądają się, gdy mówię głośniej. Tego dnia toczą się niekończące dyskusje z klientami, którzy liczyli na kredyt. Kilku upartych czeka po prostu na mojego męża. Praca z chłopakiem nie sprawia mi takiej przyjemności jak z Anną. Ledwo odważam się wyskoczyć do ubikacji, gdyż obawiam się, że zostanę oszukana. Jako że mój mąż pojawia się dopiero pod wieczór, już pierwszego dnia pracowałam więcej, niż powinnam. Bolą mnie nogi. Do wieczora znowu nic nie jadłam. W domu brakuje wody i drewna. Z rozrzewnieniem myślę o obsłudze w szpitalu: jedzenie trzy razy dziennie, ugotowane i podane prosto do łóżka.

Męczę się teraz szybciej, musi się więc coś zmienić. Herbata rano i posiłek wieczorem nie wystarczą, aby zyskać siły. Również mama uważa, że powinnam więcej jeść, inaczej dziecko nie będzie zdrowe. Postanawiamy najszybciej jak to tylko możliwe, przenieść się do tylnej części sklepu. Musimy, niestety, po czterech miesiącach mieszkania opuścić naszą piękną *manyattę*, którą przejmie mama, co bardzo ją cieszy.

Kiedy będziemy wynajmować następną ciężarówkę, przewieziemy łóżko, stół i krzesła, abyśmy mogli się przeprowadzić. Na myśl o łóżku strasznie się cieszę, gdyż spanie na ziemi powoduje, że zaczyna mnie boleć krzyż. Ponad rok jakoś mi to nie przeszkadzało.

Od kilku dni chmury zasnuwają dotychczas zawsze błękitne niebo. Wszyscy czekają na deszcz, ponieważ w okolicy panuje susza. Ziemia jest już od dawna popękana i twarda jak kamień. Ciągle słyszy się o lwach, które w biały dzień napadają stada. Dzieci opiekujące się zwierzętami wpadają w panikę, gdy muszą bez kóz biec do domu, aby sprowadzić pomoc. Z tego powodu mąż obecnie znowu częściej udaje się z naszym stadem na całodzienną wędrówkę, a mnie nie pozostaje nic innego, jak samej nieustannie kontrolować chłopaka i pracować w sklepie.

WIELKI DESZCZ

Piątego pochmurnego dnia spadają pierwsze krople deszczu. Jest niedziela, mamy wolny dzień. W pośpiechu usiłujemy zarzucić płachty plastikowej folii na *manyattę*, co jest bardzo trudne ze względu na podmuchy wiatru. Mama walczy przy swojej chacie, my przy swojej. Zaczyna lać jak z cebra. Jeszcze nigdy w życiu nie widziałam takiej nawałnicy. W ciągu krótkiego czasu wszystko jest zalane wodą i wilgotne powietrze wciska się w każdą szparę. Musimy zgasić ognisko, gdyż po całej chacie fruwają iskry. Wkładam na siebie wszystko, co mogłoby ochronić mnie przed zimnem. Pomimo folii po godzinie dach zaczyna przeciekać w kilku miejscach. Jakże mokro musi być teraz u mamy i Saguny!

Woda stale podpełza od wejścia w kierunku miejsca do spania. Kubkiem kopię rowek i odprowadzam zbierającą się wodę. Wiatr szarpie płatami folii i obawiam się, że porwie je lada chwila. Na dworze szumi, jakbyśmy znajdowali się pośrodku wzburzonej rzeki. Woda wdziera się do chaty również bokami. Układam wszystko wyżej. Koce pakuję do torby podróżnej, aby przynajmniej one pozostały suche.

Po jakichś dwóch godzinach nagle jest po wszystkim. Wyczołguję się z chaty i nie poznaję okolicy. Kilka chat straciło niemal okrycie, kozy biegają jak ogłupiałe. Przemoczona mama wyszła przed stojącą w wodzie chatę, a drżąca z zimna Saguna siedzi w kącie i popłakuje. Zabieram ją do nas i zawijam w jeden z suchych swetrów. Ludzie wychodzą ze swoich domostw. Wezbrane strumienie spływają ku rzece. Nagle słychać huk. Przestraszona patrzę na Lketingę i pytam, co to było. Opatulony w swój czerwony koc śmieje się i mówi, że to fala powodziowa schodzi z gór. Słychać szum, jakby w pobliżu znajdował się wielki wodospad.

Lketinga chce mnie zabrać nad wielką rzekę, mama jednak się nie zgadza. To zbyt niebezpieczne, mówi stanowczo. Tak więc idziemy tylko na drugą stronę, tam gdzie *lori* utknęła w piasku. Rzeka ma teraz szerokość jakiś dwudziestu pięciu metrów, ta wielka jest z pewnością trzy razy taka. Lketinga naciągnął koc na głowę, a ja stoję tu po raz pierwszy ubrana w dżinsy, pulower i kurtkę. Nieliczni ludzie, jakich spotykamy, dziwią się na mój widok. Zapewne jeszcze nigdy widzieli kobiety w spodniach. Muszę uważać, aby mi się nie zsunęły, gdyż z powodu brzucha nie mogę ich dopiąć. Szum staje się coraz głośniejszy, ledwo słyszymy, co mówimy. A potem nagle widzę przed sobą rwącą rzekę. Trudno uwierzyć, jak bardzo się zmieniła. Brązowa masa wszystko zabiera ze sobą. Krzaki i kamienie odpływają. Widząc taką potęgę natury, nie jestem w stanie wydobyć głosu. Nagle wydaje mi się, że słyszę jakiś krzyk. Pytam Lketingę, czy również coś słyszał. Zaprzecza. Po chwili słyszę całkiem wyraźnie, że ktoś jednak krzyczy, co i on teraz potwierdza. Skąd jednak dobiega ten głos? Biegniemy wzdłuż brzegu, uważając, aby się nie poślizgnąć. Po kilku metrach widzimy przerażającą scenę. Pośrodku rzeki dwoje dzieci wisi na grupie skał, zanurzonych po szyję w rwącej wodzie. Lketinga nie zwleka ani sekundy. Schodząc po skarpie w dół, coś do nich krzyczy. Wygląda to strasznie. Głowy co chwila znikają pod napływającą wodą, rączki czepiają się skał. Wiem, że mój mąż boi się głębokiej wody, poza tym nie umie pływać. Jeśli spadnie, zginie w rwącej rzece. Dobrze go jednak rozumiem i rozpiera mnie duma, że jest taki odważny i chce ratować dzieci.

Bierze długi kij i przedziera się przez wodę w kierunku skał, stale coś krzycząc do dzieci. Stoję i modlę się o dobrego anioła stróża. Dociera do skał, bierze dziewczynkę na barana i wraca. Jak urzeczona patrzę na chłopca, który nadal wisi na skale. Jego głowa znika pod wodą. Wychodzę naprzeciwko i odbieram od męża dziewczynkę, aby mógł od razu ruszać z powrotem. Dziecko jest ciężkie i wiele sił kosztuje mnie przejście tych dwóch metrów, które dzielą nas od brzegu. Stawiam ją na ziemi i otulam kurtką. Dziewczynka jest zimna jak lód. Lketinga ratuje również chłopca, który pluje wodą, i natychmiast zaczyna go masować, a ja robię to samo z dziewczynką. Jej zesztywniałe członki powoli się rozgrzewają. Chłopak jest apatyczny i nie może iść. Lketinga niesie go do domu, ja podpieram dziewczynkę. Kiedy pomyślę, jak bliska śmierci była ta dwójka, jestem wstrząśnięta.

Mama jest zła, gdy słyszy całą historię, i krzyczy na dzieci. Jak się okazuje, były w drodze ze stadem i chciały przeprawić się przez rzekę, gdy nadeszła fala powodziowa. Rzeka porwała ze sobą mnóstwo kóz, tylko niektórym udało się wydostać na brzeg. Mąż tłumaczy mi, że taka fala jest wyższa od niego, i tak szybo i nagle nadchodzi z gór, że każdy, kto akurat znajduje się w rzece, nie ma żadnych szans. Każdego roku topi się w niej mnóstwo ludzi i zwierząt. Dzieci zostają u nas, nie mogę im jednak zrobić gorącej herbaty, gdyż całe drewno jest mokre.

Zaglądamy do sklepu. Werandę pokrywa gruba warstwa mułu, w środku jednak, poza dwoma niewielkimi kałużami, jest sucho. Udajemy się do herbaciarni, lecz tam również nie mają herbaty. Wyraźnie słychać szum wielkiej rzeki, idziemy ją zobaczyć. Wygląda zatrważająco. Roberto i Giuliano również tam są i przyglądają się szalejącemu żywiołowi. Wspominam o tym, co wydarzyło się nad inną rzeką, i Giuliano podchodzi do mojego męża, dziękując mu uściskiem dłoni. W drodze powrotnej do domu zabieramy ze sklepu piecyk i węgiel drzewny. Dzięki temu możemy przynajmniej zaparzyć herbaty dla wszystkich. Noc jest nieprzyjemna, gdyż wszystko jest wilgotne. Rano znowu świeci słońce. Rozwieszamy ubrania i koce na ciernistych krzakach.

Dzień później okolica ponownie ulega metamorfozie, tym razem łagodnie i bezgłośnie. Wszędzie wyrasta z ziemi trawa, a niektóre kwiaty rozkwitają tak prędko, że prawie to widać. Tysiące małych, białych motyli unosi się w powietrzu niczym płatki śniegu. Wspaniale jest obserwować, jak w tym suchym krajobrazie przyroda budzi się do życia. Po tygodniu całe Barsaloi jest jednym wielkim fioletowym morzem kwiatów.

Nie ma jednak róży bez kolców. Wieczorami straszliwie brzęczą komary i naturalnie sypiamy pod moskitierą. Dochodzi do tego, że muszę zapalać w *manyatcie* „maczugę na komary".

Minęło dziesięć dni od wielkiego deszczu, a my nadal jesteśmy odcięci od świata przez dwie wypełnione wodą rzeki. Chociaż można już przejść przez nie, nie należy przeprawiać się samochodem. Giuliano stanowczo mnie przed tym przestrzegał. W przeszłości kilka pojazdów utknęło już w rzece i można było obserwować, jak powoli zapadają się w lotnych piaskach.

Kilka dni potem udajemy się w podróż do Maralalu. Jedziemy naokoło, gdyż droga przez las jest śliska i mokra. Tym razem nie dostajemy od razu ciężarówki, musimy przeczekać w Maralalu cztery dni. Odwiedzamy Sophię. Dobrze jej idzie. Jest już taka gruba, że ledwo może się schylać. Od Jutty nie ma żadnych wieści.

Spędzamy z mężem dużo czasu w hotelu dla turystów. Obserwowanie wodopoju dla dzikich zwierząt jest teraz szczególnie fascynujące. Mamy czas! Ostatniego dnia kupujemy łóżko z materacem, stół z czterema krzesłami i małą szafę. Meble nie są tak ładne jak te w Mombasie, za to drogie. Kierowca nie jest zachwycony, kiedy dowiaduje się, że musi zabrać również i te rzeczy, ale w końcu przecież to ja płacę za transport. Jedziemy za nim i docieramy prawie po sześciu godzinach bez kłopotów do Barsaloi, nawet nie trzeba było zmieniać koła. Najpierw w tylnej części sklepu zostają umieszczone meble, potem odbywa się tradycyjny rozładunek.

WYPROWADZKA Z MANYATTY

Następnego dnia przeprowadzamy się do sklepu. Jest nieznośnie gorąco, kwiaty znikły, to kozy się nimi zajęły. Przesuwam meble tam i z powrotem, ale nie udaje mi się uzyskać przytulnej atmosfery, jaka panowała w *manyatcie*. Przekonuję siebie, że będę miała łatwiejsze życie i regularne posiłki, co jest teraz niezbędne. Gdy zamykamy sklep, mąż idzie natychmiast do domu, aby przywitać się ze zwierzętami, a ja gotuję świeże ziemniaki z rzepą i kapustą.

W pierwszą noc oboje śpimy źle, pomimo że leżymy wygodnie w łóżku. Blaszany dach trzeszczy bez przerwy, co odpędza sen. O siódmej rano ktoś puka do drzwi. Lketinga idzie zobaczyć i natyka się na chłopaka, który chce cukru. Łaskawie daje mu pół kilograma i ponownie zamyka. Teraz załatwienie porannej toalety jest dla mnie całkiem proste, gdyż mogę porządnie umyć się nad miską, a domek z serduszkiem stoi w odległości pięćdziesięciu metrów. Życie wydaje się przyjemniejsze, za to mniej romantyczne.

Czasami, jeśli Lketinga jest w sklepie, kładę się na chwilę. Gdy gotuję, co chwila wychodzę z zaplecza. Cały tydzień wszystko funkcjonuje cudownie. Mam dziewczynę, która przynosi mi wodę z misji. Kosztuje to trochę, ale za to nie muszę już sama chodzić nad rzekę. Poza tym woda jest przejrzysta i czysta. Szybko rozniosło się po wsi, że mieszkamy w sklepie. Bez przerwy przychodzą klienci i żebrzą o wodę pitną. W *manyattach* należy do obyczaju, aby spełniać takie życzenie. W południe dwudziestolitrowy kanister jest prawie pusty.

Wojownicy stale przesiadują na naszym łóżku i czekają na Lketingę, a tym samym na herbatę i jedzenie. Tak długo jak sklep jest pełen towarów, nie można przecież powiedzieć, że nic nie mamy. Po takich wizytach w mieszkaniu panuje nieporządek. Brudne garnki czy obgryzione kości walają się wszędzie, a ściany lepią się od brązowej flegmy. Mój koc i materac są poplamione czerwoną ochrą, którą malują się wojownicy. Wiele razy sprzeczam się o to z mężem, gdyż czuję się wykorzystywana. Niekiedy okazuje zrozumienie i posyła wojowników do swojej matki, innym razem staje przeciwko mnie i znika z nimi. Ta sytuacja także i dla niego jest nowa, więc nie wie, jak ma się zachować. Musimy coś wymyślić, aby stosować się do prawa gościnności i jednocześnie nie dać się ciągle wykorzystywać.

Zaprzyjaźniłam się z żoną weterynarza i niekiedy zapraszają mnie na herbatę. Przedstawiam jej swój problem i ku mojemu zdziwieniu od razu mnie rozumie. Mówi, że jest to metoda ludzi z *manyatt*, jednakże w mieście prawo gościnności jest mocno ograniczone. Obowiązuje tylko w stosunku do członków rodziny i bliskich przyjaciół, w żadnym razie w stosunku do każdego, kto akurat niespodzianie się zjawi. Wieczorem dzielę się z Lketingą tą wiedzą, a on przyrzeka, że będzie podchodził do tego w taki właśnie sposób.

W najbliższej okolicy odbywa się w nadchodzących tygodniach wiele wesel. Najczęściej starsi mężczyźni biorą sobie trzecią albo czwartą żonę, młode dziewczęta, z których twarzy można później odczytać całą ich niedolę. Nierzadko zdarza się, że różnica wieku wynosi trzydzieści albo nawet więcej lat. Najszczęśliwsze są te dziewczyny, które wojownicy biorą sobie za pierwsze żony.

Cukier znika błyskawicznie, gdyż w cenę za narzeczoną często wliczane jest między innymi sto kilogramów cukru, a poza tym na wesele potrzeba dodatkowych kilogramów. Nadchodzi więc dzień, w którym sklep jest wprawdzie pełen mąki kukurydzianej, ale brakuje cukru. Dwaj wojownicy, którzy chcą się za cztery dni żenić, stoją bezradnie w sklepie. Także u Somalijczyków cukier dawno się skończył. Z ciężkim sercem wyruszam w drogę do Maralalu. Weterynarz mi towarzyszy, co jest przyjemne, i jedziemy drogą okrężną. Chce odebrać swą wypłatę i wrócić ze mną. Szybko kupuję cukier. Załatwiam dla Lketingi *miraa*, gdyż mu obiecałam.

Weterynarz prosi, bym na niego zaczekała. Jest czwarta, gdy wreszcie się zjawia. Proponuje, abyśmy jechali przez las. Nie w smak mi to, ponieważ od wielkiego deszczu nie jechałam tą drogą. On jednak uważa, że teraz jest tam sucho. Tak więc ruszamy. Często musimy przejeżdżać przez większe błotniste kałuże, co jednak nie stanowi problemu, gdy ma się napęd na cztery koła. Na zboczu śmierci droga wygląda całkiem inaczej. Woda wypłukała głębokie rowy. Wysiadamy na górze i obchodzimy cały odcinek, aby zobaczyć, gdzie będzie najlepiej przejechać. Uznaję, że przy odrobinie szczęścia można go bez problemów przebyć, może z wyjątkiem jednej szczeliny, która przebiega w poprzek drogi i ma jakieś trzydzieści centymetrów szerokości. Ryzykujemy. Jadę po wyższych partiach, pełna nadziei, że nie wpadnę do rowu, gdyż wtedy ugrzęźlibyśmy w błocie. Udaje się, oddychamy z ulgą. Na szczęście przy skałach nie jest ślisko. Samochód trzęsie się i zgrzyta na kamieniach. Najgorsze za nami, teraz czeka nas tylko dwadzieścia metrów po żwirze.

Nagle coś stuka pod autem. Jadę dalej, potem jednak staję, gdyż odgłos się wzmaga. Wysiadamy. Na zewnątrz nic nie widać. Zaglądam pod samochód i odkrywam przyczynę. Po jednej stronie poszły resory, wszystko trzyma się tylko na dwóch sprężynach, praktycznie nie mamy więc amortyzatorów. Pojedyncze części ze stukotem ocierają się o ziemię.

I znowu zawiódł mnie ten wehikuł! Jestem wściekła na siebie, że dałam się namówić na tę drogę. Weterynarz proponuje, aby po prostu jechać dalej, lecz na to nie mogę się w żadnym wypadku zgodzić. Zastanawiam się, co można by zrobić. Wyciągam z auta liny i szukam pasujących kawałków drewna. Mocno podwiązujemy zwisające części, a następnie wsuwamy między nie kawałki drewna, aby liny się nie przetarły. Powoli jadę dalej, aż widzę *manyatty*. W pierwszej lepszej wyładowujemy cztery z pięciu worków. Weterynarz surowo zakazuje ludziom otwierania worków. Ostrożnie jedziemy do Barsaloi. Tak bardzo zdenerwowałam się z powodu tego cholernego pojazdu, że rozbolał mnie żołądek.

Na szczęście bez dalszych przygód docieramy do sklepu. Lketinga od razu wczołguje się pod samochód, aby upewnić się, że wszystko jest tak, jak mówimy. Nie rozumie, dlaczego wyładowałam cukier, i zapewnia mnie, że zniknie bez śladu. Idę do mieszkania i kładę się, gdyż jestem potwornie zmęczona.

Następnego ranka zajeżdżam do ojca Giuliana, aby pokazać mu auto. Nieco rozsierdzony mówi, że nie jest mechanikiem. Musiałby rozłożyć samochód na części, aby zespawać resory, a na to nie ma naprawdę czasu. Zanim coś jeszcze doda, ruszam zawiedziona do domu. Czuję, że wszyscy mnie opuścili. Bez pomocy Giuliana nigdy więcej nie dojadę tym samochodem do Maralalu. Lketinga pyta, co powiedział Giuliano. Kiedy opowiadam, że nie może nam pomóc, uważa, że zawsze wiedział, że to nie jest dobry człowiek. Nie jestem aż tak krytycznie nastawiona, w końcu już parę razy wyciągnął nas z tarapatów. Lketinga i chłopak obsługują w sklepie, a ja śpię przez cały ranek, gdyż nie czuję się najlepiej. Do południa cukier jest już sprzedany i z trudem powstrzymuję męża, aby nie pojechał zepsutym autem po resztę. Pod wieczór Giuliano przysyła stróża, który mówi, że mamy przyprowadzić samochód do misji. Ucieszona, że zmienił zdanie, posyłam Lketingę samochodem, gdyż sama właśnie gotuję. O siódmej zamykamy sklep, a Lketingi jak nie było, tak nie ma. Za to dwóch nie znanych mi wojowników czeka przed drzwiami. Właśnie zjadłam, gdy wraca Lketinga. Był w domu u mamy, aby zobaczyć, co tam ze zwierzętami. Radośnie śmiejąc się, podaje mi dwa jajka. Od wczoraj moja kura znosi jajka. Tak więc jadłospis staje się bardziej urozmaicony. Zaparzam dla gości herbatę i wczołguję się wykończona pod moskitierę.

Oni jedzą, piją i gawędzą. Co chwila przysypiam. W nocy budzę się zlana potem i chce mi się pić. Mąż nie leży przy mnie. Nie wiem, gdzie jest latarka. Wyczołguję się spod koca i moskitiery i idąc po omacku do kanistra z wodą, potykam się o coś leżącego na podłodze. Zanim dotrze do mnie, co to jest, słyszę odgłos chrząkania. Zesztywniała ze strachu pytam: *Darling?* W świetle latarki, którą wreszcie znalazłam, rozpoznaję trzy postaci śpiące na podłodze. Jedna z nich to Lketinga. Ostrożnie przechodzę przez leżących do kanistra. Wracam do łóżka, a serce bije mi jak szalone. Z powodu obcych w mieszkaniu nie mogę zasnąć. Rano jest mi tak zimno, że nie wychodzę spod koca. Lketinga gotuje dla wszystkich herbatę i jestem szczęśliwa, że dostaję coś gorącego. Trzej wojownicy śmieją się serdecznie z mojej nocnej przygody.

Chłopak sprzedaje dziś sam, ponieważ Lketinga udał się z dwoma wojownikami na jakąś ceremonię, a ja zostaję w łóżku. W południe przybywa ojciec Roberto z pozostałymi czterema workami cukru. Zachodzę do sklepu, aby mu podziękować. Zauważam przy tym, że kręci mi się w głowie, i natychmiast wracam do łóżka. Nie pasuje mi to, że chłopak jest sam w sklepie, jednak nazbyt źle się czuję, aby go kontrolować. Pół godziny po nadejściu cukru w sklepie panuje normalny zamęt. Leżę w łóżku, lecz o spaniu nie ma w tym rozgardiaszu mowy. Wieczorem zamykamy sklep i zostaję sama. Właściwie miałabym ochotę przejść się do mamy, lecz znowu jest mi zimno. Nie chce mi się gotować tylko dla siebie, kładę się pod moskitierą. Nadal krąży mnóstwo komarów i są agresywne. W nocy mam ataki febry. Tak głośno szczękam zębami, że z pewnością słychać mnie w pobliskich chatach. Dlaczego Lketinga nie wraca do domu? Noc nie chce się skończyć. To straszliwie marznę, to znowu pocę się z gorąca. Muszę do toalety, nie odważam się jednak wyjść sama na dwór i sikam do pustej puszki.

Wczesnym rankiem ktoś puka do drzwi. Pytam, kto tam, gdyż sprzedawać nie mam zamiaru. Słyszę upragniony głos męża. Od razu widzi, że coś jest nie tak, uspokajam go jednak, ponieważ nie chcę znowu fatygować misjonarzy.

Rozochocony opowiada mi o zaślubinach jednego z wojowników i o tym, że za jakieś dwa dni będzie u nas rajd safari. Widział już kilka samochodów. Prawdopodobnie jeszcze dziś zawita tu kilku kierowców, aby przyjrzeć się trasie do Wamby. Jakoś nie mogę w to uwierzyć, ale mimo mojego nędznego samopoczucia zapalam się razem z nim. Później Lketinga idzie, aby zobaczyć, co tam z naszym samochodem, ale nie jest jeszcze gotowy.

Około drugiej słyszę piekielną wrzawę. Docieram do drzwi wyjściowych i widzę tylko opadającą z wolna chmurę kurzu. Przemknął pierwszy kierowca próbny. Wkrótce połowa Barsaloi stoi przy drodze. Jakieś pół godziny później przejeżdża drugi samochód, a w chwilę potem trzeci. To dziwne uczucie, żeby tutaj, na końcu świata, w całkiem odmiennych czasach, zostać w ten właśnie sposób dogonionym przez cywilizację. Długo jeszcze czekamy, ale to było na dzisiaj wszystko. Trzy próbne samochody. Za dwa dni będzie pędziło tędy trzydzieści albo i więcej wozów. Cieszę się z takiej odmiany, mimo że leżę z wysoką gorączką w łóżku. Lketinga gotuje, ale gdy tylko spojrzę na jedzenie, zaraz robi mi się niedobrze.

Dzień przed rajdem czuję się wyjątkowo źle. Bez przerwy tracę na krótko przytomność. Od wielu godzin nie czułam, jak dziecko rusza się w brzuchu, tak więc ogarnia mnie panika. Płaczę, gdy mówię o tym mężowi. Przerażony opuszcza dom i wraca z mamą. Ta mówi coś do mnie, bez przerwy obmacując mój brzuch. Jej twarz tężeje. Płacząc, pytam Lketingę, co z dzieckiem. On jednak siedzi bezradny i tylko rozmawia z mamą. W końcu wyjaśnia mi, że jego matka wierzy, iż ciąży na mnie przekleństwo, które powoduje moją chorobę. Ktoś chce zabić mnie i nasze dziecko.

Chcą wiedzieć, z jakimi starymi ludźmi rozmawiałam ostatnio w sklepie, czy byli tutaj starzy Somalijczycy, czy jakiś stary człowiek dotykał mnie albo napluł na mnie, albo czy ktoś pokazał mi czarny język. Zarzucają mnie pytaniami i o mało ze strachu nie wpadam w histerię. W głowie tłucze mi się tylko jedna myśl: Moje dziecko nie żyje!

Mama opuszcza nas i przyrzeka, że wróci z odpowiednim lekarstwem. Nie wiem, jak długo leżę i szlocham. Gdy otwieram oczy, widzę sześcioro, może ośmioro starych kobiet i mężczyzn, którzy zebrali się wokół mnie. Nieustannie słyszę: *Enkai, Enkai!* Każdy ze starców pociera mój brzuch i mruczy coś pod nosem. Jest mi wszystko jedno. Mama przystawia mi do warg kubek z jakąś cieczą, którą mam wypić jednym tchem. Wstrząsa mną, gdyż ciecz pali jak ogień. W tym samym momencie czuję dwa, trzy skurcze i kopanie w brzuchu. Przerażona chwytam się za brzuch. Wszystko wokół mnie wiruje. Widzę pochylające się nade mną stare twarze i najchętniej bym umarła. Moje dziecko żyło jeszcze przed chwilą, ale teraz jest z pewnością martwe, przelatuje mi przez głowę, a potem krzyczę: „Zabiliście moje dziecko. *Darling, they have now killed our baby!*". Czuję, jak zupełnie opadam z sił i jak niknie we mnie wola życia.

Ponownie dziesięć albo więcej dłoni spoczywa na moim brzuchu, pocierają go i ugniatają. Starcy modlą się głośno i śpiewają. Nagle brzuch nieco się wzdyma i czuję w środku lekkie skurcze. Najpierw nie mogę w to uwierzyć, ale skurcze powtarzają się jeszcze kilkakrotnie. Starszyzna sprawia wrażenie, jakby również to poczuła, i modły stają się cichsze. Kiedy staje się dla mnie jasne, że moje dzieciątko nadal żyje, znowu chce mi się żyć. A myślałam, że straciłam ją już bezpowrotnie. „*Darling, please*, idź do ojca Giuliano i powiedz mu, co jest ze mną. Chcę do szpitala!".

LATAJĄCY DOKTOR

Jakiś czas potem zjawia się Giuliano i na jego twarzy widzę śmiertelne przerażenie. Rozmawia chwilę ze starszyzną i pyta mnie, w którym jestem miesiącu. „Początek ósmego" – odpowiadam słabym głosem. Mówi, że postara się połączyć przez radio z latającym doktorem, i opuszcza nas. Starcy, poza mamą, również wychodzą. Mokra od potu leżę w łóżku i modlę się za dziecko i za siebie. Za nic w świecie nie chciałabym stracić dziecka. Moje szczęście zależy od życia tej małej istoty. Nagle dobiega mnie odgłos silnika, nie samochodowego, tylko samolotowego. W środku nocy pojawia się tutaj, w buszu, samolot! Słyszę głosy przed domem. Lketinga wychodzi na dwór i wraca rozgorączkowany. Samolot! Pojawia się Giuliano i mówi, że mam wziąć ze sobą tylko parę rzeczy, gdyż oświetlony pas startowy nie jest zbyt długi. Pomagają mi wstać z łóżka. Lketinga pakuje niezbędne rzeczy, a następnie niesie mnie do samolotu.

Jestem zdumiona, że wszędzie jest tak jasno. Giuliano podłączył olbrzymi reflektor do agregatu, a pochodnie i lampy naftowe znaczą z lewej i prawej strony płaski odcinek drogi. Dalej z kolei pokaźne, białe kamienie zakreślają pas startowy. Pilot, biały, pomaga mi wsiąść do samolotu. Macha do Lketingi, aby również wsiadał, ale ten stoi tylko bezradnie. Chciałby lecieć ze mną, ale nie może pokonać własnego strachu.

Biedak! Wołam do niego, że ma tu zostać i pilnować sklepu. Drzwiczki zostają zamknięte. Startujemy. Po raz pierwszy lecę taką małą maszyną, czuję się jednak bezpiecznie. Po jakiś dwudziestu minutach znajdujemy się nad szpitalem w Wambie. Także tutaj wszystko jest oświetlone, tyle że mają lądowisko z prawdziwego zdarzenia. Po wylądowaniu spostrzegam dwie siostry, które oczekują mnie z fotelem na kółkach. Z trudem opuszczam samolot, podtrzymując ręką brzuch, który mocno mi opadł. Gdy wiozą mnie wózkiem w kierunku szpitala, na nowo zanoszę się szlochem. Pocieszające słowa sióstr nic nie pomagają, wprost przeciwnie – szlocham jeszcze bardziej. Przed szpitalem czeka na mnie szwajcarska lekarka. Z jej twarzy bije zaniepokojenie, pociesza mnie jednak, mówiąc, że teraz wszystko będzie dobrze.

Leżę w gabinecie na fotelu ginekologicznym i czekam na naczelnego lekarza. Uświadamiam sobie, jak bardzo jestem brudna, i strasznie się wstydzę. Gdy zaczynam usprawiedliwiać się przed lekarzem, daje mi znak, abym dała spokój, i mówi, że obecnie są ważniejsze sprawy do załatwienia. Bada mnie ostrożnie bez użycia instrumentów, tylko rękami, a ja czekam w napięciu, aby dowiedzieć się, co jest z dzieckiem. W końcu potwierdza, że dziecko żyje. Jak na ósmy miesiąc jest jednak o wiele za małe i zbyt słabe. Przesunęło się bardzo do przodu, musimy więc zrobić wszystko, aby udaremnić przedwczesny poród. Potem przychodzi lekarka ze Szwajcarii i podaje do wiadomości miażdżącą diagnozę: mam poważną anemię i ciężką malarię, i z tego powodu potrzebuję natychmiast krwi. Lekarz wyjaśnia mi, jak trudno jest zdobyć krew. Mają tu tylko kilka zbiorniczków krwi konserwowanej i jakiś dawca musi za mnie oddać krew, aby je zastąpić.

Czuję się potwornie, myśląc o obcej krwi tutaj, w Afryce, w czasach AIDS. Bojaźliwie pytam lekarza, czy krew została poddana kontroli. Szczerze odpowiada, że tylko po części, ponieważ w normalnym wypadku pacjentki z anemią muszą najpierw przyprowadzić dawcę z rodziny, zanim zrobi im się transfuzję. Najwięcej ludzi umiera tutaj na malarię i jej następstwa, czyli anemię. Misja otrzymuje bardzo mało krwi konserwowanej jako dary z zagranicy.

Leżę na fotelu i próbuję zebrać myśli. Krew oznacza AIDS, tłucze mi się po głowie. Ośmielam się zaprotestować, mówiąc, że nie chcę mieć tej śmiertelnej choroby. Lekarz staje się bardzo poważny, gdy jasno i wyraźnie mówi do mnie, że mogę wybierać między tą krwią a pewną śmiercią. Pojawia się afrykańska siostra, sadza mnie na wózku i zostaję przetransportowana do pokoju, w którym są już trzy inne kobiety. Pomaga mi rozebrać się i, jak pozostali, otrzymuję szpitalną odzież.

Na początek dostaję zastrzyk, potem siostra podłącza mi kroplówkę do lewej ręki. Wchodzi szwajcarska lekarka z woreczkiem krwi. Mówi z uspokajającym uśmiechem, że udało jej się zdobyć ostatnią szwajcarską krew konserwowaną o mojej grupie. Do rana wystarczy. Większość białych sióstr misyjnych jest gotowa oddać mi swą krew, jeśli ich grupy będą zgodne z moją.

Jestem wzruszona taką opieką, powstrzymuję się jednak od łez i dziękuję za wszystko. Kiedy zaczyna mi robić transfuzję krwi do prawej ręki, przeraźliwie mnie to boli, gdyż igła jest bardzo gruba i lekarka musi kilka razy ją wbijać, zanim wreszcie zbawcza krew wpływa do moich żył. Przywiązują mi obie ręce do łóżka, żebym podczas snu przypadkiem nie wyrwała igieł. Muszę wyglądać niespecjalnie. Dobrze, że moja matka nie wie, jak kiepsko jest ze mną. Nawet jeśli wszystko potoczy się dobrze, nigdy jej o tym nie napiszę. Z tą myślą zasypiam. O szóstej pacjentki są budzone na pomiar temperatury. Czuję się okropnie zmęczona, spałam najwyżej cztery godziny. O ósmej dostaję znowu zastrzyk, a koło południa robią nową transfuzję. Mam szczęście, krew pochodzi od tutejszych sióstr, przynajmniej nie muszę się martwić o AIDS.

Regularny obchód odbywa się po południu. Lekarz bada brzuch dotykiem, osłuchuje serce dziecka i mierzy ciśnienie. Nic więcej nie da się tu zrobić. Nie mogę nic jeść, gdyż przy zapachu kapusty zbiera mi się na wymioty. Mimo to pod koniec drugiego dnia czuję się o wiele lepiej. Po otrzymaniu trzeciej porcji krwi jestem niczym kwiat, który po długiej przerwie dostał wreszcie wody. Z dnia na dzień wracają mi siły. Gdy przetaczanie krwi dobiega końca, patrzę po raz pierwszy od dłuższego czasu w lusterko i prawie się nie poznaję. Mam wielkie i zapadnięte oczy, wystające kości policzkowe, a nos jest długi i spiczasty. Zmatowiałe i przerzedzone włosy lepią mi się od potu. A przecież czuję się już całkiem nieźle, myślę z przerażeniem. Ale jak dotychczas tylko leżałam i w ciągu tych trzech dni ani razu nie opuściłam łóżka, ponieważ ciągle mam podłączoną kroplówkę z lekiem przeciwko malarii.

Siostry są bardzo miłe i zachodzą do pokoju tak często, jak tylko mogą. Martwią się jednak, gdyż nadal nic nie jem. Jedna jest szczególnie sympatyczna, promienieje dobrocią i ciepłem, co mnie wzrusza. Pewnego dnia pojawia się z kanapką z serem, którą przyniosła z misji. Tak dawno nie widziałam sera, że nie potrzebuję się wcale zmuszać i powoli zjadam kanapkę. Od tego dnia mogę znowu jeść stały pokarm. Teraz tylko do przodu, cieszę się. Mój mąż zostaje poinformowany przez radiotelefon, że kryzys minął, dziecko i ja czujemy się dobrze.

Jestem tutaj już od tygodnia, gdy szwajcarska lekarka podczas jednego z badań radzi mi, żebym rodziła w Szwajcarii. Patrzę na nią przerażona i pytam dlaczego. Mówi, że jestem zbyt słaba i za chuda jak na ósmy miesiąc. Jeśli nie będę mogła odżywiać się tutaj prawidłowo, istnieje poważne niebezpieczeństwo, że mogę umrzeć z powodu ponownej utraty krwi i wysiłku podczas porodu. Nie mają tu ani aparatów tlenowych, ani inkubatorów dla słabych noworodków. Podczas porodu nie podaje się również żadnych środków uśmierzających ból, gdyż takowych po prostu nie ma.

Ogarnia mnie strach, kiedy pomyślę, że w takim stanie mam lecieć do Szwajcarii. Jestem przekonana, że nie dałabym rady, mówię do lekarki. Szukamy innych rozwiązań, ponieważ w tygodniach, jakie mi pozostały do porodu, muszę przybrać na wadze, tak abym ważyła przynajmniej siedemdziesiąt kilo. Do domu nie mogę wrócić, gdyż jest to zbyt niebezpieczne ze względu na malarię. Wpada mi do głowy Sophia z Maralalu. Ma piękne mieszkanie i dobrze gotuje. Lekarka zgadza się na takie rozwiązanie. Jednakże najwcześniej dopiero za dwa tygodnie wypuści mnie ze szpitala.

Ponieważ nie sypiam już tak dużo podczas dnia, czas upływa mi powoli. Z moimi towarzyszkami z pokoju porozumiewam się z trudem. Są to kobiety Samburu, mające już wiele dzieci. Po części zostały nawrócone przez misjonarzy albo wystąpiły u nich komplikacje i zostały przywiezione tutaj. Codziennie po południu jest pora odwiedzin. Niemniej na oddział położniczy nie przychodzi zbyt wielu odwiedzających, gdyż rodzenie dzieci to sprawa kobiet. Z pewnością w tym czasie ich mężowie zabawiają się z pozostałymi żonami.

Zaczynam się zastanawiać, co robi mój *darling*. Samochód jest już z pewnością zreperowany, a jeśli nawet nie, to mógłby tu przybyć na piechotę w ciągu, powiedzmy, siedmiu godzin, co dla Masaja nie jest żadnym problemem. Naturalnie siostry przekazują mi prawie codziennie pozdrowienia, które przesyła przez ojca Giuliano. Stale jest w sklepie i pomaga chłopakowi. Dla mnie sklep nie ma w tej chwili żadnego znaczenia, nie chcę zaprzątać sobie głowy dodatkowymi zmartwieniami. Jak jednak mam wytłumaczyć Lketindze, że dopiero po porodzie będę mogła wrócić do domu? Już widzę jego podejrzliwą minę.

Ósmego dnia staje nagle w drzwiach. Nieco niepewny, ale cały rozpromieniony przysiada na brzegu łóżka. *Hello, Corinne, how are you and my baby? Are you okay?* Następnie wyciąga pieczone mięso. Jestem naprawdę wzruszona. Ojciec Giuliano również jest tutaj, w misji, toteż zabrał się z nim. Nie możemy wymienić zbyt wielu czułości, ponieważ kobiety z pokoju obserwują nas albo wypytują go o różne sprawy. Jestem szczęśliwa, że go widzę, i dlatego nie wspominam ani słowem o tym, że niebawem zamierzam spędzić trochę czasu w Maralalu. Przyrzeka mi, że odwiedzi mnie znowu, gdy tylko samochód będzie zreperowany. Giuliano zagląda na chwilę, a potem obaj znikają.

Wydaje mi się, że dni stały się jeszcze dłuższe. Jedyną odmianą są odwiedziny sióstr oraz wizyty lekarskie. Od czasu do czasu ktoś przynosi mi gazetę. W drugim tygodniu codziennie spaceruję trochę po szpitalu. Widok ciężko chorych ludzi bardzo mnie przygnębia. Najchętniej stoję przy łóżeczkach noworodków, ciesząc się przy tym bardzo, że będę miała własne dziecko. Z całego serca życzę sobie, aby była to zdrowa dziewczynka. Na pewno będzie przepiękna, po ojcu. Bywają jednak dni, kiedy boję się, że dziecko urodzi się nienormalne z powodu tych wszystkich medykamentów.

Pod koniec drugiego tygodnia Lketinga ponownie mnie odwiedza. Gdy zatroskany pyta, kiedy w końcu wrócę do domu, nie pozostaje mi nic innego, jak wyjawić mu swoje zamiary. W jednej sekundzie jego twarz pochmurnieje i pyta z naciskiem: „Corinne, dlaczego nie wrócisz do domu? Dlaczego chcesz zatrzymać się w Maralalu, a nie u mamy? Teraz jesteś okay i urodzisz dziecko w domu mamy!". Nie wierzy w żadne moje tłumaczenia. W końcu stwierdza: „Teraz wiem, pewnie masz kochanka w Maralalu!".

To jedno zdanie jest gorsze od uderzenia w twarz. Czuję, jakbym spadała w głęboką dziurę, i wybucham płaczem, co z kolei jest dla niego dowodem, że jego przypuszczenia się potwierdziły. Wzburzony chodzi po pokoju, powtarzając w kółko: „Nie zwariowałem, Corinne! Naprawdę, ja nie zwariowałem, ja znam kobiety!".

Nagle w pokoju pojawia się biała siostra. Przerażona patrzy na mnie, a potem na mojego męża. Chce natychmiast wiedzieć, co się stało. Zalewając się łzami, opowiadam. Rozmawia z Lketingą, ale to niewiele pomaga. Zostaje sprowadzony lekarz, który bardzo energicznie zabiera się do niego. Lketinga niechętnie przytakuje, nie odczuwam jednak w tym momencie już żadnej radości. Za bardzo mnie zranił. Opuszcza szpital i nawet nie wiem, czy zobaczę go jeszcze tutaj, czy dopiero w Maralalu.

Siostra ponownie zachodzi do mnie i rozmawiamy. Jest bardzo zatroskana z powodu nastawienia mojego męża i radzi mi, abym rodziła dziecko w Szwajcarii, gdyż wtedy otrzyma moją narodowość. Tutaj będzie własnością rodziny mojego męża, a ja bez jego zgody nie będę mogła niczego przedsięwziąć. Zmęczona kiwam odmownie, nie czuję się na siłach, aby udać się w tak daleką podróż. Teraz, na pięć tygodni przed rozwiązaniem, mąż i tak nie da mi pisemnej zgody na to, abym jako jego żona mogła opuścić Kenię. Poza tym jestem głęboko przekonana, że uspokoi się i będzie się cieszył, gdy dziecko już przyjdzie na świat.

W trzecim tygodniu nie mam od niego żadnych wiadomości. Nieco zawiedziona opuszczam szpital, gdy nadarza się okazja pojechania z pewnym misjonarzem do Maralalu. Siostry żegnają się ze mną serdecznie i obiecują, że przez ojca Giuliana poinformują mojego męża, iż już jestem w Maralalu.

SOPHIA

Sophia jest w domu i bardzo się cieszy z odwiedzin. Gdy wyjaśniam jej swoją sytuację, mówi, że z jedzeniem jest w porządku, ale spać u nich nie bardzo mogę, gdyż tylna część mieszkania została przerobiona na pokój do ćwiczeń dla jej przyjaciela. Siedzę nieco bezradna i rozważamy, dokąd mogłabym pójść. Jej przyjaciel wyrusza na poszukiwanie dla mnie miejsca do spania. Po kilku godzinach wraca i mówi, że znalazł pokój. Znajduje się w pobliżu, jedno pomieszczenie, jak w schronisku, tylko łóżko jest większe i ładniejsze. Poza tym nic w nim nie ma. Gdy oglądamy pokój, gromadzą się wokół nas kobiety i dzieci. Biorę.

Dni upływają powoli. Tylko jedzenie sprawia mi jeszcze prawdziwą przyjemność. Sophia gotuje fantastycznie i codziennie przybieram na wadze. Noce są jednak straszne. Do późna dudni muzyka i zewsząd słychać paplaninę. Ściany są tak cienkie, że można by pomyśleć, iż mieszka się w jednym pokoju z sąsiadami. Każdego wieczoru męczę się, zanim zasnę.

Niekiedy mam ochotę krzyczeć na całe gardło z powodu tych hałasów, lecz nie chcę stracić pokoju. Rano myję się u siebie. Rzeczy piorę co drugi dzień, aby mieć trochę odmiany. Sophia dużo kłóci się ze swoim przyjacielem, tak więc często wychodzę zaraz po jedzeniu. Brzuch mi rośnie, z czego jestem bardzo dumna. Mieszkam tu już od tygodnia, a mąż ani razu mnie nie odwiedził, jestem przybita z tego powodu. Za to spotkałam na mieście Jamesa z innymi chłopcami. Od czasu do czasu Sali, przyjaciel Sophii, przyprowadza kolegów na obiad. Potem grywamy w karty, co zawsze jest wspaniałą zabawą. Pewnego razu siedzimy we czwórkę w mieszkaniu i gramy. Drzwi są jak zazwyczaj otwarte, żebyśmy lepiej widzieli. Nagle w progu staje mój mąż z dzidą w dłoni. Nie zdążyłam go nawet jeszcze pozdrowić, a on już pyta, kim jest ten drugi mężczyzna. Wszyscy śmieją się, tylko ja nie. Sophia zaprasza Lketingę ruchem ręki do środka, lecz on nie rusza się z miejsca, tylko pyta mnie ostro: „Corinne, czy to twój *boyfriend?*". Ze wstydu o mało nie zapadam się pod ziemię. Sophia próbuje jakoś rozładować sytuację, ale mój mąż obraca się tylko na pięcie i wychodzi. Powoli budzę się z odrętwienia i ogarnia mnie wściekłość. To ja siedzę tutaj, w dziewiątym miesiącu ciąży, wreszcie widzę go po dwóch i pół tygodniach, a on posądza mnie o posiadanie kochanka!

Sali wychodzi na poszukiwanie Lketingi, a Sophia mnie uspokaja. Kolega Saliego wyniósł się po cichu. Długo nic się nie dzieje, tak więc udaję się do swojego pokoju i czekam. Nieco później zjawia się Lketinga. Wypił już coś i żuje *miraa*. Leżę bez ruchu na łóżku i rozmyślam o przyszłości. Ponad godzinę później przeprasza mnie. „Corinne, moja żono, żaden problem. Długo nie widziałem ciebie i dziecka, tak więc dostaję bzika. Proszę, Corinne, teraz jestem w porządku, żaden problem". Próbuję uśmiechnąć się i wybaczyć mu. Następnego dnia w nocy idzie do domu. Nie widzę go przez dwa tygodnie, przesyła mi tylko pozdrowienia.

Wreszcie nadchodzi dzień, w którym wyruszamy wspólnie z Sophią do szpitala. Sophia jest tydzień przed rozwiązaniem, ja dwa. Z powodu kiepskiego stanu dróg zalecono nam, abyśmy odpowiednio wcześniej jechały. Podenerwowane wsiadamy do autobusu. Przyjaciel Sophii nam towarzyszy. W szpitalu dostajemy pokój tylko dla nas.

Jest wspaniale. Siostry oddychają z ulgą, gdy wchodzę na wagę i okazuje się, że ważę dokładnie siedemdziesiąt kilo. Teraz musimy tylko czekać. Prawie codziennie robię na drutach coś dla dziecka, a Sophia czyta całymi dniami książki o ciąży i porodzie. Ja nie chcę nic o tym wiedzieć, pozwolę się zaskoczyć. Sali przynosi nam ze wsi dobre jedzenie. Czas się wlecze. Każdego dnia przychodzą na świat nowe dzieci. Krzyki kobiet docierają do naszego pokoju. Sophia jest coraz bardziej podenerwowana. Już niedługo powinno się u niej zacząć. Podczas codziennych badań okazuje się, że mam już nieco rozwartą macicę, dlatego też nie wolno mi opuszczać łóżka. Nie zdążę jednak zastosować się do tego zalecenia, gdyż ledwo lekarka opuszcza nasz pokój, odchodzą mi wody płodowe. Zaskoczona i szczęśliwa spoglądam na Sophię i mówię: *I think my baby is coming!* Początkowo nie chce mi uwierzyć, gdyż powinnam rodzić dopiero za tydzień. Woła z powrotem lekarkę, a gdy ta widzi, co się stało, potwierdza z poważną miną, że dziecko przyjdzie dzisiaj w nocy.

NAPIRAI

Sophia jest zrozpaczona, gdyż u niej nadal nic się nie dzieje. O ósmej mam pierwsze lekkie skurcze porodowe. Dwie godziny później stają się gwałtowniejsze i od tej chwili jestem badana co pół godziny. Koło północy ledwo mogę wytrzymać i stale wymiotuję z bólu. W końcu wiozą mnie do sali porodowej. Do tego samego pomieszczenia, gdzie badano mnie na fotelu ginekologicznym. Lekarka i dwie czarne siostry coś do mnie mówią. Zadziwiające, ale nagle nie rozumiem angielskiego. Między kolejnymi skurczami wpatruję się w kobiety i widzę tylko, jak ich usta to otwierają się, to zamykają. Wpadam w panikę, gdyż nie wiem, czy dobrze wszystko robię. Oddychać, porządnie oddychać, dudni mi w głowie. Przywiązują mi nogi do fotela. Czuję się bezradna i bezsilna. Gdy właśnie chcę krzyknąć, gdyż nie mogę już wytrzymać z bólu, jedna z sióstr zatyka mi usta. Pełna strachu patrzę na lekarkę. W tym momencie słyszę, że widzi już główkę dziecka, przy następnym skurczu powinno wyjść. Pręż ostatkiem sił i czuję coś w rodzaju eksplozji w podbrzuszu. Dziecko przychodzi na świat. Jest pierwsza piętnaście. Urodziła się zdrowa, ważąca dwa kilogramy i dziewięćset sześćdziesiąt gramów dziewczynka. Nie posiadam się ze szczęścia. Jest tak piękna jak jej ojciec, damy jej na imię Napirai.

Lekarka zajmuje się jeszcze łożyskiem i zszywa mnie, a już otwierają się drzwi i Sophia rzuca mi się z radością na szyję. Oglądała poród przez okno. Pokazują mi ponownie moje dzieciątko, a następnie zabierają do innych noworodków. Cieszę się z tego, gdyż w obecnej chwili jestem za słaba, aby je trzymać. Nie mam nawet sił podnieść filiżanki herbaty, którą mi podają. Marzę tylko o śnie. Zawożą mnie z powrotem do pokoju i dostaję środek nasenny.

O piątej wyrywa mnie ze snu potworny ból między nogami. Budzę Sophię, która natychmiast wstaje i idzie po siostrę. Dostaję tabletki przeciwbólowe i uspokajam się. O ósmej wlokę się do pokoju noworodków, aby zobaczyć córkę. Gdy ją w końcu odnajduję, krzyczącą z głodu, oddycham z ulgą. Powinnam ją nakarmić, co jednak jest nielichym problemem, ponieważ z moich olbrzymich piersi nie kapie ani kropla mleka. Odciąganie również nic nie daje. Pod wieczór nie mogę już wytrzymać. Moje piersi są twarde jak kamień i bolą mnie, a Napirai wrzeszczy bez przerwy z głodu. Jedna z czarnych pielęgniarek besztą mnie, abym zadała sobie trochę więcej trudu, bo jeśli gruczoły mleczne się nie otworzą, to dostanę zapalenia. W straszliwych bólach próbuję wszystkiego. Przychodzą dwie kobiety Samburu i „doją" moje piersi przez prawie pół godziny, aż w końcu pojawia się mleko. Teraz z kolei tryska i nie może przestać. Jest go tak dużo, że dziecko nie może pić. Dopiero po południu udaje mi się je po raz pierwszy nakarmić.

Sophia ma od kilku godzin bóle porodowe, dziecko jednak nie chce się urodzić. Płacze, krzyczy i domaga się cesarskiego cięcia, na co jednak lekarz się nie zgadza, gdyż nie dostrzega takiej potrzeby. Jeszcze nigdy nie widziałam Sophii w takim stanie. Lekarz powoli traci cierpliwość i grozi jej, że jeśli nie weźmie się w końcu w garść, to wcale nie odbierze porodu. Rozmawiają ze sobą po włosku, jako że on również jest Włochem. Po koszmarnych trzydziestu sześciu godzinach córeczka Sophii przychodzi na świat dzięki wyciągaczowi próżniowemu.

Tego wieczoru, już po porze odwiedzin, zjawia się mój *darling*. Rano dowiedział się przez radiotelefon o narodzinach córki i od razu wyruszył na piechotę do Wamby. Jest szczególnie pięknie pomalowany i ufryzowany, i pozdrawia mnie radośnie. Przyniósł mięso i przepiękną suknię dla mnie. Chce od razu zobaczyć Napirai, siostry mu jednak nie pozwalają, pocieszając go, że będzie mógł to zrobić rano. Pomimo że jest zawiedziony, patrzy na mnie z dumą promiennym wzrokiem, co napawa mnie nadzieją. Gdy musi opuścić szpital, postanawia przenocować w Wambie, aby być na miejscu, kiedy nadejdzie pora odwiedzin.

Obładowany prezentami wchodzi do pokoju w momencie, gdy podaję pierś Napirai. Szczęśliwy bierze córkę na ręce i niesie ją na słońce. Patrzy na niego z zaciekawieniem, a on nie może oderwać od niej wzroku. Dawno już nie widziałam go tak szczęśliwego. Jestem wzruszona i przekonana, że teraz znowu wszystko będzie dobrze.

Pierwsze dni z dzieckiem są wyczerpujące. Nadal jestem bardzo słaba, za mało ważę, a zszyta pochwa bardzo boli, gdy siedzę. W nocy córeczka budzi mnie dwa, trzy razy i albo chce piersi, albo muszę ją przewinąć. Kiedy w końcu zasypia, to z kolei dziecko Sophii zaczyna krzyczeć. Używamy tutaj pieluszek z płótna, a dzieci myje się w małej miednicy. W zawijaniu pieluch nie jestem najlepsza. Nie ubieram córki w rzeczy, które zrobiłam na drutach, gdyż się boję, że mogłabym uszkodzić jej przy tym rączki albo nóżki. Tak więc leży goła z pieluszką w kocyku. Mąż, patrząc na nas obie, stwierdza z zadowoleniem: „Wygląda jak ja!".

Odwiedza nas codziennie, ale powoli zaczyna tracić cierpliwość i chce wracać ze swoją rodziną do domu. Ale na to wciąż jestem za słaba, a w dodatku martwię się, co będzie, gdy sama jedna będę musiała zajmować się dzieckiem. Pranie pieluch, gotowanie, zbieranie opału i być może jeszcze pomaganie w sklepie – robienie tego wszystkiego naraz wydaje mi się niemożliwością. Sklep jest od trzech tygodni zamknięty, bo mamy jeszcze tylko mąkę kukurydzianą, a Lketinga mówi, że chłopakowi nie bardzo ufa. Poza tym nie możemy jeździć, przyszedł tutaj wszak na piechotę, gdyż znowu są kłopoty z samochodem. Giuliano stwierdził, że tym razem jest coś nie tak ze skrzynią biegów. Tak więc Lketinga musi najpierw udać się do domu, aby potem odebrać nas landrowerem, jeśli oczywiście będzie zreperowany. Dzięki temu będę miała czas, aby lepiej oswoić się z nową sytuacją.

Także lekarka jest zadowolona, że zostanę jeszcze parę dni dłużej. Z kolei Sophia opuszcza szpital piątego dnia po porodzie i wraca do Maralalu. Trzy dni później mąż przybywa zreperowanym autem. Bez ojca Giuliana marnie byśmy zginęli. Sama chcę już wyrwać się w końcu z tej Wamby, ponieważ od czasu gdy Sophia wyjechała, mam już drugą kobietę Samburu w pokoju. Pierwsza wyglądała staro i była wyniszczona, urodziła tutaj przedwcześnie swoje dziesiąte dziecko i umarła tej samej nocy z osłabienia spowodowanego anemią. Nie było możliwości zawiadomienia w tak krótkim czasie jej rodziny, a tym samym znalezienie odpowiedniego dawcy krwi. Wypadki tamtej nocy kosztowały mnie wiele sił, tak że teraz marzę tylko o tym, aby uciec stąd jak najszybciej.

Świeżo upieczony tata stoi dumnie z córką na rękach przy recepcji, a ja płacę rachunek. Dwadzieścia dwa dni pobytu, łącznie z porodem, kosztują tylko osiemdziesiąt franków. Ledwo mogę w to uwierzyć. Z kolei za latającego doktora muszę zapłacić znacznie więcej – osiemset franków. Cóż to jednak znaczy w porównaniu z życiem dwojga ludzi!

Siedzę za kółkiem, a mąż trzyma Napirai. Już po pierwszych stu metrach dziecko płacze z powodu straszliwego hałasu, który towarzyszy jeździe naszym samochodem. Lketinga próbuje uspokoić ją śpiewem, lecz to nic nie pomaga. Tak więc teraz on kieruje, a ja trzymam Napirai przy piersi. W każdym razie przed wieczorem docieramy do Maralalu. Muszę jeszcze załatwić pieluszki, kilka ubranek i kocyki dla dziecka, a poza tym chcemy również kupić żywność, gdyż w Barsaloi od tygodni nic nie ma. Nie pozostaje nam nic innego, jak pójść do schroniska. Żeby znaleźć tuzin pieluszek, muszę biegać po całym Maralalu, a Lketinga pilnuje naszej córki.

Pierwsza noc poza szpitalem nie należy do najprzyjemniejszych. Ponieważ w Maralalu noce są bardzo zimne, mam kłopoty ze zmienianiem Napirai pieluszek. Marznie ona, marznę również ja. Nie opanowałam także jeszcze najlepiej karmienia w ciemnościach. Rano jestem zmęczona i mam katar. Połowa pieluch jest zużyta, tak więc piorę je jeszcze tutaj. Koło południa samochód jest załadowany żywnością i wyruszamy. Jest dla nas oczywiste, że pojedziemy drogą okrężną. Ale mąż stwierdza, że w górach, w kierunku na Barsaloi, pada. Zachodzi więc obawa, że rzeki napełnią się wodą i nie będziemy mogli się przez nie przeprawić. Dlatego postanawiamy pojechać z powrotem drogą do Wamby, aby dotrzeć do Barsaloi z całkiem innej strony. Zmieniamy się za kierownicą, gdyż Lketinga całkiem dobrze sobie radzi z autem. Tylko niekiedy najeżdża zbyt szybko na pokaźne dziury. Napirai nie podoba się jazda samochodem. Stale płacze, a gdy tylko wóz się zatrzymuje, ona również cichnie. Robimy więc dużo przerw podczas podróży.

POWRÓT DO DOMU WE TROJE

Po drodze Lketinga zabiera dwóch wojowników i po ponadpięciogodzinnej jeździe docieramy do wielkiej rzeki Wamby. Ma złą opinię z powodu lotnych piasków, które uaktywniają się nawet przy najmniejszym deszczu. Przed laty misja straciła tutaj samochód. Przerażona zatrzymuję się przed zboczem stromo opadającym w kierunku rzeki. Widać wodę. Zaniepokojeni Masajowie wysiadają i schodzą. Poziom wody nie jest zbyt wysoki, dwa, może trzy centymetry, gdzieniegdzie widać pojedyncze suche ławice piaskowe. Ojciec Giuliano uprzedzał mnie jednak, abym nawet gdy jest tylko trochę wilgotno, trzymała się z dala od tej rzeki, mającej bądź co bądź szerokość stu pięćdziesięciu metrów. Siedzę za kierownicą i rozczarowana dochodzę do wniosku, że chyba będziemy musieli wrócić do Wamby. Jeden z wojowników zapadł się już po kolana w piasku. Tylko metr obok niego bez problemów idzie drugi. Lketinga również próbuje. Co chwila się zapada. Ogarnia mnie przerażenie i nie mam najmniejszego zamiaru ryzykować. Wysiadam, aby powiedzieć to mężowi. On jednak wraca zdecydowany na wszystko, odbiera ode mnie Napirai i żąda, abym na pełnym gazie przejechała pomiędzy dwoma wojownikami. Zdesperowana usiłuję wybić mu to z głowy, ale nic do niego nie dociera. On chce do domu, jeśli nie samochodem, to na piechotę. Nie jestem w stanie wrócić sama z dzieckiem.

Rzeka wzbiera bardzo powoli. Wzbraniam się przed jazdą i Lketingę ogarnia wściekłość. Wciska mi Napirai w ręce, zasiada za kierownicą i sam chce jechać. Żąda ode mnie kluczyków. Nie mam i jestem przekonana, że tkwi w stacyjce, gdyż silnik pracuje. *No, Corinne, please give me the key, you have driven the car, now you have taken it that we go back to Wamba!* – mówi zezłoszczony, ciskając przy tym gromy oczami. Podchodzę do samochodu, aby sprawdzić, czy kluczyka rzeczywiście nie ma. Jak na urągowisko, silnik pracuje bez kluczyków. Gorączkowo szukam na ziemi i na siedzeniach, jednakże nasze jedyne kluczyki zniknęły.

Lketinga stwierdza, że to moja wina. Wściekły wsiada do samochodu i włączywszy napęd na cztery koła, zjeżdża w kierunku rzeki. Jest to tak nierozsądne, że nie panuję nad sobą i wybucham płaczem. Napirai krzyczy na całe gardło. Samochód wbija się w rzekę. Pierwsze metry pokonuje bez problemów, koła zapadają się tylko nieznacznie, lecz im dalej jedzie, tym robi to wolniej, a jego tył grzęźnie stopniowo z powodu znacznego ciężaru. Jest oddalony zaledwie kilka metrów od suchej piaszczystej łachy, gdy zaczyna zanosić się na to, że utknie, gdyż koła ślizgają się w miejscu. Modlę się, wyję i przeklinam wszystko i wszystkich. Obaj wojownicy brną w wodzie do samochodu, unoszą go i popychają. Koła znajdują zaczepienie i wóz pokonuje ostatnie dwa metry, a następnie pędem przejeżdża drugą połowę rzeki. Mój mąż dokonał tej sztuki, ale dumna wcale z niego nie jestem, gdyż zbyt lekkomyślnie postawił wszystko na jedną kartę. Poza tym kluczyków nadal nie ma.

Jeden z wojowników wraca i pomaga mi przeprawić się przez rzekę. Często zapadam się aż po kolana. Lketinga stoi z wypiętą piersią obok samochodu i mówi, że teraz mam mu już dać kluczyki. „Nie mam!" – krzyczę oburzona. Podchodzę do auta i jeszcze raz wszystko przeszukuję. Pudło. Lketinga potrząsa z niedowierzaniem głową i sam szuka. Po kilku sekundach trzyma kluczyki w ręce. Wpadły między siedzenie a oparcie. Nie mam pojęcia, jak to się mogło stać. Z kolei dla Lketingi jest oczywiste, że ukryłam je, gdyż nie chciałam przeprawiać się autem przez rzekę. W milczeniu jedziemy do domu.

Kiedy nareszcie docieramy do Barsaloi, jest już noc. Naturalnie udajemy się najpierw do *manyatty* mamy. Mój Boże, jak ona się cieszy! Bierze Napirai na ręce i błogosławi ją, modląc się do *Enkai* i plując na jej podeszwy stóp, wierzch dłoni i czoło. Również do mnie mówi coś, czego nie rozumiem. Dym sprawia mi kłopoty, Napirai również kaszle, ale mimo to spędzamy pierwszą noc u mamy.

Rano kilku ludzi chce zobaczyć naszą córkę, mama jednak przekonuje mnie, że przez pierwsze tygodnie nie powinnam nikomu jej pokazywać, poza tymi, na których ona się zgodzi. Nie rozumiem tego i pytam: „Dlaczego, przecież ona jest taka śliczna!". Lketinga wymyśla mi, że nie wolno tak mówić, gdyż to przynosi nieszczęście. Obcy ludzie nie mogą jej widzieć, gdyż mogliby życzyć jej coś złego. W Szwajcarii z dumą pokazuje się własne dzieci, tutaj muszę ukrywać córkę albo, wychodząc na dwór, zakrywać jej głowę kangą. Przychodzi mi to z trudem.

Od trzech dni przesiaduję prawie całymi dniami z dzieckiem w mrocznej manyatcie, podczas gdy mama pilnuje wejścia. Mąż przygotowuje przyjęcie z okazji narodzin córki, na które musi zostać zabity wielki wół. Jest obecnych wielu starców, jedzą mięso i za to błogosławią naszą córkę. Dostaję najlepsze kawałki, żebym szybko wróciła do sił.

W nocy paru wojowników tańczy z Lketingą na cześć dziecka. Naturalnie ich również trzeba ugościć. Mama uwarzyła dla mnie jakąś okropnie cuchnącą ciecz, która ma mnie chronić przed chorobami. Gdy ją wypijam, pozostali wpatrują się we mnie i modlą do Enkai. Już po pierwszym łyku robi mi się niedobrze. Niezauważenie wylewam, ile tylko mogę.

Na uroczystości zjawiają się również weterynarz i jego żona, z czego jestem bardzo rada. Ku mojemu zaskoczeniu dowiaduję się, że obok nich zwolnił się domek. Ogromnie cieszę się na nowy dom z dwoma pomieszczeniami mieszkalnymi i ubikacją w środku. Następnego dnia przeprowadzamy się z pełnego przeciągów sklepu do oddalonego o jakieś sto pięćdziesiąt metrów domu. Zabieram się do sprzątania, a w tym czasie mama zajmuje się przed domem dzieckiem. Tak umiejętnie trzyma je pod kangą, że wcale go nie widać.

Ludzie ciągle przychodzą do sklepu i chcą coś kupić. Sklep wygląda na podupadły i nic w nim nie ma. Za to książeczka dłużników jest prawie pełna. Zarobione pieniądze znowu nie wystarczą na ciężarówkę, ale chwilowo ani mi się nie chce, ani też nie mogę pracować. Tak więc sklep pozostaje zamknięty.

Codziennie zajmuję się do południa praniem brudnych pieluch z poprzedniego dnia. W krótkim czasie knykcie mam pokryte ranami. Tak dalej być nie może. Rozglądam się za dziewczyną, która mogłaby mi pomóc w gospodarstwie, a przede wszystkim zajęłaby się praniem, żebym miała więcej czasu dla Napirai i na gotowanie. Lketinga przyprowadza pewną byłą uczennicę. Za blisko trzydzieści franków w miesiącu oraz jedzenie jest gotowa przynosić wodę i prać. Teraz w końcu mogę cieszyć się córeczką. Jest taka ładna i radosna, prawie nigdy nie płacze. Także Lketinga wyleguje się z nią godzinami pod drzewem przed domem. Stopniowo przebieg dnia mam w małym palcu. Dziewczyna pracuje bardzo powoli i jakoś nie znajduję do niej dojścia. Rzuca mi się w oczy, że szybko znika proszek. Nasze zapasy ryżu i cukru również się gwałtownie zmniejszają. Kiedy Napirai za każdym razem, gdy tylko się zmoczy, krzyczy, a ja stwierdzam, że między nóżkami ma czerwone jak ogień otarcia, mam tego serdecznie dosyć. Zagaduję o to dziewczynę i tłumaczę jej, że musi płukać pieluszki, dopóki nie będzie na nich proszku do prania. Nie okazuje specjalnego zainteresowania i mówi, że za takie pieniądze nie będzie dwa razy chodziła nad rzekę po wodę. Zezłoszczona odsyłam ją do domu. Wolę już prać sama.

GŁÓD

Ludzie zaczynają się niecierpliwić, gdyż są głodni. Już od ponad miesiąca sklepy są puste i każdego dnia przychodzą do nas klienci, aby zapytać, kiedy otworzymy. Lecz obecnie nie widzę możliwości powrotu do pracy. W dodatku musiałabym wybrać się do Maralalu i załatwić ciężarówkę. Z dzieckiem jednak boję się jechać naszym samochodem, gdyż mógłby zepsuć się po drodze. Skrzynia biegów naprawiona jest jako tako, zapłon całkowicie rozregulowany, a i inne podzespoły domagają się zreperowania.

Pewnego dnia zachodzi do nas minipolicjant i uskarża się, że ludzie głodują. Wie, że mamy w sklepie jeszcze kilka worków mąki, i prosi nas, abyśmy je sprzedali. Niechętnie udaję się do sklepu, aby policzyć worki. Mąż idzie ze mną. Kiedy otwieramy pierwszy worek, robi mi się niedobrze. Po wierzchu pełzają tłuste, białe glisty, a między nimi uwijają się małe, czarne chrząszcze. Zaglądamy do pozostałych worków i wszędzie to samo. Policjant grzebie w worku i stwierdza, że to tylko z wierzchu jest tak, w środku jest lepiej. Wzbraniam się jednak dać coś takiego ludziom.

Tymczasem lotem błyskawicy rozeszły się wieści, że mamy jeszcze mąkę kukurydzianą. W sklepie gromadzą się kobiety, które są gotowe ją kupić. Omawiamy sytuację i proponuję, aby wszystko po prostu rozdać. Minipolicjant nie zgadza się i mówi, że to doprowadziłoby w krótkim czasie do ostrych zajść, powinniśmy sprzedać mąkę taniej. Tymczasem przed sklepem i w środku stoi pięćdziesiąt albo i więcej osób z przygotowanymi woreczkami i torbami. Nie jestem w stanie zanurzyć rąk w tych workach, gdyż wzdrygam się z obrzydzenia na widok tego całego robactwa. Poza tym trzymam Napirai na rękach. Idę do mamy, aby poszukać starszego brata Lketingi. Jest w domu i wraca ze mną do sklepu. Napirai oddaję mamie. Przybywamy dosłownie w ostatniej chwili. Policjant pilnuje, aby ludzie nie wzięli sklepu szturmem, a tymczasem Lketinga sprzedaje. Każdemu wolno kupić maksymalnie tylko trzy kilogramy mąki. Kładę kilogramowe odważniki na wagę i kasuję pieniądze, a obaj mężczyźni porcjują nieapetyczną mąkę. Pracujemy jak szaleni i jesteśmy szczęśliwi, że policjantowi udaje się zachować porządek. Koło dwudziestej wszystkie worki są sprzedane, a my padamy z nóg. Ale w końcu w kasie znowu są jakieś pieniądze.

Ta sprzedaż i zrozumienie konieczności istnienia naszego sklepu bardzo zaprzątały moje myśli pod koniec dnia. Nie mam jednak zbyt wiele czasu, muszę iść do dziecka. Zatroskana pędzę w ciemnościach do *manyatty* mamy. Od ponad sześciu godzin Napirai nie dostała piersi, spodziewam się więc znaleźć ją całkowicie zapłakaną. Zbliżam się do *manyatty*, ale nie słyszę jej głosu, za to mama śpiewa. Wczołguję się do środka i widzę zdumiona, jak moja córeczka ssie wielką, długą i czarną pierś babci. Nie mogę wyjść z podziwu. Mama śmieje się, podając mi gołe dziecko. Gdy tylko Napirai słyszy mój głos, od razu wybucha płaczem, lecz po chwili przysysa się do mej piersi i uspokaja. Nadal jestem zdumiona, jak mama potrafiła tak długo uspokajać ją suchą piersią.

Po jakimś czasie zjawia się mąż i opowiadam mu o tym. Śmieje się i mówi, że to tutaj normalne. Saguna również przybyła do niej jeszcze jako małe dziecko, jak to jest w zwyczaju. Tutejsza babcia dostaje pierworodną córkę jednego z synów jako późniejszą pomoc domową i praktycznie karmi ją od urodzenia piersią i mlekiem od krowy. Spoglądam na córeczkę. Pomimo że jest cała brudna i cuchnie dymem, rozpiera mnie zadowolenie, a także jestem pewna, że nigdy nie oddałabym jej komuś innemu na wychowanie. Pijemy herbatę u mamy, a potem wracamy do siebie. Lketinga z dumą niesie Napirai. Przed drzwiami czeka na nas policjant. Naturalnie muszę zaparzyć mu herbaty, choć wcale nie mam na to ochoty. Nagle Lketinga wstaje, wyciąga ze szkatułki dwieście szylingów kenijskich i wręcza pieniądze policjantowi. Nie wiem za co to, ale nic nie mówię. Gdy policjant wychodzi, dowiaduję się, że domagał się tych pieniędzy za pracę porządkowego w sklepie. Zżymam się, gdyż znowu nas nabrał. Przecież to on tak bardzo nalegał, abyśmy sprzedawali, a jego psim obowiązkiem jako policjanta jest pilnowanie porządku, za to przecież jest opłacany przez państwo. Wszystko to próbuję delikatnie wytłumaczyć Lketindze i z radością dowiaduję się, że tym razem jego również to złości i że zupełnie się ze mną zgadza.

Sklep pozostaje zamknięty. Chłopak, który stał z Lketingą w sklepie, często do nas zachodzi. Ze mną się nie zadaje, co mi wcale nie przeszkadza. Po rozmowach orientuję się, że czegoś chce. Mąż mu odmawia, mówi, że on chce ostatniej pensji, a on mu już ją dawno wypłacił. Nie wtrącam się, gdyż przebywałam w Maralalu i w szpitalu i nic o niczym nie wiem.

Życie toczy się spokojnie, a Napirai powoli staje się prawdziwym grubaskiem. Nadal nie wolno mi jej pokazywać obcym. Za każdym razem, gdy ktoś znajdzie się w pobliżu, Lketinga chowa ją pod kocykiem, za czym ona wcale nie przepada.

Pewnego dnia wracamy znad rzeki i chcemy właśnie wejść do herbaciarni, gdy do Lketingi podchodzi jakiś starzec. Rozmawiają ze sobą. Mąż mówi do mnie, abym tu poczekała, i maszeruje na „posterunek" policji. Rozpoznaję, że znajdują się już tam prawdziwy policjant, łowczy i chłopak ze sklepu. Zaniepokojona przyglądam się z daleka dyskusji. Napirai wisi w *kandze* u mego boku i śpi. Gdy mija kwadrans i Lketinga nadal nie wraca, podążam w kierunku mężczyzn.

Dzieje się tu coś poważnego, widzę to po wyrazie twarzy męża. Jest wściekły. Toczy się ożywiona debata, a chłopak, stojący nonszalancko nieco z boku, przysłuchuje się tylko. Powtarzają się słowa *duka* i *shop*, sklep. Ponieważ wiem, że szef policji mówi po angielsku, chcę się od niego dowiedzieć, o co chodzi. Nie dostaję żadnej odpowiedzi. Wszyscy podają sobie ręce i wzburzony Lketinga wymyka się ukradkiem.

Doganiam go po trzech krokach, chwytam za ramię i pytam, co tam było grane. Zmęczony odwraca się do mnie i opowiada, że musi dać chłopakowi pięć kóz za jego pracę w sklepie, bo inaczej jego ojciec doniesie na policję. On nie chce skończyć w więzieniu. Nic z tego wszystkiego nie rozumiem.

Stanowczym głosem pytam męża, czy chłopak dostawał każdego miesiąca wypłatę. *„Yes, Corinne, I don't know, why they want five goats, but I don't want to go again in prison, I'm good man.* Ojciec tego chłopaka jest ważnym człowiekiem!"*. Wierzę Lketindze, że zapłacił te pieniądze. Nie mogę znieść takiej podłości, że bez żadnego powodu grożą mu więzieniem, zwłaszcza że to ten chłopak jest wszystkiemu winny. Rozwścieczona dopadam do niego i wrzeszczę: „Czego chcesz ode mnie?". „Od ciebie niczego, tylko od twojego męża" – mówi i śmieje się do mnie głupio. Nie jestem w stanie dłużej powstrzymać się i na oślep rzucam się na niego. Robi unik, ale chwytam go za koszulę i szarpię nim, obrzucając niemieckimi przekleństwami i plując na niego.

Mężczyźni przytrzymują mnie, a Napirai krzyczy, jakby ją obdzierano ze skóry. Lketinga podbiegł do mnie i mówi rozgniewany: „Corinne, zwariowałaś, do domu!". „Wcale nie zwariowałam, to przecież ty chcesz dać temu chłopakowi pięć kóz. Nie otworzę już sklepu!". Ojciec przytrzymuje chłopaka, w przeciwnym razie z pewnością rzuciłby się na mnie. Wściekła wyrywam się i biegnę z płaczącą Napirai do domu. Nie rozumiem, dlaczego mój mąż tak łatwo daje się zastraszyć; nie pojmuję również postawy szefa policji. Od teraz nie kiwnę nawet palcem, jeśli mi za to nie zapłacą. Nikt nie wsiądzie do naszego samochodu, dopóki nie zapłaci! Ludzie gapią się na mnie, gdy ich mijam, jest mi jednak wszystko jedno. Zdaję sobie z tego sprawę, że ciężko obraziłam chłopaka i jego ojca, gdyż tutaj kobiety nie biją mężczyzn, raczej odwrotnie.

Niedługo potem Lketinga przychodzi z szefem policji do domu. Chcą natychmiast wiedzieć, dlaczego to zrobiłam. Mąż jest zmieszany i przerażony, co powoduje, że znowu wychodzę z siebie. Kładę na stole przed szefem książkę dłużników, żeby widział, ile tysięcy szylingów należy nam się jeszcze z powodu tego chłopaka, jeśli w ogóle nie straciliśmy ich bezpowrotnie. Poza tym sam jest u nas zadłużony na ponad trzysta szylingów. I ktoś taki żąda pięciu kóz, co odpowiada półrocznej wypłacie! Teraz także szefowi zaczyna coś świtać w głowie i usprawiedliwia się z powodu swojej decyzji. Musimy jednak znaleźć jakiś sposób, żeby dogadać się z ojcem chłopaka, ponieważ Lketinga zaakceptował wyrok przez podanie ręki.

Z grzeczności muszę zaparzyć szefowi herbaty. Podpalam węgiel drzewny w piecyku i wynoszę go na dwór, aby przeciąg szybciej rozżarzył węgiel. Noc jest gwiaździsta. W momencie gdy właśnie kieruję się z powrotem do domu, spostrzegam oddaloną ode mnie zaledwie o parę metrów postać z pobłyskującym przedmiotem w ręku. W jednej chwili wietrzę niebezpieczeństwo i natychmiast wchodzę do domu, aby powiadomić męża. Wychodzi na dwór, ja zaraz za nim. Szef zostaje. Słyszę, jak Lketinga pyta, kto tu jest. W chwilę potem rozpoznaję głos i postać chłopaka, który trzyma w ręce maczetę. Zezłoszczona pytam, czego tu szuka. Odpowiada, że przyszedł, aby policzyć się z *mzungu*. Bezzwłocznie wpadam do domu i pytam szefa, czy wszystko słyszał. Przytakuje głową i również wychodzi na dwór.

Przestraszony chłopak chce uciekać, ale Lketinga mocno go trzyma i odbiera mu niebezpieczną maczetę. Z tryumfującą miną spoglądam na szefa, który był świadkiem usiłowania zabójstwa. Ma zaaresztować chłopaka, a rano pojedziemy wszyscy razem do Maralalu. Nie chcę tu więcej widzieć tego niebezpiecznego dla społeczeństwa idioty. Chłopak próbuje wszystko jakoś uładzić, ja jednak jestem za aresztowaniem. Szef odchodzi z chłopakiem. Mąż również znika, a ja po raz pierwszy zaryglowuję drzwi wejściowe.

Niedługo potem słyszę pukanie do drzwi. Przezornie pytam, kto tam, i wpuszczam weterynarza. Słyszał hałasy i chciałby się dowiedzieć, co się stało. Zapraszam go na herbatę i opowiadam o całym zajściu. Umacnia mnie w moim postanowieniu i proponuje pomoc. I tak nigdy nie rozumiał, dlaczego właściwie zatrudnialiśmy u siebie tego zwariowanego chłopaka, który niejedno już zbroił, za co jego ojciec musiał nieraz już świecić oczami. Kiedy tak sobie gwarzymy, wraca mąż i zaskoczony spoziera to na weterynarza, to na mnie. Weterynarz wciąga go w rozmowę. Ja żegnam się i wsuwam się pod moskitierę do Napirai.

Nie mogę myśleć o całym tym zajściu i mam trudności z zaśnięciem. Potem Lketinga przychodzi do łóżka. Próbuje przespać się ze mną. Nie mam wcale na to ochoty, a poza tym Napirai leży obok.

Lecz jemu tylko w głowie seks. Próbujemy, ale straszliwie mnie boli. Wściekła z bólu odpycham go i żądam, aby był cierpliwy, w końcu Napirai ma dopiero pięć tygodni. Lketinga nie rozumie odrzucenia i rozdrażniony stwierdza, że pewnie zrobiłam to już z weterynarzem. W tym momencie mam dość wszystkiego i wybucham płaczem. Nie mam ochoty i nie mogę z nim rozmawiać, wyrzucam jedynie z siebie, że tej nocy nie może spędzić ze mną w łóżku. Po takim oskarżeniu i po tym wszystkim, co dzisiaj przeżyłam, nie jestem w stanie znieść jego bliskości. Urządza sobie legowisko w pomieszczeniu z przodu. W nocy daję Napirai dwa, trzy razy pierś, zmieniając za każdym razem pieluszki.

Około szóstej rano, gdy właśnie Napirai znowu chce jeść, ktoś puka do naszych drzwi. Pewnie to szef, myślę. Nie jestem jednak w nastroju, żeby jechać do Maralalu. Lketinga otwiera, a przed drzwiami stoi ojciec chłopaka z szefem. Podczas gdy wkładam spódnicę, na dworze toczy się ożywiona dyskusja. Pół godziny później mąż wchodzi z szefem do domu. Z trudem przychodzi mi oglądanie ich. Szef przekazuje mi przeprosiny chłopaka i jego ojca i mówi, że jeśli zrezygnuję z tego, abyśmy dzisiaj jechali do Maralalu, to ojciec jest gotów dać nam pięć kóz. Odpowiadam, że przez to moje życie wcale nie stanie się bezpieczniejsze, być może chłopak spróbuje znowu jutro albo pojutrze, natomiast w Maralalu zniknie na dwa, trzy lata w więzieniu.

Szef zawiadamia starego o moich wątpliwościach, na co ten przyrzeka, że na jakiś czas odeśle chłopaka do krewnych. Na moje życzenie poręcza za syna, że nigdy więcej nie zbliży się do naszego domu na bliżej niż sto pięćdziesiąt metrów. Zgadzam się, gdy szef potwierdza mi te ustalenia pisemnie. Lketinga idzie ze starym, aby odebrać kozy, zanim opuszczą *kraal*.

Jestem szczęśliwa, że go nie ma, i koło południa udaję się do misji, aby pokazać córkę. Ojciec Giuliano widział ją ostatni raz w Wambie, a ojciec Roberto jeszcze nawet jej nie zna. Obaj bardzo się cieszą z mojej wizyty. Ojciec Giuliano szczerze podziwia moją śliczną dziewczynkę, która patrzy z zaciekawieniem na jego białą twarz. Gdy słyszy, że mój mąż jest w drodze, zaprasza mnie na obiad. Dostaję domowy makaron i sałatę. Kiedy ostatni raz jadłam sałatę!? Mam wrażenie, że jestem w niebie. Podczas posiłku Giuliano opowiada, że niedługo wyjeżdża przynajmniej na trzy miesiące na wypoczynek do

Włoch. Cieszę się wraz z nim, lecz czuję się nieswojo, że go tu nie będzie. Jakże często był aniołem ratującym mnie w potrzebie! Właśnie skończyliśmy obiad, gdy nagle pojawia się mąż. Sytuacja od razu staje się napięta. „Corinne, dlaczego jesz tutaj i nie czekasz na mnie w domu?". Bierze Napirai na ręce i opuszcza nas. W pośpiechu dziękuję misjonarzom za wszystko i pędzę za Lketingą i dzieckiem. Napirai płacze. Gdy przychodzimy do domu, podaje mi dziecko i pyta: „Co zrobiłaś z moim dzieckiem, że ono zaraz płacze, gdy tylko je wezmę na ręce?". Zamiast udzielić mu na to odpowiedzi, pytam, dlaczego jest już z powrotem. Śmiejąc się szyderczo, mówi: „Ponieważ wiem, że chodzisz do innych mężczyzn, gdy mnie tu nie ma". Wściekła z powodu ciągłych oskarżeń, wyzywam go, że chyba zwariował. „Co mówisz do mnie? Ja zwariowałem? Mówisz do swego męża, że zwariował? Nie chcę cię więcej widzieć!". Zabiera przy tym swoje dzidy i opuszcza dom. Siedzę jak skamieniała i nie mogę pojąć, dlaczego ciągle zarzuca mi, że mam innych mężczyzn. Tylko dlatego, że od dłuższego czasu nie uprawialiśmy seksu? Przecież nic na to nie poradzę, że najpierw byłam chora, a potem siedziałam tak długo w Maralalu. Poza tym Samburu i tak nie kochają się podczas ciąży.

Naszą miłość spotkało już wiele ciosów, tak dalej być nie może. Doprowadzona do rozpaczy zabieram Napirai i idę do mamy. Przedstawiam jej sytuację. Łzy ściekają mi przy tym po twarzy. Mówi, że to normalne, iż mężczyźni są zazdrośni, powinnam to po prostu puszczać mimo uszu. Taka porada niezbyt podnosi mnie na duchu, szlocham jeszcze mocniej. Mama beszta mnie i mówi, że nie mam powodu do płaczu, przecież mnie nie uderzył. Nie znajdując u niej żadnego pocieszenia, wracam przygnębiona do domu.

Pod wieczór zagląda do mnie sąsiadka, żona weterynarza. Widocznie słyszała naszą awanturę. Robimy herbatę i spokojnie rozmawiamy. Stwierdza, że wojownicy są bardzo zazdrośni, ale przenigdy nie wolno mi z tego powodu nazywać męża wariatem, bo to jest niebezpieczne.

Kiedy wychodzi, czuję się z Napirai opuszczona. Od obiadu nic nie jadłam, ale przynajmniej mam w nadmiarze mleka dla mego dziecka. Tej nocy mąż nie wraca do domu. Zaczynam się niepokoić, że może naprawdę odszedł ode mnie. Rano czuję się podle i prawie nie opuszczam łóżka. W południe sąsiadka ponownie do mnie zagląda. Widząc, jak źle się czuję, troszczy się o Napirai i pierze pieluchy. Potem przynosi mięso i gotuje dla mnie posiłek z resztką ryżu, jaka mi pozostała. Jestem wzruszona jej życzliwością. Po raz pierwszy nawiązuję tutaj jakąś przyjaźń, w której nie ja, *mzungu*, daję, tylko ktoś pomaga mi bezinteresownie. Dzielnie zjadam do czysta pełen talerz. Sąsiadka nic nie chce, gdyż już jadła. Wykonawszy wszystkie prace, idzie do domu, aby teraz u siebie zrobić porządek.

Gdy w końcu wieczorem wraca Lketinga, dokonuje przeglądu wszystkich pomieszczeń, nawet mnie wcześniej nie pozdrowiwszy. Staram się zachowywać całkiem normalnie i proponuję mu jedzenie, które przyjmuje. To znak, że zostanie w domu. Cieszę się i jestem dobrej myśli. Ale wszystko zmieni się jeszcze na gorsze.

KWARANTANNA

Koło dziewiątej dostaję potwornych bólów brzucha. Leżę w łóżku i podciągam nogi pod brodę, aby w ten sposób przynajmniej trochę złagodzić cierpienie. W takim stanie nie mogę nakarmić Napirai. Jest przy tacie i płacze. Tym razem okazuje cierpliwość i godzinami biega po mieszkaniu, śpiewając. Dziecko uspokaja się tylko na krótko, a potem znowu krzyczy. Około północy jest mi tak niedobrze, że muszę wymiotować. Całe nie przetrawione jedzenie podchodzi mi do gardła. Zwracam i zwracam, i nie jestem w stanie przestać. W końcu pluję już tylko żółcią. Podłoga jest zabrudzona, ja jednak czuję się zbyt kiepsko, aby posprzątać. Zimno mi i jestem pewna, że mam wysoką gorączkę.

Lketinga martwi się o mnie i idzie do sąsiadki, pomimo że jest już bardzo późno. Niedługo potem sąsiadka przychodzi. Bez zbędnych ceregieli zabiera się do sprzątania podłogi. Z troską pyta, czy przypadkiem znowu nie mam malarii. Tego nie wiem i mam nadzieję, że nie będę musiała po raz kolejny pójść do szpitala. Bóle brzucha ustają i rozprostowuję nogi. Mogę nawet dać pierś Napirai.

Sąsiadka wraca do siebie, a mąż śpi na drugim materacu obok łóżka. Rano czuję się tak sobie i piję herbatę, którą zaparzył Lketinga. Nie mija jednak pół godziny, a herbata wytryska z moich ust niczym fontanna. Równocześnie zaczynają się ostre bóle brzucha. Są tak mocne, że siedzę w kucki na podłodze. Po jakimś czasie żołądek się uspokaja, zabieram się więc do mycia dziecka i prania pieluch. Szybko opadam całkowicie z sił, pomimo że chwilowo nic mnie nie boli ani też nie mam gorączki. Nie pojawiają się również charakterystyczne dreszcze. Wątpię, żeby była to malaria, wygląda mi to raczej na rozstrój żołądka. W ciągu dwóch następnych dni każda próba zjedzenia albo wypicia czegoś kończy się fiaskiem. Bóle trwają dłużej i są mocniejsze. Piersi robią mi się coraz mniejsze, ponieważ nie mogę zatrzymać jedzenia w żołądku. Czwartego dnia jestem tak wykończona, że nie mogę podnieść się z łóżka. Przyjaciółka przychodzi wprawdzie każdego dnia i pomaga mi we wszystkim, ale dziecko karmić muszę sama. Dzisiaj Lketinga sprowadził mamę. Przypatruje mi się i uciska mój brzuch, co powoduje piekielne bóle. Potem pokazuje na moje oczy i mówi, że są żółte, również twarz ma dziwaczny kolor. Pyta, co zjadłam. Piłam tylko wodę. Napirai krzyczy z głodu, ja jednak nie dam rady trzymać jej na rękach, jako że sama ledwo siedzę, tak więc mama podtrzymuje ją przy mej obwisłej piersi. Wątpię, abym miała wystarczającą ilość pokarmu i zamartwiam się, czym można by ją jeszcze nakarmić. Jako że mama również nie daje sobie rady z tą chorobą, postanawiamy pojechać do szpitala w Wambie.

Lketinga kieruje, a moja przyjaciółka trzyma Napirai. Ja jestem na to za słaba. Naturalnie po drodze łapiemy gumę. Rozpacz bierze, nienawidzę tego samochodu! Z trudem siadam w cieniu i karmię Napirai, podczas gdy pozostali zmieniają koło. Późnym popołudniem docieramy do Wamby. Wlokę się do recepcji i pytam o szwajcarską lekarkę. Po przeszło godzinie zjawia się włoski lekarz. Pyta, jakie mam dolegliwości, i pobiera mi krew. Po jakimś czasie dowiadujemy się, że to nie jest malaria, ale coś więcej będzie wiedział dopiero jutro. Napirai zostaje ze mną, a mąż z sąsiadką wracają spokojniejsi do Barsaloi.

Dostajemy się znowu na oddział położniczy. Napirai śpi w łóżeczku obok mnie. Ponieważ nie jest przyzwyczajona do zasypiania beze mnie, płacze przez cały czas, aż wreszcie jedna z sióstr kładzie ją do mojego łóżka. Ssąc pierś, szybko zasypia. Wczesnym rankiem zjawia się wreszcie szwajcarska lekarka. Wcale się nie cieszy, widząc mnie z dzieckiem w takim stanie.

Po kilku badaniach stawia diagnozę: hepatitis! W pierwszej chwili nie rozumiem, co to jest. Zatroskana tłumaczy mi, że to żółtaczka, dokładnie mówiąc, zapalenie wątroby, w dodatku zakaźne. Moja wątroba przestała przerabiać pokarm. Bóle są wywoływane, gdy spożyję najmniejszą ilość tłuszczu. Od teraz muszę przestrzegać ostrej diety, mieć całkowity spokój i zostać poddana kwarantannie. Z trudem powstrzymując się od łez, pytam, jak długo będzie to trwało. Ze współczuciem patrzy na mnie i Napirai i mówi: „Z pewnością sześć tygodni. Potem choroba przestaje być zaraźliwa, nie oznacza to jednak, że jest całkowicie wyleczona". Trzeba również sprawdzić, jak się miewa Napirai, gdyż niewykluczone, że już ją zaraziłam. W tym momencie nie mogę powstrzymać się od łez. Lekarka próbuje mnie uspokoić, mówiąc, że nie jest to jeszcze całkiem pewne, czy Napirai jest również chora. Także mój mąż musi się jak najprędzej poddać badaniom.

Po tych druzgoczących informacjach huczy mi w głowie. Dwie czarne siostry przybywają z fotelem na kółkach i zostaję ze wszystkimi rzeczami przewieziona do zupełnie nowego skrzydła. Dostaję pokój z ubikacją, który z przodu jest całkowicie oszklony. Nie można go otworzyć od środka. W drzwiach jest okienko, otwierane podczas podawania posiłków. Oddział pachnie nowością, a pokój wygląda zapraszająco, niemniej od razu czuję się tu jak w więzieniu.

Nasze rzeczy zostają zabrane do dezynfekcji, a ja dostaję szpitalną odzież. Teraz badana jest Napirai. Gdy pobierają jej krew, krzyczy wniebogłosy. Strasznie mi jej żal, jest jeszcze taka mała, ledwo skończyła sześć tygodni, a już musi tyle wycierpieć. Podłączają mnie do kroplówki i dostaję dzban wody osłodzonej pół kilogramem cukru. Muszę pić dużo wody z cukrem, ponieważ jest to dobre na wątrobę. Poza tym potrzebuję spokoju, całkowitego spokoju. I to już wszystko, co mogą dla mnie zrobić. Zabierają mi dziecko. Płacząc z rozpaczy, zasypiam.

Słońce stoi już wysoko, gdy się budzę. Nie wiem, która godzina. Grobowa cisza powoduje, że wpadam w panikę. Absolutnie nic nie słychać i jeśli pragnę skontaktować się ze światem, muszę dzwonić. Za szklaną szybą pojawia się czarna siostra, która zagaduje mnie przez okienko z dziurkami. Pytam, jak się czuje Napirai, na co ona mówi, że sprowadzi lekarkę. Mijają minuty, które zdają mi się w tej ciszy być wiecznością. Lekarka wchodzi do mojego pokoju. Przestraszona pytam, czy się nie zarazi. Uśmiechając się, uspokaja mnie:

„Kto raz miał żółtaczkę, nie dostanie jej ponownie". Sama miała tę chorobę przed laty.

Następnie otrzymuję nareszcie dobrą wiadomość. Napirai jest całkowicie zdrowa, tylko nie chce pić ani krowiego mleka, ani mleka w proszku. Drżącym głosem pytam, czy rzeczywiście nie będzie mi wolno przez całe sześć tygodni wziąć jej na ręce. Lekarka wyjaśnia, że jeśli do jutra córeczka nie zaakceptuje innego pokarmu, będę musiała, czy chcę, czy nie chcę, karmić ją piersią, pomimo że niebezpieczeństwo zarażenia jest ogromne. Zresztą to i tak cud, że jeszcze się nie zaraziła.

Około piątej otrzymuję pierwszy posiłek: ryż z kapustą z wody, do tego pomidor. Jem powoli. Tym razem udaje mi się zatrzymać małą porcję, ale bóle pojawiają się znowu, jednak nie są tak silne. Dwa razy pokazują mi Napirai przez szybę. Płacze i ma wklęśnięty brzuszek.

W następne południe doprowadzone do granic wytrzymałości siostry przynoszą mi małe, brązowe zawiniątko. Przepełnia mnie głębokie szczęście, jakiego dawno nie odczuwałam. Napirai szuka chciwie piersi i uspokaja się przy ssaniu. Patrząc na nią, uzmysławiam sobie, jak bardzo jej potrzebuję, jeśli mam znaleźć w sobie niezbędny spokój i ochotę do przetrwania tej izolacji. Podczas karmienia wpatruje się we mnie bez przerwy wielkimi ciemnymi oczami i muszę się powstrzymywać, aby nie przytulać jej za mocno. Gdy później lekarka zachodzi do pokoju, mówi: „Widzę, że potrzebujecie siebie, żebyście wyzdrowiały i pozostały zdrowe". Wreszcie znowu mogę się uśmiechnąć i przyrzekam jej, że będę się starała.

Codziennie wlewam w siebie z uporem do trzech litrów maksymalnie osłodzonej wody, przy czym o mało nie zwracam. Ponieważ dostaję również sól, jedzenie jest nieco smaczniejsze. Na śniadanie podają mi herbatę i chrupki, chleb razowy z pomidorem albo jakimś owocem, na obiad i kolację ciągle to samo: ryż z kapustą z wody albo sam ryż. Co trzy dni pobierają mi krew i oddaję mocz do badania. Już po pierwszym tygodniu czuję się znacznie lepiej, aczkolwiek nadal jestem bardzo osłabiona.

Dwa tygodnie później spada na mnie kolejny cios. Badania moczu wykazały, że moje nerki nie pracują prawidłowo. Miałam wprawdzie bóle w krzyżu, ale uważałam, że to skutek ciągłego leżenia. Przestają dodawać soli do i tak mdłego jedzenia. Ponadto podłączają mi woreczek na mocz, co jest bardzo bolesne. Codziennie muszę zapisywać, ile wypiłam, a siostra sprawdza po zawartości woreczka, ile wydaliłam. Ledwo na tyle doszłam do sił, aby zrobić parę kroków, a już znowu jestem przykuta do łóżka. Dobrze, że przynajmniej Napirai jest przy mnie. Bez niej nie miałabym żadnej pociechy z życia. Musi wyczuwać, że nie jest ze mną najlepiej, bo od czasu gdy jesteśmy razem, wcale nie płacze. Dwa dni po tym, jak zostałam w szpitala, mąż przybył na badania. Jest zdrowy i nie pokazał się przez ostatnie dziesięć dni. Z pewnością nie wyglądałam wtedy najlepiej i nie bardzo mogliśmy ze sobą porozmawiać. Smutny stał przed szybą i oddalił się po półgodzinie. Od czasu do czasu przekazują mi pozdrowienia od niego. Powiedziano mi, że bardzo tęskni za nami i żeby jakoś zabić czas, ciągle wędruje ze stadem. Gdy rozniosło się po Wambie, że jakaś *mzungu* leży w szpitalu, regularnie stoją przed szybą różni obcy odwiedzający i gapią się na mnie i dziecko. Niekiedy nawet dziesięć osób. Za każdym razem jest mi głupio, naciągam więc prześcieradło na głowę.

Dni wloką się. Albo bawię się z Napirai, albo czytam gazetę. Jestem tutaj już dwa i pół tygodnia i przez cały ten czas nie byłam na słońcu ani na świeżym powietrzu. Tęsknię również bardzo za cykaniem świerszczy i świergotem ptaków. Z wolna popadam w depresję. Dużo myślę o swoim życiu i ogrania mnie tęsknota za krajem rodzinnym, za Barsaloi i za jego mieszkańcami.

Znowu zbliża się pora odwiedzin, skrywam się więc pod koc. Jedna z sióstr mówi mi, że mam gościa. Wyglądam i widzę przed szybą męża z jakimś wojownikiem. Promiennie wpatruje się we mnie i w Napirai. Jego radosne, piękne oblicze wprawia mnie na mgnienie oka w zachwyt, którego już tak dawno nie odczuwałam. Jakże chętnie podeszłabym teraz do niego, dotknęła go i powiedziała: „Kochanie, żaden problem, wszystko będzie w porządku". Zamiast tego trzymam Napirai tak, aby widział jej twarz i pokazuję na tatę. Wierzga i macha wesoło grubymi nóżkami i rączkami. Gdy jacyś obcy ludzie próbują zajrzeć do pokoju przez szybę, widzę, jak mąż onieśmiela ich i jak wycofują się chyłkiem. Wybucham śmiechem, on również śmieje się i rozmawia ze swoim przyjacielem. Jego przyozdobiona twarz błyszczy w świetle słońca. Ach, mimo wszystko nadal go kocham! Kończy się pora odwiedzin i machamy do siebie na pożegnanie. Wizyta męża dodaje mi sił. Biorę się w garść. Po trzecim tygodniu usuwają mi woreczek z moczem, gdyż wyniki znacznie się polepszyły. Wreszcie mogę się porządnie umyć, a nawet wziąć prysznic. Czerwoną wstążką związuję włosy wysoko w koński ogon i maluję usta pomadką. Czuję się jak nowy człowiek. Gdy lekarka oznajmia mi, że za tydzień będę mogła wyjść na kwadrans na dwór, jestem szczęśliwa. Liczę dni. Minął czwarty tydzień i wolno mi opuścić klatkę, córkę niosę na plecach. Tropikalne powietrze zapiera mi niemal dech w piersiach. Chciwie się nim zachłystuję. Jak cudownie śpiewają ptaki i jak wspaniale pachną te krzaki obsypane czerwonymi kwiatami! Wszystko to, co zostało mi na miesiąc zabrane, odczuwam intensywniej. Najchętniej wyłabym z radości.

Ponieważ nie powinnam oddalać się z mojego szpitalnego skrzydła, idę tylko parę kroków wzdłuż innych okien. To, co widzę przez nie, jest straszne. Prawie wszystkie dzieci mają jakąś ułomność. Niekiedy w jednym pomieszczeniu stoją cztery łóżeczka. Widzę zdeformowane głowy i ciała, dzieci z kręgosłupami na wierzchu, bez nóg albo rąk, albo ze szpotawymi stópkami. Przy trzecim oknie tracę oddech. Leży tam całkiem cicho drobne dziecięce ciałko z olbrzymią głową, która wygląda, jakby miała za chwilę pęknąć. Tylko wargi się poruszają, możliwe, że dziecko płacze. Nie mogę znieść tego widoku i wracam do pokoju. Jestem jak obłąkana, gdyż jeszcze nigdy nie widziałam tak zniekształconych ciał. Uzmysławiam sobie, jak wielkie szczęście miałam z moim dzieckiem.

Gdy przychodzi lekarka, pytam ją, dlaczego w ogóle te dzieci jeszcze żyją. Wyjaśnia mi, że to szpital misyjny i nie stosuje się tutaj eutanazji. Większość dzieci została podrzucona pod szpitalną bramą i czeka teraz na śmierć. Czuję się bardzo podle i mam wątpliwości, czy kiedykolwiek będę mogła znowu spokojnie spać i o niczym nie śnić. Lekarka proponuje mi, abym jutro spacerowała z drugiej strony skrzydła, w ten sposób uniknę tego przykrego widoku. Rzeczywiście odkrywam tam łąkę z pięknymi drzewami. Codziennie wolno nam przez pół godziny pozostać na dworze. Przechadzam się z Napirai wśród zieleni i głośno śpiewam. Podoba jej się to, gdyż od czasu do czasu wtóruje mi, wydając różne dźwięki.

Szybko jednak ciekawość zapędza mnie ponownie do zniekształconych dzieci. Ponieważ jestem już na to przygotowana, ich widok nie jest dla mnie taki straszny. Niektóre z nich widzą, że ktoś im się przypatruje. Kiedy wracam do siebie, akurat otwierają się drzwi do pokoju z czterema łóżkami. Czarna siostra, która przewija dzieci, uśmiecha się i kiwa do mnie zapraszająco. Z ociąganiem podchodzę do progu drzwi. Demonstruje mi różne reakcje dzieci, kiedy do nich coś mówi albo się śmieje. Jestem zdziwiona, jak radośnie te dzieci reagują. Wzrusza mnie to i jednocześnie zawstydza, że wyraziłam swoje wątpliwości co do tego, czy te istoty mają prawo do życia. Są w stanie odczuwać ból i radość, głód i pragnienie.

Od tego dnia przechadzam się stale pod ich drzwiami, śpiewając trzy piosenki, które znam jeszcze ze szkoły. Porywa mnie to, jak wielką radość okazują już po kilku dniach, gdy rozpoznają mnie lub słyszą. Nawet dziecko z wodogłowiem przestaje kwilić, gdy śpiewam mu piosenki. Znalazłam w końcu kogoś, z kim mogę podzielić się moją na nowo odzyskaną radością życia.

Pewnego dnia wożę Napirai tam i z powrotem w krzesełku dziecięcym na kółkach. Świeci słońce. Napirai wybucha radosnym śmiechem, gdy koła skrzypią i pojazd się trzęsie. Do tej pory stała się ulubienicą sióstr. Każda podchodzi i chce trochę ponosić na rękach jasnobrązowe dziecko. Napirai cierpliwie znosi to wszystko, a nawet pokazuje, że sprawia jej to przyjemność. Nagle staje przede mną mąż z bratem Jamesem. Od razu przypada do Napirai i wyjmuje ją z pojazdu, a potem dopiero mnie pozdrawia. Ogromnie cieszę się z tych niespodziewanych odwiedzin.

Wygląda jednak na to, że Napirai boi się pomalowanej twarzy i długich, czerwonych włosów taty, gdyż już po krótkiej chwili zaczyna płakać. James natychmiast podchodzi i coś tam do niej po cichu mówi. Jest nią zachwycony. Lketinga próbuje jeszcze śpiewać, ale to nic nie pomaga, ona chce do mnie. James odbiera Napirai od Lketingi, a ona natychmiast cichnie. Pocieszająco obejmuję Lketingę i tłumaczę mu, że Napirai musi się najpierw znowu do niego przyzwyczaić, jesteśmy tu przecież od ponad pięciu tygodni. Zrozpaczony chce się dowiedzieć, kiedy wreszcie wracamy do domu. Obiecuję, że wieczorem zapytam o to lekarzy, niech przyjdzie później w porze odwiedzin.

235

Podczas popołudniowej wizyty pytam lekarza, a ten zapewnia mnie, że za tydzień będę mogła opuścić szpital, jeśli obiecam nie pracować i przestrzegać diety. Za trzy, cztery miesiące wolno mi będzie powoli zacząć jeść tłuszcz. Chyba się przesłyszałam! Jeszcze taki kawał czasu mam spożywać tylko ryż i ziemniaki ugotowane na wodzie! Tęsknię za mięsem i mlekiem. Wieczorem Lketinga i James pojawiają się ponownie. Przynoszą mi ugotowany kawałek chudego mięsa. Nie mogę się powstrzymać i zjadam bardzo powoli parę kęsów, dokładnie je żując. Resztę oddaję im z ciężkim sercem. Umawiamy się, że za tydzień mnie odbiorą.

W nocy dostaję ostrych bólów brzucha. Pali mnie w środku, jakby ogień trawił ścianki żołądka. Wytrzymuję pół godziny, a potem dzwonię po siostrę. Gdy widzi, jak skręcam się z bólu na łóżku, zaraz sprowadza lekarza. Ten patrzy na mnie surowo i pyta, co takiego zjadłam. Z ogromnym wstydem przyznaję się, że jakieś pięć kęsów chudego mięsa. Bardzo go to złości i wyzywa mnie od głupich krów. Po co właściwie tu przyszłam, jeśli nie chcę się stosować do jego zaleceń? Ma dość tego, że ciągle musi mi ratować życie, w końcu nie ja jedna jestem pod jego opieką.

Gdyby akurat lekarka nie weszła do pokoju, na pewno musiałabym nasłuchać się jeszcze więcej. W każdym razie jestem zaszokowana jego wybuchem, ponieważ dotychczas był bardzo miły. Napirai krzyczy, ja również płaczę. Lekarz opuszcza pokój, a szwajcarska lekarka uspokaja mnie, przepraszając za zachowanie doktora, ale jest on strasznie przeciążony pracą. Od lat nie miał urlopu i dzień w dzień walczy o ludzkie życie, bardzo często nadaremnie. Skręcona z bólu, przepraszam i czuję się przy tym, jakbym popełniła ciężkie przestępstwo. Lekarka odchodzi, a ja męczę się okropnie przez całą noc.

Z utęsknieniem czekam na zwolnienie ze szpitala. W końcu nadchodzi ten długo oczekiwany dzień. Pożegnałyśmy się już z większością sióstr i czekamy tylko na Lketingę. Dopiero nieco po dwunastej zjawia się w towarzystwie Jamesa i nie promienieje radością, jak oczekiwałam. Mieli w drodze kłopoty z samochodem. Skrzynia biegów nie funkcjonowała należycie, mnóstwo razy nie mógł zmienić biegu, a teraz auto stoi w Wambie w warsztacie misyjnym.

NAIROBI

James niesie Napirai, a Lketinga moją torbę. Wreszcie na wolności! Przy recepcji płacę za pobyt w szpitalu i udajemy się do misji. Mechanik leży pod landrowerem i coś tam grzebie. Brudny od oleju wyczołguje się i oświadcza, że skrzynia biegów długo nie pożyje i że nie da się używać drugiego biegu. Dość tego dobrego, mówię do siebie w tym momencie. Nie chcę więcej ryzykować zdrowia mojego i dziecka. Dlatego proponuję mężowi pojechać najpierw do Maralalu, a jutro do Nairobi, gdzie kupimy nowe auto. James jest zachwycony tym pomysłem. Do Maralalu docieramy przed zapadnięciem ciemności. Wprawdzie ciągle coś zgrzytało w trybach, ale jakoś dobiliśmy do schroniska. Zostawiamy tam auto i w pięcioro wyruszamy do Nairobi.

James uparł się, żeby zabrać swego przyjaciela, gdyż nie chce nocować w Nairobi sam w pokoju. W naszym bagażu znajduje się dwanaście tysięcy franków, wszystko, co dało się zgromadzić ze sklepu i podjąć w banku. Nie mam zielonego pojęcia, w jaki sposób uda nam się kupić samochód, gdyż w Kenii nie ma handlarzy, u których można sobie po prostu wyszukać jakieś używane auto. Samochody są tutaj towarem deficytowym.

Koło szesnastej docieramy do miasta. Tego dnia zajmujemy się wyłącznie poszukiwaniem miejsca do spania. Igbol jest pełny, tak więc próbujemy w tanich hotelikach, gdyż zakładam, że spędzimy tu góra jedną noc, może dwie. Mamy szczęście, dostajemy dwa pokoje. Najpierw muszę umyć i przewinąć Napirai. W miednicy uwalniam ją od kurzu i brudu. Naturalnie połowa pieluch jest już brudna i nie ma żadnej możliwości, aby je wyprać. Jemy jeszcze coś i idziemy wcześnie do łóżka.

Gdzie tu zacząć, zadajemy sobie rano pytanie. Szukam w książce telefonicznej handlarzy używanymi samochodami, lecz na próżno. Zatrzymuję jakiegoś taksówkarza i pytam go. Chce od razu wiedzieć, czy mamy przy sobie pieniądze, czemu przezornie zaprzeczam, mówiąc, że najpierw muszę znaleźć odpowiednie auto. Przyrzeka, że zaciągnie języka; jutro o tej samej godzinie mamy być na tym samym miejscu. Zgadzamy się, lecz nie mam zamiaru siedzieć z założonymi rękami i dlatego pytam trzech innych taksówkarzy, ci jednak patrzą tylko na nas dziwnie. Tak więc nie pozostaje nam nic innego, jak następnego dnia udać się na postój, gdzie jesteśmy umówieni.

Taksówkarz czeka już na nas i mówi, że zna kogoś, kto być może ma landrowera. Jedziemy przez pół Nairobi i zatrzymujemy się przed małym sklepem. Rozmawiam z Afrykańczykiem. Rzeczywiście ma trzy auta do zaproponowania, niestety żadne z napędem na cztery koła. Tak czy inaczej nie możemy zobaczyć tych pojazdów, gdyż – jeśli okażemy konkretne zainteresowanie – musi najpierw zadzwonić do obecnego właściciela, aby ten przyprowadził samochód. Nigdzie nie znajdziemy używanego auta, które nadal nie byłoby w ruchu. Zawiedziona odmawiam, gdyż koniecznie potrzebujemy wozu z napędem na cztery koła. Zrozpaczona pytam go, czy na pewno nie zna nikogo innego. Telefonuje kilka razy i daje taksówkarzowi jakiś adres.

Jedziemy w inną okolicę i zatrzymujemy się w środku miasta przed sklepem. Na nasz widok Hindus w turbanie zdębiał, ale pozdrawia nas i pyta, czy to właśnie my jesteśmy tymi ludźmi, którzy szukają samochodu. *Yes* – brzmi moja krótka odpowiedź. Zaprasza nas do biura. Stawia przed nami herbatę i wyjaśnia, że ma dla nas dwa samochody do wyboru.

Pierwszy, landrower, jest o wiele za drogi i tracę jakąkolwiek nadzieję. Potem opowiada o pięcioletnim datsunie z podwójną kabiną, którego można kupić za czternaście tysięcy franków. To również znacznie przekracza moje możliwości, a w dodatku nawet nie wiem, jak ten pojazd wygląda. Bez przerwy powtarza mi, jak ciężko jest znaleźć jakiś samochód. Wychodzimy.

Gdy znajdujemy się już na ulicy, dogania nas i mówi, żebyśmy mimo wszystko zaszli do niego jutro, pokaże nam to auto bez żadnych zobowiązań z naszej strony. Umawiamy się, pomimo że nie jestem wcale skłonna wydać aż tylu pieniędzy.

Ponownie spędzamy resztę dnia na czekaniu. Kupuję nowe pieluszki, gdyż wszystkie są brudne. Dużo ich nagromadziło się już w hotelowym pokoju, co wcale nie wpływa na polepszenie zapachu powietrza.

Chociaż nie mam zamiaru kupować, udajemy się ponownie do Hindusa. Radośnie nas pozdrawia i pokazuje datsuna. Od razu jestem gotowa go nabyć, jeśli to tylko będzie możliwe. Jest zadbany i komfortowo wyposażony. Hindus proponuje mi, abym odbyła jazdę próbną, co jednak z przerażeniem odrzucam, gdyż przy trzypasmowym lewostronnym ruchu na pewno straciłabym orientację. Jedynie oglądamy silnik. Wszyscy jesteśmy zachwyceni pojazdem, ja jednak mam jeszcze wątpliwości z powodu ceny. Udajemy się do biura. Gdy opowiadam Hindusowi o moim landrowerze w Maralalu, jest gotowy odkupić go ode mnie za dwa tysiące franków, robiąc w ten sposób dobry interes. Mimo to nadal waham się wydać dwanaście tysięcy franków, gdyż są to wszystkie pieniądze, jakie mamy przy sobie, a musimy przecież dojechać jeszcze do domu. Zastanawiam się ponownie nad tym wszystkim, gdy Hindus proponuje mi, że wyśle z nami kierowcę, który zawiezie nas do Maralalu i zabierze stamtąd landrowera. Zapłacę mu teraz tylko dziesięć tysięcy franków, a na resztę wypiszę czek, który dam kierowcy. Jestem bardzo zaskoczona jego zaufaniem i wspaniałomyślną propozycją. Bądź co bądź, Maralal leży czterysta pięćdziesiąt kilometrów stąd.

Niewiele się zastanawiając, przyjmuję jego ofertę. W dodatku wyjaśniła się sprawa przejazdu przez Nairobi. Mąż i chłopcy promienieją, gdy słyszą, że kupuję ten samochód. Płacę i sporządzamy rzetelną umowę. Hindus zauważa, że jesteśmy bardzo odważni, poruszając się po Nairobi z taką gotówką. Jutro wieczorem samochód będzie stał gotowy do odbioru wraz z książką wozu, która musi zostać przepisana na mnie. Oznacza to dwie kolejne noce w Nairobi! Ale myśl o pięknym samochodzie podtrzymuje mnie na duchu. Udało nam się i wrócimy do domu wspaniałym autem.

Jak było umówione, drugiego dnia wcześnie rano kierowca zjawia się z samochodem przed naszym hotelikiem. Każę sobie pokazać papiery wozu, w których widnieje rzeczywiście moje nazwisko. Pakujemy bagaże, w tym kilka kilogramów zabrudzonych pieluch. Czujemy się jak królowie, jadąc cichym, pięknym samochodem z kierowcą. Nawet Napirai sprawia wrażenie, jakby w końcu polubiła jazdę autem. Pod wieczór jesteśmy w Maralalu. Kierowca bardzo się dziwi, gdzie się znalazł. Naturalnie wszystkim w Maralalu rzuca się od razu w oczy, że przybył nowy pojazd. Parkujemy przed schroniskiem, zaraz za landrowerem. Wyjaśniam kierowcy, który jest także mechanikiem, jakie są kłopoty z tym samochodem. *It's okay* – mówi i idzie spać. Następnego dnia wręczam mu czek i opuszcza nas.

Spędzamy jeszcze jedną noc w Maralalu i zachodzimy do Sophii.

Ma się dobrze, Anika, jej córka, również. Dziwi się, że tak długo nie dawałam znaku życia. Kiedy opowiadam jej o żółtaczce, jest zaszokowana. Rozmawiamy chwilę o ostatnich wydarzeniach, ale wkrótce muszę jechać. Rzucam okiem na jej kotkę z trzema kociętami i przypominam Sophii, żeby zarezerwowała jedno dla mnie.

Jedziemy przez Baragoi i docieramy do Barsaloi prawie godzinę wcześniej niż starym landrowerem. Mama uśmiecha się radośnie, widząc nas, bardzo się już martwiła, co się z nami dzieje. Nie wiedziała przecież, że byliśmy w Nairobi. Ledwo przyjechaliśmy, a już pierwsi ciekawscy stoją wokół samochodu. Podczas pobytu w Maralalu napisałam do matki, prosząc ją, aby przelała mi pieniądze z mojego szwajcarskiego konta.

Po herbacie u mamy udajemy się do domu. Po południu odwiedzam ojca Giuliana i z dumą opowiadam o nowym samochodzie. Gratuluje mi zakupu i proponuje, że jeśli przewiozę uczniów do Maralalu lub od czasu do czasu przetransportuję chorych, dobrze mi zapłaci za fatygę. W ten sposób zapewnię sobie przynajmniej jakieś dochody.

Rozkoszujemy się życiem. Nadal muszę przestrzegać diety, co tutaj jest dość trudne. Uczniowie zostają jeszcze przez kilka dni, a potem wakacje się kończą. Napirai zostaje przy Gogo, swojej babci, a ja jadę do Maralalu. Podczas drogi rozmawiam z Jamesem, że ponownie otworzymy sklep dopiero za trzy miesiące, kiedy skończy już szkołę. Jest gotów u nas pracować.

Wpadam na chwilę do Sophii, która opowiada mi, że za dwa tygodnie odlatuje do Włoch, aby pokazać córkę swoim rodzicom. Cieszę się, że leci, i jednocześnie odczuwam lekką tęsknotę za Szwajcarią. Także chętnie pochwaliłabym się córką! Pierwsze zdjęcia w ogóle nie wyszły, gdyż ktoś prześwietlił film. Decyduję się na kociaka w czerwono-białe, tygrysie prążki i zabieram go w pudełku. Powrót przemija wspaniale i pomimo okrężnej drogi przed nadejściem ciemności jestem w domu. Napirai dostawała przez cały dzień krowie mleko, które wlewano jej łyżeczką. Ale gdy mnie tylko słyszy, za nic nie można jej uspokoić, póki nie dorwie się do swojej najukochańszej piersi.

Mąż był cały dzień przy krowach. W Sitedi panuje pryszczyca i codziennie padają cenne zwierzęta. Załamany wraca późno w nocy. Dwie krowy już zdechły, a trzy inne nie wstają. Pytam, czy nie ma na to jakiegoś lekarstwa. Mówi, że tak, ale tylko dla tych zwierząt, które są jeszcze zdrowe. Wszystkie zarażone padną. Medykamenty są drogie i można je dostać w Maralalu, jeśli ma się dużo szczęścia. Idzie do weterynarza i naradza się z nim. Następnego dnia jedziemy do Maralalu. Zabieramy ze sobą weterynarza, a także Napirai. Za grube pieniądze dostajemy lekarstwa oraz strzykawkę, aby zaszczepić zdrowe zwierzęta, co nam zajmie następne pięć dni. Lketinga postanawia spędzić cały ten czas w Sitedi.

WYPOCZYNEK W SZWAJCARII

Po trzech dniach czuję się samotna, pomimo że odwiedzamy z Napirai na zmianę to mamę, to moją nową przyjaciółkę. Ale jest to bardzo monotonne. Jedzenie w pojedynkę również nie sprawia mi przyjemności. Tęsknię za rodziną i postanawiam wybrać się niebawem na miesiąc do Szwajcarii. Poza tym byłoby mi tam łatwiej przestrzegać diety. Przekonanie Lketingi jednak nie będzie wcale takie łatwe, pomimo że gdy wypisywano mnie ze szpitala, lekarze namawiali mnie, abym wzięła sobie ich zalecenie do serca i wybrała się na urlop. Myśl o wypoczynku w Szwajcarii dodaje mi skrzydeł. Niecierpliwie czekam na męża.

Właśnie jestem w kuchni i gotuję na podłodze pod otwartym oknem, gdy otwierają się drzwi i wchodzi Lketinga. Nie pozdrawia nas, tylko od razu patrzy przez okno i pyta podejrzliwie, kto właśnie przez nie wyskoczył. Po pięciu dniach czekania i samotności posądzenie to trafia mnie jak uderzenie pięścią. Usiłuję zachować zimną krew, gdyż chcę omówić z nim moje plany podróży. Tak więc odpowiadam spokojnie: „Nikt, dlaczego mnie o to pytasz?". Zamiast udzielić mi odpowiedzi, idzie do sypialni, gdzie przeszukuje koc i materac. Czuję się upokorzona jego nieufnością i przechodzi mi radość, że znowu jesteśmy razem. Pyta kilka razy, kto mnie odwiedzał. Dwa razy przychodzili tu wojownicy, ale nawet nie wpuściłam ich za próg.

Wreszcie mówi kilka słów do córki i wyjmuje ją z plecionego łóżeczka, które kupiłam podczas ostatniej wizyty w Maralalu. Podczas dnia Napirai leży w nim pod drzewem, a ja piorę ubrania i pieluszki.

241

Lketinga bierze ją na ręce i odchodzi w kierunku *manyatt*. Zakładam, że idzie do mamy. Jedzenie jest gotowe, grzebię w nim niechętnie. Ciągle na nowo zadaję sobie pytanie, dlaczego mój mąż jest taki nieufny. Gdy mijają dwie godziny, a on nadal nie wraca, udaję się również do mamy. Siedzi z kobietami pod drzewem, a Napirai śpi obok niej na krowiej skórze. Lketinga leży w *manyatcie*. Przysiadam się do mamy, a ona pyta mnie o coś, z czego tylko połowę rozumiem. Wygląda na to, że także ona wierzy, iż mam kochanka. Widocznie Lketinga naplótł jej bzdur. Śmieje się jak spiskowiec, ale mówi, że to niebezpieczne. Zawiedziona jej postawą, mówię, że mam tylko Lketingę. Zabieram córkę i idę do domu.

W tej sytuacji wyłuszczenie sprawy wyjazdu do Szwajcarii nie będzie wcale łatwe. Przy czym staje się coraz bardziej oczywiste, że potrzebuję tego urlopu. Na razie zachowuję to jednak dla siebie i czekam, aż znowu zapanuje spokój.

Od czasu do czasu zjadam nieco mięsa, za co od razu płacę bólami brzucha. Lepiej już zostanę przy kukurydzy, ryżu i ziemniakach. Ponieważ nie jem żadnego tłuszczu i codziennie karmię, coraz bardziej chudnę. Spódnice muszę podtrzymywać paskami, żeby ich nie zgubić. Napirai ma teraz ponad trzy miesiące i musimy pojechać do szpitala w Wambie na szczepienia i ogólne badania, co jest miłą odmianą, szczególnie że mamy nowe auto. Lketinga zabiera się z nami, chce jednak siedzieć za kierownicą.

Wcale mi się to nie podoba, ale ponieważ nie jestem jeszcze w stanie jechać tylko z Napirai, z ociąganiem wręczam mu kluczyki. Przy każdej nieudanej zmianie biegów kłuje mnie w sercu. Jedzie powoli, nieco za wolno, jak mi się zdaje. W pewnym momencie czuję swąd i stwierdzam, że jedzie na zaciągniętym hamulcu ręcznym. Jest mu straszliwie przykro, gdyż teraz nie funkcjonuje prawidłowo, a mnie to złości, bo zepsuty hamulec ręczny w landrowerze kosztował nas sporo nerwów. Lketindze przeszła ochota na prowadzenie, siedzi teraz zdeprymowany obok i trzyma Napirai na kolanach. Współczuję mu i uspokajam, że przecież możemy kazać naprawić hamulec.

W szpitalu czekamy prawie dwie godziny, aż nas zawołają. Szwajcarska lekarka bada mnie i mówi, że jestem za chuda i mam zbyt mało rezerw tłuszczu. Jeśli nie chcę zjawić się tutaj znowu jako pacjentka, muszę pojechać przynajmniej na dwa miesiące do Szwajcarii. Opowiadam jej, że taki właśnie mam zamiar, nie wiem tylko, jak powiedzieć o tym mężowi. Sprowadza lekarza, który również nalega, abym natychmiast udała się w podróż do Europy. Twierdzi, że jestem całkowicie niedożywiona, a Napirai kosztuje mnie resztki sił. Ona sama tryska zdrowiem.

Proszę lekarza, aby porozmawiał z Lketingą. Ten stoi jak rażony piorunem, gdy słyszy, na jak długo mam wyjechać. Po długotrwałych perswazjach zrezygnowany zgadza się na pięć tygodni. Lekarz daje mi odpowiednie zaświadczenie, abym szybciej mogła otrzymać dokumenty podróży dla Napirai. Dostaje szczepionki i jedziemy z powrotem do Barsaloi. Lketinga jest przygnębiony i bez przerwy pyta: „Corinne, dlaczego ty ciągle jesteś chora? Dlaczego odchodzisz z moim dzieckiem tak daleko? Nie wiem, gdzie leży Szwajcaria. Co ja będę robił bez ciebie przez taki długi czas?". Serce mi pęka, gdy dociera do mnie, jak ciężko mu jest z tym wszystkim. Mama również jest smutna, kiedy dowiaduje się, że lecę do Szwajcarii. Przyrzekam wrócić zdrowa i silna, abyśmy mogli ponownie otworzyć sklep.

Dwa dni później wyruszamy. Ojciec Giuliano zabiera nas do Maralalu. Samochód zostawiam u niego. Lketinga towarzyszy nam do Nairobi. Podróż ciągnie się w nieskończoność i wiele razy muszę zmieniać Napirai pieluszkę. Bagażu nie mam zbyt wiele.

W Nairobi bierzemy hotel i udajemy się najpierw do ambasady niemieckiej. Problemy zaczynają się przy wejściu. Nie chcą Lketingi wpuścić do środka, ponieważ ma na sobie tradycyjny strój Samburu. Dopiero gdy przedstawiam zaświadczenie, że jest moim mężem, pozwalają mu iść ze mną. Od razu robi się nerwowy i podejrzliwy.

W ambasadzie czeka wielu ludzi. Zaczynam wypełniać wniosek i już przy nazwisku wiem, że zaraz zaczną się problemy. Piszę: „Leparmorijo-Hofmann, Napirai", lecz mąż nie chce zaakceptować Hofmann; mówi, że jego córka nazywa się Leparmorijo. Najspokojniej jak potrafię tłumaczę mu, że tylko w ten sposób dostaniemy paszport, bez którego Napirai nie będzie mogła polecieć ze mną. Toczymy niekończącą się dyskusję, a czekający ludzie przypatrują nam się z zaciekawieniem. W końcu jakoś udaje mi się nakłonić go do podpisania wniosku.

Musimy czekać. Potem zostaję wywołana i proszą mnie na zaplecze. Mąż chce iść ze mną, lecz zatrzymują go. Serce podskakuje mi do gardła, gdyż spodziewam się kolejnego wybuchu, do którego w sekundę później rzeczywiście dochodzi. Widzę jeszcze, jak Lketinga przepycha się do okienka i zaczyna ostro kłócić się z jakimś mężczyzną.

Oczekuje mnie ambasador niemiecki, który uprzejmie oznajmia, że wystawią dziecku paszport, ale tylko na nazwisko Napirai Hofmann, gdyż nasz akt ślubu nie został dotychczas uwierzytelniony i według niemieckiego prawa nadal jestem stanu wolnego; zamężna jestem tylko według kenijskiego prawa. Kiedy oświadcza mi, że mój mąż musi podpisać jeszcze jeden wniosek, mówię, że on tego nie zrozumie, i pokazuję zaświadczenia lekarskie. Ambasador nie jest w stanie nic dla mnie zrobić.

Gdy wracam, Lketinga siedzi zły na krześle i trzyma płaczącą Napirai. „Co z tobą jest? Dlaczego poszłaś tam beze mnie? Jestem twoim mężem!". Udręczona, ponownie wypełniam wniosek, nie umieszczając nazwiska Leparmorijo. Lketinga podnosi się i mówi, że nic więcej nie będzie podpisywał i koniec.

Zezłoszczona patrzę na męża i syczę, że jeśli zaraz tego nie podpisze, to pewnego pięknego dnia tak czy inaczej polecę z Napirai do Szwajcarii i nigdy nas już więcej nie zobaczy. Niech w końcu zrozumie, że chodzi tu tylko o moje zdrowie! Po tym, jak mężczyzna w okienku kilkakrotnie zapewnia go, że Napirai nadal jest jego córką, podpisuje. Idę ponownie do ambasadora. Niedowierzająco pyta mnie, czy wszystko jest w porządku, na co odpowiadam, że dla wojownika zrozumienie takiej biurokracji jest bardzo trudne.

Wręcza mi paszport dla dziecka i życzy wszystkiego dobrego. Gdy pytam, czy teraz mogę już wyjechać, zwraca mi uwagę, że jeszcze kenijska zwierzchność musi przystawić pieczątki wyjazdu i wjazdu, i do tego potrzebuję również zgody ojca. Czekają mnie więc kolejne emocje. W ponurych nastrojach opuszczamy ambasadę i udajemy się do siedziby Nyayo. Znowu musimy wypełnić formularze i czekać.

Napirai płacze i nie mogę jej uspokoić, nawet podając pierś. Znowu przyciągamy spojrzenia, znowu niektórzy robią szeptem uwagi na temat stroju mojego męża. Wreszcie zostajemy wywołani.

Kobieta za szybą pyta lekceważąco Lketingę, dlaczego jego córka ma niemiecki paszport, skoro urodziła się w Kenii. Wszystko zaczyna się od początku, a ja z trudem powstrzymuję łzy wściekłości. Tłumaczę aroganckiej kobiecie, że mój mąż nie ma paszportu, pomimo że przed dwoma laty złożył podanie, i dlatego też nasza córka nie może być wpisana do jego paszportu. Z powodu złego stanu zdrowia muszę polecieć na wypoczynek do Szwajcarii. Następne pytanie o mało nie zwala mnie z nóg: Dlaczego w takim razie nie zostawię dziecka przy ojcu? Zbulwersowana oświadczam, że to chyba normalne, żeby trzymiesięczne dziecko zabierać ze sobą, a poza tym moja matka ma przecież prawo zobaczyć wreszcie swą wnuczkę! W końcu przybija pieczątkę w paszporcie dziecka, mój również zostaje ostemplowany. Oddycham z ulgą. Wykończona porywam paszporty i wypadam z urzędu.

Teraz muszę jeszcze kupić bilety. Tym razem mam przy sobie dowód, skąd pochodzą pieniądze. Przedkładam paszporty i zamawiam bilety na samolot odlatujący za dwa dni. Niedługo potem urzędniczka przychodzi z wypisanymi biletami. Pokazuje mi je i czyta głośno: „Hofmann, Napirai" oraz „Hofmann, Corinne". Na nowo wzburzony Lketinga pyta, po co właściwie wzięliśmy ślub, skoro wcale nie jestem jego żoną! Jego dziecko pewnie też nie należy do niego. Tracę panowanie nad sobą. Płaczę ze wstydu, chowam bilety i opuszczamy biuro. Wracamy do hotelu.

Mąż z wolna się uspokaja. Skołowany i smutny siedzi na łóżku. Staram się go zrozumieć. Nazwisko rodowe to największy prezent, jaki może dać żonie i dzieciom, a ja go nie przyjmuję. Oznacza to, że nie chcę do niego należeć. Biorę go za rękę i mówię, żeby się tak nie martwił, wrócimy na pewno. Wyślę telegram do misji, żeby wiedział, którego to będzie dnia. Wyjaśnia mi, że czuje się samotny bez nas, ale chce mieć w końcu zdrową kobietę. Gdy wrócimy, odbierze nas z lotniska. Słysząc to, przepełnia mnie radość, jest dla mnie bowiem oczywiste, ile go ta nasza podróż będzie kosztowała. Na koniec mówi, że opuszcza Nairobi i wraca do domu, gdyż całe to czekanie tutaj nie działa na niego najlepiej. Rozumiem to i odprowadzamy go na dworzec autobusowy. Stoimy i czekamy na odjazd. Ponownie pyta zatroskany: „Corinne, moja żono, jesteś pewna, że wrócisz z powrotem do Kenii?". Z uśmiechem odpowiadam: „Tak, kochanie, jestem pewna". Potem jego autobus odjeżdża.

Dopiero przedwczoraj mogłam zawiadomić telefonicznie matkę

o naszym przyjeździe. Naturalnie była mocno zaskoczona, cieszy się jednak bardzo, że w końcu zobaczy wnuczkę. Dlatego chcę, abyśmy obie ładnie wyglądały. Ciężko jest jednak wyjść z pokoju, gdy ma się takie dziecko jak Napirai. Toalety i prysznice znajdują się na końcu korytarza. Gdy idę do ubikacji, muszę ją, chcąc nie chcąc, zabierać ze sobą; chyba że akurat śpi. Jest to jednak utrudnione, gdy ma się zamiar wziąć prysznic. Idę więc do recepcji i pytam kobietę, czy mogłaby uważać przez kwadrans na moją córkę, żebym mogła się wykąpać. Odpowiada, że bardzo chętnie, ale akurat pół Nairobi pozbawione jest wody z powodu pękniętej rury, być może wieczorem woda znowu będzie.

Czekam do szóstej, ale nic się nie dzieje. Wprost przeciwnie, wszędzie roznosi się smród. Nie będę dłużej czekała, o dziesiątej muszę być przecież na lotnisku. Idę do sklepu i przynoszę do pokoju kilka litrów wody mineralnej. Najpierw myję Napirai, potem sobie włosy i od biedy resztę ciała.

Taksówka zawozi nas na lotnisko. Mamy skromny bagaż, a temperatury w Europie w końcu listopada będą na pewno zimowe. Stewardesy zajmują się nami troskliwie, ciągle przystają przy mojej córeczce i coś do niej mówią. Po jedzeniu przynoszą mi łóżeczko i Napirai zaraz w nim zasypia. Mnie również morzy sen. Budzą mnie na śniadanie. Kiedy pomyślę, że wkrótce stanę na szwajcarskiej ziemi, ogarnia mnie niepokój.

BIAŁE TWARZE

Zawiązuję chustę z dzieckiem na plecach i bez kłopotów przechodzimy przez kontrolę paszportową. Dostrzegam matkę i Hanspetera, jej męża. Radość jest ogromna. Napirai wpatruje się z zainteresowaniem w białe twarze.

Podczas jazdy w Alpy Berneńskie widzę po matce, że martwi ją mój wygląd. Po przybyciu do domu najpierw bierzemy kąpiel. Wreszcie gorąca kąpiel! Matka załatwiła wanienkę dla Napirai i przejmuje kąpanie jej. Po dziesięciu minutach siedzenia w gorącej wodzie swędzi mnie całe ciało, jątrzą się otwarte skaleczenia na nogach i rękach. Powstały przez noszenie masajskich ozdób i ciężko goją się w wilgotnym klimacie europejskim. Wychodzę z wanny i spostrzegam, że całe ciało mam pokryte czerwonymi wypryskami. Napirai krzyczy na rękach zrozpaczonej babci i również ma pełno czerwonych pryszczy, które przeraźliwie swędzą. Matka podejrzewa coś zaraźliwego, tak więc zaraz następnego dnia udajemy się do dermatologa.

Jest zdumiony, gdy rozpoznaje naszą chorobę: świerzb. W Szwajcarii występuje rzadko. Wywołuje go roztocze, które drążą korytarze w naskórku, co powoduje straszliwe swędzenie, szczególnie przy wysokich temperaturach. Lekarz chce naturalnie wiedzieć, skąd mamy tę chorobę. Opowiadam o Afryce. Kiedy ponadto odkrywa u mnie głębokie na centymetr rany, proponuje, abym zrobiła test na AIDS. W pierwszym momencie zatyka mnie, ale potem się zgadzam. Wręcza mi kilka butelek z jakąś cieczą, którą powinnyśmy smarować się trzy razy dziennie, i mówi, że za trzy dni mam zgłosić się po wyniki. Te dni oczekiwania są z tego wszystkiego najgorsze.

Pierwszego dnia dużo śpię, wcześnie idziemy z Napirai do łóżka. Drugiego dnia wieczorem dzwoni telefon i lekarz chce ze mną osobiście rozmawiać. Serce mi łomocze, gdy przejmuję słuchawkę, z której zaraz dowiem się o moim dalszym losie. Lekarz przeprasza, że dzwoni tak późno, pragnie mi jednak oszczędzić czekania, i oświadcza, że test wypadł negatywnie. Nie jestem w stanie powiedzieć więcej niż: „Dziękuję!". Czuję się jak nowo narodzona i odczuwam wielki przypływ energii. Teraz wiem, że pokonam również skutki żółtaczki. Codziennie spożywam coraz więcej tłuszczu i zjadam wszystko, co matka tylko dla mnie gotuje.

Czas upływa powoli, gdyż nie czuję się tutaj tak naprawdę w domu. Dużo spacerujemy, odwiedzamy moją szwagierkę Jelly i wędrujemy z Napirai po pierwszym śniegu. Bardzo podoba jej się życie tutaj, nie lubi tylko tego ciągłego wkładania i zdejmowania tylu rzeczy.

Po dwóch i pół tygodnia staje się dla mnie jasne, że nie chcę tu zostać dłużej niż do Bożego Narodzenia. Ale pierwszy samolot, na który dostaję bilety, odlatuje dopiero 5 stycznia 1990 roku, tak więc, chcąc nie chcąc, pozostaję prawie przez sześć tygodni poza domem. Pożegnanie przychodzi mi z trudem, ponieważ znowu będę zdana tylko na siebie. Wracam z czterdziestoma kilogramami bagażu. Dla każdego coś kupiłam albo uszyłam. Moja rodzina dołączyła wiele upominków od siebie, a i prezenty gwiazdkowe dla Napirai musiałam również zapakować. Mój brat kupił mi stelaż do noszenia jej na plecach.

CZY WSZYSTKO BĘDZIE DOBRZE?

Kiedy lądujemy w Nairobi, nerwy mam napięte jak postronki, nie wiem bowiem, czy Lketinga będzie czekał na nas na lotnisku. Jeśli nie, to znajdziemy się w trudnym położeniu; poszukiwanie schronienia w środku nocy będzie niezwykle ciężkie. Żegnamy się ze stewardesami i udajemy do kontroli paszportowej. Ledwo przechodzimy, odkrywam mego ukochanego i Jamesa z przyjacielem. Ogromnie się cieszę. Mąż przepięknie się pomalował i ufryzował długie włosy. Stoi okryty czerwonym kocem. Z wielką radością bierze nas w ramiona i zaraz też jedziemy do zarezerwowanego przez nich hotelu. Napirai ma kłopoty z czarnymi twarzami i wyje, a Lketinga martwi się, czy go w ogóle pozna.

W hotelu wszyscy chcą od razu zobaczyć prezenty, ja jednak wyciągam tylko zegarki, gdyż rano jedziemy dalej, a pozostałe rzeczy są dobrze zapakowane. Chłopcy udają się do swojego pokoju, a my do łóżka. Tej nocy kochamy się i nic mnie nie boli. Szczęśliwa wierzę, że wszystko będzie dobrze.

W drodze do domu dużo sobie opowiadamy. Dowiaduję się, że w Barsaloi już niedługo mają zacząć budować szkołę z prawdziwego zdarzenia. Z Nairobi przyleciał samolot z Hindusami, którzy mieszkali przez kilka dni w misji. Szkoła ma stanąć po drugiej stronie wielkiej rzeki. Przybędzie mnóstwo robotników z Nairobi, wszyscy Kikuju, ale na razie jeszcze nikt nie wie, kiedy budowa ruszy. Opowiadam o Szwajcarii i oczywiście o świerzbie, ponieważ mąż również musi się poddać leczeniu, inaczej znowu się zarazimy.

Lketinga przyprowadził samochód aż do Nyahururu i postawił go przy misji. Jestem pełna podziwu dla jego odwagi. Bez kłopotów docieramy do Maralalu. Znowu odległości między miejscowościami zdają mi się ogromne. Następnego dnia przybywamy do Barsaloi. Mama wita nas szczęśliwa i dziękuje *Enkai,* że całe i zdrowe wróciłyśmy „stalowym ptakiem", jak określa samolot. Jakże pięknie jest być znowu w domu!

Także w misji spotyka mnie radosne powitanie. Kiedy pytam, czy to prawda ze szkołą, ojciec Giuliano potwierdza wszystko, czego dowiedziałam się już od chłopców. W rzeczy samej, w najbliższych dniach rozpoczyna się budowa. Kilku ludzi jest już na miejscu, budują baraki dla robotników. Materiał jest dowożony ciężarówkami przez Nanyuki i Wambę. Odbiera mi mowę, że taki projekt będzie właśnie tutaj realizowany. Ojciec Giuliano wyjaśnia, że rząd chce, aby Masajowie przestali wędrować i osiedlili się na stałe. Położenie nie jest złe, gdyż w rzece zawsze płynie woda, a poza tym jest pod ręką wystarczająco dużo piasku, który, zmieszany z cementem, da odpowiedni budulec. Rząd zdecydował się na to miejsce z powodu nowoczesnej misji. Spędzamy wspaniałe dni. Stale spacerujemy na drugą stronę rzeki, aby śledzić postępy budowy.

Kotka znacznie urosła. Widocznie Lketinga dotrzymał słowa i rzeczywiście ją karmił, prawdopodobnie jednak tylko mięsem, gdyż jest dzika jak tygrys. Tylko gdy kładzie się przy Napirai w łóżeczku, mruczy jak oswojony kot domowy.

Po dwóch tygodniach przybywają robotnicy. W pierwszą niedzielę większość można zobaczyć w kościele, gdyż msza jest tu jedyną odmianą dla miastowych. Somalijczycy bardzo podnieśli ceny na cukier i mąkę, co doprowadza do wielkich dyskusji i do zebrania mieszkańców wioski z udziałem starszyzny i minipolicjanta. My również uczestniczymy w nim i często jestem pytana, kiedy w końcu zostanie znowu otwarty sklep Samburu. Obecnych jest kilku robotników, którzy pytają, czy byłabym gotowa załatwić piwo i napoje gazowane. Dobrze mi zapłacą, jako że zarabiają sporo pieniędzy, tyle że nie mają ich gdzie wydać. Somalijczycy są muzułmanami i nie sprzedają piwa.

Kiedy również wieczorem stale zachodzą do nas robotnicy, naprawdę zaczynam się zastanawiać, co by tu zrobić, żeby wreszcie wpadło parę groszy. Przychodzi mi do głowy zorganizowanie czegoś w rodzaju dyskoteki z muzyką Kikuju. Do tego moglibyśmy przyrządzać mięso na grillu oraz sprzedawać piwo i inne napoje. Omawiam wszystko z Lketingą i weterynarzem, u którego mąż często przesiaduje. Obaj są zachwyceni tym pomysłem, a weterynarz uważa, że powinniśmy jeszcze sprzedawać *miraa*, ludzie bowiem ciągle o nią pytają.

Zostaje postanowione, że w końcu miesiąca ruszamy. Sprzątam sklep i wypisuję ulotki, które rozwieszamy w różnych miejscach oraz rozdajemy robotnikom.

Reakcja jest przeogromna. Już pierwszego dnia po tej akcji przychodzi kilku ludzi i pyta, dlaczego nie otworzymy już w ten weekend. Na to jednak mamy chyba za mało czasu, a ponadto niekiedy nie ma piwa w Maralalu. Robimy naszą zwyczajową turę i bez problemów kupujemy dwanaście skrzynek piwa i napojów gazowanych. Mąż załatwia *miraa*. Samochód jest pełny po brzegi, tak więc powrót trwa odpowiednio dłużej.

Składamy towary z przodu sklepu, gdyż w naszym byłym mieszkaniu będzie miejsce do tańczenia. Po krótkim czasie ustawiają się pierwsi klienci i chcą kupić piwo, ale pozostaję nieubłagana, gdyż inaczej nie mielibyśmy nic na jutro. Potem zjawia się minipolicjant i żąda ode mnie zezwolenia na prowadzenie dyskoteki. Naturalnie nie mam nic takiego i pytam, czy jest rzeczywiście niezbędne. Lketinga dogaduje się z nim. Minipolicjant będzie troszczył się jutro o porządek, oczywiście za odpowiednie wynagrodzenie. Za nieco pieniędzy i darmowe piwo wydaje nam zezwolenie.

Dziś ma się odbyć dyskoteka. Jesteśmy bardzo ciekawi, jak to będzie. Nasz nowy pomocnik zna się nieco na technice. Wyciąga akumulator z samochodu i podłącza do niego magnetofon. Mamy więc muzykę. W tym czasie została zabita koza i dwóch chłopaków zajmuje się patroszeniem i ćwiartowaniem mięsa. Wielu ochotników nam pomaga, Lketinga natomiast więcej kieruje wszystkimi niż pracuje. O wpół do ósmej wszystko jest gotowe. Muzyka rozbrzmiewa, mięso skwierczy, a ludzie czekają przy tylnym wejściu. Lketinga kasuje od mężczyzn za wstęp, a kobiety mogą wchodzić za darmo. Nie kwapią się jednak do tego, pozostają na dworze i tylko niekiedy chichocząc, zaglądają do środka przez drzwi wejściowe. W ciągu pół godziny sklep jest pełny. Stale podchodzą do mnie robotnicy, przedstawiają się i gratulują pomysłu. Przychodzi nawet kierownik budowy i dziękuje mi za wkład pracy. Mówi, że ludzie zasłużyli na nieco rozrywki, gdyż dla wielu z nich jest to pierwsza budowa tak daleko od domu.

Przebywanie pośród tylu roześmianych ludzi sprawia mi prawdziwą przyjemność, ponieważ w większości mówią po angielsku. Zjawiają się również Samburu z wioski, a nawet kilku starców, którzy, opatuleni w swoje wełniane koce, przysiadają na odwróconych skrzynkach i przyglądają się tańczącym Kikuju. Ich zdziwienie nie ma granic. Sama nie tańczę, pomimo że mogłabym, gdyż zostawiłam Napirai u mamy. Niektórzy nawet zapraszają mnie do tańca, ale wystarcza rzut oka na Lketingę, abym wiedziała, że należy odmówić. Pije z tyłu w ukryciu piwo i żuje *miraa*, która pierwsza zostaje wyprzedana. O dwudziestej trzeciej muzyka cichnie i kilku mężczyzn wygłasza pod naszym adresem mowy dziękczynne, szczególnie pod moim, *mzungu*. Godzinę później kończy się piwo. Także koza została sprzedana na kilogramy. Goście są w dobrym nastroju, który utrzymuje się do czwartej rano. Potem wreszcie możemy iść. Odbieram Napirai od mamy i wykończona wlokę się ciężkim krokiem do domu.

Przeliczając następnego dnia utarg, stwierdzam, że mamy znacznie większe zyski niż ze sklepu. Radość zostaje jednak szybko zakłócona, gdy ojciec Giuliano przyjeżdża na motorze i rozsierdzony pyta, co to za piekielne hałasy dochodziły ostatniej nocy z naszego sklepu. Zbita z tropu opowiadam o dyskotece. Mówi, że zasadniczo mu to nie przeszkadza, jeśli dyskoteki będą odbywały się góra dwa razy w miesiącu. Po północy ma panować jednak cisza nocna. Jako że wolę go nie złościć, w przyszłości będę postępowała, jak sobie życzy.

PODEJRZLIWOŚĆ

Znad wielkiej rzeki przychodzą trzej mężczyźni i pytają, czy nie ma tu gdzieś piwa do kupienia. Zaprzeczam. Zjawia się Lketinga i pyta, czego chcą. Wyjaśniam mu, a on podchodzi do nich i mówi, że jeśli w przyszłości będą czegoś chcieli, mają nie pytać mnie, tylko jego, on jest tu mężczyzną i wyznacza, co należy robić. Zdumieni i speszeni jego podirytowanym tonem odchodzą. Pytam go, dlaczego coś takiego mówi, lecz on tylko śmieje się złośliwie i rzuca: „Wiem, po co oni tu przychodzą, nie po piwo. Ja dobrze wiem! Jeśli chcieli piwa, dlaczego nie zapytali mnie?". Tak też sobie myślałam, że urządzi mi scenę zazdrości, pomimo że nie rozmawiałam z nikim dłużej niż pięć minut. Przełykam wzbierającą we mnie złość. Wystarczy mi, co ci trzej mężczyźni będą rozpowiadali o tym zajściu, jako że przecież w całym Barsaloi jest głośno o naszej dyskotece.

Odtąd Lketinga bez przerwy obserwuje mnie podejrzliwie. Niekiedy wsiada do datsuna i jedzie odwiedzić przyrodniego brata w Sitedi albo innych krewnych. Mogłabym naturalnie jechać z nim, ale nie chcę przesiadywać z Napirai przy krowach w pełnych much *manyattach*. Tak mija nam czas, a ja czekam na dzień, kiedy James skończy wreszcie szkołę. Na gwałt potrzebujemy pieniędzy, żeby kupić towary i benzynę. Jest tu teraz tylu obcych, że moglibyśmy dobrze zarobić.

Lketinga jest stale w drodze, gdyż akurat żeni się wielu z jego grupy wiekowej. Dzień w dzień zjawiają się wojownicy, którzy opowiadają o czyimś weselu. Najczęściej przyłącza się do nich i z reguły nie wiem, czy wróci za dwa, trzy, czy może dopiero za pięć dni.

Kiedy ojciec Giuliano pyta, czy nie miałabym ochoty odebrać uczniów, ponieważ dzisiaj jest koniec roku szkolnego, oczywiście wyrażam zgodę i mimo że męża nie ma w domu, wyruszam. Napirai zostawiam u mamy. James wita mnie radośnie i pyta o dyskotekę. Tak więc wieści dotarły aż tutaj. Zabieram pięciu chłopaków. Robię jeszcze zakupy i zaglądam do Sophii. Wróciła już z Włoch, chce jednak jak najszybciej przeprowadzić się na wybrzeże. Wychowywanie Aniki tutaj jest dla niej zbyt męczące, nie widzi również w Maralalu żadnej większej przyszłości dla siebie i córki. Z przykrością o tym słucham, gdyż nie będę miała już nikogo w miasteczku, z kim mogłabym wesoło spędzić czas. Bądź co bądź, przeżyłyśmy wspólnie wiele bardzo trudnych chwil. Ale ją rozumiem i nawet trochę jej zazdroszczę. Jakże chętnie sama wybrałabym się nad morze! Jako że przeprowadzka Sophii odbędzie się niebawem, żegnamy się już teraz. Mówi, że później prześle mi swój nowy adres.

Po ósmej jesteśmy w domu. Męża nie ma, gotuję dla chłopców jedzenie; wcześniej pili u mamy herbatę. Spędzamy wesoły wieczór na pogawędce. Napirai bardzo kocha wujka Jamesa. Ciągle na nowo muszę opowiadać o dyskotece, a chłopcy siedzą i przysłuchują się wszystkiemu z błyszczącymi oczami. Chętnie przeżyliby coś takiego. Właściwie kolejna dyskoteka powinna się odbyć za dwa dni, ale Lketingi nie ma na miejscu, tak więc chyba nic z tego nie będzie. W ten weekend robotnicy dostaną wypłatę i stale jestem proszona, abym zorganizowała dyskotekę. Zostaje mi tylko jeden dzień. Nie mam odwagi zrobić tego bez Lketingi, ale chłopcy namawiają mnie i przyrzekają, że wszystko przygotują, jeśli tylko załatwię piwo i napoje.

Nie chce mi się jechać do Maralalu i dlatego udaję się z Jamesem do Baragoi. Po raz pierwszy odwiedzam tę wioskę, gdzie mieszkają Turkana. Jest prawie tak duża jak Wamba. Znajduję hurtownika, który ma piwo i napoje gazowane, przy czym jest tu nieco drożej niż w Maralalu. Przygotowania raptem zajmują nam trzy i pół godziny. Jeden z chłopców wypisuje plakaty, które następnie zostają rozwieszone, i wszyscy gorączkowo czekają na dyskotekę. Mięsa dzisiaj nie będzie, gdyż nikt nie miał kozy na sprzedaż. Nie odważam się wziąć jednej z naszej zagrody, pomimo że część z nich należy do mnie. Gdy zanoszę Napirai do mamy, widzę, że nie jest tym razem specjalnie zachwycona, pewnie dlatego, że nie ma Lketingi. Muszę jednak troszczyć się o pieniądze, w końcu wszyscy z tego żyjemy.

Dyskoteka jest ponownie wielkim sukcesem. Dziś przyszło więcej ludzi, gdyż są jeszcze uczniowie, i nawet trzy dziewczyny odważają się wejść do środka. Z chłopcami, bez mojego męża, atmosfera jest o wiele swobodniejsza. Pewien młody Somalijczyk zachodzi do nas i wypija fantę. Bardzo mnie to cieszy, gdyż Lketinga niekiedy bardzo źle mówi o Somalijczykach. Czuję, że przynależę do tych ludzi, i tym razem mogę z wieloma porozmawiać. Chłopcy na zmianę sprzedają napoje. Jest wspaniale, wszyscy tańczą przy radosnej muzyce Kikuju. Wielu przyniosło własne kasety. Tańczę również i ja, po raz pierwszy od ponad dwóch lat, i czuję się rozluźniona.

O północy musimy ściszyć muzykę, ale nastrój nadal jest dobry. Koło drugiej zamykamy i śpieszę z latarką do *manyatty* mamy, aby odebrać Napirai. Z trudem znajduję w ciernistych krzakach wejście. W *kraalu* staję jak wryta. Dzidy Lketingi stoją wbite przed *manyattą*. Serce bije mi jak oszalałe, gdy wczołguję się do środka. Po chrząkaniu od razu rozpoznaję, że jest rozdrażniony. Goła Napirai śpi obok babci. Witam się z nim i pytam, dlaczego nie przyszedł do sklepu. Początkowo nie odpowiada, potem nagle wybucha. Okropnie mnie wyzywa i wodzi dzikim wzrokiem. Mogę mówić, co chcę, i tak mi nie wierzy. Mama próbuje go uspokoić i twierdzi, że jego wrzaski słychać w całym Barsaloi. Napirai płacze. Gdy nazywa mnie kurwą, która pieprzy się z Kikuju i nawet z chłopcami, owijam Napirai w koc i pędzę zrozpaczona do domu. Powoli zaczynam się bać własnego męża.

Niedługo potem otwiera gwałtownie drzwi, wyciąga mnie z łóżka i żąda, abym podała nazwiska tych, z którymi się pieprzyłam. Teraz jest już pewny, że Napirai wcale nie jest jego córką. Tak mu tylko opowiadałam, że Napirai przyszła wcześniej na świat z powodu mojej choroby, a w rzeczywistości zaszłam w ciążę z innym. Przy każdym z tych zdań maleje moja – i tak już mocno zraniona – miłość do niego. Zupełnie przestaję go rozumieć. W końcu opuszcza dom i krzyczy, że więcej tu nie wróci i że poszuka sobie lepszej żony. Jest mi to w tym momencie zupełnie obojętne. Marzę tylko o tym, żeby wreszcie zapanował spokój.

Rano mam podpuchnięte od płaczu oczy i nie odważam się opuścić domu. Mnóstwo ludzi słyszało naszą kłótnię. Mama zjawia się z Saguną koło dziesiątej i pyta, gdzie jest Lketinga. Nie wiem. Przychodzi James z przyjacielem. On również nie rozumie tego wszystkiego, jego brat nigdy nie chodził do szkoły, a wojownicy nie znają się na biznesie. Od Jamesa dowiaduję się, co mama o tym sądzi. Jest przekonana, że Lketinga wróci, a wtedy porozmawia z nim, że nie powinien być taki zły. Mam nie płakać i nie słuchać, co on mówi, gdyż wszyscy mężczyźni są właśnie tacy; dlatego jest lepiej, jeśli mają kilka żon. James nie zgadza się z tym, ale co mi to właściwie pomoże? Ojciec Giuliano przysłał nawet stróża z misji, aby dowiedzieć się, co się stało. Z tego powodu bardzo mi nieprzyjemnie. Lketinga zjawia się dopiero koło wieczora i prawie nie rozmawiamy ze sobą. Dni toczą się swoim rytmem, nikt nie wspomina o zajściu. Po tygodniu Lketinga znowu udaje się na jakąś uroczystość.

Dziewczyna od wody coraz częściej zostawia mnie w potrzebie, tak więc jestem zmuszona jeździć samochodem nad rzekę po dwa kanistry wody, podczas gdy chłopcy opiekują się Napirai. Pewnego razu chcę właśnie wracać, ale nie mogę zmienić biegu; wysiadło sprzęgło. Zdeprymowana pierwszą awarią auta, zaledwie po dwóch miesiącach od kupna, maszeruję do misji, gdyż przecież nie mogę zostawić na stałe samochodu nad rzeką. Giuliano nie jest zachwycony, ale mimo to wraca ze mną i zagląda do pojazdu. Stwierdza, że faktycznie sprzęgło przestało funkcjonować. Jest mu bardzo przykro, ale naprawdę tym razem nie może mi pomóc. Mogłabym ewentualnie w Nairobi dostać części zamienne, ale on nie wybiera się tam w przyszłym miesiącu. Wybucham płaczem, gdyż nie wiem, skąd wezmę żywność dla siebie i Napirai. Zaczynam mieć serdecznie dosyć tych wiecznych problemów.

Giuliano holuje datsuna pod nasz dom i mówi, że będzie próbował zamówić telefonicznie części zamienne z Nairobi. Hindusi, którzy w najbliższych dniach mają przylecieć tu samolotem, mogliby ewentualnie zabrać je ze sobą. Nic konkretnego nie może mi jednak w chwili obecnej obiecać.

Cztery dni później zajeżdża motorem i melduje, że dzisiaj o jedenastej przylatuje samolot. Hindusi przybywają, aby skontrolować budowę szkoły. Czy udało się załatwić części zamienne, tego nie wie.

W południe rzeczywiście ląduje samolot. Ojciec Giuliano jedzie swoim landcruiserem na prowizoryczne lądowisko, zabiera dwóch Hindusów i pędzi nad rzekę. Patrzę za samochodem i widzę, że Giuliano od razu jedzie dalej, prawdopodobnie do Wamby. Nie wiedząc, co się dzieje, postanawiam pobiec do szkoły. Napirai odstawiam do mamy.

Dwaj Hindusi w turbanach patrzą na mnie zaskoczeni. Uprzejmie pozdrawiają mnie uściskiem dłoni i proponują mi coca-colę. Następnie pytają, czy należę do misji. Zaprzeczam i wyjaśniam, że mieszkam tutaj, gdyż jestem żoną jednego Samburu. Od razu patrzą na mnie z jeszcze większym zainteresowaniem i chcą wiedzieć, jak biała może żyć w buszu. Słyszeli, że ich robotnicy mają problemy z zaopatrzeniem w żywność. Opowiadam o moim samochodzie, który się zepsuł. Ze współczuciem pytają, czy może to sprzęgło miało być dla mnie, a nie dla misji. Potwierdzam ich przypuszczenia i pytam zatroskana, czy udało się je zdobyć. Nie, brzmi druzgocząca odpowiedź, ponieważ są różne modele i tylko na podstawie wymontowanych części można stwierdzić, jakie dokładnie są potrzebne. Jestem bardzo zawiedziona, co nie uchodzi uwagi Hindusów. Jeden z nich pyta, gdzie stoi mój wóz, a następnie zleca mechanikowi, który jest z nimi, aby zajrzał do niego i wymontował części. Za godzinę lecą z powrotem.

Mechanik pracuje sprawnie i już po dwudziestu minutach wiem, że tarcza sprzęgła oraz dźwignia zmiany biegów zupełnie nie nadają się do użytku. Pakuje ciężkie części i jedziemy z powrotem. Jeden z Hindusów przygląda się wymontowanym częściom i stwierdza, że w Nairobi chyba powinno się znaleźć coś takiego, będzie to jednak kosztować. Naradzają się chwilę i pytają niespodzianie, czy chcę polecieć z nimi. Jestem kompletnie zaskoczona i jąkam się, że mojego męża nie ma w domu, a poza tym mam sześciomiesięczne dziecko. Nie ma sprawy, odpowiadają, dziecko mogę zabrać ze sobą, mają miejsce dla nas obojga.

W pierwszej chwili jestem niezdecydowana i wspominam, że zupełnie nie znam Nairobi. *No problem* – mówi drugi Hindus. Mechanik zna wszystkich handlarzy częściami zamiennymi, odbierze mnie jutro rano z hotelu i spróbuje ze mną znaleźć potrzebne używane części. Dla mnie, jako białej, wszystko byłoby tak czy inaczej za drogie.

Imponująca gotowość niesienia pomocy, jaką okazują ci obcy mężczyźni, powoduje, że zapominam języka w gębie. Nie mam czasu na dłuższe zastanawianie się, gdyż oznajmiają mi, że za kwadrans mam być przy samolocie. *Yes, thank you very much* – jąkam się z wrażenia. Mechanik zawozi mnie pod dom. Pędzę do mamy i wyjaśniam jej, że lecę do Nairobi. Zabieram Napirai i natychmiast opuszczam zdumioną mamę. W domu pakuję najpotrzebniejsze rzeczy. Żonę weterynarza informuję o swoim zamiarze i że wrócę najszybciej jak to będzie możliwe, z częściami zamiennymi. Ma pozdrowić mego męża i wyjaśnić mu, dlaczego nie mogłam czekać, aby uzyskać jego zgodę.

Następnie pędzę na lądowisko. Napirai wisi w *kandze*, w ręce trzymam torbę podróżną. Wokół samolotu zebrali się już ciekawscy, którzy widząc mnie, milkną w jednej chwili. *Mzungu* odlatuje, to dopiero sensacja, gdyż jej męża nie ma w domu! Jestem świadoma, że mogą wyniknąć z tego problemy. Z drugiej strony, myślę, ucieszy się, że nie musiał jechać do Nairobi, a jego ukochane auto zostanie naprawione.

Hindusi przyjeżdżają autem robotników, właśnie w tym samym momencie, gdy mama z ponurą twarzą nadchodzi kołyszącym się krokiem. Daje mi do zrozumienia, że mam tu zostawić Napirai, to jednak nie wchodzi w rachubę. Uspokajam ją i przyrzekam wrócić. Potem udziela mnie i dziecku błogosławieństwa *Enkai* na drogę. Wsiadamy i silnik zaczyna wyć. Przestraszeni ludzie skaczą na boki. Macham do nich, a samolot dudni już po lądowisku.

Hindusi mają wiele pytań. Jak doszło do tego, że mam Samburu za męża, dlaczego mieszkamy tutaj, na takim pustkowiu? Ich zdziwienie trochę mnie bawi, dawno nie czułam się tak szczęśliwa i wolna. Po jakichś dwóch i pół godzinach lądujemy w Nairobi. Przebycie tak dalekiej odległości w tak krótkim czasie udaje się cudem. Pytają, dokąd mają mnie zawieźć. Gdy odpowiadam, że do hotelu Igbol w pobliżu kina Odeon, są przerażeni i uważają, że taka lady jak ja powinna stronić od tamtej okolicy, to zbyt niebezpieczne. Ja jednak znam tylko tę kwaterę i upieram się, aby właśnie tam mnie wysadzili. Jeden z Hindusów, widocznie ważniejszy z nich, wciska mi swą wizytówkę i mówi, żebym zadzwoniła jutro rano o dziewiątej, jego szofer mnie odbierze. Nie mam zielonego pojęcia, co mi się przydarzy, i dziękuję niezmiernie.

W Igbol zaczynam mieć wątpliwości, czy będę w stanie za to wszystko zapłacić, gdyż mam przy sobie tylko jakieś tysiąc franków. Więcej pieniędzy nie było w domu, a te pochodzą z dyskoteki. Przewijam Napirai i schodzimy do restauracji. Ciężko jeść z nią przy stole, gdyż albo wszystko ściąga, albo chce raczkować po podłodze. Od czasu gdy odkryła raczkowanie, z prędkością wiatru szoruje po podłodze. Tutaj wszystko jest tak brudne, że nie chcę jej puścić. Niemniej ona tak długo miota się i krzyczy, aż wreszcie stawia na swoim. W krótkim czasie jest okropnie brudna, a krajowcy nie pojmują, dlaczego do tego dopuszczam. Za to nieliczni biali podróżnicy mają ubaw nie z tej ziemi, gdy Napirai przeciska się pod stołami. Najważniejsze, że jest zadowolona, i ja również. Po powrocie do pokoju myję ją porządnie w miednicy. Żeby wziąć prysznic, muszę czekać, aż w końcu zaśnie.

Następnego dnia leje jak z cebra. O wpół do dziewiątej ustawiam się w kolejce przed budkami telefonicznymi. Jesteśmy już przemoczone do suchej nitki, gdy pewna kobieta nas przepuszcza. Od razu dodzwaniam się do Hindusa i podaję mu miejsce, gdzie czekamy: kino Odeon. Mówi, że za dwadzieścia minut będzie tam szofer z samochodem. Szybko biegnę z powrotem do hotelu, żeby zmienić ubrania. Córeczka jest bardzo dzielna. Wcale nie płacze, mimo że jest całkiem przemoczona. Przy kinie Odeon czeka na nas szofer i jedziemy do dzielnicy przemysłowej, gdzie prowadzą nas do eleganckiego biura. Zza biurka uśmiecha się do nas miły Hindus i pyta, czy wszystko przebiegło bez problemów. Telefonuje i zaraz pojawia się ten sam afrykański mechanik co wczoraj. Hindus daje mu kilka adresów, które ma z nami objechać, żeby znaleźć potrzebne części zamienne. Na pytanie, czy mam przy sobie wystarczająco pieniędzy, odpowiadam „Mam nadzieję, że tak!".

Jeździmy wzdłuż i wszerz Nairobi. Do południa znajdujemy tarczę sprzęgła za jedyne sto pięćdziesiąt franków. Siedzę z Napirai z tyłu Jako że deszcz przestał padać i znowu świeci słońce, w samochodzie szybko robi się gorąco. Nie wolno mi jednak otwierać okien, gdyż często jeździmy po najgorszej dzielnicy Nairobi. Kierowca ciągle pró buje szczęścia, lecz jego wysiłki nie zostają uwieńczone sukcesem Napirai poci się i wyje. Ma dość jazdy. Od sześciu godzin siedzimy bez przerwy w samochodzie, wreszcie mechanik stwierdza, że nie ma już żadnych szans na znalezienie tej drugiej części. Wszyscy zamyka ją dzisiaj o piątej, bo jutro jest Wielki Piątek. Zupełnie zapomniałam o Wielkanocy! Pytam go, kiedy znowu otworzą. Warsztaty będą za mknięte do wtorku, brzmi odpowiedź. Ogarnia mnie śmiertelne przerażenie, że będę musiała zostać tak długo z Napirai w mieście Lketinga oszaleje, jeśli nie będzie mnie tydzień. Postanawiamy wró cić do biura Hindusa.

Jest bardzo zmartwiony z powodu moich kłopotów. Przygląda si zużytej główce dźwigni zmiany biegów i pyta mechanika, czy nie można tego jakoś naprawić. Ten zaprzecza, zapewne dlatego, że chce mieć już fajrant. Hindus znowu telefonuje. W drzwiach staje jakiś mężczyzna w fartuchu i z okularami ochronnymi. Hindus daje wska zówki, aby pospawać wyrobione miejsca i wyszlifować je. Energicznie mówi do zdumionego mężczyzny, że chce mieć to wszystko za pół go dziny z powrotem, gdyż musi wyjechać, a ja również nie mogę dłuże czekać. Uśmiechając się, daje mi do zrozumienia, że za pół godziny pojadę do domu.

Bardzo mu dziękuję i pytam o koszty. Grzecznie mnie zbywa. Mogę zawsze do niego zadzwonić, jeśli będę miała jakieś problemy; z przy jemnością mi pomoże. Gdy znajdę się w Barsaloi, mam pójść do kie rownika budowy, a on zatroszczy się o to, żeby wszystko zostało odpo wiednio zamontowane, został już poinformowany. Nie mogę uwierzyć że nagle ktoś mi bezinteresownie pomógł, i to tak bardzo. Wkrótce po tem opuszczam biuro Hindusa. Części są bardzo ciężkie, ale jestem dumna, że wszystko się udało. Jeszcze tego samego wieczoru jadę do Nyahururu, aby następnego ranka złapać autobus do Maralalu. Z tru dem mi przychodzi dźwiganie dwóch toreb i Napirai na plecach.

Znalazłszy się w Maralalu, nie wiem, jak dostanę się teraz do Barsaloi. Wykończona idę do schroniska, aby po wyczerpującej i pełnej kurzu podróży coś zjeść i czegoś się napić. Potem piorę kilka tuzinów pieluszek i myję siebie oraz Napirai. Śmiertelnie zmęczona padam na łóżko. Rano pytam wszędzie, czy ktoś nie wybiera się do Barsaloi. U swego hurtownika dowiaduję się, że do Somalijczyków jedzie ciężarówka. Jednak po tylu trudach nie chcę narażać Napirai i siebie na jazdę ciężarówką. Czekam, gdyż spotkałam pewnego chłopaka, który właśnie przyszedł na piechotę z Barsaloi i powiedział mi, że ojciec Roberto będzie jutro w Maralalu po listy. Pełna nadziei pakuję następnego dnia w schronisku swoje rzeczy i idę w pobliże poczty. Bite cztery godziny waruję na brzegu drogi, aż w końcu dostrzegam biały samochód z misji. Wesoło podchodzę do Roberta i pytam, czy mogę zabrać się z nim do domu. Nie ma sprawy, odpowiada, za jakieś dwie godziny jedzie z powrotem.

CORAZ GORZEJ

W Barsaloi wysiadam z samochodu i widzę męża zmierzającego wielkimi krokami w naszym kierunku. Wita się ze mną chłodno i pyta, dlaczego dopiero teraz wracam. Co znaczy: dopiero teraz? Przyjechałam najszybciej, jak mogłam, odpowiadam rozdrażniona i zawiedziona. Nawet nie chce wiedzieć, czy wszystko pomyślnie załatwiłam. Dlaczego nocowałam w Maralalu? Z kim się tam znowu spotkałam? Zasypuje mnie pytaniami, natomiast nie słyszę żadnej pochwały.

Głupio mi, że padają tak podejrzliwe pytania w obecności ojca Roberta. Idę z Napirai do domu. Dobrze, że mąż przynajmniej niesie torbę, która nawet jego przygina niemal do ziemi. Spogląda podejrzliwie i wierci mi dziurę w brzuchu kolejnymi pytaniami. Taka jestem wściekła i rozczarowana, że mało nie wybuchnę. W tym momencie zjawia się u nas radosny James z przyjacielem. Dobrze, że chociaż on pragnie się dowiedzieć, jak mi poszło. Podziwia moją odwagę, że tak po prostu wsiadłam i poleciałam samolotem. Niestety, był nad rzeką i prał swoje rzeczy, gdy usłyszał o mojej wyprawie. Jakże chętnie poleciałby ze mną, chciałby choć raz w życiu polecieć samolotem.

Jego słowa dobrze mi robią, trochę się uspokajam. Chłopcy zaparzają herbatę. Opowiadają i opowiadają, a Lketinga opuszcza dom, pomimo że jest już ciemno. Pytam Jamesa, co powiedział mój mąż, gdy wrócił i mnie nie zastał. Śmiejąc się, wyjaśnia mi, że powinnam zrozumieć, iż to pokolenie nie przepada za samodzielnymi kobietami, a także nie wie, co to zaufanie. Lketinga myślał, że zwiałam z Napirai i więcej nie wrócę. Tego nie pojmuję, chociaż powodów, by uciec, nie brakuje. Poza tym Napirai potrzebuje przecież ojca!

James wyrywa mnie z posępnych rozmyślań, pytając, kiedy wreszcie ruszamy ze sklepem. Chętnie by popracował i zarobił trochę pieniędzy. Tak, musimy zacząć zarabiać pieniądze, gdyż inaczej samochód pochłonie wszystko, co mamy. Jak tylko datsun zostanie zreperowany, ponownie otworzymy sklep, tym razem bardzo szykownie, z ubraniami i butami oraz piwem i napojami gazowanymi. Teraz, gdy są tu robotnicy z Nairobi, z pewnością można będzie nieźle zarobić. Później będą to przyjezdni nauczyciele z rodzinami. Z Jamesem jako sprzedawcą są widoki na sukces. Mówię mu jednak wyraźnie, że to moja ostatnia próba i ostatnie pieniądze, jakie zainwestuję. Euforia chłopców jest zaraźliwa i zapominam o zmartwieniach, jakich ostatnio przysporzył mi Lketinga. Gdy wraca do domu, chłopcy wychodzą.

Następnego ranka Lketinga udaje się z własnej woli do robotników z wiadomością, że części zamienne są na miejscu. Po pracy zjawia się mechanik i grzebie przy naszym samochodzie. Nie udaje mu się jednak zamontować wszystkiego w jeden dzień. Dopiero po trzech dniach nasze luksusowe auto jest zdolne do jazdy. Możemy więc przystąpić do otwierania sklepu. Wyruszamy w czwórkę. Pełen radości James trzyma Napirai na kolanach. Zabawa z nią nigdy go nie męczy.

W Maralalu sprawdzam najpierw w banku, czy nadszedł już przekaz na cztery tysiące franków. Bankier ubolewa, ale pieniędzy jeszcze nie ma. Są następnego dnia i przystępujemy do zakupów. Naturalnie najpierw tona mąki kukurydzianej i cukru, potem warzywa i owoce ile tylko mogę zdobyć. Resztę inwestuję w ubrania, buty, tytoń, plastikowe miednice, kanistry na wodę, po prostu we wszystko, co można sprzedać i na czym można dobrze zarobić. Biorę nawet dwadzieścia bochenków chleba. Wydaję wszystko, do ostatniego szylinga, licząc, że zwróci mi się to podwójnie.

Otwarcie sklepu staje się wydarzeniem. Z bliska i z daleka przybywają ludzie. Po dwóch dniach *kangi*, ubrania oraz kanistry na wodę są wyprzedane. Robotnicy ze szkoły kupują po dziesięć, a nawet dwadzieścia kilo warzyw, ryżu i ziemniaków, niczym w małym supermarkecie. W tych pierwszych dniach jesteśmy szczęśliwi, dumni i zadowoleni, choć stale mocno zmęczeni. James tak się pali do pracy, że pyta mnie, czy mógłby wprowadzić się do sklepu, wówczas wcześniej zaczynałby pracę.

Piwo sprzedajemy tylko spod lady, gdyż nie chcę mieć nieprzyjemności. Te kilka skrzynek, jakie mam, zazwyczaj znika po dwóch dniach. Ponieważ nie chcę, abyśmy dzień lub dwa byli bez towaru, czuję się odpowiedzialna za dostawę. Za utarg nabywam od razu kolejne ubrania, gdyż robotnicy potrzebują dużo koszul i spodni. Co trzy tygodnie jadę specjalnie w tym celu aż do Nanyuki, gdzie odbywa się duży targ z ubraniami. Ubrania dla kobiet i dzieci sprzedają się jak świeże bułki. Zbieram również zamówienia na rzeczy. Zadziwiające, skąd ludzie nagle mają tyle pieniędzy? Częściowo na pewno dzięki szkole, gdzie wielu znalazło zajęcie.

Interes kwitnie. Dla wielu robotników sklep stał się miejscem spotkań. Początkowo nie ma z tym problemów, póki Lketinga nie dostaje znowu napadu zazdrości. Rano nie ma mnie w sklepie, gdyż najpierw muszę zrobić wszystko w domu. Dopiero po południu idę spacerkiem z Napirai do sklepu. Z chłopcami jest najczęściej wesoło. Napirai podoba się, że wszyscy okazują jej zainteresowanie. Zawsze znajdą się jakieś dzieci, które ją noszą lub się z nią bawią. Tylko mąż patrzy niechętnie, gdy jestem radosna, i mówi, że gdy jestem z nim, to się nie śmieję. A powodem tego jest podejrzliwość, jaką obdarza każdego, kto rozmawia ze mną dłużej niż pięć minut. Przede wszystkim okazuje ją robotnikom codziennie spotykającym się u nas w sklepie. Zdarza się, że tego czy innego nie wpuszcza nawet do środka albo nagle twierdzi, że ten czy tamten przychodzi tylko z mojego powodu, jego żony. To wprawia mnie za każdym razem w zakłopotanie i opuszczam sklep. Także James nic nie może poradzić na zachowanie starszego brata.

Coraz częściej się kłócimy i łapię się na tym, że nie chcę mieć czegoś takiego do końca życia. My pracujemy, a on stoi tylko i psioczy na klientów albo na mnie, jeśli akurat nie zabija z innymi wojownikami w domu kozy, której krew i kości znajduję później na podłodze.

Jeden lub dwa razy w tygodniu jeżdżę do Baragoi, które leży znacznie bliżej niż Maralal, aby uzupełnić zapasy żywności. Znowu brakuje cukru, a zbliża się wielkie wesele pewnego wojownika. On jeden potrzebuje trzystu kilogramów i towar mam mu dostarczyć za dodatkową opłatą do oddalonego *kraalu*. Kilka minut po południu wyruszam pędem. Droga trwa tylko jakieś półtorej godziny. Bez problemów docieram do Baragoi. Kupuję jedynie sześćset kilo cukru, gdyż bądź co bądź, muszę przeprawić się przez dwie rzeki i nie chcę przeciążać samochodu.

Jest już załadowany i przekręcam kluczyk, ale silnik nie zaskakuje. Po kilku próbach nic już nie działa. W krótkim czasie otaczają mnie ludzie Turkana, którzy z zaciekawieniem zaglądają do samochodu. Wychodzi właściciel sklepu i pyta, jaki mam problem. Niektórzy próbują pchać auto, ale i ta próba kończy się niepowodzeniem. Właściciel proponuje, abym rozejrzała się jakieś trzysta metrów stąd za namiotem, są tam inni *mzungu* z samochodem.

Idę we wskazanym kierunku i rzeczywiście spotykam młodą parę Anglików, której przedstawiam swój problem. Mężczyzna zabiera skrzynkę z narzędziami i sprawdza moje auto. Prędko dochodzi do wniosku, że akumulator jest całkowicie wyczerpany. Próbuje różnych rzeczy, ale wszystko na nic. Gdy mówię, że jeszcze dzisiaj muszę być w Barsaloi, ponieważ w domu mam małe dziecko, proponuje, że pożyczy mi akumulator ze swojego samochodu. Jako że jednak za dwa dni wyruszają do Nairobi, muszę mu przyrzec, że do tego czasu dostarczę go z powrotem. Zaufanie, jakie mi okazuje, zaskoczyło mnie i zapewniam go, że wrócę na czas. Swój akumulator zostawiam na miejscu.

W domu opowiadam mężowi, co się wydarzyło, gdyż podejrzliwie pyta, dlaczego tak długo mnie nie było. Oczywiście, że jestem bardzo zmartwiona tym wszystkim, ponieważ znowu czekają mnie wydatki, a jak dotychczas zarobione pieniądze ciągle pakuję w samochód. W dodatku na gwałt potrzebne są nowe opony. Rozpacz bierze! Tak to my się nigdy niczego nie dorobimy! Strach mnie ogarnia, gdy pomyślę, że jutro znowu muszę jechać do Maralalu.

Przychodzi mi z pomocą szczęśliwy traf. Samochód robotników budowlanych jedzie tam po żywność i piwo. Proszę Lketingę, aby zabrał się z nimi i wziął akumulator. W Maralalu ma załatwić nowy pojechać publiczną *matatu* do Baragoi do Anglików. Z pewnością odwiozą go potem do Barsaloi.

Dobitnie mu tłumaczę, jakie to ważne, aby ci ludzie otrzymali jutro swój akumulator. Zapewnia mnie, że to nie problem, i jedzie landroverem robotników przez las do Maralalu. Jestem niespokojna, czy wszystko pójdzie dobrze, ale Lketinga obiecał mi solennie, że wszystko zrobi jak należy, i był przy tym dumny, że sam ma załatwić coś tak ważnego. Musi na miejscu zanocować i wcześnie rano wsiąść do jedynej *matatu* udającej się do Baragoi.

Następnego dnia jestem w domu, a później w sklepie, gdzie pomagam Jamesowi przy sprzedaży cukru. W każdej chwili oczekujemy powrotu Lketingi. Jednak dopiero o dziewiątej wieczorem dostrzegamy wreszcie w oddali światła reflektorów. Uspokojona zaparzam herbaty, żeby od razu dać mężowi coś do picia. Pół godziny później landrover Anglików zatrzymuje się pod sklepem. Spieszę do nich i pytam zdziwiona o męża. Młody mężczyzna patrzy na mnie rozzłoszczony i mówi, że nie wie, kto jest moim mężem, chce jednak dostać z powrotem swój akumulator, gdyż muszą jeszcze dzisiaj dojechać do Nairobi, bo jutro wieczorem odlatują do Anglii. Czuję się podle i strasznie mi wstyd, że nie dotrzymałam przyrzeczenia.

Mówię, że bardzo mi przykro, ale akumulator jest w drodze wraz z moim mężem, który właściwie dzisiaj miał zawitać do nich do Baragoi. Anglik naturalnie się denerwuje. Wsadził do landrovera nasz stary akumulator, ale ten wkrótce się wyczerpie i już się go nie naładuje. Jestem zrozpaczona i wściekła na Lketingę. Mówią, że *matatu* oczywiście przyjechała, ale nie było w niej żadnego wojownika. Tymczasem jest w pół do dziesiątej i zapraszam ich na herbatę, aby zastanowić się, co w takim razie zrobimy.

Podczas gdy pijemy herbatę, słyszę odgłos silnika ciężarówki. Zatrzymuje się na wysokości naszego domu. W chwilę potem nadchodzi Lketinga i sapiąc, stawia dwa ciężkie akumulatory na podłodze. Naskakuję na niego, pytając, gdzie zabawił tak długo, ci ludzie przecież już dawno powinni być w drodze. Zniechęcony Anglik zamienia akumulatory i w chwilę potem ich samochód znika. Jestem rozgniewana, gdyż Lketinga srodze mnie zawiódł. Utrzymuje, że spóźnił się na *matatu*, lecz ja czuję od niego alkohol. Nie ma już ani grosza, a w dodatku potrzebuje jeszcze stu pięćdziesięciu franków, aby opłacić kierowcę ciężarówki. Zatkało mnie z powodu takiej arogancji. Na akumulator wydałam już trzysta pięćdziesiąt franków, i jeszcze teraz to! I to tylko dlatego, że napił się w barze piwa i przegapił tani autobus publiczny. Oznacza to, że mogę zapomnieć o całym zysku z tego i z następnego miesiąca. Zła idę do łóżka. Jakby nie dość było tego wszystkiego, mąż jest zdecydowany przespać się ze mną. Gdy jasno i wyraźnie daję mu do zrozumienia, że dzisiaj nie ma nawet co próbować, straszliwie się wścieka. Jest już prawie północ i wszędzie panuje grobowa cisza, słychać tylko naszą głośną sprzeczkę. Znowu posądza mnie, że mam kochanka, z którym na pewno spotkałam się ostatniej nocy. Pewnie dlatego posłałam go do Maralalu. Nie mogę go już słuchać i próbuję pocieszać Napirai, która zdążyła się obudzić.

ROZPACZLIWE POŁOŻENIE

Podjęłam decyzję. Muszę się stąd wyrwać. Tak czy inaczej nie mamy tu żadnych szans na przeżycie. Pieniądze kurczą się w zastraszającym tempie. Mąż ośmiesza mnie tylko, a ludzie odsuwają się od nas, gdyż w każdym mężczyźnie widzi mego kolejnego kochanka. Z drugiej jednak strony wiem, że jeśli odejdę od niego, zabierze mi córkę. Kocha ją i Napirai zgodnie z prawem należy do niego albo do jego matki. Nie uda mi się z nią wyjechać. Rozpaczliwie zastanawiam się, jak można by uratować nasze małżeństwo, gdyż bez Napirai nie ruszę się stąd.

Lketinga stale kręci się przy nas, jakby coś wyczuwał. Kiedy tylko wspominam o domu w Szwajcarii, od razu to zauważa, jakby potrafił czytać w moich myślach. Bardzo stara się zaskarbić względy Napirai, całymi dniami się z nią bawi. Targają mnie sprzeczne uczucia, ale z całego serca chciałabym z największą miłością mego życia tworzyć prawdziwą rodzinę. Jednak powoli umiera we mnie miłość, gdyż Lketinga w ogóle mi nie ufa. Jestem zmęczona ciągłym jego zachowaniem i tym, że w zasadzie tylko na mnie spoczywa odpowiedzialność za nasze przetrwanie. On tylko siedzi i albo zajmuje się sobą, albo przyjaciółmi.

Dostaję szału, gdy mężczyźni przychodzą w odwiedziny, oglądają moją ośmiomiesięczną córeczkę i rozmawiają z Lketingą o ewentualnych późniejszych planach matrymonialnych, a ten życzliwie przyjmuje ich propozycje. Prośbami i groźbami próbuję to powstrzymać. Nasza córka sama poszuka sobie męża, i to takiego, którego będzie kochała! Nie zgadzam się na sprzedanie jej jakiemuś staremu chłopu, jako drugiej albo trzeciej żony. Także sprawa obrzezania dziewczynki prowadzi często do kłótni. Na szczęście to kwestia odległej przyszłości, ale mąż zupełnie mnie nie rozumie.

Tymczasem James bardzo się w sklepie stara. Najwyższy czas zorganizować ciężarówkę. Nie wystarczy mi jednak pieniędzy. Mimo to postanawiamy pojechać do Maralalu i opróżnić konto w banku.

Akumulator stał przez cały czas w domu i właśnie zbieram się, aby poprosić misjonarza o wmontowanie go, gdy Lketinga stwierdza, że też to umie. Na nic zdają się wszelkie perswazje. Nie chcę kolejnej kłótni i pozwalam mu działać. I rzeczywiście, wóz zapala bez problemów. Ale po jakiejś półtorej godzinie stoimy w środku buszu, a samochód milczy jak zaklęty. Początkowo nie dramatyzuję i myślę sobie, że być może jakiś kabel nie jest dobrze podłączony. Gdy jednak podnoszę maskę, o mało nie wychodzę z siebie. Lketinga nie dokręcił porządnie akumulatora i w trakcie jazdy po wertepach utworzyła się po jednej stronie rysa, przez którą wycieka płyn. O mało nie wpadam w histerię. Nowy, drogi akumulator jest zepsuty, i to tylko dlatego, że nie zamontowano go odpowiednio. Gumą do żucia próbuję zatkać pęknięcie i uratować resztkę płynu, ale nic to nie pomaga, gdyż w krótkim czasie kwas przeżera wszystko. Wyję i jestem wściekła na męża. W koszmarnym upale utknęliśmy na dobre, w dodatku z dzieckiem. Teraz Lketinga musi wrócić na piechotę do misji i sprowadzić pomoc, a ja będę tu czekała z Napirai. To potrwa kilka godzin.

Dzięki Bogu nadal karmię Napirai piersią, inaczej przyszłoby mi się chyba powiesić. Mam również, na szczęście, wodę pitną. Czas wlecze się powoli i jedyną odmianą jest rodzina strusi i kilka zebr, którym się przypatruję. Myśli kłębią mi się w głowie i postanawiam, że więcej nie zainwestuję żadnych pieniędzy w sklep w Barsaloi. Wyjadę stąd, i to do Mombasy, jak Sophia. Tam moglibyśmy prowadzić sklep z pamiątkami, który przyniesie więcej zysków i nie będzie wymagał takiego nakładu pracy co interes tutaj. Jak mam to jednak wytłumaczyć mężowi? Muszę go jakoś podejść, żeby sam tego chciał, gdyż inaczej nigdy nie wydostanę się stąd z Napirai. Sama i tak nie dam rady, gdyż kto zajmowałby się nią podczas długiej podróży? Po trzech godzinach widzę w oddali chmurę kurzu i przypuszczam, że to ojciec Giuliano. Krótko potem zatrzymuje się przy nas. Zagląda do samochodu i potrząsa tylko głową. Dlaczego nie zwróciłam się do niego o zamontowanie akumulatora, pyta, teraz nie nadaje się już do użytku. Z płaczem opowiadam, że akumulator ma ledwo tydzień. Spróbuje go zreperować, ale nic nie może mi przyrzec, za dwa dni wyjeżdża do Włoch. Następnie daje mi zastępczy akumulator i jedziemy z powrotem do Barsaloi. Tam uszczelnia obudowę smołą i mówi, że długo nie będzie to trzymało. Pożegnanie z ojcem Giulianem jest dla mnie bolesne. Przez następne trzy miesiące nie będę miała anioła stróża, ponieważ ojciec Roberto jest raczej nieporadny.

Jak zazwyczaj, wieczorem zachodzą chłopcy i przynoszą utarg ze sklepu. Najczęściej zaparzam im herbaty, a jeśli nie ma Lketingi, gotuję nawet coś do zjedzenia. Za każdym razem nieco mnie podbudowują, gdyż mogę się z nimi porozumieć. James jest zawiedziony, że nie chcę już załatwiać ciężarówki.

Po raz pierwszy formułuję ostrożnie propozycję, aby wyprowadzić się stąd, gdyż inaczej wkrótce nie będzie pieniędzy. W pomieszczeniu panuje grobowa cisza, gdy wyjaśniam, że nie mam pieniędzy na prowadzenie tutaj interesów. Samochód nas rujnuje. Lketinga od razu się wtrąca i uważa, że teraz kiedy ponownie tak dobrze wystartowaliśmy ze sklepem, chce robić to nadal. To są jego strony rodzinne i on nie opuści swojej rodziny. Pytam, za czyje pieniądze chce kupować. Odpowiada, że mogłabym przecież napisać do swojej matki, aby jak zawsze przysłała nam pieniądze. Nie pojmuje, że te wszystkie pieniądze były przecież moje. Chłopcy mnie rozumieją, ale niewiele mają w tej sprawie do powiedzenia. Z anielską cierpliwością przedstawiam Mombasę jako raj do robienia interesów. James jest gotów pojechać do Mombasy, ponieważ chciałby zobaczyć morze. Lecz mój mąż nie ma najmniejszego zamiaru się stąd wyprowadzać.

Na dziś rozmowa jest zakończona i gramy trochę w karty. Dużo jest przy tym śmiechu, a Lketinga, który nigdy nie chciał nauczyć się grać, przypatruje się niechętnie. Nie podobają mu się odwiedziny chłopaków. Najczęściej siedzi demonstracyjnie z boku i żuje *miraa* albo złości chłopców, aż w końcu zdenerwowani odchodzą. I tak już tylko oni nas odwiedzają. Codziennie poruszam ostrożnie sprawę wyjazdu do Mombasy, gdyż bez podstawowych artykułów żywnościowych sklep nie prosperuje jak należy. To zaczyna również niepokoić Lketingę, ale nadal się nie poddaje.

Któregoś dnia ponownie gramy we trójkę w karty. Tylko lampa naftowa rozjaśnia stół. Lketinga krąży po mieszkaniu. Na dworze jest jasno, zbliża się pełnia księżyca. W pewnej chwili mam ochotę rozprostować nieco nogi i wstaję, żeby wyjść na dwór. Gołą stopą przydeptuję coś śliskiego i krzyczę z obrzydzenia. Wszyscy śmieją się, tylko Lketinga nie. Bierze lampę ze stołu i przygląda się temu czemuś leżącemu na podłodze. Wygląda to jak zmiażdżone zwierzę, prawdopodobnie chodzi o embriona kozy. Również chłopcy są tego zdania. Ma to niewiele więcej niż dziesięć centymetrów i dlatego jest trudne do zidentyfikowania. Lketinga patrzy na mnie i mówi, że to zgubiłam. Początkowo nie pojmuję, o co mu chodzi.

Wzburzony chce wiedzieć, z kim byłam w ciąży. Teraz jest dla niego oczywiste, dlaczego chłopcy codziennie tu przychodzą. Jeden z nich jest moim kochankiem. James próbuje go uspokoić, a ja stoję jak słup soli. Lketinga odpycha brata i rzuca się na jego przyjaciela. Chłopcy są jednak szybsi i pędem wybiegają z domu. Lketinga podchodzi, potrząsa mną i chce w końcu poznać nazwisko mego kochanka. Rozwścieczona wyrywam się i krzyczę na niego: „Kompletnie zwariowałeś! Wynoś się z mego domu, ty wariacie!". Jestem przygotowana na to, że po raz pierwszy mnie uderzy. Ale on mówi tylko, że pomści tę hańbę; znajdzie tego chłopca i zabije go. Po tych słowach opuszcza dom.

Ludzie stoją przed swymi chatami i gapią się w naszym kierunku. Gdy mąż znika z pola widzenia, wkładam do tłumoczka pieniądze i paszporty, biorę Napirai i pędzę do misji. Jak oszalała pukam do drzwi i modlę się, żeby Roberto mi otworzył. Po krótkim czasie staje w progu i patrzy na nas z przerażeniem. Zwięźle opowiadam mu o całym zajściu i proszę, aby natychmiast zawiózł nas do Maralalu, gdyż to sprawa życie lub śmierci. Roberto załamuje ręce i zaklina się, że nie może tego zrobić. Musi spędzić tutaj jeszcze ponad dwa miesiące sam, bez ojca Giuliana, i nie chce utracić przez lekkomyślność sympatii ludzi. Mam pójść do domu, na pewno nie jest aż tak źle. Widać, że się boi. Wręczam mu pieniądze i paszporty, żeby mąż nie mógł ich zniszczyć. Gdy wracam, jest już w domu z mamą. Chce wiedzieć, czego szukałam w misji, lecz mu nie odpowiadam. Pyta wzburzony, gdzie się podział embrion. Zgodnie z prawdą mówię, że kot pociągnął go na dwór. Naturalnie nie wierzy mi i mówi, że z pewnością wrzuciłam go do ubikacji. Wyjaśnia mamie, że teraz jest pewien, iż utrzymywałam stosunki z jednym z chłopców. Najprawdopodobniej Napirai również nie jest jego dzieckiem, tylko tego chłopaka, bo byłam z nim w jednym pokoju w schronisku w Maralalu przed pierwszym odjazdem do Szwajcarii. Skąd on się o tym dowiedział? Wtedy okazałam dobre serce, a teraz staje się to przyczyną mej zguby. Mama pyta mnie, czy to wszystko prawda. Oczywiście nie mogę zaprzeczyć, a oni po prostu mi nie wierzą, że do niczego nie doszło. Siedzę i zanoszę się płaczem, co czyni mnie jeszcze bardziej podejrzaną.

Zawiedziona obojgiem, pragnę tylko jednego: uciec stąd jak najprędzej. Po długich dyskusjach mama postanawia, że Lketinga ma spać u niej w *manyatcie*, a jutro zobaczymy. Mąż nie chce jednak odejść bez Napirai. Wrzeszczę na niego, że ma zostawić w spokoju moje dziecko, sam przecież nie uważa go za swoje. Ale on znika z małą w ciemnościach.

Siedzę samotnie na łóżku i zanoszę się przeraźliwym spazmatycznym płaczem. Naturalnie mogłabym wziąć samochód i opuścić wioskę, ale bez dziecka tego nie uczynię. Z dworu dobiegają mnie głosy i śmiechy. Wygląda na to, że niektórzy ludzie cieszą się z tego zajścia. Po chwili zjawia się weterynarz z żoną, aby zobaczyć, co się ze mną dzieje. Wszystko słyszeli i próbują mnie uspokoić. Tej nocy nie zmrużam oka. Modlę się, żebyśmy pewnego dnia wynieśli się stąd na zawsze. Po mej miłości pozostała w tym momencie tylko głęboka nienawiść. Nie potrafię pojąć, że w tak krótkim czasie wszystko mogło się aż tak zmienić.

Wczesnym rankiem idę szybko na zaplecze sklepu i mówię chłopcom, że Lketinga ma zamiar zemścić się na jednym z nich. Potem spieszę do mamy, gdyż nadal karmię Napirai piersią. Mama siedzi z nią przed chatą, a mąż śpi jeszcze. Biorę dziecko, karmię je, a mama pyta mnie, czy Lketinga rzeczywiście jest ojcem. Ze łzami w oczach mówię tylko: *Yes*.

BEZSILNOŚĆ I WŚCIEKŁOŚĆ

Mąż wypełza z *manyatty* i rozkazuje mi, abym poszła z nim do domu. Przyprowadza również chłopców. Jak zazwyczaj, gromadzi się kilku ciekawskich. Serce o mało nie wyskoczy mi z piersi, gdyż nie wiem, co się będzie działo. Wzburzony pyta mnie przed wszystkimi zgromadzonymi, czy spałam z tym chłopakiem, mam mu zaraz odpowiedzieć. Bardzo się wstydzę, a jednocześnie ogarnia mnie straszliwa wściekłość. Lketinga zachowuje się jak sędzia i nawet nie zauważa, jak bardzo nas ośmiesza. *No – krzyczę do niego – you are crazy!* Jeszcze zanim zdążę powiedzieć coś więcej, uderza mnie w twarz. Wściekła rzucam w niego paczką papierosów i trafiam go w głowę. Obraca się i bierze zamach ręką, w której trzyma *rungu*, swą drewnianą pałkę. Na szczęście nie zdążył jej użyć, gdyż reagują chłopcy i weterynarz. Przytrzymują go i oburzeni przekonują, że byłoby lepiej, gdyby na jakiś czas poszedł sobie do buszu, aż rozjaśni mu się w głowie. Słysząc to, zabiera swoje dzidy i odchodzi. Wpadam do domu i nie chcę nikogo widzieć.

Nie ma go przez dwa dni, a ja nie opuszczam domu. Odjechać nie mogę, gdyż nawet za pieniądze nikt by mi nie pomógł. Całymi dniami słucham niemieckiej muzyki albo czytam wiersze, gdyż to pomaga mi zebrać myśli. Właśnie piszę list do domu, gdy niespodziewanie zjawia się mąż. Wyłącza muzykę i pyta, dlaczego słychać tu śpiewy i skąd mam tę kasetę. Zawsze ją przecież miałam, tłumaczę mu możliwie spokojnie. Nie wierzy mi. Następnie odkrywa list do mojej matki. Muszę mu go przeczytać, ale wątpi, że prawidłowo przekazuję mu treść. Tak więc drę list i palę go. Nie odzywa się do Napirai, jakby jej tu wcale nie było. Jest dość spokojny, staram się więc go nie drażnić. Ostatecznie muszę się z nim pogodzić, jeśli chcę kiedykolwiek się stąd wynieść.

Dni mijają spokojnie, jako że chłopak nie mieszka już w Barsaloi. Dowiaduję się od Jamesa, że wyprowadził się do krewnych. Sklep jest nadal zamknięty i po dwóch tygodniach nie mamy nic do jedzenia. Chcę pojechać do Maralalu, ale mąż mi zabrania. Mówi, że inne kobiety też żywią się tylko mlekiem i mięsem.

Ciągle wspominam o Mombasie. Gdybyśmy tam się przeprowadzili, moja rodzina na pewno by nas wspierała. Na Barsaloi nie dadzą już ani grosza. Zawsze możemy tutaj wrócić, jeśli nie powiedzie nam się z interesem w Mombasie. Gdy pewnego dnia również James mówi, że musi opuścić Barsaloi, aby poszukać jakiejś pracy, Lketinga pyta po raz pierwszy, co mielibyśmy robić w Mombasie. Widać, że jego opór słabnie. Ale też dużo pracy w to włożyłam. Zniszczyłam kasety z muzyką i książki. Nie piszę już żadnych listów. Nawet dopuszczam go do siebie, tyle że odczuwam przy tym odrazę. Mam tylko jeden cel: wynieść się stąd, i to z Napirai.

Opowiadam z zachwytem o pięknym sklepie z mnóstwem masajskich pamiątek. Na podróż do Mombasy moglibyśmy sprzedać wszystko ze sklepu Somalijczykom. Nawet sprzęty domowe przyniosą pieniądze, gdyż tutaj nie ma przecież możliwości kupna łóżka, krzeseł czy stołu. Moglibyśmy też urządzić pożegnalną dyskotekę, aby zarobić trochę pieniędzy i jednocześnie pożegnać się ze wszystkimi. James mógłby nam towarzyszyć na wybrzeże i pomóc przy rozkręcaniu interesu. Mówię i mówię, próbując ukryć nerwowość. Nie mogę dopuścić, aby zorientował się, jak ważna jest dla mnie jego zgoda.

Wreszcie mówi spokojnie: „Corinne, może pojedziemy do Mombasy za dwa albo trzy miesiące". Przerażona pytam, dlaczego chce tak długo czekać. Bo wtedy Napirai będzie miała roczek i nie będzie mnie już potrzebowała, mogłaby zostać przy babci. Ta odpowiedź mnie przeraża. Dla mnie jest oczywiste, że odejdę stąd tylko z Napirai, co mu też spokojnie mówię. Potrzebuję córki, inaczej nie będę odczuwała przyjemności w pracy. Z pomocą przychodzi mi James. Mówi, że będzie uważał na Napirai. Potem dodaje, że jeśli chcemy wyjeżdżać, musi się to stać teraz, gdyż za trzy miesiące czeka go uroczystość obrzezania. Wtedy będzie należał do wojowników, a Lketinga do starszych. Uroczystość trwa kilka dni, a potem przez dłuższy czas wolno mu przebywać tylko z dopiero co obrzezanymi mężczyznami. Rozważamy różne możliwości i uzgadniamy, że wyruszamy za niecałe trzy tygodnie. Czwartego lipca skończę trzydzieści lat i chcę obchodzić urodziny w Mombasie. Niecierpliwie wyczekuję dnia, kiedy wreszcie opuścimy Barsaloi.

Ponieważ jest początek miesiąca, powinniśmy jak najprędzej zorganizować dyskotekę. Po raz ostatni jedziemy do Maralalu po piwo i inne napoje. Na miejscu mąż życzy sobie, abym zadzwoniła do Szwajcarii i wyjaśniła, czy dostaniemy pieniądze na Mombasę. Udaję, że telefonuję, i opowiadam mu, że wszystko jest w porządku. Jak tylko znajdziemy się w Mombasie, mam się znowu zameldować.

Dyskoteka ponownie odniosła wielki sukces. Umówiłam się z Lketingą, że o północy wspólnie wygłosimy mowę pożegnalną, gdyż ludzie nic nie wiedzą o naszym wyjeździe. Ale po jakimś czasie mąż wynosi się cichaczem, tak więc o północy jestem sama i proszę weterynarza, aby mowę, którą przygotowałam po angielsku, przetłumaczył na suahili dla robotników i na masajski dla miejscowych.

James wyłącza muzykę i wszyscy zastygają zdziwieni. Zdenerwowana staję na środku pomieszczenia i proszę o uwagę. Najpierw przepraszam za nieobecność męża, potem mówię z ubolewaniem, że jest to nasza ostatnia dyskoteka i że za dwa tygodnie opuszczamy Barsaloi, aby otworzyć nowy sklep w Mombasie. Po prostu nie możemy egzystować tutaj ze względu na zbyt wysokie koszty utrzymania samochodu. Także moje oraz córki zdrowie jest stale narażone na szwank. Dziękuję wszystkim za dochowanie wierności sklepowi i życzę dużo szczęścia w nowej szkole.

Ledwo zakończyłam mowę, robi się zamieszanie i wszyscy mówią jeden przez drugiego. Nawet minipolicjant jest przygnębiony i mówi, że teraz kiedy wszyscy mnie zaakceptowali, nie mogę przecież sobie tak po prostu odejść. Dwaj inni wychwalają nas i ubolewają nad stratą, jaką poniosą wraz z naszym wyjazdem. Wszystkim daliśmy nieco życia i nieco odmiany, nie wspominając już o tym, że niejednokrotnie zabierali się naszym samochodem. Ludzie biją brawo. Jestem bardzo wzruszona i proszę o muzykę, aby znowu zapanowała radość.

W zamieszaniu pojawia się obok mnie młody Somalijczyk i również wyraża ubolewanie z powodu naszej decyzji. Zawsze podziwiał to, co robiłam. Wzruszona zapraszam go na wodę sodową i przy okazji proponuję mu, aby odkupił ode mnie pozostały w sklepie towar. Z miejsca wyraża zgodę. Gdy zrobię remanent, da mi tyle, ile sama zapłaciłam, weźmie nawet drogą wagę. Długo jeszcze gawędzę z weterynarzem. Dla niego nasz wyjazd to również nowość. Po tym, co zaszło, doskonale mnie rozumie. Ma nadzieję, że mój mąż w Mombasie nabierze rozumu. Prawdopodobnie tylko on domyśla się, jaki jest prawdziwy powód naszego wyjazdu.

O drugiej zamykamy. Lketinga nie wrócił. Spieszę do *manyatty* po Napirai. Mąż siedzi w środku i rozmawia z mamą. Gdy pytam, dlaczego nie przyszedł, odpowiada, że to była moja uroczystość, bo to ja przecież chcę stąd wyjechać, a nie on. Tym razem nie daję się wciągnąć w żadne niepotrzebne dyskusje. Zostaję w *manyatcie*. Być może po raz ostatni nocuję w takiej chacie, przelatuje mi przez głowę.

Przy następnej okazji donoszę Lketindze o umowie z Somalijczykiem. Robi kwaśną minę i nie chce się zgodzić. Nie pertraktuje z nimi, oświadcza wyniośle. Robię z Jamesem remanent. Somalijczyk prosi, aby dostarczyć mu wszystkie towary za dwa dni, gdyż wtedy zgromadzi potrzebne pieniądze. Sama waga stanowi jedną trzecią całej sumy.

Do domu przychodzą ciągle ludzie, którzy chcą coś od nas odkupić. Do ostatniego kubka wszystko jest zarezerwowane. Dwudziestego mają przynieść pieniądze, a dwudziestego pierwszego rano każdy może odebrać zakupione rzeczy – tak brzmi umowa. Gdy zawozimy nasze towary do Somalijczyka, mąż zabiera się jednak z nami. Ma obiekcję do każdej ceny. Gdy wnoszę wagę, z miejsca ładuje ją z powrotem. Chce ją zabrać do Mombasy. Nie jest w stanie zrozumieć, że nie będziemy jej już więcej potrzebowali i że tutaj dostaniemy za nią znacznie więcej pieniędzy. Waga musi jechać z nami i koniec! Ogromnie mnie to złości, że muszę oddać z powrotem Somalijczykowi tyle pieniędzy, ale milczę. Nie chcę się kłócić przed wyjazdem! Do dwudziestego pierwszego maja jeszcze ponad tydzień.

Dni wloką się powoli, a ja czekam, uważając na każdy krok. Im bliżej dnia odjazdu, tym większe odczuwam napięcie. Nie zostanę tu nawet godziny dłużej niż to niezbędne. Nadchodzi ostatnia noc. Prawie wszyscy przynieśli pieniądze, a niepotrzebne rzeczy rozdaliśmy. Samochód jest załadowany po brzegi, a w domu stoi jeszcze tylko łóżko z moskitierą, stół i krzesła. Mama była u nas przez cały dzień i zajmowała się Napirai. Nasz wyjazd bardzo ją smuci.

Pod wieczór zajeżdża do Somalijczyków jakiś samochód i mąż od razu idzie do wioski, gdyż może będą mieli *miraa* do sprzedania. Ustalamy z Jamesem marszrutę na poszczególne dni. Oboje jesteśmy bardzo podnieceni długą podróżą. Od wybrzeża południowego dzieli nas prawie tysiąc czterysta sześćdziesiąt kilometrów.

Mija godzina, a mąż nadal nie wraca. Zaczynam się niepokoić. Wreszcie zjawia się i od razu widzę, że coś jest z nim nie tak. *We can-*

not go tomorrow – oświadcza. Naturalnie żuje *miraa*, ale mówi to na poważnie. Zalewa mnie fala gorąca i pytam, gdzie był tak długo i dlaczego jutro nie możemy wyjechać. Patrzy na nas mętnymi oczami i wyjaśnia, że starszyzna jest niezadowolona, gdyż wyjeżdżamy bez ich błogosławieństwa. On za nic się nie ruszy.

Zirytowana pytam, dlaczego nie można odmówić tej modlitwy wcześnie rano, na co James odpowiada, że musielibyśmy najpierw zabić jedną lub dwie kozy i uwarzyć piwa. Dopiero gdy starszyzna będzie w dobrym nastroju, pobłogosławi nas w imię *Enkai*. Rozumie, że Lketinga nie chce jechać bez tej modlitwy.

Tracę panowanie nad sobą i krzyczę na Lketingę, dlaczego ci starcy nie powiedzieli tego wcześniej. Od trzech tygodni wiedzą przecież dokładnie, kiedy wyjeżdżamy, zorganizowaliśmy pożegnalną uroczystość, wszystko sprzedaliśmy, a resztę zapakowaliśmy. Nie zostanę tu ani dnia dłużej, wyjeżdżam, nawet jeśli miałabym to zrobić tylko z Napirai! Wrzeszczę i płaczę, gdyż nagle uświadamiam sobie, że ta „niespodzianka" zatrzyma nas tutaj przynajmniej na następny tydzień, gdyż wcześniej piwo nie zdąży się uwarzyć.

Lketinga powtarza w kółko, że nie jedzie, i żuje to swoje zielsko. James opuszcza dom, aby zasięgnąć porady mamy. Leżę na łóżku i najchętniej bym umarła. W głowie huczy mi nieustannie: wyjeżdżam jutro, wyjeżdżam jutro! Ponieważ prawie nie zmrużyłam oka, czuję się okropnie zmęczona, gdy James z mamą zjawiają się wcześnie rano. I znowu gadaniu nie ma końca, nie interesuję się jednak tym, tylko uparcie pakuję nasze rzeczy. Mam zapuchnięte oczy i widzę wszystko jakby przez mgłę. James rozmawia z mamą, a dookoła stoją ludzie, którzy przyszli odebrać zakupione rzeczy albo się pożegnać. Nie patrzę na nikogo.

James podchodzi do mnie i pyta w imieniu mamy, czy naprawdę mam zamiar jechać. *Yes* – brzmi moja odpowiedź i przywiązuję sobie Napirai do boku. Mama długo patrzy niemo na wnuczkę i na mnie. Potem mówi coś do Jamesa, co rozjaśnia jego twarz. Radośnie zawiadamia mnie, że mama chce pójść i sprowadzić czterech starców z Barsaloi, którzy udzielą nam błogosławieństwa. Nie chce, abyśmy wyruszali w drogę bez tego, gdyż jest pewna, że widzi nas po raz ostatni. Z wdzięczności proszę Jamesa, aby jej przetłumaczył, że gdziekolwiek będę, nigdy o niej nie zapomnę.

DOBRA ŚLINA

Czekamy prawie godzinę i gromadzi się coraz więcej ludzi. Chowam się do domu. Pojawia się mama z trzema starcami. Stoimy w trójkę przed samochodem, a mama mówi coś, na co wszyscy odpowiadają chórem: *Enkai*. Trwa to jakieś dziesięć minut, zanim rozciera nam na czołach ślinę i życzy wszystkiego dobrego. Ceremonia jest zakończona, a ja oddycham z ulgą. Każdemu ze starców wciskam w rękę jakiś użyteczny przedmiot, podczas gdy mama pokazuje na Napirai i żartuje, że chciałaby dostać tylko nasze dziecko.

Wygrałam tylko dzięki jej pomocy. Jest jedynym człowiekiem, którego ponownie biorę w ramiona, zanim zasiadam za kierownicą. Napirai podaję Jamesowi na tył. Lketinga zwleka z zajęciem miejsca. Gdy zapuszczam silnik, wsiada z ponurą miną do samochodu. Nie oglądając się za siebie, pędzę naprzód. Wiem, że będzie to długa droga, ale prowadzi ku wolności.

Z każdym przejechanym kilometrem wracają mi siły. Postanawiam, że pojadę bez zatrzymywania się aż do Nyahururu, dopiero tam będę mogła znowu odetchnąć pełną piersią. Godzinę drogi przed Maralalem łapię gumę. Auto załadowane jest pod dach, a koło zapasowe leży na spodzie. Podchodzę do tego jednak spokojnie, gdyż będzie to z pewnością ostatnia zmiana koła na ziemi Samburu.

Następny postój jest w Rumurutti, niedaleko Nyahururu, gdzie zaczyna się asfaltowa droga. Zatrzymuje nas policja. Chcą zobaczyć książkę wozu oraz moje międzynarodowe prawo jazdy, które dawno już straciło ważność, czego jednak nie zauważają. Za to zostaję pouczona, że mam pojechać samochodem do przeglądu, aby dostać na szybę plakietkę z naszym adresem, czego wymagają przepisy. Dziwię się, ponieważ w Maralalu nikt nie słyszał o tych plakietkach.

Najpierw nocujemy w Nyahururu, a następnego dnia zasięgamy języka, gdzie można załatwić taką plakietkę. Na nowo zaczynają się problemy z biurokracją. Najpierw należy odstawić samochód do warsztatu, gdzie usuwane są usterki, a potem płaci się za zgłoszenie do przeglądu. Nasze auto pozostaje cały dzień w warsztacie, co znowu kosztuje mnóstwo pieniędzy. Drugiego dnia przyprowadzamy je do przeglądu. Jestem przekonana, że wszystko potoczy się bez kłopotów. Ale gdy w końcu przychodzi nasza kolejka, kontroler z miejsca wytyka nam połatany akumulator i brakującą plakietkę. Wyjaśniam mu, że właśnie przeprowadzamy się i jeszcze nie wiemy, jaki będziemy mieli adres w Mombasie. Nic a nic go to nie obchodzi. Bez stałego miejsca zamieszkania nie dostanę plakietki. Odjeżdżamy i mam tego wszystkiego serdecznie dosyć. Nie rozumiem, dlaczego nagle wszystko jest takie skomplikowane, i po prostu jadę dalej. Czekaliśmy dwa dni i niepotrzebnie wydaliśmy pieniądze. Chcę do Mombasy. Jedziemy przez kilka godzin i niedaleko za Nairobi wstępujemy w jakiejś wiosce do schroniska. Jestem kompletnie wykończona jazdą, ruch lewostronny zmusza mnie do stałej koncentracji, a teraz jeszcze trzeba wyprać pieluchy i nakarmić Napirai. Na szczęście dużo śpi na tych niespotykanie gładkich drogach.

Następnego dnia po siedmiu godzinach docieramy do Mombasy. Panuje tu tropikalny klimat. Wykończeni ustawiamy się w kolejce aut czekających na prom, który przewiezie je na południową stronę. Wydobywam list od Sophii, który wysłała mi przed kilkoma miesiącami, krótko po przyjeździe do Mombasy. Mieszka niedaleko Ukundy. Cała nadzieja w Sophii, że tego wieczoru znajdzie nam dach nad głową.

Po kolejnej godzinie znajdujemy nowy budynek, w którym obecnie mieszka Sophia. Nikt jednak nie otwiera nam drzwi w tym eleganckim domu. Pukam obok i pojawia się jakaś biała, która informuje mnie, że Sophia wyjechała na dwa tygodnie do Włoch. Jestem strasznie zawiedziona i zastanawiam się, gdzie jeszcze moglibyśmy znaleźć schronienie. Właściwie pozostaje tylko Priscilla, ale mąż wzbrania się jechać do niej, gdyż wolałby na północne wybrzeże. Na to nie mogę się zgodzić, ponieważ mam stamtąd tylko złe wspomnienia. Atmosfera staje się napięta, dlatego jadę po prostu do naszego starego osiedla. Tam stwierdzamy, że z pięciu domków tylko jeden jest nadal zamieszkany. Ale przynajmniej dowiadujemy się, że Priscilla wyprowadziła się do sąsiedniego osiedla, oddalonego stąd o pięć minut jazdy samochodem.

Szybko docieramy do Kamau-Village, sioła w kształcie podkowy. Budynek mieszkalny stanowią stojące jeden przy drugim pokoje, jak w schronisku w Maralalu, pośrodku znajduje się duży sklep. Od razu jestem zachwycona tym osiedlem. Gdy wysiadamy z samochodu, pojawiają się pierwsze ciekawskie dzieci, a ze sklepu wygląda właściciel. Nagle podchodzi do nas Priscilla. Nie może uwierzyć, że widzi nas tutaj. Jej radość jest wielka, szczególnie gdy odkrywa Napirai. Ona również w tym czasie urodziła jeszcze jednego chłopca, jest nieco starszy od Napirai. Natychmiast zabiera nas do swego pokoju, zaparza herbatę i musimy jej wszystko opowiedzieć. Kiedy dowiaduje się o naszym zamiarze pozostania w Mombasie, nie posiada się ze szczęścia. Jej radość porywa nawet Lketingę, który cieszy się po raz pierwszy od wyjazdu. Proponuje nam swój pokój, a nawet własną wodę, którą przynosi w wielkich kanistrach ze studni. Dzisiejszą noc spędzi u swej przyjaciółki, a jutro pomoże nam zdobyć coś własnego. Po raz kolejny jestem niezwykle poruszona prostodusznością i gościnnością Priscilli.

Po wyczerpującej jeździe wcześnie udajemy się na spoczynek. Następnego poranka Priscilla załatwia nam pokój zaraz na początku budynku, aby samochód mógł stać przy nas. Pomieszczenie ma wymiary trzy na trzy metry. Wszystko jest z betonu, tylko dach ze słomy. Dzisiaj spotykamy również innych mieszkańców. Wszystko to wojownicy Samburu, niektórych z nich nawet znamy. Niebawem Lketinga rozmawia i śmieje się z nimi, trzymając dumnie Napirai.

NOWA NADZIEJA

Chodząc po raz pierwszy po sklepie, czuję się jak w raju. Tutaj można po prostu dostać wszystko, nawet chleb, mleko, masło, jajka, owoce – i to dwieście metrów od naszego mieszkania! Ponieważ mam żyć w Mombasie, nabieram otuchy.

James ma ochotę zobaczyć wreszcie morze, wyruszamy więc wspólnie w drogę. W niecałe pół godziny docieramy na piechotę na plażę. Widok morza przepełnia mnie radością i poczuciem wolności. Odzwyczaiłam się jednak od białych turystów w skąpych strojach kąpielowych. James, który czegoś takiego jeszcze nigdy nie widział, patrzy i podziwia masy wody. Jest całkiem zbity z tropu, jak niegdyś jego starszy brat. Natomiast Napirai bawi się radośnie w piasku pod rzucającymi cień palmami. Tutaj na nowo potrafię sobie wyobrazić życie w Kenii.

Idziemy do wzniesionego dla Europejczyków baru na plaży, aby ugasić pragnienie. Wszyscy wytrzeszczają na nas oczy i czuję się nie-

:o zagubiona w tej swojej połatanej, choć czystej spódnicy. Niewiele
»stało się z mej wcześniejszej pewności siebie. Gdy jakaś Niemka zagaduje mnie i chce się dowiedzieć, czy Napirai jest moim dzieckiem,
»rakuje mi nawet słów, żeby odpowiedzieć. Zbyt długo nie mówiłam
»o niemiecku albo choćby w szwajcarskim niemieckim. Czuję się jak
idiotka, gdy odpowiadam jej po angielsku.

Lketinga jedzie następnego dnia na północne wybrzeże. Chce tam
zakupić nieco ozdób, aby móc wziąć udział w masajskich występach
połączonych z ich sprzedażą. Cieszę się, że wreszcie i on zaintereso-
wał się zarabianiem pieniędzy. W domu piorę pieluchy, a James bawi
się z Napirai. Wspólnie z Priscillą snujemy plany na przyszłość. Jest
zachwycona, gdy opowiadam jej, że szukam sklepu do robieniu interesu z turystami. Ponieważ James nie może zostać tu dłużej niż miesiąc, gdyż musi jechać do domu na wielką ceremonię obrzezania, postanawiam oblecieć z Priscillą hotele, może ewentualnie znajdziemy
jakiś wolny sklep.

W eleganckich hotelach kierownicy patrzą na nas nieco sceptycznie, a następnie odprawiają nas z kwitkiem. Przy piątym hotelu tracę
i tak już nadwątloną wiarę we własne siły i czuję się jak żebraczka.
W rzeczy samej, w tej spódnicy w czerwoną kratkę i z dzieckiem na
plecach nie wyglądam na solidną kobietę interesu. Pewien Hindus
słyszy przypadkowo naszą rozmowę przy recepcji i zapisuje mi numer telefonu, pod którym mogę zastać jego brata. Już następnego
dnia jedziemy z mężem i Jamesem do Mombasy, aby spotkać się
z tym człowiekiem. Ma coś wolnego w nowo wybudowanym osiedlu
w pobliżu supermarketu, tyle że czynsz wynosi po przeliczeniu siedemset franków miesięcznie. Początkowo nie chcę o niczym słyszeć,
gdyż suma wydaje mi się o wiele za duża, potem jednak zgadzam się,
aby pokazał mi ten budynek.

Sklep położony jest w dobrym miejscu na Diani-Beach, nieco z boku od głównej ulicy. Piętnaście minut jazdy od domu. W tym samym
budynku znajduje się poza tym olbrzymi indyjski sklep z pamiątkami, a naprzeciwko nowo otwarta chińska restauracja, pozostałe pomieszczenia stoją puste. Całość ma kształt schodów i z ulicy nie widać sklepu. Mimo że jest to tylko jakieś sześćdziesiąt metrów kwadra-
towych, korzystam z okazji. W pomieszczeniu nie ma nic, same gołe
ściany, i Lketinga nie rozumie, dlaczego wydaję tyle pieniędzy na pu-

sty sklep. Nadal bierze udział w występach dla turystów, ale zarobione pieniądze wydaje na piwo lub *miraa*, co zazwyczaj prowadzi do niezbyt miłej wymiany zdań.

Podczas gdy tuziemcy budują drewniane półki według moich planów, organizuję z Jamesem w Ukundzie kołki i przywożę je samochodem do sklepu. Całymi dniami pracujemy jak dzicy, a mąż szwenda się po Ukundzie z innymi wojownikami.

Wieczorami najczęściej jeszcze gotuję i robię przepierkę, a gdy Napirai zasypia, gawędzimy sobie z Priscillą. Lketinga zabiera o zmroku samochód i wozi wojowników na występy. Nie bardzo mi się to podoba, gdyż nie ma prawa jazdy, a poza tym pije piwo. Kiedy wraca w nocy, budzi mnie i chce wiedzieć, z kim rozmawiałam. Jeśli obok w pokojach są jacyś wojownicy, jest przekonany, że właśnie z nimi. Ostrzegam go usilnie, aby znowu nie niszczył wszystkiego swoją zazdrością. James również próbuje go uspokajać.

Nareszcie wraca Sophia. Radość z ponownego spotkania jest ogromna. Nie może uwierzyć, że już zabraliśmy się do zorganizowania jakiegoś sklepu. Jest tutaj od pięciu miesięcy i nadal nie otworzyła swojej knajpki. Mój zapał zostaje nieco ostudzony jej opowieściami o całej machinie biurokratycznej, z którą będę sobie musiała poradzić. W odróżnieniu od nas mieszka komfortowo. Prawie codziennie widzimy się przez chwilę, co pewnego dnia przestaje się mężowi podobać. Nie pojmuje, co takiego mamy sobie stale do opowiadania, i zakłada, że na pewno mówię o nim. Sophia uspokaja go i proponuje, aby przestał pić tyle piwa.

Od zawarcia umowy wynajmu sklepu minęło czternaście dni i wyposażenie jest gotowe. W końcu miesiąca mam zamiar otworzyć sklep, tak więc musimy złożyć podania o licencję handlową oraz dla mnie o zezwolenie na pracę. Licencje wystawiają w Kwale, jak twierdzi Sophia, która zabiera się z nami w drogę ze swoim przyjacielem. I znowu należy wypełnić formularze i czekać. Najpierw zostaje wywołana Sophia i znika ze swoim towarzyszem w biurze. Po pięciu minutach oboje wychodzą. Nie udało się, gdyż nie są małżeństwem. U nas nie wygląda to wcale lepiej, czego nie mogę pojąć. Urzędnik mówi, że bez zezwolenia na pracę nie dostanę licencji, chyba że u notariusza przepiszę wszystko na męża. Poza tym nazwa sklepu musi zostać najpierw zarejestrowana w Nairobi.

Nienawidzę tego miasta! A teraz musimy znowu się tam udać. Gdy zawiedzeni i bezradni zmierzamy do samochodu, urzędnik podąża za nami i mówi, że bez licencji nie dostanę zezwolenia na pracę. Ale gdy tak sobie pomyśli, być może jednak dałoby się jakoś obejść Nairobi. Będzie o szesnastej w Ukundzie, moglibyśmy spotkać się wspólnie u Sophii. Naturalnie z miejsca zdajemy sobie wszyscy sprawę, o co chodzi: o łapówkę! Ogarnia mnie wściekłość, lecz Sophia wyraża gotowość otrzymania licencji tą właśnie drogą. Czekamy u niej w domu, a mnie bierze cholera, że nie pojechałam do Kwale tylko z Lketingą. Facet rzeczywiście pojawia się i wchodzi ukradkiem do środka. Zawile krąży wokół całej sprawy i w końcu mówi, że jutro licencje będą gotowe do odebrania, jeśli każda z nas przyniesie po pięć tysięcy szylingów w kopercie. Sophia od razu się zgadza, a mnie nie pozostaje nic innego, jak również skinąć głową.

I tak oto dostajemy bez problemów licencję. Pierwszy krok został zrobiony. Mąż mógłby już zacząć sprzedawać, ale mnie wolno tylko co najwyżej przebywać w sklepie. Nawet prowadzenie rozmów z potencjalnymi klientami jest zabronione.

Wiem, że tak być nie może, i udaje mi się namówić męża na wyjazd do Nairobi w celu złożenia podania o zezwolenie na pracę i zarejestrowania nazwy sklepu. Chrzcimy go imieniem „Sidais-Massai-Shop", co prowadzi do wielkich dyskusji z Lketingą. Sidai to jego drugie imię. Ale „Massai" nie chce pozwolić wciągnąć do księgi. Ponieważ jednak licencja została wystawiona, nie ma drogi powrotnej.

Po wielogodzinnym czekaniu we właściwym urzędzie w Nairobi jesteśmy proszeni do środka. Zdaję sobie sprawę, że idzie teraz o być albo nie być, co też bez ogródek oświadczam mężowi. Raz powiedziane nie, pozostaje nie. Jesteśmy wypytywani, dlaczego potrzebuję zezwolenia na pracę. Mozolnie wyjaśniam urzędniczce, że jesteśmy rodziną, a ponieważ mąż nie ukończył żadnej szkoły, nie pozostaje mi nic innego, jak pracować. Ten argument do niej przemawia. Dostarczyłam jednak za mało dewiz, brakuje mi prawie dwudziestu tysięcy franków, aby wraz z przedłożoną licencją otrzymać zezwolenie. Przyrzekam sprowadzić te pieniądze ze Szwajcarii i wtedy zameldować się powtórnie. Pełna nadziei opuszczam urząd. Pieniędzy potrzebuję tak czy inaczej na zakup towarów. Wykończeni ruszamy w drogę powrotną.

Kiedy śmiertelnie zmęczeni wchodzimy do domu, siedzi tam kilku wojowników i przygotowuje dzidy na sprzedaż. Edy również jest wśród nich. Strasznie cieszymy się, że po tak długim czasie znowu się widzimy. Podczas gdy rozmawiamy o dawnych czasach, Napirai podchodzi radośnie do niego na czworakach. Jest już późno, a ja jestem zmęczona, pozwalam więc sobie zaprosić Edy'ego na jutro na herbatę. W końcu to on pomógł mi wtedy, gdy zrozpaczona szukałam Lketingi.

Ledwo wojownicy wyszli, mąż zaczyna zadręczać mnie domysłami i zarzutami dotyczącymi Edy'ego. Między innymi teraz wreszcie wie, dlaczego byłam przez te trzy miesiące sama w Mombasie i wcale go nie szukałam. Zarzuca mi niestworzone rzeczy i muszę się po prostu wynieść, żeby nie wysłuchiwać tych obrzydliwych pomówień. Biorę śpiącą Napirai na plecy i wybiegam w ciemną noc.

Bez celu wałęsam się po okolicy i nagle zatrzymuję się przed Africa-Sea-Lodge. Odczuwam przemożną potrzebę zadzwonienia do matki i powiedzenia jej po raz pierwszy, jak to właściwie jest z moim małżeństwem. Łkając, opowiadam zaskoczonej matce o swej niedoli. Trudno jest udzielić komuś rady w tak krótkim czasie, tak więc proszę ją, aby wysłała kogoś z rodziny do Kenii. Potrzebuję rozsądnej porady i duchowego wsparcia, a być może da to coś również Lketindze i zacznie mi w końcu bardziej ufać. Umawiamy się na telefon jutro o tej samej porze. Po rozmowie czuję się lepiej i potykając się, wracam do domu.

Mąż jest naturalnie jeszcze bardziej skory do kłótni i chce wiedzieć, skąd przychodzę. Gdy opowiadam mu o rozmowie telefonicznej i zbliżającej się wizycie kogoś z mej rodziny, od razu się uspokaja.

Z ulgą dowiaduję się następnego wieczora, że mój starszy brat jest gotów przyjechać. Będzie tu z pieniędzmi już za tydzień. Lketinga jest zaciekawiony poznaniem kolejnej osoby z mej rodziny. Jako że chodzi o starszego brata, już teraz okazuje respekt i traktuje mnie przyjaźniej. W prezencie robi dla niego masajską bransoletkę z imieniem ułożonym z kolorowych szklanych paciorków. Jestem wzruszona, gdyż widzę, jak ważne są te odwiedziny dla Lketingi i Jamesa.

Mój brat Marc przybył do hotelu Two Fishes. Radość jest ogromna, pomimo że może zostać tylko tydzień. Często zaprasza nas na posiłki do hotelu. Jest wspaniale, staram się jednak nie myśleć o jego rachunkach. Naturalnie poznaje mego męża z jak najlepszej strony. W ciągu tego całego tygodnia nigdzie nie wychodzi na piwo ani nie żuje *miraa*. Nie odstępuje Marca na krok. Gdy ten odwiedza nas w domu, dziwi się, jak to teraz mieszka jego wcześniej tak elegancka siostra. Ale sklepem jest zachwycony i udziela mi kilku dobrych rad. Tydzień upływa zbyt szybko i ostatniego wieczoru rozmawia szczegółowo z moim mężem. James tłumaczy każde słowo. Gdy speszony Lketinga potulnie przyrzeka nie dręczyć mnie więcej swą zazdrością, jesteśmy przekonani, że te odwiedziny odniosły pełny sukces.

Dwa dni później James również musi wracać do domu. Towarzyszymy mu do Nairobi i udajemy się ponownie do siedziby Nyayo po zezwolenie na pracę dla mnie. Między nami wszystko jest w porządku i dlatego jestem przekonana, że tym razem się powiedzie. Nazwa jest zarejestrowana i wszystkie papiery mamy przy sobie. Ponownie znajdujemy się w biurze i stoimy przed tą samą kobietą co przed dwoma i pół tygodnia. Gdy widzi pieniądze, wszystko jest dla niej jasne i dostaję zezwolenie na pracę, za to skreśla mi miejsce zamieszkania. Muszę zmienić w paszporcie swoje nazwisko na męża, a Napirai musi otrzymać kenijskie dokumenty. Jest mi to w tej chwili obojętne. Najważniejsze, że mam zezwolenie na pracę na następne dwa lata. Wielu czeka latami na tę pieczątkę, która mnie kosztuje dwa tysiące franków.

W Nairobi idziemy na masajski rynek i robimy wielkie zakupy. Teraz możemy wreszcie ruszać z interesem. W Mombasie szukam fabryk, gdzie można tanio dostać ozdoby, maski, podkoszulki, *kangi*, torby i inne towary. Mąż towarzyszy mi zwykle z Napirai. Rzadko zgadza się z cenami. Sophia jest zaskoczona, gdy ogląda mój sklep. Po pięciu tygodniach na wybrzeżu wszystko już mam, nawet zezwolenie na pracę. Jej, niestety, jeszcze się to nie udało.

Każę wydrukować pięć tysięcy ulotek, które nas reklamują. Jest na nich również opis drogi. Skierowane są głównie do Niemców i Szwajcarów. Prawie we wszystkich hotelach pozwalają mi położyć je w recepcji. W dwóch największych hotelach wynajmuję dodatkowo oszklone gabloty, w których wystawiam towar. Naturalnie zawieszam tam dodatkowo niecodzienne zdjęcie ślubne. Teraz jesteśmy naprawdę gotowi.

O dziewiątej rano otwieramy sklep. Zabieram dla Napirai omlet i banany. Jest bardzo spokojnie, tylko dwie osoby zachodzą na krótko do sklepu. W południe robi się bardzo gorąco i żaden turysta nie pojawia się na ulicy. Idziemy w Ukundzie na obiad, a o drugiej ponownie otwieramy. Od czasu do czasu pojawiają się na głównej ulicy turyści, idą jednak do położonego dalej supermarketu, nie zauważając naszego sklepu.

Po południu przychodzi wreszcie grupa Szwajcarów z ulotkami w rękach. Radośnie z nimi rozmawiam. Pragną naturalnie dużo się dowiedzieć i prawie każdy coś kupuje. Jak na pierwszy dzień, jestem zadowolona. Jest dla mnie jednak jasne, że musimy przyciągnąć uwagę ludzi. Drugiego dnia mówię mężowi, że jeśli tylko jacyś biali pojawią się na drodze, ma wcisnąć im do ręki ulotkę. Trudno go przecież przeoczyć. I rzeczywiście, udaje się! Pobliski Hindus chwyta się za głowę, gdy wszyscy turyści mijają go i wchodzą do naszego sklepu.

Dzisiaj, drugiego dnia, sprzedaż była już dobra. Jednakże niekiedy ciężko mi z Napirai, szczególnie jeśli właśnie nie śpi. Położyłam dla niej mały materac pod stojakiem z podkoszulkami, aby mogła tam spokojnie spać. Ponieważ jednak nadal karmię ją piersią, zdarza się, że właśnie w takim momencie zjawiają się turyści, którymi powinnam się zająć. Te przerwy wcale jej się nie podobają, co wyraźnie słychać. Postanawiamy zaangażować niańkę, która byłaby codziennie w sklepie. Lketinga znajduje młodą kobietę, około szesnastoletnią, żonę pewnego Masaja. Z miejsca mi się podoba, gdyż zjawia się w tradycyjnym stroju masajskim z pięknymi ozdobami. Pasuje do Napirai i do naszego masajskiego sklepu. Codziennie zabieramy ją samochodem, a wieczorem odstawiamy do męża.

Sklep jest już od tygodnia otwarty, a obrót zwiększa się z dnia na dzień. Dlatego też trzeba zorganizować świeżą dostawę w Mombasie. I tu pojawia się nowy problem. Lketinga nie może sprzedawać przez cały dzień sam, ponieważ niekiedy stoi w środku dziesięć osób. Dlatego potrzebujemy jeszcze kogoś, kto wspomoże męża podczas mojej nieobecności albo mnie, gdy z kolei jego nie będzie. Musi to być jednak osoba z naszego osiedla, gdyż mąż wyjeżdża za niecałe dwa tygodnie do domu na ceremonię obrzezania Jamesa. Ja, jako członek rodziny, powinnam właściwie również pojechać. Z wielkim trudem przychodzi mi przekonanie Lketingi, że nie mogę przecież zamknąć sklepu tak krótko po otwarciu. Akceptuje to dopiero, gdy moja młodsza siostra Sabine zapowiada swoją wizytę właśnie w czasie ceremonii. Nie posiadam się ze szczęścia, gdy dostaję wiadomość od niej, ponieważ nawet końmi nie zawleczono by mnie ponownie do Barsaloi.

Lketinga nie wnosi więcej żadnych sprzeciwów, a nawet chce wrócić na czas, aby zdążyć poznać Sabine jeszcze przed jej wyjazdem. Ale najpierw trzeba znaleźć pomoc do sklepu. Proponuję Priscillę, ale mąż od razu jest przeciwny, gdyż nie ma do niej za grosz zaufania. Oburzona wspominam, ile to ona dla nas zrobiła. Nie chce się jednak dać przekonać. Pewnego wieczora przyprowadza jakiegoś masajskiego chłopaka, który pochodzi z Masai-Mara i wcześniej chodził do szkoły. Ubrany jest w dżinsy i koszulę, ale nawet nie przeszkadza mi to, bo chłopak sprawia wrażenie przyzwoitego. Zgadzam się i William staje się naszym nowym współpracownikiem.

Wreszcie mogę zatroszczyć się o dostawę podkoszulków i rzeźb, podczas gdy oni dwaj pilnują sklepu. Niańka towarzyszy mi z Napirai. Jakże wyczerpujące jest jeżdżenie od jednego handlarza do drugiego, wyszukiwanie towarów i targowanie się o ceny. Wracamy koło południa. Lketinga siedzi przy barze w chińskiej restauracji i pije drogie piwo. William stoi w sklepie. Pytam, ilu było ludzi. Niestety, niezbyt wielu, sprzedana została tylko jedna masajska ozdoba. Wszyscy turyści przechodzą obok. Podirytowana pytam dalej, czy Lketinga rozdawał nasze ulotki, na co William potrząsa głową i wyjaśnia, że prawie przez cały czas pił piwo w barze. Wziął na to pieniądze z kasy. Strasznie mnie to złości. Lketinga wchodzi właśnie do sklepu i czuć od niego na odległość piwem. Naturalnie wybucha kłótnia, która kończy się tym, że bierze samochód i znika. Jestem rozczarowana. Mamy teraz pracownika i niańkę, a mąż przepija pieniądze.

Z Williamem rozmieszczam nowy towar. Gdy tylko widzimy białych, William wyskakuje na ulicę i wręcza im ulotki. Niemal każdego z nich sprowadza do sklepu i gdy około wpół do szóstej zjawia się Lketinga, sklep jest pełen ludzi, a my prowadzimy ożywione rozmowy z kupującymi. Naturalnie pytają mnie o męża, toteż go przedstawiam. On jednak patrzy uparcie ponad głowami zaciekawionych turystów. Pyta, co sprzedaliśmy i za jaką cenę. Jego zachowanie jest dla mnie bardziej niż nieprzyjemne.

Pewien Szwajcar kupuje dla swoich dwóch córek kilka ozdób

i rzeźbioną maskę. Dobry interes! Zanim wychodzi, pyta nas, czy może zrobić zdjęcie memu mężowi i mnie z Napirai. Oczywiście się zgadzam, gdyż wydał u nas całkiem niezłą sumę. Mąż jednak wyjaśnia, że tylko jeśli zapłaci, wolno mu nas fotografować. Miły Szwajcar jest poirytowany, a ja zawstydzona. Robi dwa zdjęcia i faktycznie wręcza Lketindze dziesięć szylingów. Gdy już nie może nas usłyszeć, próbuję wytłumaczyć Lketindze, dlaczego nie należy żądać od klientów pieniędzy za zdjęcia. Nie pojmuje tego, tylko zarzuca mi, że zawsze gdy chce zarobić pieniądze, to mam do niego pretensję. Przecież każdy Masaj żąda pieniędzy za zdjęcia, dlaczego on ma tego nie robić? Jego oczy iskrzą się ze złości. Zmęczona odpowiadam, że inni nie mają sklepu, tak jak my.

Pojawiają się nowi klienci, biorę się więc w garść i staram się być uprzejma. Mąż obserwuje podejrzliwie kupujących i ledwo któryś dotknie jakiegoś towaru, upiera się, aby go zaraz kupił. William zręcznie próbuje, w typowy dla siebie spokojny sposób, odciągnąć klientów od Lketingi, ratując tym samym sytuację.

Dziesięć dni po otwarciu sklepu zarobiliśmy już na czynsz. Jestem dumna z siebie i Williama. Większość turystów przyprowadza zazwyczaj następnego dnia nowych ludzi ze swoich hoteli i w ten sposób rozchodzą się wieści o naszym sklepie. Również ceny mamy niższe od cen w hotelowych butikach. Co trzy, cztery dni udaję się do Mombasy po nowy towar.

Ponieważ wielu pyta o ozdoby ze złota, poszukuję odpowiedniej gabloty. Nie jest to takie proste, ale w końcu znajduję warsztat, który zrobi mi ją na zamówienie. Tydzień później mogę ją odebrać. Zabieram wszystkie koce i parkuję zaraz przy warsztacie. Czterech mężczyzn zanosi ciężką oszkloną szafkę do samochodu. Nie było mnie ledwo dziesięć minut, a koce już ukradziono, pomimo że zamknęłam auto. Zamek od strony kierowcy jest wyłamany. Właściciel warsztatu pożycza mi stare worki i kartony, żebym miała czym wyścielić przynajmniej spód samochodu. Złości mnie ta utrata szwajcarskich koców. Lketinga z pewnością też będzie zmartwiony zniknięciem jego czerwonego pledu. Rozzłoszczona jadę z powrotem na południowe wybrzeże.

W sklepie jest tylko William, który zadowolony wychodzi mi naprzeciw i opowiada, że sprzedał towaru za osiemset szylingów. Cieszę się razem z nim. Ponieważ nie jesteśmy w stanie sami wyładować szafki, idzie na plażę, aby poszukać kogoś, kto nam pomoże. Po pół godzinie zjawia się z trzema Masajami, którzy ostrożnie wyładowują i stawiają na wyznaczonym miejscu ciężką witrynę. Za przysługę daję każdemu po wodzie sodowej i po dziesięć szylingów. Układam modne ozdoby w szafce, a pozostali, wraz z Napirai i niańką, piją przed sklepem wodę.

Jak zazwyczaj, gdy wszystko jest już zrobione, pojawia się mój mąż. Towarzyszy mu mąż naszej niańki. Wrzeszczy na nią groźnie, a obcy Masajowie natychmiast się oddalają. Wystraszona pytam, co się dzieje, i dowiaduję się od Williama, że mąż niańki nie życzy sobie, aby jego żona siedziała z innymi mężczyznami. Jeśli jeszcze raz ją na tym złapie, nie będzie tu więcej pracować. Niestety, nie wolno mi się wtrącać; mogę się tylko cieszyć, że Lketinga nie zaczyna również mnie wymyślać. Jestem przerażona zachowaniem męża niańki i żal mi jej, gdy tak stoi nieco z boku ze spuszczoną głową.

Dzięki Bogu, wchodzą klienci i William rzuca się w ich stronę z zapałem. Z rozmowy wnioskuję, że są to Szwajcarzy, i zagaduję ich. Pochodzą z Bielu. Jestem ciekawa nowinek z mego rodzinnego miasta. Rozmawiamy i po jakimś czasie zapraszają mnie na piwo do baru w chińskiej restauracji. Pytam Lketingę, czy się zgadza. „Dlaczego nie, Corinne, żaden problem, jeśli znasz tych ludzi” – odpowiada wielkodusznie. Naturalnie nie znam tej pary, która jest mniej więcej w moim wieku, ale może znają moich byłych przyjaciół.

Spędzamy godzinę przy barze i żegnamy się. Ledwo wracam, zaczyna się wypytywanie. Skąd znam tych ludzi? Dlaczego tak dużo śmiałam się do tego mężczyzny? Czy jest on przyjacielem Marca albo może był moim chłopakiem? Pytanie goni pytanie i ciągle na nowo: „Corinne, możesz mi powiedzieć. Wiem, żaden problem, teraz ten mężczyzna ma inną kobietę. Powiedz mi, spałaś z nim może, zanim przyjechałaś do Kenii?”. Nie jestem w stanie tego wszystkiego słuchać i zatykam uszy, a po twarzy cieką mi łzy. Z wściekłości mogłabym tylko na niego nawrzeszczeć.

Wreszcie nadchodzi koniec pracy i wracamy do domu. William naturalnie słyszał wszystko i doniósł Priscilli. W każdym razie przychodzi do nas i pyta, czy mamy jakieś kłopoty. Nie mogę się powstrzymać i opowiadam jej o całym zajściu. Próbuje przemówić Lketindze do rozsądku, a ja kładę się z Napirai spać. Za dwa tygodnie przyjedzie moja siostra i jeśli będę miała szczęście, Lketinga wróci do rodzinnej wioski. Kłótnie są coraz częstsze, a po dobrych chęciach, jakie deklarował po wizycie mego brata, nie został nawet ślad.

Każdego dnia wstaję o siódmej rano, a o dziewiątej jestem w sklepie. Prawie codziennie przychodzą domokrążcy, którzy proponują rzeźby lub złote ozdoby. Ten sposób uzupełniania zestawu towarów jest dla mnie dużym udogodnieniem. Mogę jednak z niego korzystać tylko wtedy, gdy Lketingi nie ma akurat w sklepie, ponieważ zachowuje się okropnie. Każdy domokrążca zazwyczaj zwraca się najpierw do mnie, czego mąż nie może ścierpieć. Odsyła ich, mówiąc, że mają wrócić, gdy będą wiedzieli, do kogo właściwie należy ten sklep, w końcu jest tam napisane „Sidais-Massai-Shop".

Na szczęście William stanowi prawdziwą pomoc, gdyż wykrada się cichaczem i mówi domokrążcom, aby przyszli po południu, kiedy Lketinga będzie w Ukundzie. I tak upływa kolejny cały tydzień, aż w końcu mąż wyjeżdża do Barsaloi. Ma zamiar wrócić za trzy tygodnie, aby poznać Sabine podczas ostatniego tygodnia jej urlopu.

Każdego dnia jeździmy razem z Williamem do sklepu. Niańka najczęściej już tam jest albo spotykamy ją w drodze do pracy. Od jakiegoś czasu wielu turystów zjawia się z samego rana. Często są to Włosi, Amerykanie, Anglicy lub Niemcy. Bardzo mi się podobają beztroskie rozmowy z nimi wszystkimi. William wyskakuje bez poganiania na ulicę i ten sposób wabienia klientów funkcjonuje coraz lepiej. Bywają dni, kiedy poza innymi towarami sprzedajemy po trzy złote łańcuszki z godłem Kenii. Pewien handlarz odwiedza nas dwa razy w tygodniu, toteż mogę nawet przyjmować zamówienia od klientów.

W południe regularnie zamykamy na półtorej godziny i idziemy do Sophii. Wreszcie mogę beztrosko jeść u niej spaghetti i sałatę. Niedawno otworzyła restaurację, pomimo że nadal nie ma zezwolenia na pracę. Za każdym razem cieszy się, gdy nasze dziewczynki bawią się razem. Naturalnie płacę także za obiad Williama, ponieważ kosztuje on prawie połowę jego miesięcznego zarobku. Gdy pewnego razu to zauważa, nie chce więcej z nami chodzić. Ale bez niego nie mogłabym zabierać ze sobą Napirai autem. Jako że tak gorliwie pracuje, chętnie go zapraszam. Niańka chodzi codziennie na obiad do domu.

Utarg mam taki, że w każde południe zanoszę pieniądze do banku. Nie ma już żadnych problemów z samochodem. Raz w tygodniu jadę do Mombasy i robię zakupy, resztę nabywam od wędrownych handlarzy. Czuję się świetnie jako kobieta interesu. Są to pierwsze spokojne dni w sklepie.

W drugim tygodniu sierpnia Sabine przybywa do Africa-Sea-Lodge. W dniu jej przyjazdu udaję z Priscillą i Napirai do hotelu, a William zajmuje się sklepem. Bardzo cieszymy się ze spotkania. Po raz pierwszy spędza urlop na innym kontynencie. Niestety, nie mam teraz zbyt wiele czasu dla niej, muszę zaraz wrócić do sklepu. I tak najpierw będzie leżała cały dzień plackiem na słońcu. Umawiamy się na wieczór po zamknięciu sklepu przy barze hotelowym. Gdy zjawiam się, zabieram ją od razu do naszego osiedla. Dziwi się, jak mieszkamy, ale nawet jej się tu podoba.

W sąsiednim pokoju znajduje się kilku wojowników. Zaciekawieni pytają, kim jest ta nowa dziewczyna, i niebawem już wszyscy zalecają się do siostry. Wygląda na to, że również ona jest nimi zafascynowana. Uprzedzam ją jednak, daję dobre rady i opowiadam o swym ciężkim życiu z Lketingą. Tak naprawdę nie potrafi sobie tego wszystkiego wyobrazić i czuje się zawiedziona, że go nie ma.

Chce wracać do hotelu na kolację, tak więc zawożę ją, a kilku wojowników korzysta z okazji i zabiera się z nami. Wysadzam wszystkich przed hotelem i umawiam się z Sabine na jutro wieczór przy barze. Ruszając, widzę, że nadal rozmawia z Masajami. Idę do Priscilli i jemy wspólnie. Teraz, kiedy nie ma Lketingi, gotujemy na zmianę.

Następnego popołudnia Sabine zjawia się niespodziewanie w sklepie z Edym. Poznali się wczoraj w Bush-Baby-Disco. Ma dopiero osiemnaście lat i chce korzystać z nocnego życia. Mam złe przeczucie, widząc ich oboje, chociaż bardzo lubię Edy'ego. Najwięcej czasu spędzają na basenie należącym do hotelu.

Pracuję w sklepie i rzadko widzę siostrę, gdyż dużo przebywa z Edym. Od czasu do czasu spotykam się z nią na osiedlu przy herbacie. Oczywiście chciałaby, abyśmy poszły wspólnie na dyskotekę, ale nie mogę ze względu na Napirai. Poza tym miałabym wielkie kłopoty po powrocie Lketingi. Siostra tego nie rozumie, gdyż zawsze byłam takim niezależnym człowiekiem. Ale ona nie poznała jeszcze mego męża.

GORZKIE ROZCZAROWANIE

Osiem dni później. William i ja siedzimy w sklepie. Jest nieznośnie gorąco i dlatego panuje niewielki ruch. Mimo to możemy być zadowoleni z obrotu, o jakim Sophia obecnie mogłaby tylko marzyć. Siedzę na progu sklepu, a Napirai, mimo swoich trzynastu miesięcy, ssie zadowolona moją pierś, gdy nagle jakiś wysoki mężczyzna wychodzi zza sklepu Hindusa i zbliża się w naszym kierunku.

Potrzebuję kilku sekund, zanim wreszcie rozpoznaję w nadchodzącym Lketinge. Czekam, aż pojawi się we mnie jakieś radosne uczucie, lecz pozostaję niewzruszona. Jego widok zbija mnie mocno z tropu. Długie, czerwone włosy obciął na krótko i brakuje mu niektórych ozdób na głowie. To mogłabym od biedy zaakceptować, lecz w tym swoim nowym ubraniu wygląda po prostu śmiesznie. Ma na sobie staromodną koszulę i ciemnoczerwone dżinsy, o wiele za ciasne i w dodatku przykrótkie. Stopy tkwią w tanich plastikowych półbutach, a jego chód, zazwyczaj tak lekki, jest teraz niezgrabny i sztywny. „Corinne, dlaczego nie witasz mnie? Nie cieszysz się, że jestem tutaj?". Dopiero teraz uzmysławiam sobie, jak musiałam na niego wytrzeszczać oczy. Aby wrócić do równowagi, biorę Napirai i pokazuję jej tatę. Radośnie bierze ją na ręce. Także i ona sprawia wrażenie, jakby była niepewna, gdyż od razu chce z powrotem do mnie.

Wkracza do sklepu i wszystko sprawdza. Widząc nowe pasy masajskie, chce się dowiedzieć, skąd je mam. „Od Priscilli" – brzmi moja odpowiedź. Usuwa je i mówi, że później jej odda, nie chce brać od niej nic w komis. Złość wzbiera we mnie i w mgnieniu oka dostaję skurczów żołądka. „Corinne, gdzie jest twoja siostra?" – pyta. „Nie wiem, może w hotelu" – odpowiadam powściągliwie. Domaga się kluczyków od wozu i chce ją odwiedzić, pomimo że nawet nie wie, jak wygląda.

Godzinę później wraca, naturalnie nie znalazłszy jej. Za to kupił w Ukundzie *miraa*. Zasiada przed wejściem i zaczyna żuć. Po krótkim czasie wszędzie walają się liście i ogryzione łodygi. Proponuję, aby poszedł sobie gdzieś indziej z tym zielskiem, co on odbiera, jakby chciała się go pozbyć. Drobiazgowo wypytuje o wszystko Williama.

Niewiele dowiaduję się od niego o domu i Jamesie. Odczekał tylko do obrzezania, a potem przedwcześnie opuścił uroczystość. Ostrożnie pytam, gdzie są jego *kangi* i dlaczego obciął włosy. *Kangi* są w torbie, tak samo jak włosy. Nie jest już teraz wojownikiem i dlatego *kangi* są mu niepotrzebne.

Proszę, aby się zastanowił nad tym, że większość Masajów w Mombasie nosi nadal tradycyjny ubiór, ozdoby i długie włosy, i że byłoby korzystne dla naszego interesu, gdyby też to robił, na co on odpowiada, że wszyscy inni bardziej mi się podobają. A przecież życzę sobie tylko, żeby przynajmniej koszulę i dżinsy zamienił na *kangi*, ponieważ w tym prostym ubiorze o wiele lepiej wygląda. Na razie się poddaję.

Kiedy przychodzimy do domu, Sabine siedzi obok z Edym i innymi wojownikami przed ich mieszkaniem. Przedstawiam ją mężowi. Wita się z nią radośnie. Sabine patrzy na mnie nieco zaskoczona. Oczywiście ją również dziwi jego strój. Z kolei Lketinga jakoś wcale nie zastanawia się nad tym, dlaczego Sabine siedzi tutaj.

Pół godziny później Sabine chce wracać do hotelu na kolację. Jest to dla mnie jedyna możliwość zamienienia z nią kilku słów, tak więc proponuję Lketindze, że odwiozę ją szybko do hotelu, a on zajmie się przez dziesięć minut Napirai. Na to jednak się nie zgadza, to on ją zawiezie. Siostra patrzy na mnie z przerażeniem i mówi, że pod żadnym pozorem nie wsiądzie do wozu, jeśli on będzie kierował. Nie zna go wcale, a poza tym nie wygląda na takiego, który znałby się na prowadzeniu samochodu. Nie wiem, jak mam się zachować, o czym ją informuję. Zwracając się do Lketingi, mówi: „Dziękuję, ale będzie lepiej, jeśli pójdę do hotelu na piechotę z Edym". Na moment wstrzymuję oddech i zastanawiam się, co się teraz będzie działo. Lketinga śmieje się i odpiera: „Dlaczego masz iść z nim? Jesteś siostrą Corinne. To tak, jakbyś była moją siostrą".

Gdy wszystkie jego wysiłki spełzają na niczym, chce się umówić z nią wieczorem w Bush-Baby-Bar, gdyż nie może przecież pozwolić, aby poszła tam sama. Sabine, nieco poirytowana, mówi: „Nie ma problemu, pójdę z Edym, a ty zostań z Corinne albo przyjdź razem z nią". Poznaję po nim, że wreszcie pojął, co tu jest grane. Sabine korzysta z okazji i znika z Edym. Zajmuję się Napirai. Lketinga długo nic nie mówi, tylko żuje *miraa*. Potem mam mu zdać relację z każdego wieczoru. Wymieniam odwiedziny u Priscilli, mieszkającej od nas trzydzieści metrów. Poza tym zawsze chodziłam wcześnie do łóżka.

A kto leżał wtedy przy mnie, pyta. Jest dla mnie jasne, w jakim kierunku to wszystko zmierza, i odpowiadam nieco ostrzej: „Napirai!". Śmieje się i żuje dalej.

Idę spać, pełna nadziei, że jeszcze długo zostanie na dworze, gdyż nie mam absolutnie ochoty na to, aby mnie dotykał. Dopiero teraz tak naprawdę uzmysławiam sobie, jak bardzo obojętny stał mi się ten mężczyzna. Po dwóch i pół tygodniu swobody szczególnie ciężko przychodzi mi teraz prowadzenie wspólnego życia pod taką presją.

Po jakimś czasie Lketinga przychodzi do łóżka. Udaję, że śpię, i leżę z Napirai całkiem przy ścianie. Zagaduje mnie, ale nie reaguję. Gdy próbuje dobierać się do mnie, co w innych okolicznościach byłoby normalne po tak długim okresie rozłąki, robi mi się niedobrze ze strachu. Po prostu nie chcę i nie mogę. Zbyt wielkie jest moje ponowne rozczarowanie. Odsuwam go i mówię: „Może jutro". „Corinne, jesteś moją żoną, nie widziałem cię od tak dawna. Chcę od ciebie miłości! A może ty dostałaś wystarczająco miłości od innego mężczyzny!". „Nie, nie dostałam żadnej miłości. Nie potrzebuję miłości!" – krzyczę doprowadzona do ostateczności.

Ludzie oczywiście słyszą, jak się kłócimy, ale nie potrafię zapanować nad sobą. Dochodzi do rękoczynów. Napirai budzi się i wybucha płaczem. Lketinga wstaje wściekły z łóżka, zakłada ozdoby i *kangi* i wynosi się. Napirai krzyczy i nie można jej uspokoić. Nagle w pokoju pojawia się Priscilla i bierze ode mnie Napirai. Kompletnie wykończona, nie mogę rozmawiać z nią o moich problemach. Mówię jej tylko, że Lketinga zwariował do reszty. Uspokajająco odpiera, że wszyscy mężczyźni są tacy, ale mimo to nie wolno nam się tak wydzierać, bo inaczej będą problemy z właścicielem. Potem wraca do siebie.

Gdy następnego dnia udaję się jak zazwyczaj z Williamem do sklepu, nie wiem, gdzie mąż spędził noc. Nastrój jest przygnębiający, niańka i William niewiele się odzywają. Cieszymy się z wizyt turystów, bo to przynosi jakąś odmianę, ja jednak dzisiaj nie obsługuję.

Lketinga pojawia się dopiero koło południa. Bez przerwy pogania Williama. Sam nie wychodzi już na ulicę, aby rozdawać ulotki, tylko posyła Williama. Potem nie chce go zabrać na obiad, pomimo że jedziemy tylko do Ukundy. Nie wolno mi także zajść do Sophii, gdyż nie rozumie, co takiego ważnego mogę mieć z nią do omówienia.

Mam wrażenie, że od kilku dni brakuje pieniędzy w kasie. Całkowitej pewności jednak nie mam, gdyż nie jeżdżę już codziennie do banku. Także mąż bierze od czasu do czasu pieniądze, a ja nabywam od handlarzy towary, za które od ręki płacę. Ale odnoszę wrażenie, że coś jest nie w porządku. Nie odważam się jednak zagadnąć o to męża.

Urlop siostry dobiega końca, nie udało nam się spędzić zbyt wiele czasu razem. W przedostatni dzień idziemy wieczorem z nią i Edym na dyskotekę. Takie było jej życzenie, prawdopodobnie chciała wziąć mnie trochę między ludzi. Napirai zostawiamy u Priscilli. Podczas gdy Lketinga i ja siedzimy przy stoliku, Sabine i Edy bawią się wesoło. Po raz pierwszy od dawna znowu piję alkohol. Wędruję w myślach do czasów, gdy byłam tutaj z Markiem i mało nie omdlałam na widok ukazującego się w drzwiach Lketingi. Tyle się od tego czasu wydarzyło! Ukrywam łzy, które cisną mi się do oczu. Nie chcę zepsuć Sabine pożegnalnego wieczoru, a poza tym nie chcę scysji z mężem. Z pewnością wtedy również był szczęśliwszy niż teraz.

Siostra wraca do stolika i z miejsca spostrzega, że nie czuję się najlepiej. Spieszę do toalety. Gdy spryskuję twarz zimną wodą, przystaje obok i bierze mnie w ramiona. Stoimy w milczeniu. Potem wciska mi papierosa i mówi, że mam go sobie później w spokoju wypalić. Na pewno dobrze mi zrobi, gdyż tytoń zmieszany jest z marihuaną. Gdybym potrzebowała więcej, mam się zaraz zwrócić do Edy'ego.

Wracamy do stolika i Lketinga prosi Sabine do tańca. Gdy podrygują, Edy pyta, czy mam z Lketingą jakieś problemy. „Niekiedy tak" – odpowiadam lakonicznie. Edy chcę również zatańczyć, ale odmawiam. Krótko potem zbieramy się z Lketingą w drogę, gdyż po raz pierwszy zostawiłam Napirai samą u Priscilli i jestem niespokojna. Żegnam się z Sabine, życząc jej szczęśliwej podróży.

W ciemnościach idziemy na osiedle. Już z daleka słyszę córeczkę, ale Priscilla uspokaja mnie, że Napirai dopiero co się przebudziła i domaga się piersi. Lketinga rozmawia z Priscillą, a ja udaję się do pokoju. Gdy Napirai zasypia, siadam na dworze w parnym nocnym powietrzu. Zapalam skręta i zachłannie wciągam dym w płuca. Właśnie gaszę niedopałek, gdy nadchodzi Lketinga. Mam nadzieję, że nic nie poczuł.

Jest mi lepiej i czuję się wolniejsza. Uśmiecham się pod nosem. Gdy zaczyna mi się kręcić w głowie, kładę się na łóżku. Lketinga spostrzega, że jestem zmieniona. Tłumaczę mu, że to z powodu alkoholu, nie jestem przyzwyczajona. Dziś bez trudu przychodzi mi wypełnienie małżeńskich obowiązków. Nawet Lketingę zaskakuje moja gotowość.

Budzę się w nocy, gdyż strasznie chce mi się siusiu. Wychodzę po cichu i załatwiam się zaraz z tyłu za pokojem, ponieważ wychodki są za daleko, a w głowie nadal mi huczy. Gdy wchodzę z powrotem do naszego wielkiego łóżka, mąż rzuca w ciemność pytanie, skąd przychodzę. Przestraszona podaję mu powód. Wstaje, bierze latarkę i żąda, abym pokazała mu miejsce. Nadal jestem na odlocie i wybucham śmiechem, wszystko wydaje mi się takie śmieszne. Lketinga jednak wnioskuje z mojej wesołości, że byłam z kimś umówiona. Nie jestem w stanie traktować tego poważnie i pokazuję mu wilgotną kałużę na ziemi. W milczeniu wracamy do łóżka.

Rano głowa mi pęka i na powrót czuję się nędznie. Po śniadaniu wyruszamy do pracy i po raz pierwszy nie zabieramy Williama, bo nie można go nigdzie znaleźć. Gdy jednak zajeżdżamy przed sklep, już tam stoi. Nic mnie to właściwie nie obchodzi i dlatego nie pytam, gdzie był. Jest zdenerwowany i bardziej powściągliwy niż zazwyczaj. Dziś interes nie idzie zbyt dobrze, a po zamknięciu sklepu spostrzegam, że rzeczywiście ktoś wziął pieniądze z mojej torebki. Ale co mogę zrobić? Częściej obserwuję Williama i męża, jeśli jest obecny. Nic nie rzuca mi się w oczy, a nie sądzę, żeby niańka była do tego zdolna.

Gdy wracam z praniem, Priscilla siedzi u nas i rozmawia z Lketingą. Opowiada, że William każdego wieczoru dużo wydaje w Ukundzie. Powinniśmy bardziej na niego uważać, nie wie, skąd on może mieć tyle pieniędzy. Gdy pomyślę, że mnie okradziono, robi mi się nieprzyjemnie, ale zatrzymuję to dla siebie i postanawiam porozmawiać z Williamem w cztery oczy. Mąż z miejsca by go zwolnił, a wtedy cała robota zostałaby na mojej głowie. Dotychczas byłam z niego bardzo zadowolona.

Dzień potem William przybywa do pracy znowu prosto z Ukundy. Lketinga żąda wyjaśnień, ale chłopak wszystkiemu zaprzecza. Nadchodzą pierwsi turyści i William pracuje jak zwykle. Mąż jedzie do Ukundy. Zakładam, że chce zasięgnąć języka, gdzie widziano Williama.

Kiedy zostaję z chłopakiem sama, mówię mu prosto z mostu, że

wiem, iż kradł mi pieniądze, i to codziennie. Nic nie powiem Lketindze, jeśli mi przyrzeknie, że w przyszłości będzie pracował jak należy. Jedynie pod takim warunkiem go nie zwolnię. Jak tylko za dwa
miesiące zacznie się pełnia sezonu, dostanie podwyżkę. Patrzy na
mnie i nic nie mówi. Jestem pewna, że przykro mu i że tylko dlatego
kradł, aby zemścić się za złe traktowanie przez mego męża. Gdy byliśmy sami, nigdy nie brakowało nawet szylinga.

Lketinga wraca z Ukundy z wieściami, że William spędził noc
w pewnej dyskotece. Ponownie żąda wyjaśnień. Tym razem wtrącam
się i mówię, że przecież wczoraj William dostał zaliczkę. Powoli zapa-
nowuje spokój, ale atmosfera jest napięta.

Po ciężkim dniu pracy odczuwam brak skręta, który mógłby mi
przynieść przyjemne odprężenie, i zastanawiam się, gdzie mogłabym
znaleźć Edy'ego. Dziś już nie przychodzi mi nic do głowy, ale wszak
jutro idę do Africa-Sea-Lodge, aby dać sobie zapleść warkoczyki. Potrwa to z pewnością przynajmniej trzy godziny, tak więc mam dużą
szansę spotkać Edy'ego przy barze.

Po obiedzie jadę samochodem do hotelu. Obie fryzjerki są zajęte,
muszę zatem poczekać pół godziny. Potem zaczyna się bolesna procedura. Moje włosy zostają zaplecione wraz z wełnianymi nitkami
w warkoczyki od dołu aż po górę głowy, a na końcu każdego z nich
tkwią kolorowe szklane paciorki. Jako że obstaję przy wielu cienkich
warkoczykach, trwa to wszystko dłużej niż trzy godziny. Jest prawie
wpół do szóstej, a zaplatanie jeszcze nie dobiegło końca.

SYTUACJA BEZ WYJŚCIA

Nagle nadchodzi mąż z Napirai. Nie rozumiem, co to ma znaczyć,
gdyż przecież wzięłam samochód, a nasz sklep mieści się, bądź co
bądź, kilka kilometrów stąd. Patrzy na zegarek i wrzeszczy na mnie,
gdzie się podziewam tak długo. Jak najspokojniej odpowiadam, że
przecież widzi, dopiero zaraz będę gotowa. Sadza mi na kolanach
kompletnie przepoconą Napirai. Dziecko ma ponadto pełną pielu-
chę. Zirytowana pytam, po co tu z nią przyszedł i gdzie jest niańka.
Posłał ją i Williama do domu i po prostu zamknął sklep. Nie jest
przecież głupi i wie, że byłam z kimś umówiona, inaczej już dawno

bym wróciła. Na nic zdają się wszelkie sprzeciwy, Lketinga jest chory z zazdrości i przekonany, że przed fryzjerem miałam spotkanie z jakimś wojownikiem.

Najszybciej jak to tylko możliwe opuszczamy hotel i jedziemy prosto do domu. Straciłam ochotę do pracy. Nie mieści mi się w głowie, że nie mogę pójść sama na trzy i pół godziny do fryzjera bez tego, żeby mąż nie zaczął szaleć. Tak dalej być nie może. Przepełniona złością i nienawiścią proponuję mężowi, aby pojechał do domu i wziął sobie drugą żonę. Będę wspomagała go finansowo. Ale ma sobie pójść, żebyśmy wreszcie wszyscy mieli święty spokój. Nie mam żadnego kochanka i nie chcę mieć, pragnę tylko pracować i żyć w pokoju. Za dwa lub trzy miesiące może tu wrócić, a wtedy zobaczymy, co będzie dalej.

Moje argumenty nie docierają do Lketingi. Nie chce innej żony, gdyż kocha tylko mnie. Chce, aby było tak jak dawniej, zanim Napirai przyszła na świat. Tego, że wszystko zniszczył tą swoją cholerną zazdrością, nie potrafi pojąć. Swobodnie oddycham jedynie wtedy, gdy go przy mnie nie ma. Kłócimy się i zanoszę się płaczem, nie widzę żadnego wyjścia z sytuacji. Nie mam nawet sił, aby utulić Napirai, gdyż sama czuję się taka nieszczęśliwa. Wydaje mi się, że siedzę w więzieniu. Muszę natychmiast z kimś porozmawiać. Sophia na pewno mnie zrozumie! Gorzej już przecież być nie może, tak więc wsiadam do samochodu i zostawiam męża samego z dzieckiem. Staje na drodze, ale ja tylko dodaję gazu. *You are crazy, Corinne!* – słyszę jeszcze.

Sophia jest bardzo zaskoczona, gdy mnie widzi. Myślała, że wszystko jest w jak najlepszym porządku, gdyż tak długo do niej nie zachodziłam. Kiedy opowiadam o rozmiarach mego nieszczęścia, jest zaszokowana. Z rozpaczy mówię jej, że być może wrócę z powrotem do Szwajcarii, gdyż boję się, że pewnego dnia zdarzy się coś złego. Sophia przekonuje mnie, że teraz kiedy sklep tak dobrze idzie i kiedy mam zezwolenie na pracę, muszę się wziąć w garść. Być może Lketinga pojedzie jednak do domu, w Mombasie nie czuje się przecież najlepiej. Rozmawiamy o wielu sprawach, ale wewnętrznie jestem wypalona. Pytam, czy ma marihuanę. I rzeczywiście, dostaję trochę od jej przyjaciela. Z nieco lżejszym sercem jadę z powrotem i jestem przygotowana na następną awanturę. Ale mąż leży przed domem i bawi się z Napirai. Nie mówi ani słowa. Nie chce nawet wiedzieć, gdzie byłam. To coś nowego.

W pokoju robię prędko skręta i palę. Od razu czuję się lepiej, a wszystko wydaje mi się znośniejsze. Siadam na dworze i rozbawiona przyglądam się córce, jak ciągle na nowo próbuje wdrapać się na drzewo. Przejaśnia mi się w głowie i idę kupić ryż i ziemniaki na kolację. Skręt wywołuje we mnie głód. Później kąpię Napirai w miednicy, a następnie sama udaję się pod prysznic. Zamaczam pieluchy na noc, żeby wyprać je rano przed pójściem do pracy. Potem idę do łóżka. Mąż zawozi wojowników na jakieś występy.

Dni przelatują jak z bicza trzasł i każdego wieczoru palę trawkę. W sprawach intymnych dzieje się teraz więcej nie dlatego, że znajduję w tym przyjemność, lecz dlatego, że jest mi to obojętne. Wiodę jałowe życie. Mechanicznie otwieram sklep i sprzedaję towary razem z Williamem, który pojawia się coraz bardziej nieregularnie. Za to Lketinga jest teraz prawie przez cały dzień w sklepie. Turyści zjawiają się z aparatami i kamerami i wkrótce jesteśmy uwiecznieni na wielu filmach. Mąż nadal domaga się pieniędzy, do czego jednak podchodzę obojętnie. Nie pojmuje, dlaczego właściwie ludzie chcą nam robić zdjęcia. Mówi, że nie jesteśmy przecież małpami, i ma rację.

Turyści ciągle pytają o naszą córkę, gdyż przyjmują, że Napirai, bawiąca się z nianią, jest jej dzieckiem. Muszę wszystkim tłumaczyć, że ta szesnastomiesięczna dziewczynka jest właśnie naszą Napirai. Razem z niańką śmiejemy się z błędnych przypuszczeń, aż w końcu mąż zaczyna się zastanawiać, dlaczego wszyscy ludzie twierdzą to samo. Próbuję go uspokoić, mówiąc, że co nas mogą obchodzić takie pomyłki. Mimo to tak wypytuje poirytowanych klientów, dlaczego od razu nie rozpoznali we mnie matki, że niektórzy przerażeni opuszczają nasz sklep. Również w stosunku do niańki zachowuje się podejrzliwie.

Siostra znajduje się prawie od miesiąca w domu. Edy pojawia się niekiedy, aby zapytać o listy od niej, co Lketinga z czasem błędnie interpretuje. Według niego Edy przychodzi naturalnie z mojego powodu. Pewnego dnia przyłapuje mnie na tym, jak kupuję od Edy'ego marihuanę. Obrzuca mnie wyzwiskami, jakbym była zbrodniarką, i grozi, że doniesie na mnie na policję.

Mój własny mąż chce mnie wsadzić do więzienia! Przecież wie, jak podłe panują tam warunki! W Kenii przepisy dotyczące narkotyków są bardzo ostre. Z olbrzymim trudem Edy powstrzymuje go od pojechania na policję do Ukundy. Stoję całkowicie wytrącona z równowagi i nie jestem nawet w stanie płakać. Bądź co bądź, potrzebuję marihuany, aby móc go jakoś znieść. Muszę mu przyrzec, że nigdy więcej nie będę paliła, inaczej na mnie doniesie. Nie chce żyć z kimś, kto lekceważy przepisy kenijskie. *Miraa* jest wszak dozwolona i dlatego to nie to samo. Mąż przeszukuje teraz moje kieszenie i wącha każdego papierosa, jakiego zapalam. Opowiada o wszystkim Priscilli i każdemu, kto chce słuchać. Naturalnie wszyscy są przerażeni i czuję się podle. Towarzyszy mi nawet, gdy idę do ubikacji. Nie wolno mi chodzić do sklepu na osiedlu. Albo przebywam w naszym sklepie, albo przesiaduję na łóżku w domu. Najważniejsze jest dla mnie dziecko. Zdaje się, że Napirai wyczuwa, jak źle jest ze mną. Prawie przez cały czas nie opuszcza mnie ani na krok i powtarza: „Mama, mama" lub wydaje z siebie inne, niezrozumiałe słowa. Priscilla odsunęła się od nas, gdyż nie chce mieć żadnych kłopotów.

Praca wcale mnie nie cieszy. Lketinga jest stale w pobliżu. Kontroluje mnie albo przesiadując w sklepie, albo z baru w chińskiej restauracji. Potrafi trzy razy dziennie przewrócić do góry nogami moją torebkę. Pewnego razu pojawiają się szwajcarscy turyści. Nie mam ochoty na rozmowy z nimi, tak więc wyjaśniam, że nie czuję się zbyt dobrze i że boli mnie żołądek. Mąż dołącza do nas w momencie, kiedy akurat pewna Szwajcarka podziwia Napirai i niewinnie zauważa jej podobieństwo do niańki. Wyjaśniam klientce, jak się sprawy naprawdę mają, a Lketinga pyta: „Corinne, skąd ci wszyscy ludzie wiedzą, że to dziecko nie jest twoje?". Tymi słowami niszczy we mnie ostatki nadziei i resztę szacunku, jaki miałam do niego.

Jak w transie wstaję i idę do chińskiej restauracji, nie reagując na pytania innych. Proszę właściciela, aby pozwolił mi zatelefonować. Każę połączyć się z biurem linii lotniczych Swissair w Nairobi i pytam o najbliższy lot do Zurychu dla mnie i półtorarocznego dziecka. Trwa to chwilę, zanim udzielają mi informacji, że za cztery dni są jeszcze wolne miejsca. Wiem, że przez telefon nie przyjmuje się zamówień na bilety od osób prywatnych, proszę jednak kobietę jak najusilniej, aby zarezerwowała dla mnie te miejsca. Dopiero na dzień przed odlotem będę w stanie odebrać bilety i zapłacić za nie. Ale to dla mnie bardzo ważne i na pewno będę na miejscu. Serce o mało nie wyskoczy mi z gardła, gdy słyszę jej: „Okay".

Pomału wracam do sklepu i mówię bez owijania w bawełnę, że lecę do Szwajcarii na urlop. Początkowo Lketinga śmieje się niepewnie, a potem oświadcza, że bez Napirai mogę jechać, gdyż wtedy będzie pewny, że wrócę. Zmęczona odpowiadam, że moje dziecko leci ze mną. Wrócę jak zawsze, ale po całym tym stresie ze sklepem potrzebuję odpoczynku przed grudniową pełnią sezonu. Lketinga nie zgadza się i nie ma zamiaru podpisać mi zezwolenia na wyjazd. Mimo to dwa dni potem pakuję się. Priscilla oraz Sophia rozmawiają z nim. Wszyscy są przekonani, że wrócę.

UCIECZKA

W ostatni dzień stawiam wszystko na jedną szalę. Mąż życzy sobie, abym zapakowała tylko trochę rzeczy dla Napirai. Wręczam mu karty bankowe, żeby go przekonać, iż wrócę. Bo któż dobrowolnie zrzeka się takiej masy pieniędzy, samochodu i całkowicie urządzonego sklepu?

Wahając się, czy ma mi wierzyć, czy też nie, towarzyszy nam do Mombasy. Zostało nam już niewiele czasu do odjazdu do Nairobi, a on nadal nie podpisał jeszcze zgody. Po raz ostatni proszę go, aby to zrobił, gdyż tak czy inaczej pojadę. Czuję się tak wewnętrznie wypalona, tak wyprana z wszelkich uczuć, że nie jestem nawet w stanie płakać.

Kierowca zapuszcza silnik. Lketinga stoi przy nas w autobusie i jakiś pasażer po raz kolejny tłumaczy mu napisaną przeze mnie kartkę, na której można przeczytać, że dostałam zezwolenie od mego męża, Lketingi Leparmorijo, na opuszczenie wspólnie z naszą córką Napirai Kenii w celu odbycia trzytygodniowego urlopu w Szwajcarii.

Kierowca autobusu trąbi po raz trzeci. Lketinga gryzmoli swój podpis na papierze i mówi: „Nie wiem, czy jeszcze kiedyś zobaczę ciebie i Napirai!". Potem wyskakuje z autobusu, a my ruszamy. Dopiero teraz płyną mi z oczu łzy. Patrzę przez okno i spojrzeniem żegnam przesuwające się, tak mi bliskie obrazy.

Drogi Lketingo,

Ufam, że wybaczysz mi to, o czym Cię muszę powiadomić. Nie wrócę do Kenii.

Wiele o nas myślałam. Ponad trzy i pół roku temu tak bardzo Cię kochałam, że byłam gotowa zamieszkać z Tobą w Barsaloi. Urodziłam Ci także córkę. Ale od tego dnia, kiedy mi zarzuciłeś, że dziecko nie jest Twoje, zmieniły się moje uczucia do Ciebie. Też to zauważyłeś.

Nigdy nie chciałam nikogo innego oprócz Ciebie i nigdy Cię nie okłamałam. Ale we wszystkich tych latach nigdy mnie nie rozumiałeś, może dlatego, że jestem jedną z mzungu. Nasze światy bardzo się różnią, ale myślałam, że pewnego dnia znajdziemy się razem we wspólnym świecie.

Ale teraz, po tej ostatniej szansie, jaką mieliśmy w Mombasie, pojęłam, że nie jesteś szczęśliwy i ja również nie jestem. Nadal jesteśmy młodzi i nie możemy tak dalej żyć. W obecnej chwili mnie nie zrozumiesz, jednak po jakimś czasie także i Ty zobaczysz, że z kimś innym możesz być na powrót szczęśliwy. Łatwo Ci będzie znaleźć nową żonę z Twojego świata. Szukaj jednak kobiety Samburu, a nie znowu białej, zbyt się różnimy. Pewnego dnia będziesz miał wiele dzieci.

Zabrałam Napirai ze sobą, gdyż tylko ona mi pozostała. Wiem, że nie mogę mieć więcej dzieci. Bez Napirai nie mogłabym dalej żyć. Ona jest moim życiem! Proszę Cię, proszę, Lketinga, wybacz mi! Nie jestem już taka silna, aby żyć w Kenii. Byłam tam zawsze bardzo samotna, nie miałam nikogo, a Ty traktowałeś mnie jak przestępcę. Sam tego nie dostrzegałeś, gdyż to jest Afryka! Powtarzam raz jeszcze: nigdy nie zrobiłam niczego niewłaściwego.

Musisz zastanowić się, co zrobisz ze sklepem. Piszę również do Sophii, może Ci pomóc. Cały sklep daję Ci w prezencie. Ale jeśli będziesz chciał go sprzedać, musisz pertraktować z Anilem, Hindusem.

Jak tylko będę mogła, będę Cię stąd wspomagała. Nie opuszczę Cię w biedzie. Gdybyś miał problemy, powiedz o tym Sophii. Czynsz za sklep jest zapłacony do połowy grudnia; jeśli jednak nie masz zamiaru prowadzić go dalej, musisz koniecznie porozmawiać z Anilem. Podarowuję Ci również samochód. Dołączam do tego listu podpisane odpowiednie oświadczenie. Jeśli zechcesz sprzedać samochód, dostaniesz za niego przynajmniej osiemdziesiąt tysięcy szylingów, ale musisz znaleźć kogoś odpowiedniego, kto Ci pomoże. Potem będziesz bogatym człowiekiem.

Lketingo, proszę Cię, nie smuć się. Znajdziesz sobie lepszą żonę, bo jesteś młody i piękny. Postaram się, aby Napirai zachowała o Tobie jak najlepsze zdanie. Proszę, zrozum mnie! Umarłabym w Kenii, a nie sądzę, żebyś tego chciał. Moja rodzina nie myśli o Tobie źle, nadal Cię lubią, jednakże zbyt się różnimy.

Moc pozdrowień od Corinne z Rodziną

Drogi Jamesie,

Mam nadzieję, że u Ciebie wszystko w porządku. Jestem w Szwajcarii i bardzo mi smutno. Stało się dla mnie jasne, że nigdy już nie wrócę do Kenii. Napisałam o tym dzisiaj do Lketingi, ponieważ mam za mało sił, aby żyć z Twoim bratem. Czułam się bardzo osamotniona, gdyż jestem biała. Widziałeś, co się działo. Dałam mu nową szansę w Mombasie, ale nie było wcale lepiej, tylko jeszcze gorzej. A przecież kiedyś tak go kochałam! Ale po kłótni z powodu Napirai ta miłość doznała znacznego uszczerbku. Od tego dnia jedynie się kłóciliśmy, od rana do wieczora. Ciągle jest podejrzliwy. Nie sądzę, żeby wiedział, co to jest miłość, gdyż jeśli się kogoś kocha, to takich rzeczy się nie mówi.

Mombasa była moją ostatnią nadzieją, lecz on się nie zmienił. Czułam się jak w więzieniu. Otworzyliśmy niczego sobie sklep, ale nie sądzę, że potrafi go sam prowadzić. Pojedź, proszę, jak najszybciej do Mombasy i porozmawiaj z nim! Nie ma już teraz nikogo, jest zupełnie sam. Jeśli będzie chciał sprzedać sklep, mogę zadzwonić do Anila, ale muszę wiedzieć, co Lketinga planuje. Samochód również może zatrzymać. James, proszę Cię, udaj się jak najszybciej do Mombasy, gdyż Lketinga bardzo Cię będzie potrzebował, gdy otrzyma list ode mnie. Będę starała się mu pomagać ze Szwajcarii, jak potrafię. Jeśli wszystko sprzeda, stanie się bogatym człowiekiem. Będzie musiał jednak uważać, gdyż inaczej pieniądze rozejdą się szybko na wielką rodzinę. Nie wiem, jak teraz funkcjonuje sklep beze mnie, ale wcześniej interes prosperował dobrze. Idź, proszę, i sprawdź, gdyż w sklep zostało włożone mnóstwo pieniędzy w postaci ozdób ze złota i innych rzeczy. Nie chcę, aby oszukano Lketingę. Żywię nadzieję, że wszyscy *wybaczą mi to, co musiałam zrobić. Jeśli wróciłabym do Kenii, bardzo szybko bym tam umarła.*

Wytłumacz wszystko, proszę, mamie. Kocham ją i nigdy jej nie zapomnę. Nie mogę, niestety, z nią porozmawiać. Opowiedz jej, że próbowałam wszystkiego, aby żyć z Lketingą. Jego głowa żyje jednak w zupełnie innym świecie. Napisz do mnie, proszę, zaraz, gdy tylko otrzymasz ten list. Sama mam również wiele problemów, gdyż nie wiem, czy będę mogła zostać w Szwajcarii. Jeśli nie, pojadę do Niemiec. Przez następne trzy miesiące będę mieszkała u swojej matki.

Gorące pozdrowienia od Corinne

Drogi Ojcze Giulianie,

Od 6 października 1990 roku jestem w Szwajcarii. Nie wrócę do Kenii. Nie jestem już na tyle silna, aby żyć ze swoim małżonkiem. Zawiadomiłam go o tym listownie przed dwoma tygodniami. Teraz czekam na jego odpowiedź. Mocno go to dotknie, gdyż pozostawiłam go w przekonaniu, iż do Szwajcarii udaję się na urlop. W przeciwnym razie nigdy nie pozwoliłby mi razem z Napirai opuścić kraju.

Jak Pan wie, otworzyliśmy na południowym wybrzeżu wspaniały sklep. Od pierwszego dnia robiliśmy dobre interesy. Jednakże mój małżonek nie zmienił się na lepsze. Był bardzo zazdrosny, nawet o to, że rozmawiam z turystami. Przez wszystkie te lata nigdy mi nie ufał. W Mombasie czułam się jak w więzieniu. Przez cały czas tylko się kłóciliśmy, co także nie było dobre dla Napirai.

Mój mąż ma dobre serce, ale coś jest nie w porządku z jego głową. Ciężko przychodzi mi powiedzenie tego, ale nie jestem w swoim osądzie osamotniona. Opuścili nas wszyscy przyjaciele. Nawet niektórzy turyści bali się go. Nie każdego dnia było źle, lecz ostatnio prawie codziennie. Zostawiłam mu wszystko: sklep, auto itd. Może to sprzedać i wrócić do Barsaloi jako bogaty człowiek. Byłabym szczęśliwa, gdyby dostał dobrą żonę i miał dużo dzieci.

Wkładam do koperty nieco szylingów kenijskich, proszę je przekazać matce mego męża. Mam jeszcze pieniądze w banku Barclays. Może mógł-

by się Pan o to zatroszczyć, aby mama je otrzymała? Bardzo byłabym Panu za to wdzięczna. Proszę dać mi znać.

Napisałam do Pana ten list, aby zrozumiał mnie Pan, gdy pewnego dnia usłyszy o tych wydarzeniach. Proszę mi wierzyć, starałam się dać z siebie wszystko. Ufam, że również Bóg mi wybaczy.

Moc pozdrowień od Corinne i Napirai

Witaj, Sophio!

Dopiero co rozmawiałam z Tobą i Lketingą przez telefon. Jestem bardzo smutna i bez przerwy płaczę. Powiedziałam Ci, że więcej nie wrócę. I to jest prawda. Było to dla mnie jasne, jeszcze zanim dotarłam do Szwajcarii. Ty również znasz trochę mego męża. Kochałam go tak, jak nikogo przedtem w życiu! Dla niego byłam gotowa prowadzić życie, jakie wiodą Samburu. Bardzo często byłam chora w Barsaloi, ale nie wyjeżdżałam stamtąd, gdyż go kochałam. Wiele się zmieniło po tym, jak wydałam Napirai na świat. Pewnego dnia stwierdził, że to dziecko nie jest jego. Od tamtej chwili coś we mnie pękło. Dni mijały, raz było gorzej, to znów lepiej, ale on często traktował mnie źle.

Sophio, mówię Ci przed Bogiem, nigdy nie miałam żadnego innego mężczyzny, nigdy! A mimo to musiałam wysłuchiwać tego wszystkiego od rana do wieczora. W Mombasie dałam mojemu mężowi i sobie jeszcze jedną szansę. Ale nie mogę tak dłużej żyć. On sam tego nawet nie zauważa! Zrezygnowałam ze wszystkiego, nawet z mojej ojczyzny. Pewnie, ja również się zmieniłam, myślę jednak, że biorąc pod uwagę wszystkie okoliczności, jest to normalne. Jest mi przykro z jego i z mojego powodu. Gdzie będę żyła w przyszłości, tego jeszcze nie wiem.

Moim największym problemem jest Lketinga. Teraz nie ma już nikogo do sklepu, a sam nie jest w stanie prowadzić interesów. Daj mi, proszę, znać, czy chce zatrzymać sklep. Byłabym szczęśliwa, gdyby dał sobie z nim radę. Jeśli jednak nie, niech wszystko sprzeda. To samo dotyczy samochodu. Napirai pozostanie przy mnie. Wiem, że będzie w ten sposób szczęśliwsza. Sophia, proszę Cię, zatroszcz się trochę o Lketingę, czeka go teraz wiele problemów. Niestety, nie mogę mu zbyt wiele pomóc. Gdybym wróciła do Kenii, nigdy więcej nie pozwoliłby mi wyjechać do Szwajcarii.

Liczę na to, że jego brat James przybędzie do Mombasy. Napisałam do niego. Porozmawiaj z nim, proszę, to mu pomoże. Jestem świadoma, że Ty również masz wiele swoich problemów, i mam nadzieję, że wkrótce się ich pozbędziesz. Życzę Ci pomyślności i żebyś znalazła jakąś nową białą przyjaciółkę. Napirai i ja nigdy Was nie zapomnimy.

Życzę Ci wszystkiego dobrego i pozdrawiam Cię,
Corinne

SPIS TREŚCI

Lketinga

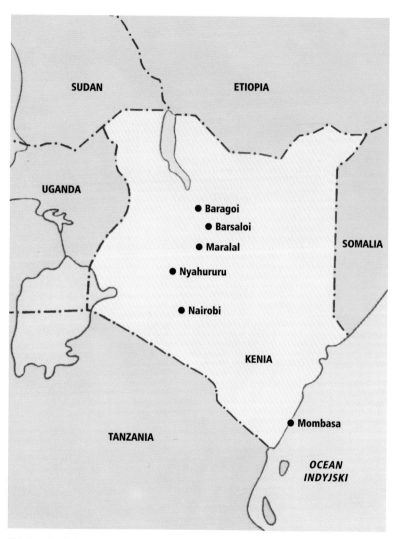

Najważniejsze miejsca pobytu w Kenii

Lketinga z ozdobami na głowie i świeżoufarbowanymi, czerwonymi włosami

Nad rzeką podczas nabierania wody

W tym pierwszym domostwie żyłam ponad rok wspólnie
z Lketingą i jego matką

Przed nową *manyattą*

Wesele w bieli

Napirai z dumnymi rodzicami

Przy stadzie

Przy uboju krowy w buszu, w środku zdjęcia siostry
Lketingi

Mama Masulani, matka Lketingi, z Suguną i trzema
innymi wnuczętami